Il neige sur Central Park

NORA ROBERTS

Il neige sur Central Park

roman

Traduction de l'anglais (Etats-Unis) par
EMMANUELLE SANDER
AGATHE PASSANT
FABRICE CANEPA

HarperCollins

Titres originaux :
LOCAL HERO
SEARCH FOR LOVE
RULES OF THE GAME

HARPERCOLLINS FRANCE
83-85, boulevard Vincent-Auriol, 75646 PARIS CEDEX 13
Tél. : 01 42 16 63 63

ISBN 979-1-0339-0006-1 — ISSN 2261-4540

SI PRÈS DE TOI

1

*Z*ark poussa un gémissement douloureux, peut-être le dernier. Son vaisseau était presque à court d'oxygène et il ne lui restait plus beaucoup de temps. Dans quelques secondes, il verrait sa vie défiler devant ses yeux. Il pouvait au moins s'estimer heureux d'être seul : personne ne serait le témoin de ses joies et de ses erreurs.

Et surtout pas Leilah. Il en revenait toujours à elle. Entre chaque râle, il revoyait le visage rayonnant, les yeux azur et les cheveux blonds de son seul et unique amour. Au milieu des hurlements de sirène qui résonnaient dans le cockpit, il croyait entendre son rire. Tendre, doux. Puis moqueur.

— Sous le soleil rouge, comme nous avons été heureux ensemble ! murmura-t-il d'une voix haletante en se traînant sur le sol pour atteindre le poste de commande. Nous avons été amants, partenaires, amis.

La douleur s'amplifia et lui brûla les poumons, les transperçant telle une myriade de couteaux empoisonnés sortis tout droit des entrailles d'Argenham. Il ne pouvait pas gaspiller son oxygène en vaines paroles. Mais ses pensées... même en cet instant, elles restaient tournées vers Leilah.

Dire que la seule femme qu'il ait jamais aimée pouvait être la cause de son anéantissement suprême ! Du sien, et du monde tel qu'ils le connaissaient. Par quel terrible coup du sort cet accident avait-il pu transformer une honnête scientifique en diabolique force du mal ?

La femme qui était devenue son ennemie avait aussi été son épouse. Elle l'était toujours, songea Zark en se hissant pénible-

ment vers le poste de commande. Si jamais il survivait, et s'il parvenait à l'empêcher de détruire toute forme de civilisation sur Perth, il allait devoir se lancer à sa poursuite et la détruire. S'il en trouvait la force.

Le commandant Zark, défenseur de l'univers, président de Perth, héros et mari, appuya d'une main tremblante sur le bouton...

La suite de ses fascinantes aventures dans le prochain numéro!

— Bon sang! maugréa Radley Wallace.

D'un rapide coup d'œil, il s'assura que sa mère n'avait rien entendu. Cela faisait six mois qu'il avait commencé à jurer à voix basse et il n'avait pas hâte de se faire surprendre. Sa mère ne manquerait pas de lui faire les gros yeux.

Heureusement pour lui, elle était trop occupée à défaire les premiers cartons que les déménageurs venaient de livrer. Radley était censé ranger ses livres, mais il avait décidé de faire une petite pause. Se détendre avec une bande dessinée Universal Comics du commandant Zark était son activité favorite. Sa mère préférait qu'il lise de vrais livres, mais ceux-ci ne contenaient pas assez d'illustrations à son goût. Pour lui, Zark surpassait de loin Long John Silver et Huck Finn.

Allongé sur le dos, Radley contempla le plafond fraîchement repeint de sa nouvelle chambre. Cet appartement lui plaisait bien. Il aimait surtout la vue sur le parc et le fait qu'il y ait un ascenseur. En revanche, il n'avait aucune envie d'aller dans sa nouvelle école lundi.

Sa mère lui avait dit que tout se passerait bien, qu'il se ferait très vite de nouveaux amis et qu'il pourrait toujours rendre visite à ses anciens camarades. La façon dont sa mère lui souriait et lui ébouriffait les cheveux avait le don de le rassurer. Mais elle ne serait pas là pour l'aider à affronter le regard curieux des autres enfants. Radley avait décidé qu'il ne porterait pas le nouveau pull qui, selon sa mère, allait si bien avec la couleur de ses yeux.

Il préférait mettre de vieux vêtements dans lesquels il se sentait bien. Sa mère comprendrait, comme toujours.

Parfois, elle avait l'air triste, songea Radley en se calant contre l'oreiller, la bande dessinée à la main. Il aurait aimé qu'elle ne souffre pas que son père soit parti. Il y avait de cela si longtemps que Radley devait faire de gros efforts de mémoire pour se souvenir de son visage. Son père ne venait jamais leur rendre visite, et n'appelait que quelques fois par an. Cela lui convenait. Radley aurait aimé en parler avec sa mère, mais il avait peur qu'elle se fâche et qu'elle se mette à pleurer.

Dans la mesure où elle était là pour s'occuper de lui, il n'avait pas vraiment besoin d'un père. Il le lui avait dit, et elle l'avait serré si fort dans ses bras ce jour-là qu'il en avait eu le souffle coupé. Le soir, il l'avait entendue pleurer dans sa chambre. Depuis, il n'était plus jamais revenu sur le sujet.

Les adultes sont étranges, songea Radley du haut de ses presque dix ans. Mais sa mère était la meilleure. Elle ne criait presque jamais après lui et, lorsque cela lui arrivait, elle s'en excusait aussitôt. Et elle était jolie. Radley sourit dans son lit en se sentant glisser dans le sommeil. Pour lui, sa mère était aussi belle que la princesse Leilah. Même si ses cheveux étaient châtains au lieu d'être blonds, et ses yeux gris et non bleu foncé.

Pour fêter leur arrivée dans leur nouvel appartement, sa mère lui avait également promis de commander une pizza pour le dîner. Après le commandant Zark, les pizzas étaient ce qu'il aimait le plus.

Radley sombra lentement dans le sommeil. Avec l'aide de Zark, il allait sauver l'univers.

Lorsque quelques instants plus tard Hester passa la tête dans la chambre de son fils, son univers à elle, elle le trouva endormi, une bande dessinée Universal Comics à la main. La plupart des livres, qu'il feuilletait de temps en temps, étaient encore dans les cartons. En d'autres temps, elle lui aurait un peu fait la leçon à son réveil sur le choix de ses lectures, mais elle n'en avait pas le courage. Rad prenait si bien leur déménagement. Un autre bouleversement dans sa vie.

— Tout va bien se passer, mon chéri, murmura-t-elle.

Oubliant les montagnes de cartons qui l'attendaient, elle s'assit au bord du lit pour contempler son fils.

Il ressemblait tellement à son père ! Les mêmes cheveux blond foncé, les mêmes yeux sombres et le même menton volontaire. Elle regardait rarement son fils en pensant à l'homme qui avait été autrefois son mari. Mais, aujourd'hui, les choses avaient changé. Aujourd'hui, ils avaient pris un nouveau départ, et elle ne pouvait pas s'empêcher de penser au passé et à ce qui les avait conduits là.

Cela remontait à six ans, songea-t-elle, étonnée de voir que le temps passait si vite. Radley était encore tout petit lorsque Allan était parti, fatigué des factures, de sa famille et d'elle en particulier. Malgré un processus long et difficile, cette douleur-là était passée. Mais elle n'avait jamais pardonné et ne pardonnerait jamais à cet homme d'avoir abandonné son fils sans même un regard.

Elle s'inquiétait parfois de constater à quel point cela semblait avoir peu d'importance pour Radley. Egoïstement, elle était soulagée que son fils n'ait jamais tissé de liens forts et durables avec l'homme qui les avait abandonnés. Mais souvent, tard le soir, lorsque tout était calme, elle se demandait si son petit garçon ne refoulait pas son chagrin.

Hester caressa les cheveux de son fils, le regard perdu au loin vers la fenêtre. Radley était un enfant sociable, heureux et agréable. Elle avait travaillé dur pour l'élever correctement. Jamais elle ne lui avait parlé en mal de son père, même si, au tout début, l'amertume et la colère qu'elle ressentait menaçaient souvent de jaillir. Elle s'était efforcée d'être à la fois une mère et un père, le plus souvent avec succès, croyait-elle.

Elle s'était plongée dans des livres de base-ball pour pouvoir lui donner des conseils. Elle avait couru à son côté, la main accrochée à la selle de son premier vélo. Au moment de le lâcher, elle avait résisté à l'envie de le retenir et lui avait lancé des encouragements tandis qu'il avançait en vacillant sur la piste cyclable.

Elle s'était même intéressée au commandant Zark. Hester retira lentement la bande dessinée de la main de son fils en souriant. Ah, ce pauvre et héroïque Zark, et Leilah, sa femme qui avait pris un si mauvais chemin ! Hester savait tout des tribulations et des intrigues qui avaient lieu sur Perth. Sevrer Radley de Zark pour le conduire vers Dickens ou Twain n'était pas une tâche aisée, mais élever un enfant seule non plus.

— Tu as le temps, murmura-t-elle en s'allongeant près de son fils.

Le temps de lire des vrais livres et d'affronter la vraie vie.

— Oh, Rad ! j'espère que j'ai fait les bons choix pour toi.

Hester ferma les yeux, se désolant de n'avoir personne à qui parler, personne pour la conseiller ou prendre les décisions à sa place, bonnes ou mauvaises.

Le bras posé sur la taille de son fils, elle se laissa glisser à son tour dans le sommeil.

Lorsqu'elle se réveilla, confuse et désorientée, la pièce était plongée dans la pénombre. Radley n'était plus à côté d'elle. Sa lassitude disparut aussitôt, effacée par un ridicule sursaut de panique. Radley n'aurait jamais quitté l'appartement sans sa permission. Il ne lui obéissait pas aveuglément en tout, mais il respectait les règles de base, songea Hester en se levant pour partir à sa recherche.

Elle trouva Radley dans la cuisine, où son instinct l'avait d'abord guidée. L'enfant tenait dans la main un sandwich dégoulinant de beurre de cacahouète et de confiture.

— Salut, maman.

— Je croyais que tu voulais de la pizza, répondit-elle en lorgnant vers l'épaisse traînée de confiture sur le comptoir et le sac de pain grand ouvert.

— C'est vrai.

Radley mordit à pleines dents dans le sandwich et lui sourit.

— Mais j'avais faim.

— On ne parle pas la bouche pleine, Rad, répondit-elle spontanément en se penchant vers lui pour l'embrasser. Si tu avais faim, tu aurais pu me réveiller.

— Je me suis débrouillé, mais je n'ai pas trouvé les verres.

Hester balaya la pièce du regard et s'aperçut que son fils avait vidé deux cartons dans ses recherches. Elle aurait dû ranger la cuisine en priorité.

— Nous allons nous en occuper.

— Il neigeait quand je me suis réveillé.

— Vraiment?

Hester passa une main dans les cheveux de son fils pour écarter une mèche rebelle et se redressa pour regarder par la fenêtre.

— On dirait qu'il neige encore, constata-t-elle.

— Peut-être qu'il neigera trop et que lundi l'école sera fermée, déclara Radley en se hissant sur un tabouret pour s'asseoir près du comptoir.

Si c'était le cas, elle ne pourrait pas non plus se rendre à son nouveau travail, se prit-elle à rêver. Pas de nouvelles pressions, pas de nouvelles responsabilités.

— Je ne pense pas que cela va arriver, lança-t-elle par-dessus son épaule en lavant des verres. Tu es inquiet, Rad?

— Un peu.

Il haussa les épaules, songeur. Il restait encore un jour avant lundi. Beaucoup de choses pouvaient se passer. Un tremblement de terre, du blizzard, une attaque venue de l'espace. Il se concentra sur cette dernière éventualité.

Lui, Radley Wallace, commandant des Forces spéciales terriennes, était prêt à protéger la planète et à se battre jusqu'à la mort…

— Je peux t'accompagner si tu veux, proposa-t-elle.

— Non, maman, les autres enfants vont se moquer de moi.

Radley mordit dans son sandwich. De la confiture de raisin dégoulina de chaque côté du pain.

— Ça ne peut pas être si terrible, ajouta-t-il sans trop y croire.

Au moins, je ne risque plus de croiser cette imbécile d'Angela Wiseberry dans cette école.

Hester n'eut pas le cœur de lui dire qu'il y avait une imbécile d'Angela Wiseberry dans toutes les écoles.

— Voilà ce que je te propose, dit-elle. Lundi, nous prendrons chacun nos nouvelles fonctions, puis nous nous retrouverons ici à 16 heures pour un rapport complet.

Le visage de son fils s'éclaira aussitôt. Radley adorait les opérations militaires.

— A vos ordres, chef.

— Parfait. Maintenant, je vais commander une pizza. En attendant qu'elle arrive, nous allons ranger le reste de la vaisselle.

— Laissons les prisonniers s'en charger.

— Enfuis. Ils se sont tous enfuis.

— Des têtes vont tomber, marmonna Radley en engloutissant le reste de son sandwich.

Mitchell Dempsey Junior était assis devant sa table à dessin, à court d'inspiration. Il avala une gorgée de café froid dans l'espoir de stimuler son imagination, mais son esprit resta aussi vide que la feuille de papier devant lui. Il avait parfois des blocages, mais ceux-ci étaient rares. Et il n'en avait jamais eu avant une échéance.

Mitch décortiqua une cacahouète et jeta la cosse dans un bol. La coque rebondit sur le bord du récipient et tomba au sol parmi d'autres débris. Normalement, il aurait dû commencer par écrire le scénario avant de dessiner les illustrations. Mais, comme cette démarche n'avait rien donné, il avait pris les choses à l'envers, se disant qu'en changeant ses habitudes il cesserait peut-être de tourner en rond.

Hélas, sa méthode ne fonctionnait pas.

Mitch ferma les yeux pour mieux se concentrer. La radio égrenait un vieux tube de Slim Whitman qu'il entendait à peine. Son esprit se trouvait à des années-lumière, songea-t-il en souriant. Il avait toujours eu le sentiment d'être né trop tôt, un siècle trop tôt. Mais il ne pouvait pas en blâmer ses parents.

Rien ne venait. Pas de solution, pas d'inspiration. Mitch ouvrit de nouveau les yeux et fixa la feuille de papier. Avec un éditeur comme Rich Skinner, il ne pouvait pas se permettre de jouer à l'artiste. Il s'exposerait à mourir de faim. Dégoûté, il saisit une autre cacahouète.

Ce dont il avait besoin, c'était de changer de décor, de se distraire. Sa vie devenait trop monotone, trop banale et, malgré ce blocage temporaire, trop facile. Il avait besoin d'un défi. Jetant la coque vide, il se mit à faire les cent pas.

Il avait un corps élancé, fortifié chaque semaine par des heures de musculation. Pourtant, il avait été un enfant ridiculement maigre, même s'il mangeait comme un ogre. Les moqueries ne l'avaient pas trop dérangé jusqu'à ce qu'il découvre les filles. Grâce à sa détermination naturelle, Mitch avait changé tout ce qui pouvait l'être. Il lui avait fallu plusieurs années et beaucoup de sueur pour se bâtir un corps d'athlète, mais il l'avait fait. Il ne considérait toutefois pas sa forme comme acquise et il s'entraînait régulièrement, physiquement comme intellectuellement.

Son bureau était d'ailleurs parsemé de livres qu'il avait lus et relus. Il fut tenté d'en prendre un et de s'y plonger sur-le-champ. Mais il avait des délais à respecter. Le gros chien fauve couché à ses pieds roula sur le ventre et l'observa de ses yeux ronds.

Mitch l'avait nommé Taz en souvenir du diable de Tasmanie des vieux dessins animés des frères Warner. Mais son Taz était loin d'être aussi énergique. Le chien bâilla en roulant paresseusement sur le tapis. Il aimait son maître, notamment parce que Mitch ne se plaignait jamais de trouver des poils sur les meubles ni une poubelle éventrée de temps en temps. Et puis, Mitch avait une voix grave et patiente. Lorsqu'il s'asseyait par terre avec Taz et caressait son épaisse fourrure en partageant avec lui l'idée qui venait de germer dans son esprit, l'animal semblait ravi de l'écouter. Taz scrutait alors son visage comme s'il comprenait chaque mot.

On frappa soudain à la porte, et Taz s'agita un peu. Battant furieusement de la queue, il émit quelques jappements.

— Non, je n'attends personne, fit Mitch. Et toi?

Il écrasa de ses pieds nus quelques coques de cacahouète et jura, mais ne prit pas la peine de les ramasser. Il contourna une pile de journaux et un sac de vêtements qu'il n'avait pas eu le temps d'amener à la blanchisserie. Il aperçut alors un os que Taz avait oublié sur le tapis d'Aubusson. Il l'envoya valser d'un coup de pied dans un coin de la pièce avant d'ouvrir la porte.

— C'est le livreur de pizza !

Un garçon très maigre de dix-huit ans environ tenait une boîte d'où se dégageait un parfum merveilleux. Mitch le huma avec envie.

— Je n'ai rien commandé.

— C'est l'appartement 406 ?

— Oui, mais je n'ai pas commandé de pizza.

Mitch inhala de nouveau l'effluve qui s'échappait du carton.

— Mais j'aurais dû, ajouta-t-il.

— Vous êtes M. Wallace ?

— M. Dempsey.

— Mince.

Mitch réfléchit tandis que le garçon se balançait gauchement d'un pied sur l'autre. Si ses souvenirs étaient bons, les Wallace étaient ses nouveaux voisins, ceux qui avaient pris la place des Henley dans l'appartement 604. Si Wallace était la grande brune tout en jambes qu'il avait croisée ce matin avec des cartons, peut-être aurait-il tout intérêt à pousser plus loin les investigations.

— Je connais les Wallace, répondit-il en tirant quelques billets froissés de sa poche. Je vais monter leur porter la pizza.

— Je ne sais pas si…

— Ne vous inquiétez pas, le coupa Mitch en lui glissant un autre billet.

Une pizza et une nouvelle voisine, voilà la distraction dont il avait besoin…

Le garçon compta son pourboire.

— Super, merci.

Les Wallace n'auraient sans doute pas été aussi généreux, décida le jeune homme.

Il chercha ses clés. Il fouilla un moment les poches de son jean usé avant de se rappeler avoir lancé son trousseau sur la table anglaise. Les clés avaient glissé au sol. Il les ramassa et les fourra dans une poche. Sentant qu'elle était trouée, il en changea aussitôt. Pourvu que la pizza soit aux poivrons ! songea-t-il, plein d'espoir. La boîte posée en équilibre sur une main, Mitch se mit en route.

— Ce doit être le livreur, déclara Hester en entendant frapper. Elle rattrapa Radley avant qu'il se précipite vers la porte.

— C'est moi qui ouvre, ajouta-t-elle. Tu te souviens des règles ?

— Ne jamais ouvrir aux inconnus, récita Radley machinalement.

Une main sur la poignée, Hester jeta un coup d'œil par le judas. Elle fronça légèrement les sourcils. Elle aurait juré que l'homme la regardait, un sourire amusé aux lèvres. Ses yeux bleus étaient très clairs. Ses cheveux étaient noirs et ébouriffés, comme si cela faisait un peu trop longtemps qu'il n'avait pas croisé un coiffeur ou un peigne. Mais son visage mince et anguleux, assombri par une barbe naissante, était fascinant.

— Tu ouvres, maman ?

— Comment ? demanda Hester en reculant d'un pas.

Elle comprit qu'elle avait regardé le livreur un peu plus longtemps que nécessaire.

— Je meurs de faim, lui rappela Radley.

— Désolée.

Hester ouvrit la porte et découvrit que le fascinant visage accompagnait un corps élancé et musclé. L'homme était pieds nus.

— Vous avez commandé une pizza ?

— Oui.

Sauf que, dehors, il neigeait. Que faisait-il sans chaussures ?

— Génial, répondit-il.

Avant qu'elle ait pu deviner ses intentions, l'homme entra chez elle d'un pas nonchalant.

— Je vais vous débarrasser, dit-elle précipitamment en saisissant la boîte à pizza. Amène ça dans la cuisine, Radley.

Hester se plaça devant son fils pour le protéger de son corps, tout en se demandant si le recours à une arme n'allait pas être nécessaire.

— Bel appartement, dit-il en contemplant d'un air détaché les cartons ouverts.

— Je vais chercher de quoi vous payer, répondit-elle vivement.

— C'est aux frais de la maison, répondit l'homme en souriant.

Les cours d'autodéfense qu'elle avait pris deux années plus tôt seraient-ils encore assez frais ? songea-t-elle, inquiète.

— Radley, amène ça dans la cuisine pendant que je paie le livreur, répéta-t-elle.

— Votre voisin, corrigea-t-il. J'habite l'appartement 406. Vous savez, deux étages plus bas. La pizza a été livrée chez moi par erreur.

— Je vois.

Mais, pour une raison qu'elle ignorait, Hester se sentait toujours aussi nerveuse.

— Je suis désolée pour le dérangement, dit-elle en saisissant son sac à main.

— J'ai déjà payé.

Mitch ne savait pas trop si la jeune femme rêvait de bondir sur lui ou de s'enfuir, mais il avait eu raison de venir. Elle était aussi grande et élancée qu'un mannequin et présentait la même élégance discrète. Son épaisse chevelure aux reflets cuivrés était coiffée en arrière et encadrait un visage harmonieux, doté de pommettes saillantes et d'un petit menton volontaire. Elle avait de grands yeux gris et une bouche pulpeuse.

— Pourquoi ne considérez-vous pas cette pizza comme ma façon de vous souhaiter la bienvenue ?

— C'est très aimable de votre part, mais je ne peux pas...

— Refuser une telle offre de la part d'un gentil voisin ?

La jeune femme était trop froide et distante à son goût. Mitch préféra se tourner vers le petit garçon.

— Salut, je m'appelle Mitch.

Cette fois, il obtint une réponse à son sourire.

— Et moi, Rad. Nous venons d'emménager.

— Oui, j'ai bien compris. Vous n'êtes pas de New York ?

— Si, mais nous avons déménagé parce que maman a trouvé un nouveau travail. L'autre appartement était trop petit. Je peux même voir le parc de ma fenêtre, maintenant.

— Moi aussi.

— Excusez-moi, monsieur, le coupa la jeune femme.

— Mitch, répéta-t-il en lui lançant un rapide coup d'œil.

— Eh bien, c'est très aimable de votre part de nous avoir apporté la pizza.

Et aussi très étrange, songea Hester.

— Mais je ne voudrais pas abuser de votre temps, ajouta-t-elle.

— Vous pouvez en manger une part, fit Radley. Nous ne la finissons jamais entièrement.

— Rad, je suis certaine que monsieur... que Mitch a des choses à faire.

— Non, pas du tout.

Mitch connaissait les bonnes manières, bien sûr. On les lui avait soigneusement inculquées. En d'autres circonstances, il les aurait même mises en pratique et aurait pris congé, mais quelque chose dans la réserve de la jeune femme et la chaleur de l'enfant l'incita à persévérer.

— Vous avez de la bière ? demanda-t-il.

— Non, désolée, je...

— Mais nous avons des sodas, dit Radley de sa petite voix. Maman me laisse en boire de temps en temps.

Radley aimait par-dessus tout la compagnie. Il lança à Mitch un sourire espiègle.

— Vous voulez voir la cuisine ? proposa-t-il.

— Avec plaisir.

Mitch décocha un petit sourire satisfait à la jeune femme et emboîta le pas au petit garçon.

Hester resta au centre de la pièce quelques instants, les mains sur les hanches, partagée entre l'exaspération et la colère. Après une journée de déballage de cartons, elle se serait bien passée de compagnie. Et plus encore de celle d'un étranger. Mais elle n'avait pas le choix : il ne lui restait plus qu'à lui offrir une part de cette fichue pizza et à se décharger de toute obligation à son égard.

— Nous avons un broyeur à ordures, commenta Radley. Il fait beaucoup de bruit.

— J'imagine.

Mitch se pencha poliment au-dessus de l'évier pendant que l'enfant actionnait l'interrupteur.

— Il ne faut pas le faire fonctionner à vide, Rad, intervint Hester. Comme vous pouvez le voir, nous sommes encore un peu désorganisés.

Elle alla chercher des assiettes dans le placard qu'elle venait tout juste de garnir.

— Je suis ici depuis cinq ans et je ne suis toujours pas organisé, répondit Mitch.

— Nous allons avoir un chaton, annonça Radley en se hissant sur un tabouret.

L'enfant saisit les serviettes de table qu'elle avait déjà disposées dans un petit panier en osier.

— Dans notre ancien immeuble, les animaux n'étaient pas acceptés, contrairement à ici. Pas vrai, maman ?

— Dès que nous serons installés, Rad. Normal ou light, le soda ? demanda-t-elle à Mitch.

— Normal, merci. On dirait que vous avez déjà abattu beaucoup de travail en un jour.

La cuisine était propre comme un sou neuf, remarqua-t-il. Un asparagus luxuriant était planté dans une suspension en macramé accrochée près de la fenêtre. La jeune femme jouissait de moins d'espace que lui, ce qui était dommage. Elle ferait certainement un meilleur usage de sa cuisine que lui. Mitch balaya de nouveau la pièce du regard avant de prendre place près du comptoir. Il remarqua sur la porte du réfrigérateur un grand dessin représentant un vaisseau spatial.

— C'est toi qui l'as fait ? demanda Mitch à Radley.

— Oui.

L'enfant saisit le morceau de pizza que sa mère avait déposé dans son assiette et mordit dedans à pleines dents.

— C'est un beau dessin, commenta Mitch.

— Il représente le *Troisième Millénaire*, vous savez, le vaisseau du commandant Zark.

— Je le connais.

Mitch entama avec enthousiasme sa part de pizza.

— Tu as fait du bon travail, ajouta-t-il.

Tout en mangeant avec appétit, Radley poursuivit :

— J'ai essayé de dessiner le *Defiance*, le vaisseau de Leilah, mais c'est plus difficile. De toute façon, je pense que le commandant Zark va le détruire dans le prochain numéro.

— Vraiment ?

Mitch adressa un léger sourire à Hester lorsqu'elle vint les rejoindre près du comptoir.

— Je ne sais pas. Il est dans une situation vraiment délicate actuellement.

— Il va s'en sortir, répondit Mitch d'un air confiant.

— Vous lisez des bandes dessinées ? demanda Hester en se hissant sur un tabouret.

Elle remarqua alors que l'homme avait de grandes mains. Sa tenue était sans doute négligée, mais ses mains étaient propres et il avait l'air très sûr de lui.

— Oui, tout le temps.

— J'ai la plus grande collection de bandes dessinées de ma classe. Maman m'a même offert le tout premier numéro des aventures de Zark pour Noël. Il a dix ans. Zark n'était que capitaine à l'époque. Vous voulez le voir ?

Cet enfant était une perle, songea Mitch. Il était doux, vif et franc. Son avis sur sa mère était plus partagé.

— Oui, avec plaisir.

Avant qu'Hester ait pu demander à Rad de terminer d'abord son assiette, l'enfant était déjà parti en courant. Elle resta assise en silence, en se demandant quel genre d'homme pouvait bien lire des bandes dessinées. Il lui arrivait bien de temps en temps de les feuilleter pour savoir ce que son fils lisait, mais de là à les lire vraiment ? Elle, une adulte ?

— Vous avez un petit garçon formidable, déclara Mitch.

— Oui, c'est vrai. C'est très aimable de… l'écouter parler de ses bandes dessinées.

— Les bandes dessinées sont toute ma vie, répondit Mitch le plus sérieusement du monde.

Sidérée, elle le dévisagea un moment, avant de se remettre à manger.

— Je vois.

Mitch lui lança un regard en coin. Sa jolie voisine n'était pas facile à aborder. Mais, première rencontre ou non, il ne voyait pas pourquoi il résisterait à la tentation de la pousser un peu dans ses retranchements.

— Pas vous, n'est-ce pas ?

— Comment cela ?

— Vous ne lisez pas de bandes dessinées.

— Heu, non, je n'ai pas de temps pour ces lectures légères.

Elle roula de grands yeux, une mimique qu'il avait vue chez son fils un peu plus tôt.

— Vous voulez une autre part ? proposa-t-elle.

— Oui.

Mitch la devança et se servit lui-même.

— Vous devriez prendre le temps, vous savez. Les bandes dessinées sont parfois très instructives. En quoi consiste votre nouveau travail ?

— Je travaille dans une banque. Je suis responsable du service des prêts à la National Trust.

Mitch émit un sifflement admiratif.

— Lourde tâche pour une personne de votre âge.

Hester se raidit aussitôt.

— Je travaille dans le secteur bancaire depuis l'âge de seize ans.

Elle était également susceptible, songea-t-il en léchant un peu de sauce sur son pouce.

— C'était censé être un compliment. J'ai le sentiment que vous ne l'avez pas bien pris.

Décidément, cette femme était dure. Peut-être l'était-elle devenue par la force des choses. Elle n'avait pas d'alliance, et son doigt ne présentait aucune marque indiquant qu'elle en avait récemment porté une.

— J'ai moi aussi eu affaire aux banques, plaisanta-t-il. Pour des dépôts, des retraits, des chèques sans provision.

Hester s'agita, mal à l'aise. Pourquoi Radley tardait-il autant? Rester seule avec cet homme avait quelque chose de déroutant. Elle n'avait jamais eu du mal à croiser le regard des gens mais, avec Mitch, c'était différent. Il ne la quittait jamais des yeux très longtemps.

— Je ne voulais pas être grossière.

— Non, je me doute. Si je veux demander un prêt à la National Trust, qui dois-je demander?

— Mme Wallace.

Elle était vraiment très dure.

— « Madame » est votre prénom?

— Hester, lâcha-t-elle sans comprendre pourquoi il lui en coûtait autant de lui répondre.

— Hester, donc, dit Mitch en lui tendant la main. Heureux de faire votre connaissance.

Les lèvres de la jeune femme s'incurvèrent légèrement. C'était un sourire prudent. Mais c'était mieux que rien.

— Je suis navrée d'avoir été désagréable, mais la journée a été longue. La semaine aussi, en fait.

— Je déteste les déménagements.

Mitch attendit qu'elle se détende un peu pour poser sa main sur la sienne. Elle était douce et aussi gracile que le reste de son corps.

— Vous avez quelqu'un pour vous aider?

— Non.

Elle retira sa main. Celle de cet homme était aussi massive qu'elle en avait l'air.

— Nous nous débrouillons très bien tous les deux.

— Je vois ça.

Elle ne voulait d'aucune aide : le message était on ne peut

plus clair. Il avait déjà rencontré des femmes comme elle, aussi farouchement indépendantes, si suspicieuses à l'égard des hommes qu'elles ne se contentaient pas d'un bouclier protecteur : elles disposaient également d'un arsenal de flèches empoisonnées. Les hommes sensés s'en tenaient prudemment à l'écart. Dommage, car Hester était une très belle femme et son fils était absolument adorable.

— Je ne savais plus dans quel carton je l'avais rangé, déclara Radley en revenant dans la cuisine, les joues encore rouges de l'effort déployé. C'est un classique, c'est même le vendeur qui l'a dit à ma mère.

La bande dessinée lui avait coûté un bras, songea Hester. Mais ce cadeau, plus qu'aucun autre, représentait tellement pour Radley…

— Il est comme neuf, découvrit Mitch en tournant la première page avec la précaution d'un joaillier taillant un diamant.

— Je m'assure toujours d'avoir les mains propres avant de le lire.

— Bonne idée.

Après tout ce temps, Mitch était surpris de constater que sa fierté demeurait intacte. Il éprouvait toujours la même immense satisfaction.

C'était écrit là, sur la première page. Scénario et illustrations de Mitch Dempsey. Le commandant Zark était son bébé, et, en dix ans, ils étaient devenus des amis très proches.

— C'est une histoire vraiment super, souligna Radley. Elle raconte pourquoi le commandant Zark a consacré sa vie à défendre l'univers contre le mal et la corruption.

— Parce que sa famille a été anéantie par la diabolique Flèche-Rouge qui cherchait à prendre le pouvoir.

— Oui ! s'écria le petit garçon, la mine réjouie. Mais il en est venu à bout.

— Dans le numéro 73.

Le menton posé dans une main, Hester les regardait fixement. L'homme paraissait très sérieux. Il n'essayait pas simplement d'amadouer son petit garçon. Il semblait aussi obsédé par les bandes dessinées que son fils de neuf ans.

Etrange, car il avait l'air assez normal ; il s'exprimait même très bien. Mais c'était surtout son extrême virilité, son corps sculptural, son visage angulaire et ses larges mains qui la mettaient mal à l'aise. Hester chassa très vite ces réflexions. Elle ne voulait surtout pas orienter ses pensées dans cette direction à l'égard d'un voisin dont les préoccupations étaient celles d'un adolescent.

Mitch tourna plusieurs pages. Ces dix dernières années, ses dessins s'étaient améliorés. Cela l'aidait beaucoup de s'en souvenir. Mais il avait réussi à garder la même pureté, la même simplicité de trait qu'il avait acquise dix années plus tôt, alors qu'il peinait lamentablement à l'école des beaux-arts.

— C'est ton personnage préféré ? demanda Mitch en pointant du doigt un dessin de Zark.

— Oui, bien sûr. J'aime aussi Trois-Visages et Diamant-Noir, mais je préfère de loin le commandant Zark.

— Moi aussi, répondit Mitch en ébouriffant les cheveux du petit garçon.

En livrant cette pizza, il n'avait pas imaginé qu'il trouverait l'inspiration qui lui avait fait défaut tout l'après-midi.

— Vous pourrez le lire de temps en temps. Je vous le prêterais bien, mais…

— Je comprends.

Mitch referma précautionneusement le livre et le rendit au petit garçon.

— Tu ne peux pas prêter un objet de collection, ajouta-t-il.

— Je ferais mieux de le ranger.

— J'ai l'impression que Rad et vous allez bientôt échanger des albums, déclara Hester en se levant pour débarrasser.

— Cela vous amuse beaucoup, n'est-ce pas ?

Le ton de sa voix lui fit lever rapidement la tête. Hester ne vit rien de précisément tranchant dans son regard, et les yeux de son voisin étaient toujours aussi clairs et doux, mais… quelque chose l'incitait à rester prudente.

— Je ne voulais pas vous offenser. Je trouve juste étrange qu'un adulte ait pour habitude de lire des bandes dessinées.

Elle fourra les assiettes dans le lave-vaisselle.

— J'ai toujours cru que, passé un certain âge, les garçons commençaient à s'en désintéresser, mais je suppose qu'on peut considérer ces lectures comme un passe-temps ?

Mitch lui lança un regard interrogateur. Hester le dévisageait de nouveau, un demi-sourire aux lèvres. Visiblement, elle essayait de se racheter. Mais elle n'allait pas s'en sortir aussi facilement.

— Les bandes dessinées n'ont rien d'un passe-temps pour moi, madame Hester Wallace. Non seulement je les lis, mais je les écris.

— Ça alors, c'est vrai ?

Radley était debout et regardait fixement Mitch comme s'il venait d'être couronné roi.

— C'est vraiment ce que vous faites ? Honnêtement ? Oh, mon Dieu ! Vous êtes Mitch Dempsey ? Le vrai Mitch Dempsey ?

— En chair et en os.

Mitch ébouriffa gentiment les cheveux de Radley tandis qu'Hester le regardait fixement, comme s'il venait de débarquer d'une autre planète.

— Oh, mon Dieu ! Mitch Dempsey est ici ! Maman, c'est le commandant Zark. Aucun de mes amis ne va me croire. Tu y crois, toi, maman ? Le commandant Zark est ici, dans notre cuisine !

— Non, murmura Hester sans quitter Mitch des yeux. Je n'arrive pas à y croire.

2

Hester aurait aimé pouvoir s'autoriser un peu de lâcheté. Comme il aurait été simple de rentrer chez elle et de se glisser sous les couvertures jusqu'au retour de son fils de l'école ! Tandis qu'elle se laissait entraîner par le flot des travailleurs de Manhattan, personne ne pouvait se douter en la voyant qu'elle avait l'estomac noué ainsi que les mains moites, malgré le vent glacial qui s'engouffrait dans les escaliers du métro.

Si quelqu'un avait prêté attention à elle, il n'aurait vu qu'une jeune femme calme vêtue d'un long manteau en laine rouge et d'une écharpe blanche, l'air légèrement soucieux. Heureusement pour Hester, les lumières provenant des gratte-ciel ravivaient les couleurs de son visage qui, sans cela, aurait été d'une blancheur de cire. En approchant de la National Trust, elle lutta pour ne pas manger nerveusement son rouge à lèvres. C'était son premier jour de travail.

Il lui aurait suffi de dix minutes pour rentrer chez elle, s'enfermer dans son appartement et appeler le bureau en prétextant n'importe quelle excuse.

Elle aurait pu prétendre être malade, inventer un décès dans sa famille. Ou même un cambriolage.

Furieuse après elle, Hester serra la poignée de son attaché-case et continua à avancer. Le matin même, elle avait accompagné Radley à l'école en lui servant un discours enthousiaste et absurde sur l'excitation qui entourait les nouveaux départs. Balivernes ! Elle espérait juste que son fils ait moins peur qu'elle.

Ce poste, elle le méritait, se rappela-t-elle. Elle était qualifiée et compétente, elle avait douze années d'expérience derrière elle. Et, pourtant, elle tremblait de la tête aux pieds. Prenant une profonde inspiration, elle pénétra dans les bureaux de la National Trust.

Laurence Rosen, le directeur de la banque, consulta sa montre et hocha la tête d'un air approbateur en s'avançant vers elle. Il portait un costume bleu foncé élégant et strict. Ses chaussures brillaient comme un miroir.

— Vous êtes pile à l'heure, madame Wallace. C'est un excellent début. Je me félicite d'avoir une équipe qui sache faire le meilleur usage de son temps.

L'homme lui indiqua d'un geste la porte située derrière l'accueil, où se trouvait le bureau d'Hester.

— J'ai hâte de me mettre au travail, monsieur Rosen.

C'était la stricte vérité. Elle avait toujours aimé l'ambiance qui régnait dans une banque juste avant l'ouverture de ses portes au public. Il y planait un silence presque religieux, comme un préambule avant le début des jeux.

— Parfait, parfait, nous allons faire de notre mieux pour vous occuper, déclara Rosen.

Le directeur de la banque fronça alors les sourcils en constatant qu'il manquait encore deux secrétaires.

— Votre assistante sera là d'une minute à l'autre, ajouta-t-il. Dès que vous serez en poste, madame Wallace, j'attends de vous que vous surveilliez de près ses allées et venues. Votre efficacité dépend largement de la sienne.

— Bien entendu, monsieur.

Hester pénétra alors dans un bureau petit et sombre. Elle aurait préféré avoir un peu plus d'espace et un chef un peu moins collet monté, mais elle s'efforça de ne pas y penser. Les revenus supplémentaires liés ce nouvel emploi ne pouvaient que profiter à Radley. C'était l'essentiel. Tout allait bien se passer, se rassura-t-elle en retirant son manteau.

Debout sur le pas de la porte, Rosen approuva d'un hochement de tête son tailleur noir bien coupé et la sobriété de ses bijoux. Les vêtements ou les comportements excentriques n'avaient pas leur place dans une banque, elle le savait bien.

— Je suppose que vous avez regardé les documents que je vous ai donnés, lança Rosen.

— Oui, je me suis familiarisée avec eux ce week-end.

Hester alla se placer derrière son nouveau bureau, consciente que ce geste viendrait asseoir sa position.

— Je pense avoir compris la politique et les procédures de la National Trust.

— Parfait, parfait. Je vais donc vous laisser vous organiser. Votre premier rendez-vous est à…

L'homme tourna les pages du calendrier posé sur son bureau.

— … 9 h 15. En cas de problème, n'hésitez pas à me contacter. Je ne suis jamais très loin.

Elle l'aurait parié.

— Je suis certaine que tout se passera bien, monsieur Rosen. Je vous remercie.

Le directeur la salua d'un hochement de tête et quitta la pièce, refermant la porte derrière lui. Une fois seule, Hester se laissa lourdement tomber dans son fauteuil. Elle avait passé la première étape. Rosen la considérait comme une femme compétente. Il ne restait plus qu'à lui prouver qu'il avait raison. Elle n'avait pas le droit de le décevoir : trop de choses dépendaient de sa réussite. Sa fierté aussi était en jeu. Car Hester détestait par-dessus tout se ridiculiser. Comme elle l'avait fait la veille, face à son nouveau voisin.

Des heures plus tard, elle rougissait encore en y repensant. Elle n'avait jamais voulu offenser le travail — aujourd'hui encore, elle avait du mal à appeler ça une profession — de cet homme. Elle n'était pas là pour le juger. En revanche, elle n'avait pas su rester sur ses gardes. En quelques minutes, son voisin l'avait complètement déstabilisée en s'invitant chez elle et en se joignant à eux pour dîner avant de charmer Radley. Elle n'avait pas l'habitude de laisser des inconnus faire irruption dans sa vie. Elle avait horreur de ça.

Contrairement à Radley, songea-t-elle en saisissant un crayon bien aiguisé portant le logo de la banque. Après le départ de

Mitch, son fils rayonnait d'excitation et avait été incapable de lui parler d'autre chose.

La visite de leur envahissant voisin avait au moins eu le mérite de distraire Radley et de lui faire oublier sa nouvelle école. Son fils s'était toujours fait très facilement des amis, et si ce Mitch avait envie de lui faire plaisir elle n'allait pas l'en empêcher. L'homme lui paraissait relativement inoffensif. Mais pouvait-elle ignorer le frisson embarrassant qu'elle avait ressenti lorsque sa large main avait recouvert la sienne ? Pouvait-elle vraiment se sentir troublée par un homme qui gagnait sa vie en écrivant des bandes dessinées ? Hester réfléchissait encore à la question lorsqu'elle entendit frapper doucement à la porte. Elle n'eut pas le temps de répondre : le battant s'ouvrait déjà.

— Bonjour, madame Wallace. Je suis Kay Lorimar, votre assistante. Vous vous souvenez, nous nous sommes croisées quelques minutes il y a plusieurs semaines ?

— Oui, bien sûr. Bonjour, Kay.

Son assistante était tout ce qu'Hester avait toujours voulu être : petite avec des formes voluptueuses et blonde avec des traits fins et délicats. Hester croisa les mains sur son sous-main flambant neuf et tenta de prendre un air autoritaire.

— Désolée pour le retard, déclara Kay avec un sourire qui démentait ses propos. Le lundi, tout prend plus de temps que les autres jours. J'ignore pourquoi. Vous voulez du café ?

— Non, merci, mon rendez-vous arrive dans quelques minutes.

— Appelez-moi si vous changez d'avis.

Kay fit une pause près de la porte.

— Cette pièce mériterait d'être un peu égayée. Elle est sombre comme une caverne. C'était le bureau de M. Blow, celui que vous remplacez. Il aimait tout ce qui était sinistre, comme lui. Vous voyez ce que je veux dire ?

Kay lui sourit d'un air complice, mais Hester hésita à lui répondre. Il n'était pas du meilleur effet de se tailler une réputation de commère dès le premier jour.

— Si jamais vous décidez de redécorer votre bureau, faites-moi signe. Mon colocataire est décorateur d'intérieur. C'est un véritable artiste.

— Merci.

Comment allait-elle faire pour travailler avec cette pom-pom girl ? Mais chaque chose en son temps…

— Contentez-vous de faire entrer M. et Mme Browning lorsqu'ils arriveront, Kay.

— Oui, madame.

Sa nouvelle responsable était certainement plus agréable à regarder que le vieux M. Blow, songea Kay en étudiant Hester, mais elle semblait avoir la même mentalité.

— Les formulaires de demande de prêt se trouvent dans le tiroir de gauche de votre bureau, lui expliqua-t-elle. Ils sont classés par types. Les blocs-notes sont à droite. Le papier à en-tête juste au-dessus. Le listing des taux d'intérêt en cours se trouve dans le tiroir du milieu. Les Browning ont besoin d'un prêt pour réagencer leur loft. Ils attendent un enfant. Monsieur occupe un emploi dans une société d'électronique et madame travaille à temps partiel chez Bloomingdale's. Ils savent quels documents ils doivent fournir. Je pourrai en faire des photocopies lorsqu'ils seront là.

— Merci, Kay, répondit Hester, surprise.

Elle ignorait si elle devait se sentir amusée ou impressionnée par le professionnalisme de son assistante, que démentait son apparence.

Lorsque la porte se referma, Hester s'adossa à son siège et sourit. Son bureau était peut-être sinistre mais, si ce début de matinée était un avant-goût de ce qui l'attendait, tout ne s'annonçait pas lugubre à la National Trust.

Mitch aimait particulièrement se détendre en observant les allées et venues des gens dans la rue. Après cinq ans, il connaissait de vue presque tous les habitants de l'immeuble, et la moitié par leur nom. Lorsqu'il n'avait pas beaucoup de travail ou lorsqu'il était en avance sur ses délais, ce qui était encore mieux, il tuait le temps en croquant les plus intéressants d'entre eux. Il lui arrivait même d'inventer une courte histoire pour accompagner chaque dessin.

Cette distraction était pour lui le meilleur des exercices. De temps à autre, un visage était suffisamment intéressant pour mériter une attention particulière. Parfois, il s'agissait d'un chauffeur de taxi ou d'un livreur. Mitch avait appris à observer attentivement et rapidement ses semblables avant de les esquisser d'après ses impressions. Des années plus tôt, il dessinait des portraits pour gagner sa vie contre des sommes misérables. Aujourd'hui, il le faisait pour son plaisir, ce qui lui plaisait encore plus.

Au détour de la rue, il aperçut soudain Hester et son fils. Le manteau rouge qu'elle portait se détachait sur l'asphalte comme un phare. Ou une invitation. Le sourire aux lèvres, il saisit aussitôt son crayon. La froide et distante Mme Wallace était-elle consciente des signaux qu'elle envoyait ? Il en doutait.

Mitch n'eut pas besoin de regarder le visage d'Hester pour le dessiner. Il possédait déjà une dizaine de croquis d'elle sur sa table à dessin. La jeune femme avait des traits intéressants, songea-t-il en faisant voler sa main sur le bloc de papier. N'importe quel artiste aurait eu envie de les saisir.

L'enfant marchait à côté d'elle, le visage à demi masqué par une écharpe en laine et un bonnet. Il bavardait avec enthousiasme, la tête levée vers sa mère. De temps en temps, elle baissait les yeux vers lui pour lui répondre, sans arrêter de marcher. La jeune femme s'arrêta enfin à quelques pas de l'immeuble. Mitch vit alors ses cheveux voler au vent tandis qu'elle éclatait de rire, la tête penchée en arrière. Curieux, il s'approcha plus près de la fenêtre et faillit lâcher son crayon. Comme il aurait aimé pouvoir entendre son rire et voir si ses yeux s'étaient illuminés, comme il se l'imaginait ! Le regard calme de la jeune mère, d'un gris subtil, était-il devenu argent ou s'était-il troublé ?

Hester continua de marcher avant de disparaître dans le bâtiment.

Mitch contempla son dessin. Il n'avait tracé que quelques lignes, sans avoir eu le temps de finir. Dépité, il posa son crayon.

Le rire d'Hester avait beau être gravé dans son esprit, il aurait fallu qu'il s'approche plus près d'elle pour le saisir.

Spontanément, il attrapa ses clés et les fit tinter dans sa main. Il avait pensé à la jeune femme une grande partie de la semaine. La glaciale Hest trouverait certainement déplacé de recevoir une nouvelle visite de son aimable voisin, mais pas lui. En plus, Mitch aimait bien le petit garçon. Il aurait souhaité monter le voir dans le courant de la semaine, mais il avait été trop occupé à étayer son scénario. Il devait une grande partie de son inspiration à l'enfant. Sa petite visite du week-end dernier n'avait pas seulement eu raison de son blocage, elle lui avait également donné suffisamment de matière pour écrire trois nouveaux albums. Oui, il devait à Radley une fière chandelle.

Fourrant les clés dans sa poche, il traversa son bureau. Taz était couché par terre et ronflait, un os coincé entre les pattes.

— Ne te réveille surtout pas, annonça Mitch à voix basse. Je sors quelques minutes.

Tout en parlant, il feuilleta quelques pages étalées sur son bureau. Taz ouvrit péniblement les yeux en grognant.

— Je ne sais pas combien de temps je serai absent.

Pris de remords face au désordre ambiant, Mitch finit par trouver le dessin qu'il cherchait. Le commandant Zark, en tenue d'apparat, l'air grave et le regard triste, posant devant son vaisseau. « Mission : capturer la princesse Leilah, ou la détruire ! » disait la légende.

Mitch aurait aimé avoir le temps de le repasser à l'encre et de le colorier, mais il était certain que l'enfant aimerait le dessin tel qu'il était. Il apposa avec soin sa signature et roula la feuille dans un tube en carton.

— Ne m'attends pas pour dîner, lança Mitch en direction de Taz.

— J'y vais ! annonça Radley en trottinant vers la porte.

Le vendredi soir, l'école était déjà à des années-lumière derrière lui, songea Hester, amusée.

— Demande d'abord qui c'est.

Radley posa la main sur la poignée en secouant la tête. Sa mère rabâchait toujours les mêmes choses.

— Qui est-ce ? lança-t-il.

— C'est Mitch.

— C'est Mitch ! cria Radley, ravi.

Dans la chambre, Hester se renfrogna en enfilant un sweat-shirt.

Haletant et excité, Radley ouvrit la porte à son tout dernier héros.

— Salut ! lança-t-il joyeusement.

— Salut, Rad, comment ça va ?

— Très bien. Je n'ai pas de devoirs de tout le week-end.

L'enfant tira Mitch par le bras pour le faire entrer.

— Je voulais descendre te voir, mais maman n'a pas voulu que je vienne te déranger pendant que tu travaillais.

— Tu peux venir me voir quand tu veux.

— Vraiment ?

— Oui, vraiment.

Cet enfant était réellement adorable, songea Mitch en ébouriffant les cheveux de Radley. Dommage que sa mère ne soit pas aussi accueillante.

— Je pensais que cela te ferait plaisir, dit Mitch en lui tendant le tube.

— Oh ! s'extasia Radley, l'air impressionné, en déroulant religieusement le dessin. Bon sang, c'est le commandant Zark et le *Troisième Millénaire* ! Il est pour moi, vraiment ? Je peux le garder ?

— Oui.

— Il faut que j'aille le montrer à maman.

Radley se dirigeait déjà vers la chambre de sa mère lorsque Hester fit son apparition.

— Regarde ce que Mitch vient de me donner. C'est vraiment génial. Je peux même le garder.

Hester posa une main sur l'épaule de son fils en observant le dessin. Son nouveau voisin avait vraiment du talent. Même s'il avait choisi un moyen bien étrange de l'exprimer.

— C'est très aimable de votre part, dit-elle poliment.

Mitch aimait le pull aux couleurs tendres qu'elle portait. Elle avait lâché ses cheveux, qui étaient mi-longs et coiffés avec la raie de côté. Si elle arborait un air plus décontracté et accessible que lors de leur première rencontre, Hester ne paraissait pas complètement détendue.

— Je voulais remercier Rad, expliqua Mitch en s'efforçant de détourner son regard pour sourire à l'enfant. Tu m'as aidé à surmonter un blocage la semaine dernière.

— Vraiment? demanda Radley, les yeux écarquillés. Tu es sérieux?

— Tout ce qu'il y a de plus sérieux. J'étais complètement bloqué, au point mort. Mais, après vous avoir parlé ce soir-là, je suis descendu chez moi et tout s'est mis en place. Encore merci.

— Mais de rien. Tu peux rester dîner avec nous ce soir, si tu veux. Nous allions faire un repas chinois. Je pourrais peut-être encore t'aider. Tu es d'accord, maman, pas vrai?

Hester était de nouveau piégée. Et, encore une fois, elle surprit une lueur amusée dans les yeux de Mitch.

— Bien sûr.

— Génial! s'écria Radley. Je vais aller accrocher le dessin dans ma chambre tout de suite. Je peux appeler Josh pour lui raconter? Il ne va pas me croire.

— Oui.

Hester n'eut même pas le temps de caresser les cheveux de son fils : il était déjà parti en courant.

— Merci, Mitch! lança Radley au milieu du couloir. Merci beaucoup.

Mal à l'aise, elle fourra les deux mains dans les poches de son survêtement. Pourquoi cet homme la rendait-il si nerveuse? Il n'y avait pas de raison.

— C'est très gentil de votre part, confia-t-elle.

— Peut-être, mais j'ai vraiment pris du plaisir à le faire.

Mitch non plus n'était pas très à l'aise. Il coinça les pouces dans les poches arrière de son jean pour se donner une contenance.

— Vous travaillez vite, constata-t-il en balayant le salon du regard.

Tous les cartons avaient disparu. Des peintures lumineuses aux couleurs vives décoraient les murs, et un vase de fleurs fraîches était posé près de la fenêtre, où des rideaux blancs filtraient la lumière du jour. Les coussins du canapé étaient arrangés avec goût et les meubles luisaient, exempts de poussière. Le seul signe de désordre était une petite voiture et quelques jouets en plastique éparpillés sur le tapis. Mitch était heureux de les trouver là. Cela voulait dire que la jeune femme n'envoyait pas systématiquement son fils jouer dans sa chambre.

— C'est Dali ? demanda-t-il en se dirigeant vers une lithographie accrochée au-dessus du canapé.

Hester se dandina nerveusement tandis que Mitch observait l'une de ses rares folies.

— Oui. J'ai acheté cette reproduction dans une petite boutique qui allait fermer, sur la Cinquième Avenue.

— Je vois très bien où elle se situait. Il ne vous a pas fallu longtemps pour vous installer.

— Je voulais que tout soit revenu à la normale aussi vite que possible. Déménager n'a pas été facile pour Radley.

— Et pour vous ?

Mitch se tourna vers elle brusquement et lui lança un regard perçant.

— Pour moi ? Eh bien…, commença-t-elle, visiblement déstabilisée.

— Vous savez, enchaîna-t-il en s'avançant vers elle, charmé par son trouble, vous vous exprimez beaucoup mieux lorsque vous parlez de Rad que de vous.

Hester recula rapidement, trop consciente de la proximité de Mitch. L'idée qu'il puisse la toucher la troublait au plus haut point.

— Je dois… préparer le dîner, balbutia-t-elle.

— Vous voulez de l'aide ?

— De l'aide pour quoi ?

Cette fois, elle ne fut pas assez rapide. Il saisit son menton entre ses doigts et lui sourit.

— Pour le dîner.

Cela faisait bien longtemps qu'un homme ne l'avait pas touchée de cette manière. Mitch avait une main puissante, mais des doigts doux. Ce qui expliquait sans doute pourquoi son cœur battait soudain si vite.

— Vous savez cuisiner?

Hester avait des yeux incroyables. D'un gris si clair qu'ils étaient presque translucides. Pour la première fois depuis des années, Mitch ressentit le besoin urgent de peindre, juste pour voir s'il était capable de faire vivre ce regard sur une toile.

— Mes sandwichs au beurre de cacahouète sont à tomber par terre, dit-il en riant.

Hester posa la main sur le poignet de Mitch pour le repousser. Mais elle s'y attarda quelques instants, juste pour tester sa propre réaction.

— Et vous vous débrouillez comment pour éplucher des légumes?

— Je pense que je peux m'en sortir.

— Parfait, conclut-elle.

Elle recula d'un pas, sidérée de constater qu'elle s'était abandonnée à son contact si longtemps.

— Je n'ai toujours pas de bière, ajouta-t-elle, mais j'ai du vin, cette fois.

— Parfait.

Mais de quoi parlaient-ils, au juste? se demanda brusquement Mitch. D'ailleurs, pourquoi étaient-ils occupés à parler alors qu'Hester avait une bouche faite pour être embrassée? Troublé et confus, il la suivit dans la cuisine.

— C'est un repas vraiment très simple, commença-t-elle. Mais, une fois que tout est mélangé, Radley s'aperçoit à peine qu'il mange un plat nourrissant et équilibré. Il préfère de loin les gâteaux fourrés à la crème.

— C'est exactement le genre d'enfant que j'aime.

Hester se laissa aller à sourire. Elle était plus détendue depuis qu'elle avait les mains occupées. Elle posa le céleri et les champignons sur la planche à découper.

— Tout est dans la modération, répondit-elle en sortant le poulet du réfrigérateur.

Puis elle se souvint du vin.

— Je reconnais que j'autorise à Rad quelques sucreries, avoua-t-elle, mais à faibles doses. Il accepte de manger des brocolis dans les mêmes conditions.

— Cet arrangement me paraît sage.

Elle déboucha la bouteille. Il s'agissait d'un vin bon marché, constata Mitch en lisant l'étiquette, mais savoureux.

Hester remplit deux verres et lui en tendit un. C'était idiot, mais elle avait de nouveau les mains moites. Cela faisait longtemps qu'elle n'avait pas partagé une bouteille de vin ou préparé un simple dîner en compagnie d'un homme.

— Aux voisins, dit Mitch en levant son verre.

Hester sembla se détendre un peu en trinquant avec lui.

— Pourquoi ne pas vous asseoir pendant que je désosse le poulet ? proposa-t-elle. Vous pourrez ensuite vous occuper des légumes.

Mitch ne s'assit pas, mais s'adossa au comptoir. Au risque de contrarier les plans de sa jolie voisine, il n'était pas prêt à garder ses distances. Un parfum délicieux se dégageait d'elle. Il l'observa manier le couteau d'une main experte tout en sirotant son vin. D'après son expérience, les femmes actives avaient surtout recours aux plats à emporter.

— Que pensez-vous de votre nouveau travail ? demanda-t-il.

Hester haussa les épaules.

— Ça se passe bien. Le directeur est obsédé par l'efficacité, et cela semble faire des émules. Rad et moi avons entendu de nombreux discours sur le sujet toute la semaine ; nous pouvons comparer nos notes.

Se racontaient-ils leurs journées respectives quand ils étaient rentrés aujourd'hui ? s'interrogea Mitch. Etait-ce cela qui l'avait fait tant rire ?

— Comment Radley s'adapte-t-il à sa nouvelle école ?

— Extrêmement bien.

Les traits d'Hester s'adoucirent et ses lèvres esquissèrent un sourire. Il résista de nouveau à l'envie de suivre leur contour.

— Quelles que soient les circonstances, Rad s'en sort toujours. Il est incroyable.

Une ombre fugace traversa le regard d'Hester.

— Les divorces sont durs, dit-il en la voyant se figer.

— Oui.

Elle plaça machinalement les morceaux de poulet désossés dans un saladier.

— Vous pouvez éplucher ceci pendant que je mets le riz à cuire ? demanda-t-elle.

— Bien sûr.

Inutile d'aller plus loin, songea Mitch en abandonnant le sujet. Pour l'instant. Il avait évoqué le divorce au hasard en s'appuyant uniquement sur la loi des probabilités. Et il avait vu juste, mais les cicatrices étaient encore fraîches. Il devinait également que la séparation avait été plus douloureuse pour elle que pour Radley. Il avait aussi la certitude que, pour atteindre la mère, il fallait passer par l'enfant.

— Radley m'a dit qu'il voulait venir me rendre visite, mais que vous l'aviez empêché de le faire.

Hester lui tendit un oignon avant de mettre une poêle sur le feu.

— Je ne voulais pas qu'il vous dérange en plein travail.

— Nous savons tous les deux ce que vous pensez de mon travail.

— Je ne voulais pas vous offenser l'autre soir, répondit-elle avec raideur. C'est juste que…

— Vous ne concevez pas qu'un adulte puisse gagner sa vie en écrivant des bandes dessinées.

Hester versa de l'eau dans un verre doseur en silence.

— La façon dont vous gagnez votre vie ne me regarde pas.

— C'est vrai.

Mitch but une longue gorgée de vin avant de s'attaquer au céleri.

— Quoi qu'il en soit, sachez que Rad peut venir me voir quand il veut.

— C'est très aimable de votre part, mais…

— Pas de « mais », Hester. Je l'aime bien. Et, dans la mesure où j'organise mon temps comme bon me semble, il ne me dérange pas. Que dois-je faire avec les champignons ?

— Les couper en tranches.

La jeune femme couvrit la casserole de riz avant de s'approcher de lui.

— Pas trop fin, ajouta-t-elle en joignant le geste à la parole. Assurez-vous juste que…

Les mots moururent sur ses lèvres lorsque Mitch referma sa main sur la sienne.

— Comme ceci ?

Le mouvement était simple, il n'avait pas vraiment besoin d'y réfléchir. Il se plaça derrière elle, de manière à l'emprisonner entre ses bras, son dos pressé contre son torse. Incapable de résister à la tentation, il pencha la tête sur le côté et approcha la bouche de son oreille.

— Oui, comme ça, dit Hester en s'efforçant de maîtriser les tremblements de sa voix, le regard braqué sur leurs mains jointes. Mais ça n'a pas vraiment d'importance.

— Je tiens à m'appliquer.

— Je dois ajouter le poulet.

Troublée, elle se retourna, mais son geste ne fit qu'aggraver la situation. Elle commit une erreur en levant la tête vers lui, car elle croisa le léger sourire qui planait sur ses lèvres ainsi que son regard calme et confiant. Instinctivement, elle posa une main sur son torse. Elle sentait à présent les battements lents et réguliers de son cœur. Elle ne pouvait pas reculer ; quant à faire un pas en avant, c'était certes tentant, mais beaucoup trop dangereux.

— Mitch, vous êtes sur mon chemin.

Il le savait, bien sûr. Et il avait vu aussi l'éclat de désir fugace traverser le regard d'Hester. Ainsi, la jeune femme était capable de sentir, de désirer. Mais peut-être était-il préférable pour eux deux de prendre le temps de réfléchir un peu plus longtemps avant de laisser libre cours à l'attirance qui les poussait l'un vers l'autre.

— Vous risquez de me trouver souvent sur votre chemin, répondit-il en s'écartant pour la laisser passer. Vous sentez bon, Hester, terriblement bon.

Cette remarque ne fit rien pour calmer les battements effrénés du cœur de la jeune femme. Que cela plaise ou non à Radley, Hester espérait bien recevoir Mitch Dempsey pour la dernière fois. Forte de cette résolution, elle alluma le feu et ajouta de l'huile d'arachide dans la poêle.

— Si je comprends bien, dit-elle, vous travaillez chez vous. Vous n'avez pas de bureau ?

Pour l'instant, Mitch était prêt à la laisser agir à sa manière. Mais, dès l'instant où elle s'était retournée dans ses bras et où elle avait levé les yeux vers lui, il avait compris qu'il ne lui faudrait pas longtemps pour reprendre le contrôle des événements.

— Je ne m'y rends qu'une ou deux fois par semaine. Certains écrivains ou artistes préfèrent travailler au bureau. Pour ma part, je suis plus efficace chez moi. Dès que j'ai écrit les scénarios et que les dessins sont prêts, je les emmène au bureau pour l'édition et l'encrage.

— Je comprends. Vous ne faites donc pas l'encrage vous-même ? demanda-t-elle, même si elle ignorait en quoi consistait exactement ce procédé.

Elle poserait plus tard la question à Radley.

— Non, je ne le fais plus. Nous avons de vrais professionnels qui s'en chargent très bien, ce qui me laisse plus de temps pour le scénario. Croyez-le ou non, mais nous visons la qualité et nous nous efforçons de trouver les bons mots et la bonne histoire pour tenir les enfants en haleine.

Après avoir jeté la viande dans l'huile chaude, Hester inspira profondément.

— Je tiens vraiment à m'excuser pour l'autre jour. Je mesure à quel point mes propos étaient insultants. Je suis certaine que votre travail vous tient à cœur et je sais que Radley l'apprécie beaucoup.

— Bien dit, madame Wallace.

Mitch fit glisser la planche à découper et les légumes vers elle.

— Josh ne me croit pas, annonça soudain Radley en sautillant dans la pièce, l'air très fier de lui. Il veut venir voir le dessin de ses propres yeux demain. Il peut ? Sa mère est d'accord si tu l'es aussi. Allez, maman, dis oui !

Attendrie, Hester prit son fils dans ses bras.

— C'est d'accord, Rad, mais dis-lui de passer après le déjeuner. Nous avons des courses à faire le matin.

— Super. Quand il va voir ça, il ne va pas en revenir.

— Le dîner est presque prêt. Dépêche-toi de laver tes mains.

Radley roula de grands yeux avant de sortir en courant de la cuisine.

— Vous avez un succès fou, commenta Hester, amusée.

— Votre fils vous adore.

— C'est réciproque.

— Ça, je l'ai remarqué, répliqua Mitch en remplissant son verre. Mais, dites-moi, j'ai toujours cru que les horaires des banquiers étaient calés sur les heures d'ouverture. Or, Radley et vous ne rentrez jamais avant 17 heures.

Lorsque Hester se tourna vers lui, surprise, il se contenta de lui sourire d'un air désinvolte.

— Certaines fenêtres de mon appartement donnent côté rue, expliqua-t-il. J'aime regarder les gens aller et venir.

L'idée qu'il ait pu l'observer pendant qu'elle rentrait chez elle lui procura un étrange sentiment de malaise. Hester versa les légumes dans la poêle, puis les remua rapidement.

— Je termine à 16 heures. Ensuite, je vais chercher Rad chez la nourrice.

Elle lui lança un regard par-dessus l'épaule.

— Il déteste que je dise qu'il a une nourrice, continua-t-elle. Elle habite dans notre ancien quartier, c'est pourquoi il nous faut un certain temps pour rentrer. Il va falloir que je trouve quelqu'un plus près d'ici.

— Beaucoup d'enfants de son âge, et même plus jeunes, rentrent seuls chez eux.

Le regard d'Hester se voila, constata Mitch. Il suffisait pour cela d'une bouffée de colère. Ou de désir.

— Je n'ai pas l'intention de laisser Radley livré à lui-même. Je ne veux pas qu'il rentre dans une maison vide sous prétexte que je suis au travail.

Il posa le verre d'Hester près d'elle.

— Je comprends. Rentrer dans une maison vide est un peu déprimant, murmura-t-il en se souvenant de sa propre enfance. Il a beaucoup de chance de vous avoir.

— Et j'en ai encore plus de l'avoir, dit-elle d'une voix plus douce. Si vous vous occupez des assiettes, je vais pouvoir faire le service.

Mitch se souvint de l'endroit où elle rangeait la vaisselle. Les assiettes étaient blanches avec un liseré de petites fleurs violettes. Etonnamment, il les trouvait jolies, lui qui était surtout habitué à la vaisselle jetable. Il posa les assiettes à côté d'Hester. Comme il misait beaucoup sur la spontanéité, il se laissa guider par son instinct avant de poursuivre.

— Je pense qu'il serait préférable que Rad puisse revenir ici directement après l'école.

— Oui, soupira-t-elle. Je déteste lui faire traverser la moitié de la ville, même s'il ne s'en plaint jamais. Mais c'est si dur de trouver une personne de confiance que Radley apprécie.

— Pourquoi ne me le confiez-vous pas ?

Hester s'apprêtait à éteindre le feu. Elle interrompit son geste pour le regarder fixement. Les légumes et le poulet continuaient de crépiter dans l'huile bouillante.

— Je vous demande pardon ?

— Radley pourrait rester avec moi les après-midi.

Mitch plaça de nouveau une main sur la sienne, pour éteindre le feu, cette fois.

— Il ne serait qu'à deux étages de chez lui.

— Avec vous ? Non, ce n'est pas possible.

— Et pourquoi pas ?

Plus il y pensait et plus cette idée lui plaisait. Taz et lui pourraient bénéficier de sa compagnie les après-midi et, en prime, il verrait beaucoup plus souvent la très intéressante Mme Wallace.

— Vous voulez des références ? Mon casier judiciaire est vierge, Hester. D'accord, il y a eu cette petite histoire avec ma mobylette et un parterre de roses, mais je n'avais que dix-huit ans.

— Je n'insinuais rien de tout cela, dit-elle en remuant le riz.

Mitch lui sourit.

— Je ne veux simplement pas vous imposer de garder mon fils, ajouta-t-elle. Je suis certaine que vous êtes déjà très occupé.

— Allons, vous ne croyez quand même pas que je gribouille toute la journée. Soyons honnêtes.

— Je vous ai déjà dit que cela ne me regardait pas.

— Exactement. Mais je suis chez moi tous les après-midi. Je suis disponible et volontaire pour garder Rad. De plus, je pourrai même me servir de votre garçon comme consultant. Il est très doué, vous savez ?

Mitch désigna le dessin sur le réfrigérateur.

— Votre fils devrait prendre des cours de dessin, ajouta-t-il.

— Je sais. Je prévoyais de m'en occuper cet été, mais…

— Ecoutez, votre fils m'aime bien et c'est réciproque. Et je jure de ne pas lui donner plus d'un gâteau pour le goûter.

Sur ces mots, Hester se mit à rire, comme il l'avait vue le faire un peu plus tôt de sa fenêtre. Mitch résista à l'envie de la prendre dans ses bras, car quelque chose lui disait que, s'il esquissait le moindre geste, Hester lui claquerait la porte au nez et fermerait le verrou à double tour.

— Je ne sais pas trop, Mitch. J'apprécie vraiment votre offre, et Dieu sait combien cet arrangement me faciliterait la vie, mais je ne suis pas certaine de comprendre ce que vous espérez.

— Je tiens à souligner que j'ai été, moi aussi, un petit garçon.

Mitch avait vraiment envie de passer du temps avec Radley. Et son offre n'était pas une simple idée en l'air, inspirée par un élan de pure gentillesse.

— Ecoutez, pourquoi ne soumettons-nous pas la question au vote en demandant directement à l'intéressé ce qu'il en pense ?

— Me demander quoi ?

Après avoir parlé à Josh, Radley venait de se passer rapidement les mains sous l'eau. Mais sa mère était beaucoup trop occupée pour les regarder de près.

Mitch prit son verre de vin et lança à Hester un regard interrogateur. La balle était dans son camp. Elle aurait pu détourner l'attention de son fils, mais elle avait toujours mis un point d'honneur à se montrer honnête avec lui.

— Mitch voulait savoir si tu aimerais rester avec lui les après-midi après l'école au lieu d'aller chez Mme Cohen.

— Vraiment ?

L'enfant semblait partagé entre la stupéfaction et l'excitation.

— Vraiment, je peux ?

— Eh bien, répondit sa mère, avant d'y réfléchir, je voulais d'abord t'en parler…

— Je promets d'être sage, dit Radley en s'élançant vers elle pour enlacer sa taille. Je le jure. Mitch est bien mieux que Mme Cohen. Beaucoup mieux. Elle sent mauvais et n'arrête pas de me tapoter la tête.

— Il n'y a rien à ajouter, fit Mitch en riant.

Hester le fusilla du regard. Elle n'avait pas l'habitude qu'on lui force la main, et ne prenait jamais ses décisions sans y avoir réfléchi avec soin.

— Radley, tu sais pourtant que Mme Cohen est très gentille. Cela fait plus de deux ans qu'elle te garde.

Mais son fils alla encore plus loin et joua le tout pour le tout.

— Si je reste avec Mitch, je pourrai rentrer directement à la maison et faire mes devoirs plus tôt.

La promesse était un peu déraisonnable, mais la situation était désespérée.

— Tu pourras rentrer plus tôt aussi, ajouta le petit garçon. S'il te plaît, maman, dis oui.

Hester détestait lui refuser quoi que ce soit : elle lui avait déjà retiré tant de choses. Son fils leva les yeux vers elle, les joues roses de plaisir.

— Très bien, Rad, répondit-elle en se penchant vers lui pour l'embrasser. Nous allons faire un essai et nous verrons comment les choses se passent.

— Je suis sûr que ça va être génial, dit Radley en enroulant les bras autour du cou de sa mère avant d'adresser un grand sourire à Mitch.

3

Mitch aimait se réveiller tard le week-end — les autres jours de la semaine aussi. Mais depuis qu'il travaillait chez lui, à son propre rythme, il oubliait souvent que pour la plupart des gens tous les jours ne se ressemblaient pas. Ce samedi-là, il était affalé dans son lit, complètement coupé du monde.

Après avoir quitté l'appartement d'Hester la veille, il s'était senti nerveux, agité. Trop agité pour rentrer seul chez lui. Sur l'impulsion du moment, il s'était rendu dans le petit bar où se réunissait souvent l'équipe d'Universal Comics. Il y avait croisé plusieurs collègues — le jeune homme qui s'occupait de l'encrage des dessins, un autre artiste, ainsi que les auteurs de la collection « Le Grand Au-Delà » qu'Universal Comics avait lancée pour tenter de pénétrer le marché du surnaturel. La musique était forte et loin d'être bonne, mais l'ambiance convenait exactement à son humeur du moment.

Ses collègues l'avaient ensuite convaincu de se rendre à un festival de films d'horreur sur Times Square. Mitch était rentré chez lui bien après 6 heures du matin, un peu soûl et avec juste assez d'énergie pour se déshabiller et s'effondrer sur son lit, où il avait la ferme intention de passer les prochaines vingt-quatre heures.

Cela faisait maintenant huit heures qu'il se reposait et, lorsque le téléphone sonna, il répondit surtout pour ne plus être dérangé par la sonnerie.

— Oui ?

— Mitch ?

Hester hésita quelques instants. Elle avait l'impression de l'avoir réveillé. Comme il était 14 heures, elle chassa rapidement cette idée incongrue de son esprit.

— C'est Hester Wallace. Je suis désolée de vous déranger.

— Comment ? Non, vous ne me dérangez pas.

Mitch passa une main sur son visage et poussa son chien, allongé de tout son long au milieu du lit.

— Bon sang, Taz, bouge de là.

Taz ? s'étonna Hester. Elle ne savait pas que Mitch partageait son appartement avec quelqu'un. Elle aurait dû se renseigner avant. Pour le bien de Radley.

— Je suis vraiment navrée, dit-elle d'une voix soudainement glaciale. Visiblement, j'appelle au mauvais moment.

— Non, pas du tout.

Plus il donnait d'espace à ce stupide chien et plus celui-ci abusait de sa gentillesse, constata Mitch en coinçant le combiné sous son oreille, avant de contourner le lit pour se rapprocher du téléphone.

— Vous êtes réveillé ? demanda Hester.

Le léger dédain qu'il surprit dans sa voix l'agaça au plus haut point.

— Si je vous parle, c'est que je suis réveillé, dit-il d'une voix pâteuse.

— Je vous appelais pour vous donner les numéros et les informations utiles pour garder Radley la semaine prochaine.

— Oh !

Mitch écarta de son visage une mèche de cheveux et balaya en vain la chambre du regard, à la recherche d'une bouteille éventée de soda ou de toute autre boisson.

— D'accord. Pouvez-vous attendre que je prenne un stylo ?

— Eh bien, je…

Mitch l'entendit mettre la main sur le combiné et parler à quelqu'un, sans doute à Radley.

— En fait, continua Hester, si cela ne vous dérange pas, Radley pourrait venir vous voir dans une minute. Il veut vous présenter son ami. Si vous êtes occupé, je viendrai vous apporter ces renseignements plus tard.

Mitch s'apprêtait à accepter cette deuxième proposition. Non seulement il pourrait se rendormir, mais l'idée de quelques instants seul à seul avec sa séduisante voisine lui paraissait tentante. Puis il imagina Radley et ses grands yeux sombres pleins d'espoir, debout à côté d'elle.

— Donnez-moi dix minutes, marmonna-t-il.

Il raccrocha sans attendre sa réponse.

Sans perdre une seconde, Mitch enfila un jean, puis se dirigea vers la salle de bains où il remplit l'évier d'eau froide. Après une courte inspiration, il y plongea le visage. Il en ressortit en jurant, mais réveillé. Cinq minutes plus tard, il enfilait un sweat-shirt tout en se demandant s'il lui restait des chaussettes propres. Tous les vêtements qui étaient revenus de la blanchisserie étaient pliés avec soin sur une chaise dans un coin de la chambre. Il s'apprêtait à fouiller dans le tas lorsqu'il entendit frapper à la porte. La queue de Taz battit furieusement le matelas.

— Cet appartement est une porcherie, fit Mitch à voix haute.

Comme s'il l'avait compris, Taz poussa une série de grognements.

— Des excuses, toujours des excuses, ajouta-t-il. Et sors de ce lit. Tu ne sais pas qu'il est plus de 14 heures ?

Mitch passa la main sur son menton couvert d'une barbe rugueuse et alla ouvrir la porte.

Hester était belle, simplement belle, la main posée sur l'épaule des deux enfants, et un doux sourire aux lèvres. Etait-ce de la gêne qu'il lisait dans son regard ? Lui qui la croyait froide et distante, il comprenait maintenant que ce n'était qu'une façade pour cacher une timidité naturelle. Cette idée le fit fondre sur-le-champ.

— Salut, Rad.

— Salut, Mitch, répondit Radley, le torse bombé de fierté. Je te présente mon copain Josh Miller. Il ne croit pas que c'est toi, le commandant Zark.

— Vraiment ?

Mitch observa le petit garçon, qui le dévisageait d'un œil sceptique. Il avait des cheveux blonds et fins, et dépassait Rad d'une bonne tête.

— Entrez, proposa-t-il en s'écartant pour les laisser passer.

— C'est très gentil de nous recevoir, dit Hester avec un sourire. Tant que Rad et Josh n'auront pas réglé ce différend vous concernant, je n'aurai pas la paix.

En entrant dans le salon, Hester se figea. Le lieu semblait avoir été dévasté par une explosion. Le sol était jonché de papiers, de vêtements et d'emballages. Elle aurait été incapable de décrire le mobilier tant il était encombré.

— Dis à Josh que c'est toi, le commandant Zark, insista Radley.

— On peut dire ça, d'une certaine manière.

L'idée d'être un héros le séduisait beaucoup.

— C'est moi qui l'ai créé, après tout, continua-t-il.

Mitch se tourna de nouveau vers Josh, dont la moue était passée du doute à la suspicion.

— Vous êtes en classe ensemble ?

— On l'était, avant, répondit Josh en étudiant Mitch. Vous ne ressemblez pas au commandant Zark.

Mitch se gratta de nouveau le menton.

— La nuit a été dure.

— Mais c'est bien Zark, insista Radley. Regarde, maman, Mitch possède un magnétoscope.

Ignorant le désordre, Radley se dirigea vers l'appareil.

— J'économise pour m'en acheter un. J'ai déjà dix-sept dollars.

— Ça commence à faire une somme, murmura Mitch d'un air songeur. Et si nous allions dans mon bureau ? Je vous montrerai ce que je prépare pour le prochain numéro.

— Génial ! s'écria Radley.

Mitch leur montra le chemin.

Son bureau était grand et lumineux, et tout aussi désordonné que le salon, remarqua Hester. Comment une personne pouvait-elle travailler dans ces conditions ? Pour quelqu'un comme elle, très à cheval sur l'ordre, c'était incompréhensible. Et pourtant, une série de dessins accompagnés de leurs légendes s'alignaient sur une grande table à dessin.

— Comme vous le voyez, Zark va avoir du pain sur la planche lorsque Leilah va s'allier au Papillon-Noir.

— Au Papillon-Noir ? Ça alors !

Face à l'évidence, Josh était évidemment impressionné. Puis l'enfant réfléchit et sembla de nouveau pris de doute.

— Je croyais que Zark avait détruit le Papillon-Noir cinq albums plus tôt.

— Après que Zark a bombardé le *Zénith* avec un ZT-5 expérimental, le Papillon-Noir est entré en hibernation. Leilah a utilisé ses connaissances scientifiques pour le réveiller.

— Incroyable.

La remarque était venue de Josh, tétanisé devant les dessins et les légendes grand format.

— Pourquoi sont-ils si grands ? demanda le petit garçon. Ils ne pourront jamais entrer dans une bande dessinée.

— Ils vont être réduits, expliqua Mitch.

— J'ai tout lu sur le sujet, avança Radley en regardant son ami d'un air supérieur. J'ai emprunté un livre à la bibliothèque sur l'histoire de la bande dessinée depuis les années 1930.

— C'était l'âge de pierre, fit Mitch en riant tandis que les garçons continuaient de s'extasier devant son travail.

Hester était elle aussi fascinée, mais par tout autre chose. Parmi tout ce désordre, elle crut reconnaître une authentique armoire de style rococo. Il y avait aussi des livres, par centaines.

Mitch la regarda déambuler dans la pièce. Mais son attention fut détournée par Josh, qui tirait sur sa manche.

— S'il vous plaît, je pourrais avoir un autographe ?

En croisant l'air grave du petit garçon, Mitch ne put réprimer une bouffée de satisfaction.

— Bien sûr.

Fouillant dans ses papiers, il trouva une feuille blanche qu'il signa. Puis, d'un geste théâtral, il griffonna rapidement un dessin représentant Zark.

— Super ! s'extasia Josh en pliant religieusement la feuille avant de la glisser dans la poche arrière de son pantalon. Mon frère se vante toujours d'avoir un autographe d'un joueur de base-ball, mais celui-ci est encore plus précieux.

— Je te l'avais bien dit, lança Radley en s'approchant de Josh, le sourire aux lèvres. Et c'est Mitch qui va me garder le soir après l'école en attendant que maman revienne du travail.

— C'est pas vrai ?

— Allons, les enfants, nous avons suffisamment abusé du temps de M. Dempsey.

Hester poussait déjà les enfants vers la porte, lorsque Taz entra dans la pièce.

— Mon Dieu, il est énorme ! s'écria-t-elle.

Radley s'avançait vers l'animal, main en avant, quand Hester l'arrêta net.

— Rad, tu sais bien qu'il ne faut pas caresser les chiens que tu ne connais pas.

— Ta mère a raison, renchérit Mitch. Mais, dans le cas présent, tu ne risques rien. Taz est inoffensif.

Et également monstrueux, songea Hester en tenant fermement la main de Radley et Josh.

— Il n'a rien d'un chien agressif, dit Mitch pour rassurer Hester.

Le chien, comme pour illustrer ses propos, s'assit tranquillement dans l'embrasure de la porte en remuant la queue. Mitch vint placer une main sur sa tête, sans même avoir à se baisser.

— Il fait des bêtises ? demanda Radley, curieux.

Il rêvait en secret d'avoir un chien. Un très gros chien. Mais il n'avait jamais osé le demander à sa mère, car il savait qu'un tel animal ne pouvait pas rester enfermé dans un appartement toute la journée.

— Non, Taz se contente de parler.

— Il parle ? s'étonna Josh en riant. Mais les chiens ne parlent pas.

— Mitch veut dire qu'il aboie, expliqua Hester en se détendant en peu.

— Non, il parle vraiment.

Mitch tapota gentiment la tête de Taz.

— Comment ça va, Taz?

En guise de réponse, le chien poussa très fort la jambe de Mitch et se mit à grogner. Il regardait son maître d'un air sincère, et jappa jusqu'à ce que les deux enfants pleurent de rire.

— Il parle! s'écria Radley. Il parle vraiment.

Taz frotta son long museau contre la main du petit garçon.

— Regarde, maman! Il m'aime bien.

Aussitôt séduit, Radley passa les deux bras autour du cou du gros chien. Sa mère s'élança spontanément vers lui.

— Il est aussi gentil qu'il en a l'air, je vous le promets, intervint Mitch en posant une main sur le bras d'Hester.

Même si le chien paraissait apprécier l'étreinte de Radley, tout en se laissant caresser par Josh, Hester n'était pas convaincue.

— Il ne doit pas être habitué aux enfants, déclara-t-elle, inquiète.

— Il joue avec les enfants du parc tous les jours.

Comme pour le prouver, Taz roula sur le dos pour inviter les enfants à lui caresser le ventre.

— Sans compter que c'est un gros flemmard, continua Mitch. Il ne dépenserait pas son énergie à mordre autre chose que ce que je mets dans sa gamelle. Vous n'avez pas peur des chiens, tout de même?

— Non, bien sûr que non.

Enfin, pas vraiment, ajouta-t-elle en son for intérieur. Comme elle répugnait à montrer la moindre faiblesse, Hester s'accroupit pour caresser la tête imposante de l'animal. Taz posa aussitôt sa grosse patte sur sa cuisse et laissa échapper un gémissement plaintif, tout en la regardant avec de grands yeux tristes. Conquise, Hester le gratta derrière les oreilles en riant.

— Tu es un gros bébé, toi!

— Un gros manipulateur surtout, murmura Mitch en se demandant ce qu'il pourrait bien faire pour qu'Hester le caresse avec la même tendresse.

— Je pourrai jouer avec lui tous les jours, dis, Mitch?

— Bien sûr, répondit-il en souriant à l'enfant. Taz aime

beaucoup que l'on s'occupe de lui. Vous voulez l'emmener faire un tour ?

— Oui ! firent les enfants en chœur.

Mais Hester se raidit en regardant Taz d'un air sceptique.

— Je ne sais pas, Rad.

— S'il te plaît, maman. Nous ferons attention. Tu m'as déjà dit que Josh et moi pourrions aller jouer un peu au parc.

— Oui, je sais, mais Taz est un chien énorme. J'ai peur qu'il vous échappe.

— Taz n'aime pas gaspiller son énergie, je vous le répète. Il préfère se promener que courir.

Mitch retourna dans son bureau et revint avec la laisse de Taz.

— Il ne court pas après les voitures, ni les autres chiens, ni les policiers du parc. En revanche, il peut parfaitement s'arrêter près de tous les arbres que vous croiserez.

Radley saisit la laisse en gloussant.

— C'est d'accord, maman ? demanda-t-il d'une voix suppliante.

Hester hésita. Une partie d'elle-même voulait garder Radley près d'elle, à portée de main. Mais, pour le bien de son fils, il fallait qu'elle refrène ses pulsions de mère protectrice.

— Une demi-heure.

Hester avait à peine prononcé ces mots que Radley et Josh criaient déjà de joie.

— Mais vous devez aller chercher vos manteaux et vos gants, ajouta-t-elle.

— Oui, maman. Viens, Taz.

Le chien se leva en soupirant bruyamment. Avec un faible grognement, il vint ensuite se placer entre les deux garçons.

— Pourquoi est-ce que je me sens si bien chaque fois que je vois cet enfant ? demanda Mitch d'un air songeur.

— Vous êtes très gentil avec lui. Je vais monter pour m'assurer qu'ils sont bien couverts.

— Je pense qu'ils sont capables de se débrouiller seuls. Pourquoi ne pas vous asseoir quelques instants ?

Il profita de sa courte hésitation pour lui prendre le bras.

— Venez près de la fenêtre. Vous pourrez les voir sortir.

Hester céda. Elle savait que Radley détestait être couvé.

— Au fait, voici le numéro de mon bureau, ainsi que les coordonnées du médecin et de l'école.

Mitch saisit le papier et le fourra dans sa poche.

— Si vous avez un souci, appelez-moi, continua-t-elle. Je peux être là en moins de dix minutes.

— Détendez-vous, Hester. Nous allons très bien nous en sortir.

— Je dois vous remercier encore. C'est la première fois depuis la rentrée des classes que Rad attend le lundi avec une telle impatience.

— Moi aussi, j'ai hâte de l'avoir avec moi.

Hester scruta la rue en contrebas, à la recherche du bonnet et du manteau bleus de Radley.

— Nous n'avons pas parlé de vos conditions, dit-elle.

— Quelles conditions ?

— Combien vous demandez pour garder mon fils. Mme Cohen…

— Pour l'amour du ciel, Hester. Je ne veux pas d'argent.

— Ne soyez pas ridicule. Je dois vous payer, c'est évident.

Mitch posa une main sur son épaule et l'obligea à se tourner vers lui.

— Je n'ai pas besoin d'argent, répliqua-t-il. Je n'en veux pas. Je vous ai fait cette offre parce que Rad est un gentil garçon et que j'aime être en sa compagnie.

— C'est très aimable, mais…

Le soupir exaspéré qu'il poussa l'interrompit aussitôt.

— Encore des objections…

— Je ne peux pas vous laisser vous occuper de mon fils pour rien.

Mitch l'étudia attentivement. Dès leur première rencontre, il avait compris qu'elle n'était pas facile à convaincre. Du moins, en apparence.

— Vous ne pouvez pas accepter que l'on se rende service, entre voisins ?

Hester sourit légèrement, mais son regard resta grave.

— Non, je ne peux pas l'accepter.

— Cinq dollars par jour.

Cette fois, son sourire illumina son regard.

— Merci.

Sans réfléchir, Mitch prit entre ses doigts une mèche de ses cheveux.

— Vous êtes dure en affaires, madame Wallace.

— Il paraît.

Prudemment, elle recula d'un pas.

Radley n'avait pas oublié ses gants, remarqua Hester en approchant de la fenêtre. Il avait également retenu la leçon et attendit que le bonhomme soit vert pour traverser.

— Il est aux anges, vous savez, continua-t-elle. Rad a toujours voulu avoir un chien.

Elle effleura de la main la fenêtre et continua de suivre son fils du regard.

— Il n'en parle pas, car il sait qu'un chien ne peut pas rester seul toute la journée dans un appartement. Il s'est donc contenté du chaton que je lui ai promis.

Mitch posa de nouveau la main sur l'épaule d'Hester, avec douceur, cette fois.

— Votre fils n'a pas l'air malheureux, Hester. Vous n'avez pas à vous sentir coupable.

Elle le contempla, ses grands yeux gris chargés de mélancolie. Mitch se sentit aussitôt submergé par la même émotion que celle qu'il avait ressentie en la voyant rire. Sans réfléchir et sans pouvoir s'en empêcher, il leva une main vers la joue d'Hester. Sa peau était chaude sous ses doigts. La jeune femme battit rapidement en retraite.

— Je ferais mieux de m'en aller. Je suis certaine que les enfants voudront une tasse de chocolat chaud à leur retour.

— Ils devront d'abord ramener Taz, lui rappela Mitch. Faites une pause, Hester. Vous voulez du café ?

— Eh bien…

— Parfait. Asseyez-vous, je m'occupe du reste.

Hester resta debout au milieu de la pièce quelques instants, sidérée de voir avec quelle habileté Mitch dirigeait les choses — à sa manière. Elle était trop habituée à fixer ses propres règles pour accepter celles des autres. Mais comment partir sans paraître mal élevée ? D'autant que son fils serait bientôt de retour. Et Mitch était si gentil avec Radley qu'elle pouvait bien supporter de rester quelques instants en sa compagnie.

Dire que l'homme ne l'intéressait pas aurait été un mensonge, même si elle n'avait aucune arrière-pensée à son sujet, évidemment. Il avait une façon de la regarder, si profonde et pénétrante, et en même temps il semblait prendre la vie avec tellement d'humour et de légèreté… Pourtant, la manière qu'il avait de la toucher n'avait rien de drôle.

Hester effleura sa joue, à l'endroit où les doigts de Mitch s'étaient posés. A l'avenir, elle veillerait à éviter autant que possible ce genre de contacts. En se forçant un peu, elle pourrait peut-être considérer Mitch comme un ami. Radley l'avait déjà adopté. Et, si elle n'aimait pas beaucoup l'idée de lui être redevable, elle réussirait à le supporter. Elle avait enduré bien pire.

Et puis, Mitch était gentil, elle devait le reconnaître. Hester souffla doucement pour essayer de se détendre un peu. L'expérience qu'elle avait de la vie avait développé un sixième sens chez elle. Elle savait reconnaître les hommes qui tentent d'amadouer le fils pour plaire à la mère. Et, dans le cas présent, elle était certaine d'une chose : Mitch appréciait vraiment Radley. C'était au moins un bon point pour lui.

En revanche, elle aurait préféré qu'il ne la touche pas de cette façon, qu'il ne la regarde pas non plus comme il le faisait, et qu'il ne suscite pas en elle de telles émotions.

— Voici le café, déclara-t-il en avançant vers elle avec deux tasses. Attention, il est sans doute mauvais, mais il est surtout brûlant. Vous ne voulez pas vous asseoir ?

— Où donc ? demanda-t-elle en souriant.

Mitch posa les tasses sur une pile de documents, puis poussa les magazines qui encombraient le canapé.

— Ici.

Hester enjamba une pile de vieux journaux.

— Radley est le roi du rangement. Il vous aidera avec plaisir.

— Je fonctionne mieux dans un univers de confusion contrôlée.

Amusée, Hester vint le rejoindre sur le canapé.

— Je vois où est la confusion, mais rien concernant le contrôle.

— Il est là, croyez-moi. Je ne vous ai pas demandé si vous vouliez autre chose pour accompagner votre café. Je vous l'ai servi sans lait et sans sucre.

— C'est parfait. Dites-moi, c'est une table de style Queen Anne, n'est-ce pas ?

— Oui, répondit Mitch en croisant ses pieds nus sur le meuble en question. Vous avez l'œil.

— Etant donné les circonstances, il le faut bien.

Comme Mitch s'esclaffait, Hester lui répondit par un sourire avant de boire une première gorgée de café.

— J'ai toujours aimé les antiquités, avoua-t-elle. C'est certainement leur longévité qui me plaît. Il n'y a pas beaucoup de choses qui durent.

— Détrompez-vous. Une fois, j'ai attrapé un rhume que j'ai traîné six semaines.

Ce fut au tour d'Hester de rire.

— Lorsque vous riez, vous avez une fossette sur la joue, fit-il. C'est très mignon.

Elle sentit le rouge lui monter aux joues.

— Vous avez un don naturel avec les enfants, déclara-t-elle pour changer de sujet. Vous avez grandi dans une famille nombreuse ?

— Non, je suis fils unique.

Mitch continuait de l'observer, curieux de sa réaction au moindre compliment, même anodin.

— Vraiment ? Je ne m'en serais pas douté.

— Ne me dites pas que vous êtes de celles qui pensent que seule une femme peut entrer en relation avec les enfants.

— Non, absolument pas, se défendit-elle, même si jusqu'à présent Mitch était le premier homme qu'elle rencontrait qui s'intéressait réellement à eux. Mais vous êtes si gentil avec eux. Vous n'avez pas d'enfants ?

La question, posée très vite, intrigua Mitch.

— Non. Je pense que j'ai passé trop de temps à être moi-même un enfant pour songer à en élever un.

— Cela ne fait pas de vous un cas unique, répondit-elle froidement.

De plus en plus étonné, Mitch pencha la tête sur le côté pour l'observer.

— Vous voulez me dire quelques mots sur le père de Rad ?

Un éclair traversa le regard clair de la jeune femme.

— Bon sang, Hester, qu'est-ce que ce salaud vous a fait ?

Elle se raidit instantanément, mais Mitch fut plus rapide. Avant qu'elle ait pu se lever, il avait posé une main sur son bras pour la retenir.

— D'accord, j'attendrai que vous soyez prête à m'en parler. Si j'ai touché un point sensible, vous m'en voyez navré. Mais je suis curieux. J'ai passé deux soirées avec Rad et je ne l'ai jamais entendu parler de son père.

— J'apprécierais que vous ne lui posiez pas de questions à ce sujet.

— D'accord. Mais, rassurez-vous, je n'avais pas l'intention de mettre votre fils sur la sellette.

Hester fut tentée de se lever pour partir. C'était la solution la plus simple. Mais elle s'apprêtait à confier son fils à cet homme tous les jours. Il était donc préférable qu'elle lui livre quelques informations.

— Cela fait presque sept ans que Rad n'a plus vu son père.

— Du tout ?

Mitch n'en revenait pas. Sa propre famille n'était pas vraiment démonstrative. Ses parents étaient même plutôt distants, mais il ne passait jamais plus d'un an sans les voir.

— Ce doit être dur pour lui.

— Ils n'ont jamais été très proches. Je pense que Radley s'adapte très bien à la situation.

— Une minute ! Ce n'était pas une critique.

Mitch posa de nouveau une main sur celles d'Hester, trop fermement pour qu'elle se dégage de cette étreinte.

— Je sais reconnaître un enfant heureux quand j'en vois un.

Il est clair que vous êtes prête à tous les sacrifices pour lui. Vous pensez peut-être que ça ne se voit pas, mais je vous le dis.

— Rien ne compte plus à mes yeux que mon fils.

Hester essaya de nouveau de se détendre, mais Mitch était assis trop près d'elle et lui tenait toujours la main.

— Si je vous ai dit ça, ajouta-t-elle, c'est uniquement pour éviter que vous lui posiez des questions embarrassantes qui risqueraient de le mettre en colère.

— Il s'énerve souvent?

— Parfois.

Mitch avait mêlé ses doigts aux siens. Comment y était-il arrivé?

— Aujourd'hui, il a un nouvel ami, dit-elle en soupirant. Excusez-moi, je dois vraiment partir.

— Et vous? insista Mitch en effleurant doucement sa joue. Comment vous êtes-vous adaptée?

— Très bien. J'ai Rad et mon travail.

— Et pas d'amis?

Elle ne savait pas si c'était de la gêne ou de la colère, mais l'émotion qui la submergea était violente.

— Cela ne vous regarde pas.

— Si l'on ne parlait que des choses qui nous regardent, on finirait par ne rien se dire. Vous ne semblez pas détester les hommes, Hester.

Elle lui lança un regard surpris. Lorsqu'elle y était contrainte, elle était capable de jouer selon d'autres règles que les siennes. Et elle jouait très bien.

— J'ai traversé une période où je méprisais les hommes par principe. Cette époque de ma vie s'est avérée extrêmement gratifiante. Puis, peu à peu, j'en suis arrivée à la conclusion que certains membres de votre espèce ne sont pas si terribles.

— C'est prometteur.

Elle lui sourit de nouveau, encouragée par son calme et son ouverture d'esprit.

— Je ne blâme pas tous les hommes pour les erreurs d'un seul, conclut-elle.

— Vous êtes juste prudente.

— Si vous voulez.

— La seule chose que je sais, c'est que j'aime vos yeux, déclara soudain Mitch. Non, ne les détournez pas.

Patiemment, il tourna le visage d'Hester vers le sien.

— Ils sont merveilleux, ajouta-t-il. Prenez-le comme le compliment d'un artiste.

Pourquoi était-elle aussi nerveuse ? se réprimanda-t-elle. Au prix de sérieux efforts, elle s'apaisa un peu.

— Dois-je comprendre qu'ils vont apparaître dans un prochain numéro ?

— C'est possible, répondit-il en souriant.

Décidément, son sourire avait un étrange effet sur elle, mais Hester était heureusement capable de se maîtriser.

— Ce pauvre vieux Zark mérite de rencontrer quelqu'un qui le comprenne, poursuivit-il. Une femme avec de tels yeux ne peut que répondre à ses attentes.

— Je le prends comme un compliment.

Il était temps de changer de sujet.

— Les enfants seront là d'une minute à l'autre, ajouta-t-elle.

— Nous avons encore un peu de temps, Hester. Dites-moi, cela vous arrive-t-il de vous amuser ?

— Quelle question ! Bien sûr !

— Je veux dire non en tant que mère de Rad, mais en tant qu'Hester ?

Fasciné, Mitch passa une main dans ses longs cheveux.

— Mais je *suis* la mère de Rad.

Comme elle se levait, Mitch l'imita aussitôt.

— Vous êtes aussi une femme. Une très belle femme.

Une étrange lueur traversa le regard d'Hester tandis qu'il suivait du bout des doigts les contours de son visage.

— Vous pouvez me croire, continua-t-il. Je suis un homme sincère. Vous êtes aussi un joli paquet de nerfs.

— C'est ridicule. Pourquoi devrais-je être nerveuse ?

Elle n'avait aucune raison de l'être. A condition d'écarter le fait que Mitch était en train de la toucher, qu'il lui parlait d'une voix douce et qu'ils étaient seuls dans l'appartement.

— J'enlèverai cette épine de mon cœur plus tard, murmura-t-il.

Puis il se pencha vers elle pour l'embrasser. Mais il dut la retenir lorsqu'elle trébucha sur une pile de journaux.

— Détendez-vous, Hester. Je ne vais pas vous mordre. Du moins, pas cette fois.

— Je dois partir.

Jamais elle n'avait ressenti une telle panique.

— J'ai des milliers de choses à faire, ajouta-t-elle précipitamment.

— Encore une minute.

Mitch enserra son visage entre ses mains. Elle tremblait, mais il n'en fut pas surpris. C'était son propre trouble qui l'étonnait le plus.

— Ce que nous vivons, madame Wallace, s'appelle une attirance, une alchimie, du désir. Peu importe le nom qu'on lui donne.

— Parlez pour vous.

— Je vous laisserai choisir le mot qui vous convient plus tard.

Mitch caressa doucement sa joue d'un geste rassurant.

— Je vous ai déjà dit que je n'étais pas un détraqué. Il faudra me rappeler de vous donner mes références.

— Mitch, je vous ai déjà dit que j'appréciais ce que vous faites pour Rad, mais j'aimerais que…

— Ce qui se passe ici et maintenant n'a rien à voir avec Rad. Il s'agit de vous et moi, Hester. Depuis quand n'avez-vous pas passé du temps avec un homme qui vous désire ?

Il effleura de manière désinvolte ses lèvres de son pouce. Les yeux d'Hester se voilèrent.

— Depuis quand n'avez-vous pas laissé un homme faire ceci ?

Mitch s'empara de la bouche d'Hester, avec une force qui la laissa sous le choc. Elle n'était pas préparée à cette violence. Ses mains avaient été si tendres, sa voix si douce. Elle n'était pas préparée à une passion aussi effrénée de sa part. Mais elle le désirait avec la même force. Sans réfléchir, elle enroula les bras autour de son cou et répondit à son baiser.

— Depuis trop longtemps, conclut Mitch à bout de souffle en s'arrachant à contrecœur de ses lèvres.

Hester avait émis tout au plus un gémissement lorsqu'il s'empara de nouveau de sa bouche.

Mitch ignorait ce qu'il trouverait en elle : un mélange de glace, de colère, de peur ? Une chaleur irrésistible embrasa son corps et celui d'Hester, les laissant haletants. La bouche pulpeuse de sa délicieuse voisine était brûlante et impatiente. Toute trace de timidité avait été engloutie par la passion. Hester lui donna plus que ce qu'il espérait, et plus que ce qu'il s'était préparé à prendre.

Pris de vertiges, il ne put pleinement apprécier la sensation aussi enivrante qu'inédite qui venait de l'envahir tandis qu'il la caressait et l'embrassait inlassablement. Les mains enfouies dans ses cheveux, il retira les fines épingles argentées qui les retenaient. Il voulait sentir sa chevelure glisser librement et sauvagement entre ses doigts, tout comme il voulait Hester libre et sauvage dans son lit. Son idée de départ de ne pas la brusquer, de ne pas faire trop de vagues s'évapora alors que naissait en lui l'envie irrésistible de plonger dans ces eaux bouillonnantes. Obsédé par cette idée, il glissa les mains sous le pull d'Hester. Sa peau était douce et chaude. Ses sous-vêtements étaient soyeux. Impatient, il posa les mains autour de sa taille et remonta vers ses seins.

Hester se figea puis frémit. Elle ignorait avant cet instant à quel point elle avait envie qu'il la touche de cette façon. A quel point elle en avait besoin. Ses lèvres tentantes éveillaient en elle un sombre désir. Elle avait oublié que l'on pouvait se languir de ces choses. C'était de la folie, la douce libération de la folie. Elle entendit Mitch murmurer son prénom tandis que sa bouche descendait vers sa gorge avant de remonter vers ses lèvres.

Oui, elle avait perdu la tête. Elle le comprenait parfaitement. Elle avait déjà éprouvé ce sentiment, ou croyait l'avoir déjà ressenti. Aujourd'hui, ces émotions lui paraissaient encore plus douces, encore plus riches qu'autrefois, d'autant qu'elle savait qu'elle ne pourrait plus jamais y goûter.

— S'il vous plaît, Mitch.

Il n'était pas facile de résister à ce qu'il lui offrait. Hester fut surprise de constater à quel point il lui était difficile de battre en retraite, de mettre une barrière entre eux.

— Nous ne pouvons pas faire ça, ajouta-t-elle.

— Et, pourtant, nous le faisons, souligna-t-il en goûtant de nouveau à ses lèvres. Et très bien, même.

— Je ne peux pas.

Avec le peu de volonté qui lui restait, elle s'arracha à son étreinte.

— Je suis navrée. Je n'aurais jamais dû vous laisser faire.

Ses joues lui semblaient brûlantes. Hester y posa les paumes avant de passer une main tremblante dans ses cheveux.

Mitch avait l'impression que ses jambes étaient faibles, ce qui était plutôt étrange. Mais, pour l'heure, il décida de se concentrer sur Hester.

— Vous prenez beaucoup sur vous, Hester. C'est visiblement une habitude. Je vous ai embrassée et vous avez répondu à mon baiser, voilà tout. Nous avons tous les deux apprécié ce qui vient de se passer. Je ne vois pas pourquoi nous devrions nous en excuser.

— J'aurais dû être plus claire.

Hester fit un pas en arrière et heurta de nouveau les journaux avant de les contourner.

— J'apprécie vraiment ce que vous faites pour Rad…

— Laissez-le en dehors de tout ça, pour l'amour du ciel.

— Je ne peux pas, dit-elle en haussant légèrement le ton.

Il ne fallait surtout pas qu'elle perde son sang-froid.

— Je ne vous demande pas de comprendre, ajouta-t-elle, mais je ne peux pas le laisser en dehors de ça.

Elle inspira profondément, surprise de sentir son pouls battre toujours aussi vite.

— Les aventures d'un soir ne m'intéressent pas. Je dois d'abord penser à Rad, avant de penser à moi.

— Je comprends.

Mitch aurait aimé s'asseoir pour se remettre de ses émotions, mais la situation exigeait qu'il parle à Hester ouvertement.

— Mais je ne vous vois pas comme une aventure d'un soir.

C'était bien ce qui l'inquiétait le plus, songea-t-il.

— Restons-en là, conclut froidement Hester.

La colère était un étonnant stimulant. Mitch avança d'un pas et saisit son menton entre ses doigts.

— Vous le pensez vraiment ?

— Je n'ai pas envie de discuter avec vous. Je pense juste que…

Les coups frappés à la porte vinrent à point nommé.

— Ce sont les garçons, dit-elle, visiblement soulagée.

— Je sais, répondit-il sans la lâcher. Prendre le temps et se donner les moyens de faire ce qui vous tient à cœur n'est qu'une question d'ajustements.

Mitch était maintenant en colère, très en colère.

— La vie est pleine d'ajustements, Hester.

Puis il la lâcha et ouvrit la porte.

— C'était super ! s'écria Radley en déboulant dans la pièce suivi de Josh et du chien, les joues roses et le regard brillant. Nous avons même réussi à faire courir Taz une minute ! se vanta le petit garçon.

— Incroyable !

Mitch se pencha pour décrocher la laisse de Taz, qui alla s'effondrer près de la fenêtre avec un grognement d'épuisement.

— Vous devez être gelés ! intervint Hester en déposant un baiser sur le front de son fils. C'est l'heure de boire un grand chocolat chaud.

— Bonne idée !

Radley se tourna vers Mitch, un large sourire aux lèvres.

— Tu en veux un ? Le chocolat de maman est un vrai délice !

Mitch fut tenté de mettre Hester au pied du mur. Mais sa mauvaise humeur s'estompait déjà.

— Peut-être une prochaine fois, répondit-il en enfonçant le bonnet sur les yeux de Radley. J'ai un million de choses à faire.

— Merci de nous avoir laissés sortir Taz. C'était super, pas vrai, Josh ?

— Oh, oui ! Merci, monsieur Dempsey.

— Vous pouvez venir quand vous voulez. A lundi, Rad.

— A lundi, Mitch.

Les garçons s'élancèrent en riant et en se bousculant dans les escaliers. Mitch les suivit du regard, mais Hester était déjà partie.

4

Mitchell Dempsey Junior était né riche et privilégié. Et, aux dires de ses parents, avec une incorrigible imagination. C'était sans doute la raison pour laquelle il s'était aussi vite pris d'affection pour Radley. Le petit garçon était loin d'être riche, pas même assez privilégié pour vivre avec ses deux parents, mais il avait une imagination hors du commun.

Mitch aimait aussi bien la foule que les conversations en tête à tête. Etant donné l'engouement de sa mère pour les divertissements et sa sociabilité, il savait ce qu'était une fête. Personne ne l'aurait jamais qualifié de solitaire. Mais, en matière de travail, il avait toujours préféré la solitude. Il travaillait chez lui non pas pour éviter les distractions — il les appréciait en réalité beaucoup —, mais parce qu'il ne supportait pas qu'une personne vienne superviser son travail ou mesurer sa progression. Il n'avait jamais envisagé de travailler autrement que seul. Jusqu'à l'arrivée de Radley.

Le premier jour, ils avaient conclu un marché. Si Radley finissait ses devoirs, avec ou sans l'aide discutable de Mitch, il pouvait choisir soit de jouer avec Taz, soit de donner son avis à Mitch sur son dernier scénario. Si Mitch décidait qu'il avait assez bien avancé pour la journée, ils pouvaient se distraire tous les deux en regardant l'un de ses nombreux films ou jouer avec l'armée grandissante de soldats en plastique que possédait Radley.

Pour Mitch, c'était naturel. Pour Radley, cet arrangement était simplement fantastique. Pour la première fois de sa vie, un homme faisait partie de son quotidien, un homme à qui il pouvait parler et qui était disposé à l'écouter. Mitch était non seulement aussi volontaire que sa mère pour préparer une bataille ou livrer une guerre, mais il comprenait aussi sa stratégie militaire.

A la fin de la première semaine, Mitch était à ses yeux un héros, le créateur de Zark et le propriétaire de Taz, mais aussi la personne la plus solide et la plus fiable de sa vie en dehors de sa mère. Radley l'aimait, sans limites et sans restriction.

Mitch l'avait remarqué. Il y avait réfléchi et avait découvert qu'il était tout autant sous le charme que lui. En avouant à Hester qu'il n'avait jamais envisagé d'avoir des enfants, il avait dit la vérité. Il vivait sa vie à son rythme depuis si longtemps qu'il n'avait jamais pensé à changer l'ordre des choses. S'il avait su à quel point il était merveilleux d'aimer un petit garçon, d'y trouver des parties de soi-même, il aurait sans doute agi différemment.

Ces découvertes l'avaient naturellement amené à penser au père de Radley. Quel homme pouvait créer quelque chose de si merveilleux et lui tourner le dos ? Le père de Mitch était un homme sévère et loin d'être compréhensif, mais il avait toujours été là pour lui. Mitch n'avait jamais remis en cause l'amour qu'il lui portait.

A trente-cinq ans, un homme avait forcément dans son entourage des couples qui avaient divorcé — dans la douleur pour la plupart. Mais Mitch connaissait aussi des hommes qui avaient conclu une trêve avec leurs ex-femmes afin de pouvoir rester des pères. Il avait beaucoup de mal à comprendre comment le père de Radley avait pu partir en tournant le dos à son fils. Après une semaine en compagnie du petit garçon, cela lui paraissait impossible.

Et que penser d'Hester ? Quel genre d'homme pouvait laisser une femme se battre seule pour élever un enfant qu'ils avaient mis au monde ensemble ? A quel point l'avait-elle aimé ? Cette question embarrassante lui trottait souvent dans la tête. Les résultats de cette mauvaise expérience étaient en tout cas évidents : Hester était tendue et d'une extrême méfiance à l'égard des hommes. Y compris de lui, songea-t-il en grimaçant pendant que Radley dessinait. Si méfiante qu'elle s'était tenue loin de lui toute la semaine.

Tous les jours, entre 16 h 15 et 16 h 25, il recevait un appel poli de sa part. Hester lui demandait si tout s'était bien passé, le remerciait d'avoir gardé Radley et demandait à son fils de monter. Ce vendredi-là, Radley lui avait tendu un chèque de vingt-cinq dollars soigneusement rétabli à son nom par Mme Hester Gentry Wallace. Il était encore en boule dans la poche de Mitch.

Croyait-elle vraiment que, maintenant qu'elle lui avait tourné la tête, il allait sagement se tenir loin d'elle ? Il se souvenait encore de la douceur de son corps pressé contre le sien, alors toutes les inhibitions et la méfiance d'Hester s'étaient effacées pendant un court et merveilleux moment. Mitch était bien décidé à le vivre de nouveau, ainsi que tout ce que son intarissable imagination avait fait naître dans son esprit.

Si Mme Hester Wallace croyait pouvoir tirer élégamment sa révérence, elle risquait fortement d'être déçue.

— Je n'arrive pas à reproduire les rétrofusées, se plaignit Radley. Elles ne sont jamais bien faites.

Mitch laissa de côté son travail, qui était de toute façon resté en suspens dès l'instant où il s'était mis à penser à Hester.

— Voyons cela.

Il prit le bloc de papier qu'il avait prêté à Radley.

— Mais ce n'est pas trop mal, conclut-il.

Il sourit, très satisfait de la reproduction du *Defiance* que Radley avait tentée. Apparemment, les quelques conseils qu'il lui avait donnés commençaient à porter leurs fruits.

— Tu as un talent inné, Rad.

L'enfant rougit de plaisir, puis fronça de nouveau les sourcils.

— Mais, regarde, les missiles et les rétrofusées sont mal faits. Ils ont l'air ridicules.

— C'est parce que tu veux entrer trop vite dans les détails. Regarde, il faut tracer des traits légers, dessiner d'abord tes impressions.

Mitch posa la main sur celle de l'enfant pour le guider.

— N'aie pas peur de faire des erreurs, continua-t-il. C'est pour ça que l'on fabrique de si grosses gommes.

— Tu ne fais jamais d'erreurs, toi, répondit Radley en tirant la langue tandis qu'il essayait de bouger sa main aussi habilement que celle de Mitch.

— Mais si. Sache que j'en suis à ma quinzième gomme depuis le début de l'année.

— Tu es le meilleur artiste du monde entier, répliqua Radley en levant vers lui des yeux débordant d'amour.

Mitch se sentit soudain étrangement ému et humble. Il ébouriffa les cheveux du petit garçon.

— Je figure peut-être parmi les vingt premiers, mais je te remercie.

En entendant le téléphone sonner, Mitch ressentit une étrange déception. Sans Radley, les week-ends prenaient désormais un autre sens. Pour un homme qui avait vécu toute sa vie d'adulte sans aucune responsabilité, l'idée que cela puisse lui manquer donnait matière à réfléchir.

— Ce doit être ta mère.

— Elle a dit que nous irions au cinéma ce soir. Tu pourrais venir avec nous.

Mitch se contenta d'un grognement évasif avant de répondre au téléphone.

— Salut, Hester.

— Mitch… tout va bien ?

Le ton de sa voix l'inquiéta un peu.

— Impeccable.

— Radley vous a donné le chèque ?

— Oui. Désolé, mais je n'ai pas encore pu l'encaisser.

Hester n'était pas d'humeur à supporter ses sarcasmes.

— Bien, merci. J'apprécierais que vous demandiez à Radley de monter, s'il vous plaît.

— Pas de problème.

Il sembla hésiter une fraction de seconde.

— Vous avez eu une dure journée, Hester ? demanda-t-il enfin.

Elle posa une main sur sa tempe douloureuse.

— Oui, un peu. Merci de vous en inquiéter, Mitch.

— De rien.

Lorsqu'il raccrocha, Mitch était inquiet. En revenant vers Radley, il fit pourtant l'effort de sourire.

— Il est temps de transférer votre équipement, caporal.

— A vos ordres, chef! s'écria Radley avec un élégant salut.

L'enfant fourra dans son sac à dos l'armée intergalactique qui était restée chez Mitch toute la semaine. Après une courte investigation, il retrouva ses gants et les posa sur ses figurines en plastique. Puis il ajouta son manteau et son bonnet avant de s'agenouiller pour embrasser Taz.

— Au revoir, Taz. A plus tard.

Le chien grogna avant de frotter son museau sur l'épaule de Radley.

— Au revoir, Mitch.

Alors qu'il se dirigeait vers la porte, l'enfant hésita une seconde.

— On se revoit lundi?

— Bien sûr. Attends, je vais peut-être monter avec toi. Pour faire un rapport complet à ta mère.

— Super! s'exclama Radley.

Son visage s'illumina aussitôt.

— Tu as laissé tes clés dans la cuisine, continua le petit garçon. Je vais les chercher.

Mitch le regarda passer en trombe devant lui puis revenir en courant.

— J'ai eu un A en orthographe. Lorsque je vais le dire à maman, elle va être de très bonne humeur. Nous boirons certainement un soda.

— Ça me semble parfait, répondit Mitch en se laissant entraîner par Radley.

Lorsque Hester entendit le bruit des clés de Radley dans la serrure, elle posa le sac de glace. En s'approchant plus près du miroir de la salle de bains, elle aperçut le vilain bleu qui se formait déjà sous son œil et poussa un juron. Elle aurait aimé pouvoir informer son fils de cet incident, l'éluder et le tourner en dérision avant que les marques de la lutte apparaissent. Elle avala deux comprimés d'aspirine et pria pour que son mal de tête s'estompe.

— Maman! Maman!

— Je suis là, Radley.

Sa voix un peu trop aiguë la fit grimacer, mais elle plaqua un sourire sur ses lèvres et partit à la rencontre de son fils. Son sourire s'évanouit dès qu'elle s'aperçut qu'il n'était pas seul.

— Mitch est venu te faire son rapport, commença Radley en ôtant son sac à dos.

— Bon sang, que vous est-il arrivé?

Mitch la rejoignit en deux enjambées. Il prit son visage dans ses mains, les yeux brillant de colère.

— Vous allez bien?

— Oui, je vais bien, répondit-elle en lui lançant un rapide regard de mise en garde.

Puis elle se tourna vers son fils.

— Je vais bien, répéta-t-elle.

Radley la contempla les yeux écarquillés, puis sa lèvre inférieure se mit à trembler lorsqu'il découvrit la marque bleuâtre sous l'œil de sa mère.

— Tu es tombée? demanda le petit garçon.

Elle aurait aimé lui mentir, mais elle ne l'avait jamais fait.

— Pas exactement.

Elle se força à sourire, ennuyée d'avoir un témoin.

— Il semblerait qu'un homme dans le métro ait décidé de me prendre mon sac à main. Mais je n'ai pas voulu le lui donner.

— Il vous a agressée?

Mitch ne savait pas s'il devait la réprimander ou l'attirer vers lui pour voir si elle n'avait pas d'autre blessure. Le long regard furieux qu'elle lui lança le retint.

— On peut dire ça.

Hester s'approcha de Radley pour lui prouver que l'incident était sans conséquence.

— Ce n'était pas si terrible, expliqua-t-elle. Le métro était bondé. Quelqu'un a vu ce qui se passait et a appelé la sécurité. L'homme a changé d'avis à propos de mon sac et s'est enfui.

Radley regarda sa mère de plus près. Il avait déjà vu un œil au beurre noir sur son ami Joey Phelps. Mais jamais sur sa mère.

— Il t'a frappée ?

— Pas vraiment. C'était un accident.

Un accident qui la faisait terriblement souffrir.

— Nous avons tiré chacun de notre côté sur le sac et son coude m'a heurtée. Je n'ai pas baissé la tête assez vite, c'est tout.

— C'est trop bête, marmonna Mitch suffisamment fort pour être entendu.

— Tu l'as frappé ? demanda Radley.

— Bien sûr que non ! s'exclama Hester, impatiente de retrouver le sac de glace. Maintenant, va ranger tes affaires, Radley.

— Mais j'aimerais savoir si…

— Immédiatement, l'interrompit sa mère d'une voix autoritaire qu'elle employait rarement, mais qui faisait toujours son effet.

— Oui, maman, marmonna Radley en prenant le sac à dos sur le canapé.

Hester attendit que son fils soit dans sa chambre pour s'adresser à Mitch.

— Je tenais à vous dire que je n'apprécie pas du tout vos interventions, déclara-t-elle en se tournant vers lui.

— Et ce n'est qu'un début. Je vous croyais plus sensée ! Quelle idée de vous battre avec un voyou pour un sac à main ! Et s'il avait eu un couteau ?

Cette seule pensée mit en branle l'intarissable imagination de Mitch.

— Il n'avait pas de couteau, répliqua Hester en sentant ses jambes se dérober.

Ce n'était vraiment pas le moment de faire un malaise.

— Il n'a pas eu mon sac non plus, ajouta-t-elle.

— Mais il n'est pas reparti avec un œil au beurre noir, lui. Pour l'amour du ciel, Hester, vous auriez pu être sérieusement blessée. Et je doute qu'il y ait quoi que ce soit dans votre sac qui en vaille la peine. Vous pouvez faire opposition sur vos cartes de crédit, et vous racheter un poudrier ou un rouge à lèvres.

— Je suppose que si quelqu'un avait voulu vous voler votre portefeuille vous le lui auriez donné avec votre bénédiction.

— C'est différent.

— Je vois bien ça !

Mitch s'arrêta de faire les cent pas pour l'observer longuement. Son menton était fièrement relevé. Il avait déjà vu plusieurs fois la même expression chez Radley. Il la savait têtue, mais il ne s'attendait pas à découvrir une femme avec un tel tempérament. Il l'admirait pour cela. Mais là n'était pas la question, se souvint-il en scrutant de nouveau le bleu qui noircissait sur sa joue.

— Revenons une minute sur les faits, déclara Mitch. Tout d'abord, vous n'avez aucune raison de prendre seule le métro.

Hester émit un petit rire.

— Vous plaisantez, n'est-ce pas ?

En effet, Mitch ne se souvenait pas avoir jamais rien dit d'aussi stupide. Pourtant, la colère le submergea.

— Vous pouvez prendre un taxi, bon sang !

— Je n'ai nullement l'intention de prendre un taxi.

— Pourquoi cela ?

— Tout d'abord, ce serait complètement stupide, ensuite, je ne peux pas me le permettre.

Mitch sortit de sa poche le chèque froissé et le fourra dans la main d'Hester.

— Maintenant, si. Et vous avez même assez pour les pourboires.

— Je n'ai pas l'intention de l'accepter, répliqua-t-elle en lui rendant le chèque. Et je ne prendrai pas de taxi alors que le métro est un moyen de transport bon marché et pratique. Je ne vous laisserai pas non plus transformer cet incident mineur en catastrophe. Je refuse que Radley s'inquiète.

— Dans ce cas, prenez un taxi. Pour le bien de votre enfant, et pour le vôtre. Dans quel état aurait été Radley si vous aviez été blessée ?

Le bleu d'Hester paraissait encore plus noir sur ses joues pâles.

— Je ne laisserai personne me donner des leçons sur le bien-être de mon fils.

— Bien sûr que non, vous vous débrouillez très bien avec lui.

C'est lorsqu'il s'agit de vous que vous n'avez plus la tête sur les épaules.

Mitch enfonça les mains dans ses poches.

— D'accord, vous ne voulez pas prendre un taxi, continua-t-il. Mais promettez-moi que, la prochaine fois qu'un voyou s'entichera de votre sac à main, vous ne jouerez pas les Mère Courage.

— Est-ce le nom de l'un de vos personnages ? demanda-t-elle avec ironie.

— Peut-être bien.

Mitch s'efforça de garder son calme. En général, il n'était pas de nature irascible mais, lorsque la colère pointait le bout de son nez, il pouvait exploser en quelques secondes.

— Ecoutez, Hester, votre sac contenait-il toutes vos économies ?

— Bien sûr que non.

— Des souvenirs de famille ?

— Non.

— Des données vitales pour la sécurité nationale ?

Elle poussa un soupir exaspéré et se laissa tomber sur l'accoudoir d'un fauteuil.

— Je les ai laissées au bureau.

Elle leva les yeux vers lui en faisant la moue.

— Et ne me souriez pas avec cet air dédaigneux, ajouta-t-elle.

— Désolé, répondit-il avec un sourire plus sincère.

— J'ai juste eu une sale journée.

Hester commençait à en prendre la pleine mesure. Elle retira ses chaussures et entreprit de se masser les pieds.

— Tout d'abord, ce matin, M. Rosen s'est lancé dans une campagne d'efficacité. Puis il y a eu une réunion du personnel et cet imbécile de conseiller financier qui m'a fait du gringue.

— Quel conseiller financier ?

— Peu importe.

Hester se sentait très fatiguée. Elle se massa les tempes.

— Il vous suffit de savoir que les choses n'ont fait qu'empirer. Je me sentais prête à mordre. Lorsque ce voyou a voulu prendre mon sac, j'ai explosé. Je me dis qu'au moins il boitera pendant plusieurs jours.

— Vous vous en êtes tirée avec quelques égratignures, on dirait.

Dans un haussement d'épaules, Hester toucha avec précaution son œil.

— Oui.

Mitch s'approcha d'elle et se pencha pour se mettre à son niveau. Il examina les dégâts avec visiblement plus de curiosité que de compassion.

— Vous allez avoir un bel œil au beurre noir.

— Vraiment ?

Elle toucha de nouveau son bleu.

— J'espérais qu'il n'empirerait pas.

— Je crois plutôt qu'il faut vous attendre à un magnifique bleu.

Elle imagina les regards qu'elle allait croiser et les explications qu'elle devrait fournir la semaine suivante.

— Formidable, grommela-t-elle.

— Ça fait mal ?

— Oui.

Mitch posa les lèvres sur son bleu avant qu'elle puisse l'esquiver.

— Essayez de mettre de la glace.

— Je m'en suis occupée.

— J'ai rangé mes affaires, déclara soudain Radley debout dans le couloir, les yeux baissés. J'avais des devoirs, mais je les ai déjà faits.

— C'est très bien, le félicita sa mère. Viens ici.

Radley garda les yeux baissés en s'avançant vers elle. Hester mit les bras autour de son cou et le serra contre elle.

— Je suis désolée, ajouta-t-elle.

— Ça ne fait rien. Je ne voulais pas te mettre en colère.

— Je ne suis pas en colère. M. Rosen et cet homme qui voulait mon sac m'ont mise en colère, mais pas toi, mon chéri.

— Je peux t'apporter une serviette mouillée, comme tu fais quand j'ai mal à la tête, proposa-t-il.

— Merci, mais je pense que je vais plutôt prendre un bain chaud et mettre de la glace sur mon bleu. Oh ! Mais nous avions prévu de sortir ce soir ! De manger un cheeseburger et de voir un film.

— Nous pouvons regarder la télévision à la place.

— Pourquoi ne pas attendre de voir comment je me sentirai dans un moment ?

— J'ai eu un A en orthographe, l'informa Radley fièrement.

— Mon héros, répondit Hester en riant.

— Vous savez, intervint Mitch, ce bain chaud est une bonne idée. Et la glace aussi.

Les projets s'édifiaient déjà dans sa tête.

— Pourquoi ne pas vous y plonger pendant que je vous emprunte Rad un petit moment ? ajouta-t-il.

— Mais il vient tout juste de rentrer, protesta-t-elle.

— Nous ne tarderons qu'un petit moment, insista Mitch en la prenant par le bras. Mettez de la mousse dans l'eau de votre bain. On dit que c'est très bon pour le moral. Nous serons de retour dans une demi-heure.

— Mais où allez-vous ?

— Juste faire une petite course. Rad peut me tenir compagnie, n'est-ce pas, Rad ?

— Bien sûr.

L'idée de se prélasser trente minutes dans un bain chaud était trop tentante.

— Pas de bonbons, fit-elle en guise de capitulation. C'est presque l'heure de dîner.

— D'accord, je n'en mangerai pas, promit Mitch en la poussant vers la salle de bains.

Puis il revint vers le salon et posa une main sur l'épaule de Radley.

— Prêt à partir en mission, caporal ?

Les yeux de Radley pétillèrent de joie.

— Prêt, monsieur, répondit-il en lui adressant un salut militaire.

L'association du sac de glace, du bain chaud et de l'aspirine porta ses fruits. Une fois l'eau de la baignoire refroidie, le mal de tête d'Hester était devenu tout à fait supportable. Si elle avait pu s'octroyer quelques minutes pour elle, c'était à Mitch qu'elle le devait, admit-elle en enfilant un jean. Ses tremblements avaient disparu en même temps que la douleur. Lorsqu'elle prit le temps d'examiner son bleu, elle se sentit un peu moins fière d'elle. Mitch avait raison, les bulles avaient eu un effet remarquable sur son moral.

Tout en brossant ses cheveux, elle se demanda à quel point Radley serait déçu de renoncer à un bon film. Bain chaud ou pas, la dernière chose dont elle avait envie était de braver le froid pour aller s'asseoir dans une salle de cinéma bondée. Une séance en matinée le lendemain pouvait tout aussi bien satisfaire son fils. Il faudrait qu'elle réorganise un peu sa journée, mais l'idée d'une soirée tranquille chez elle après cette éprouvante semaine était si séduisante qu'elle était même capable d'envisager de s'occuper des lessives après le dîner.

Quelle semaine ! songea Hester en enfilant ses chaussons. Rosen était un tyran et le conseiller financier était une peste. Ces cinq derniers jours, elle avait passé presque tout son temps à apaiser l'un et à décourager l'autre tout en traitant ses dossiers de prêts. Le travail ne lui faisait pas peur, mais justifier chaque minute de son temps lui était insupportable. Rosen n'en avait pas particulièrement après elle : Hester s'en était rendu compte dès la première journée de travail. L'homme était simplement autoritaire et exigeant avec tout le personnel.

Et cet imbécile de Cummings ! Elle s'assit au bord du lit en chassant de son esprit le conseiller financier un peu trop empressé. Elle avait surmonté les deux premières semaines, non ? Elle avait même des cicatrices pour le prouver, songea-t-elle en effleurant sa joue avec précaution. A partir de maintenant, les choses seraient plus simples. Elle n'aurait plus à vivre avec le stress de rencontrer toutes ces nouvelles personnes. Et, à son grand soulagement, elle n'aurait plus à s'inquiéter pour Radley.

Sans jamais l'avouer, elle s'était attendue à ce que Mitch l'appelle tous les jours de la semaine pour lui dire que son fils le dérangeait trop, qu'il avait changé d'avis et qu'il était las de passer ses après-midi avec un enfant de neuf ans. Mais, tous les jours, Radley était rentré la bouche pleine de tout ce qu'il avait fait avec Mitch et Taz.

Mitch lui avait montré une série de dessins destinés à un grand numéro spécial. Ils avaient amené Taz au parc. Ils avaient regardé la version longue et originale du premier *King Kong*. Mitch lui avait montré sa collection de bandes dessinées où figuraient les premiers albums de *Superman* et des *Contes de la crypte*, qui, comme tout le monde le savait, n'avaient pas de prix, lui avait soutenu Radley. D'après lui, Mitch avait aussi un anneau décodeur original et authentique de *Captain Midnight* !

Hester roula de grands yeux en y repensant, mais ce mouvement tira sur son bleu et lui arracha une grimace de douleur. L'homme était sans aucun doute étrange, mais il rendait visiblement son fils heureux. Tout irait bien tant qu'elle continuerait de penser à lui comme à l'ami de son fils et qu'elle oublierait le lien inexplicable et inattendu qu'ils avaient tissé ensemble la semaine précédente.

Hester préférait d'ailleurs évoquer ce lien plutôt qu'utiliser les termes que Mitch avait employés. Attirance, alchimie, désir. Non, elle se fichait des mots prononcés par son charmant voisin et de sa réaction instantanée et irrépressible à son contact. Même si elle ne pouvait nier ce qu'elle ressentait… Dans un moment de folie, elle avait aimé qu'un homme la tienne dans ses bras, l'embrasse et la désire. Elle n'avait pas à en avoir honte. Une femme qui était restée seule aussi longtemps qu'elle avait le droit de ressentir quelques émotions au contact d'un homme séduisant.

Mais, alors, pourquoi ne ressentait-elle rien à l'égard de Cummings ?

Elle secoua la tête. Elle ne devait pas se poser ce genre de questions. Parfois, il valait mieux ne pas trop fouiller ses sentiments, surtout lorsqu'on préférait se voiler la face.

Réfléchir au dîner était une bien meilleure idée, décida-t-elle. Mais son pauvre Radley allait devoir se contenter d'une soupe et d'un sandwich au lieu de son cheeseburger préféré. Poussant un soupir, elle se leva. Bientôt, elle entendit la porte d'entrée s'ouvrir.

— Maman ! Maman, viens voir la surprise !

Hester plaqua un sourire sur ses lèvres. Elle n'était pas certaine de pouvoir en endurer de nouvelles.

— Rad, as-tu remercié Mitch pour… Oh…

Il était de retour, constata-t-elle en tirant machinalement sur son pull. Radley et Mitch se tenaient côte à côte dans l'embrasure de la porte avec le même sourire. Radley portait deux sacs en papier et Mitch tenait ce qui ressemblait à s'y méprendre à un lecteur d'où pendaient des câbles.

— Qu'est-ce que vous amenez? demanda-t-elle, intriguée.

— Le dîner et une double séance de cinéma, l'informa Mitch. Rad m'a dit que vous aimiez les milk-shakes au chocolat.

— Oui, en effet.

Elle sentit alors le parfum que dégageaient les sacs et se tourna vers Radley.

— Ce sont des cheeseburgers? demanda-t-elle.

— Avec des frites, répondit son fils. Mitch a dit que nous pouvions prendre une double commande. Nous avons emmené Taz avec nous. Il est en train de manger chez lui.

— Ses manières à table ne sont pas très bonnes, expliqua Mitch en portant le lecteur jusqu'à la télé d'Hester.

— Et j'ai aidé Mitch à débrancher le lecteur. Nous avons pris *Les Aventuriers de l'arche perdue*. Mitch a des millions de films.

— Rad m'a dit que vous aimiez les comédies musicales, dit Mitch en se tournant vers elle.

— Oui, c'est exact…

— Nous en avons pris aussi.

Rad posa les sacs et alla s'asseoir près de Mitch par terre.

— Mitch a dit que le film était très drôle. Je lui fais confiance, déclara Rad en s'approchant de son ami pour regarder de plus près comment il branchait l'appareil.

— Il s'agit de *Chantons sous la pluie*.

Mitch tendit un câble à l'enfant et recula pour le laisser le brancher.

— Vraiment? s'étonna Hester.

Son ton arracha à Mitch un sourire. Parfois, la jeune femme avait l'air d'une enfant.

— Oui. Comment va votre œil?

— Oh! Beaucoup mieux.

Incapable de résister à la tentation, Hester s'approcha pour les regarder. Elle trouvait si étrange de voir les petites mains de son fils mêlées dans le travail à côté de celles d'un homme.

— C'est un peu serré, mais le lecteur passe tout juste sous votre téléviseur.

Mitch pressa brièvement l'épaule de Radley avant de se lever.

— Vous avez de belles couleurs, déclara-t-il en levant le menton d'Hester vers lui pour examiner son œil. Rad et moi avons pensé que vous deviez être fatiguée. Nous avons donc amené le film jusqu'à vous.

— C'est vrai, avoua-t-elle en posant quelques instants la main sur son poignet. Merci beaucoup.

— A votre service.

Quelle serait sa réaction et celle de Radley s'il l'embrassait maintenant ? Hester avait certainement deviné ses pensées en croisant son regard, car elle recula précipitamment.

— Je vais chercher des assiettes avant que le repas soit froid, lança-t-elle.

— Nous avons amené tout ce qu'il faut. Asseyez-vous en attendant que mon assistant et moi-même ayons terminé, proposa-t-il en désignant le canapé.

— J'y suis arrivé ! s'exclama Radley en reculant à quatre pattes, les joues roses de plaisir. Tout est branché.

Mitch se pencha pour vérifier les raccordements.

— Vous êtes un véritable mécanicien, caporal.

— Est-ce qu'on peut regarder *Indiana Jones* d'abord ?

— C'était ce qui était convenu, répondit Mitch en lui tendant le film. C'est toi qui t'en charges.

— Il semblerait que je vous doive encore des remerciements, dit Hester lorsque Mitch vint la rejoindre sur le canapé.

— Pourquoi cela ? Je me suis dit que je pourrais m'inviter à votre soirée avec Rad ce soir.

Mitch sortit un hamburger du sac en papier.

— C'est bien meilleur marché qu'une sortie en ville, ajouta-t-il.

— La plupart des hommes ne choisiraient pas de passer leur vendredi soir en compagnie d'un petit garçon.

— Et pourquoi pas ?

Mitch mordit à pleines dents dans son sandwich, avant de poursuivre :

— Je me suis dit que Radley ne finirait pas ses frites et que je pourrais manger le reste.

A ces mots, l'enfant courut vers le canapé et vint s'installer d'un bond entre eux. Puis il poussa un soupir de satisfaction digne d'un adulte avant de se pelotonner contre eux.

— C'est beaucoup mieux que de sortir, confia le petit garçon. Vraiment mieux.

Il avait raison, songea Hester qui se détendait enfin, absorbée par les aventures d'Indiana Jones. Il fut un temps où elle avait cru que la vie pouvait être palpitante, romantique et excitante. Mais les événements l'avaient contrainte à mettre tous ses espoirs de côté. En revanche, elle n'avait jamais perdu son amour pour les rêves, qu'elle retrouvait dans les films. Pendant deux heures, elle quitta presque la réalité et les pressions qui l'accompagnaient pour renouer de nouveau avec l'innocence.

Radley avait encore le regard brillant et semblait plein d'énergie lorsqu'il mit la cassette de *Chantons sous la pluie*. Hester savait que cette nuit, les rêves de son fils seraient remplis de trésors perdus et d'aventures. Blotti contre elle, il gloussa face aux grimaces et aux gaffes de Donald O'Connor, mais commença à piquer du nez après la merveilleuse danse de Gene Kelly sous la pluie.

— C'est fabuleux, tu ne trouves pas ? murmura Mitch.

Radley avait à présent la tête posée sur l'épaule de Mitch.

— Tout à fait, répondit Hester. J'adore ce film. Lorsque j'étais enfant, nous le regardions dès qu'il passait à la télévision. Mon père est un mordu de films. Vous pouvez citer n'importe lequel, il vous dira qui jouait dedans. Mais son premier amour a toujours été les comédies musicales.

Mitch garda le silence. Il lui fallait très peu de temps pour comprendre ce que ressentait une personne lorsqu'elle parlait d'une autre — une simple inflexion de voix, une expression plus douce. Hester paraissait proche de sa famille. Mitch n'avait pas eu cette chance. Son père n'avait jamais partagé son amour pour les histoires fantastiques ou les films, comme lui-même n'avait jamais partagé l'engouement de son père pour les affaires. Même si Mitch ne s'était jamais vraiment considéré comme fils unique — la compagnie de son imagination lui suffisait —, la chaleur et l'affection qu'il avait entendues dans la voix d'Hester lorsqu'elle avait évoqué son propre père lui avait manqué.

Lorsque le générique défila, il se tourna de nouveau vers elle.

— Vos parents vivent ici ? demanda-t-il.

— Ici ? Oh ! Non.

Elle rit en essayant d'imaginer ses parents perdus dans la jungle new-yorkaise.

— Non, j'ai grandi à Rochester, mais mes parents ont déménagé dans le Sud il y a dix ans. Ils sont à Fort Worth. Mon père travaille toujours dans le secteur de la banque et ma mère occupe un emploi à mi-temps dans une librairie. Lorsqu'elle a repris le travail, nous avons tous été surpris. Nous pensions qu'elle ne savait rien faire d'autre que cuisiner et plier le linge.

— Vous êtes combien ?

Hester soupira face à l'écran devenu blanc. En toute honnêteté, cela faisait longtemps qu'elle n'avait pas passé une si bonne soirée.

— J'ai un frère et une sœur. C'est moi l'aînée. Luke habite à Rochester avec sa femme. Ils attendent un bébé. Et Julia est à Atlanta. Elle est D-J.

— Sans blague ?

— « Debout, Atlanta, il est 6 heures, l'heure d'écouter trois grands succès sans interruption. »

Elle rit en pensant à sa sœur.

— Je donnerais n'importe quoi pour emmener Rad lui rendre visite, conclut-elle.

— Ils vous manquent ?

— J'ai juste du mal à imaginer que nous sommes tous si éloignés les uns des autres. Ce serait formidable pour Rad que ma famille soit plus près.

— Et qu'en est-il de vous, Hester ?

Elle le regarda, légèrement surprise de voir avec quel naturel Radley somnolait, blotti dans les bras de Mitch.

— J'ai Rad.

— Est-ce suffisant?

— Plus que suffisant.

Elle lui sourit, puis se leva.

— Et, en parlant de Rad, ajouta-t-elle, il vaudrait mieux que je le mette au lit.

Mitch prit l'enfant dans ses bras, la tête contre son épaule.

— Je m'en charge.

— Je peux le faire, objecta-t-elle. Je le fais tout le temps.

— Il est déjà dans mes bras.

A ces mots, Radley enfouit son visage dans son cou. Quelle sensation merveilleuse, songea Mitch, un peu ému.

— Dites-moi juste où se trouve sa chambre.

Essayant de se convaincre qu'il était inutile de se sentir gênée, Hester le conduisit jusqu'à la chambre de Radley. Il avait fait son lit à la va-vite et le couvre-lit Star Wars était simplement ramené sur des draps froissés. Mitch faillit glisser sur un petit robot et un vieux chien en peluche. Une veilleuse était allumée sur la commode car, malgré le courage dont Radley faisait preuve, il se méfiait encore de ce qui pouvait se cacher dans les placards.

Mitch allongea l'enfant sur le lit, puis commença à aider Hester à lui retirer ses baskets.

— Inutile de vous donner cette peine, dit-elle en défaisant les lacets d'une main expérimentée.

— Cela ne m'ennuie pas du tout. Dort-il en pyjama?

Mitch était déjà en train de tirer sur le jean de Radley. En silence, Hester se dirigea vers la commode et alla choisir son pyjama préféré, estampillé « Commandant Zark » en caractères gras.

— Il a bon goût, approuva Mitch en examinant le vêtement. J'ai toujours été déçu qu'ils n'en fassent pas à ma taille.

Elle ne put s'empêcher de rire et se détendit de nouveau. Puis elle passa le haut du pyjama par-dessus la tête de Radley tandis que Mitch lui enfilait le bas.

— Il dort comme un loir, constata-t-il.

— Je sais. Il a toujours eu le sommeil très lourd. Même bébé, il se réveillait rarement la nuit.

Par habitude, elle ramassa le petit chien en peluche et le posa à côté de lui avant de déposer un baiser sur sa joue.

— Ne lui parlez pas de Fido, murmura-t-elle. Radley est un peu gêné que l'on sache qu'il dort toujours avec lui.

— Je ne l'ai jamais vu, répliqua Mitch.

Puis, incapable de résister à l'envie, il caressa la tête de l'enfant.

— C'est un petit garçon très attachant, murmura-t-il.

— Oui.

— Tout comme vous.

Mitch se tourna vers elle et saisit une mèche de ses cheveux entre ses doigts.

— Ne me tournez pas le dos, Hester, continua-t-il tandis qu'elle détournait le regard. La meilleure façon d'accepter un compliment consiste à dire merci. Faites un petit effort.

Gênée par sa propre réaction plus que par les propos de Mitch, elle se força à le regarder.

— Merci, lâcha-t-elle.

— C'est un bon début. Essayez encore, dit-il en l'enlaçant. Cela fait une semaine que je rêve de vous embrasser.

— Mitch, je…

— Vous perdez vos mots ?

Hester avait posé une main sur son torse pour le tenir à distance. Mais il préféra de loin le message qui dansait dans son regard…

— Je n'ai pas l'habitude de penser aux femmes qui font tout pour m'éviter.

— Ce n'est pas ce que je fais. Pas exactement.

— Parfait. En fait, je crois surtout que vous craignez de vous retrouver trop près de moi. Vous avez peur de vos propres réactions…

Elle planta de nouveau son regard implacable et sévère dans le sien.

— Vous avez un ego impressionnant.

— Merci. Mais voyons les choses sous un autre angle…

Tout en parlant, il caressa le dos d'Hester de haut en bas, allumant de petites flammes sur son passage.

— Embrassez-moi de nouveau. Si vous restez de marbre, je reconnaîtrai que j'avais tort.

— Non.

Mais, malgré elle, elle ne put trouver la force de le repousser.

— Radley...

— Dort comme un loir, vous vous souvenez?

Il effleura très doucement ses lèvres, puis la bosse sous son œil.

— Et, même s'il se réveille, je ne crois pas que le fait de me voir embrasser sa mère lui donnerait des cauchemars.

Elle voulut lui répondre, mais les mots moururent sur ses lèvres tandis que la bouche de Mitch s'emparait de la sienne. Il se montra patient cette fois, tendre même. Et elle ne resta pas de marbre, loin de là. Grisée par cette étreinte, elle enfouit les doigts profondément dans ses épaules.

C'était incroyable. Inimaginable. Le désir était là, immédiat et incendiaire. Jamais elle n'avait éprouvé cela, pour personne. Une fois, lorsqu'elle était très jeune, elle avait eu un aperçu de ce que pouvait être la véritable passion, avant qu'elle s'évanouisse. Elle en était arrivée à la conclusion que, comme bien d'autres choses, ces élans n'étaient que temporaires. Pourtant, ce qu'elle ressentait en cet instant lui paraissait éternel.

Mitch croyait tout savoir sur les femmes. Mais Hester lui prouvait le contraire. Tandis qu'il s'abandonnait à la sensation chaude et douce du désir, il se retint d'aller trop vite ou d'en prendre trop. Il devinait en elle un ouragan dompté depuis beaucoup trop longtemps. Dès qu'il l'avait tenue dans ses bras, il avait su qu'il serait celui qui allait le libérer. Doucement. Qu'elle en soit consciente ou non, elle était aussi vulnérable que l'enfant endormi à côté d'eux.

Soudain, Hester glissa les doigts dans ses cheveux pour l'attirer vers elle. Pendant un pur instant de folie, il la pressa plus fort contre lui et les laissa tous les deux se délecter de ce qui pouvait être.

— Est-ce que j'avais tort, Hester?

Elle frémit tandis qu'il suivait le contour de son oreille du bout de la langue.

— La ville est en feu, ajouta-t-il dans un murmure.

Elle le croyait. Avec sa bouche brûlante contre la sienne, elle le croyait.

— Il faut que je réfléchisse, balbutia-t-elle.

— Oui, peut-être.

Il l'embrassa de nouveau.

— Peut-être que nous devrions réfléchir tous les deux, ajouta-t-il.

Il fit glisser les mains sur son corps mince et souple en une longue caresse possessive.

— Mais j'ai le sentiment que nous allons arriver à la même conclusion.

Bouleversée, Hester fit un pas en arrière. Et marcha sur le robot. Le bruit qu'elle fit ne perturba pas les rêves de Radley.

— Chaque fois que je vous embrasse, vous trébuchez.

Il fallait qu'il parte, tout de suite, avant de ne plus en avoir la force.

— Je viendrai chercher le magnétoscope plus tard, conclut-il.

Hester hocha la tête en poussant un petit soupir de soulagement. Elle craignait surtout qu'il lui demande de passer la nuit avec lui, et elle n'était pas sûre de la réponse qu'elle lui donnerait.

— Merci pour tout, répondit-elle.

— C'est bien, je vois que vous apprenez vite.

Il caressa sa joue du bout du doigt.

— Soignez bien votre œil.

Lâchement ou non, Hester resta à côté du lit de Radley jusqu'à ce qu'elle entende la porte d'entrée se fermer. Puis, un peu apaisée, elle posa une main sur l'épaule de son fils endormi.

— Oh! Rad, dans quel pétrin me suis-je mise? chuchota-t-elle.

5

Lorsque le téléphone sonna à 7 h 25, Mitch avait la tête enfouie sous l'oreiller. Il aurait préféré l'ignorer, mais Taz roula sur le côté et posa le museau contre sa joue. Mitch jura en repoussant le chien, puis décrocha avec humeur le combiné avant de le prendre avec lui sous l'oreiller.

— Oui ?

A l'autre bout de la ligne, Hester se mordit nerveusement les lèvres.

— Mitch, c'est Hester.

— Que voulez-vous ?

— J'imagine que je vous ai réveillé.

— Exact.

Il était plus qu'évident que Mitch Dempsey n'était pas une personne matinale.

— Je suis désolée, je sais qu'il est très tôt.

— C'est pour me dire ça que vous appelez ?

— Non… Mais je pense que vous n'avez pas encore regardé par la fenêtre, ce matin.

— Ma chérie, je n'ai même pas encore ouvert les yeux.

— Il neige. Il est déjà tombé environ vingt centimètres et il n'est pas prévu que la tempête cesse avant midi. Ils annoncent entre trente et quarante centimètres de neige avant la fin de la journée.

— Qui ça, « ils » ?

Hester fit passer le combiné dans son autre main. Ses cheveux étaient encore mouillés après la douche et elle avait à peine avalé une tasse de café.

— Les services météo.

— Eh bien, je vous remercie pour ce bulletin.

— Mitch ! Ne raccrochez pas !

Elle l'entendit pousser un long soupir.

— Quelles sont les autres nouvelles ?

— Les écoles sont fermées.

— Youpi !

Hester fut vraiment tentée de lui raccrocher au nez. Mais elle avait besoin de lui.

— Je répugne à vous le demander, mais je ne suis pas certaine de réussir à amener Radley chez Mme Cohen. Je prendrais bien ma journée, mais j'enchaîne les rendez-vous aujourd'hui. Je peux essayer de m'arranger pour partir plus tôt, mais…

— Envoyez-le chez moi.

Hester hésita une fraction de seconde.

— Vous êtes sûr ?

— Vous voulez que je dise non ?

— Je ne veux pas contrecarrer vos projets.

— Vous avez du café ?

— Oui, bien sûr…

— Apportez aussi une tasse.

Hester regarda le combiné après qu'il eut raccroché, et essaya de se souvenir de le remercier.

Radley ne pouvait pas être plus heureux. Il sortit Taz pour sa promenade du matin, lança des boules de neige que le chien, par principe, refusa d'aller chercher, et se roula dans l'épaisse couverture de neige jusqu'à ce qu'il en soit assez recouvert à son goût.

Comme les provisions de Mitch ne permettaient même pas de faire du chocolat chaud, Radley vida les placards de sa mère, puis passa le reste de la matinée à lire avec bonheur les bandes dessinées de Mitch et à dessiner.

Quant à Mitch, il trouva dans la compagnie du petit garçon un agrément et non une distraction. L'enfant était couché à plat ventre sur le sol de son bureau et, entre ses lectures et ses dessins, il s'inventait des histoires sur tout ce qui lui passait par la tête. Comme il s'adressait à la fois à Mitch et à Taz, il n'attendait pas vraiment de réponse, ce qui convenait à tout le monde.

Vers midi, la neige ne se résumait plus qu'à quelques rafales éparses. Les rêves de Radley d'une autre journée de congé s'envolèrent en fumée.

— Tu aimes les tacos ? lui demanda Mitch en quittant sa table à dessin.

— Oh oui !

Ravi, Radley s'écarta de la fenêtre.

— Tu sais les faire ?

— Non, mais je sais où les acheter. Prenez votre manteau, caporal, nous allons faire des courses.

Radley se débattait pour enfiler ses bottes lorsque Mitch apparut avec trois tubes en carton.

— Je dois passer au bureau pour déposer ceci.

Radley écarquilla les yeux de surprise.

— Tu veux dire que nous allons aller à l'endroit où l'on fabrique les bandes dessinées ?

— Oui, répondit Mitch en passant son manteau. Mais je peux y aller demain si cela t'ennuie.

— Non, pas du tout, répondit l'enfant en sautant sur ses pieds avant de prendre Mitch par la manche. Nous pouvons y aller aujourd'hui, dis ? Je promets de ne toucher à rien et de ne rien dire.

— Comment pourras-tu poser des questions si tu ne dis rien ? demanda Mitch en remontant le col du manteau de Radley. Prends Taz, d'accord ?

Trouver un chauffeur de taxi qui accepte les gros chiens comme passager était toujours une prouesse onéreuse. Une fois à bord du véhicule, Taz s'assit près de la fenêtre et regarda défiler les rues de New York d'un œil morose.

— Quel bazar, pas vrai ? commenta le chauffeur en leur souriant dans le rétroviseur, heureux du pourboire que Mitch lui avait laissé d'avance. Je n'aime pas la neige, mais mes enfants adorent.

L'homme sifflota pour accompagner la musique qui passait à la radio.

— J'imagine que votre garçon ne se plaint pas de ne pas aller à l'école ? Les enfants aiment tous avoir une journée de libre. Ils sont même prêts à accompagner leur père au bureau plutôt qu'aller à l'école, hein, mon garçon ?

Le chauffeur gloussa en se garant près du trottoir. A cet endroit, la neige était déjà devenue grise.

— Vous voilà arrivés. Tu as un beau chien, mon petit.

L'homme rendit la monnaie à Mitch et continua de siffloter, tandis qu'ils sortaient du taxi. Un autre client s'engouffra aussitôt dans la voiture.

— Il a cru que tu étais mon père, murmura Radley en marchant à côté de Mitch sur le trottoir.

— Oui, répondit-il en avançant une main vers l'épaule du petit garçon.

Mais il retint son geste.

— Ça t'ennuie ?

L'enfant leva son visage vers lui, les yeux écarquillés, et pour la première fois Mitch le vit manifester quelques signes de timidité.

— Non. Et toi ?

Mitch s'agenouilla près de lui.

— Eh bien, si tu n'étais pas si laid, cela ne me dérangerait pas.

Radley lui sourit, puis glissa sa petite main dans celle de Mitch. Il rêvait parfois que Mitch était son père. Cela lui était déjà arrivé avec un instituteur de l'école maternelle, mais M. Stratham n'était pas aussi formidable que Mitch.

— C'est ici ? demanda Radley, étonné, tandis que Mitch avançait vers un grand immeuble en pierre brune délabré.

— Oui, c'est ici.

Radley s'efforça de cacher sa déception. Le bâtiment lui paraissait si ordinaire… Il avait imaginé au moins que le drapeau de Perth ou de Ragamond flotterait à l'entrée.

Mitch, conscient du trouble de Radley, le conduisit à l'intérieur. Dans le hall, un gardien leur tendit la main tout en continuant de manger son sandwich au bœuf fumé. Mitch le salua en retour et entraîna l'enfant vers un ascenseur, avant de tirer sur la grille métallique pour ouvrir la porte.

— C'est assez sympa, décida Radley.

— C'est encore mieux quand ça fonctionne, répondit Mitch en poussant sur le bouton du quatrième étage, où se trouvait le service éditorial. Croisons les doigts.

— L'ascenseur s'est-il déjà crashé ? demanda Radley, visiblement partagé entre l'inquiétude et l'espoir.

— Non, mais il est connu pour ses grèves fréquentes.

La cabine vibra avant de s'arrêter au quatrième étage. Mitch ouvrit de nouveau la grille et mit une main sur la tête du petit garçon.

— Bienvenue dans cet asile de fous.

C'était tout à fait cela. Impressionné par ce qu'il découvrit au quatrième étage, Radley oublia vite la déception qu'il avait éprouvée devant la façade de l'immeuble. Ils entrèrent d'abord dans ce qui ressemblait à une réception. Du moins y avait-il une table et une rangée de téléphones derrière lesquels se tenait une femme noire qui affichait un air harassé et arborait un sweat-shirt à l'effigie de la princesse Leilah. Derrière elle, les murs étaient couverts de posters représentant les personnages les plus connus d'Universal Comics : l'Homme Scorpion, le Sabre de velours, le terrible Papillon-Noir, et bien sûr, le Commandant Zark.

— Comment ça va, Lou ? demanda Mitch.

— Ne m'en parle pas.

La femme appuya sur un bouton.

— Je te le demande, continua-t-elle. C'est ma faute si le traiteur ne lui a pas livré son corned-beef ?

— Si j'arrive à lui redonner le sourire, pourras-tu me donner quelques échantillons ?

— Universal Comics, une seconde je vous prie.

La réceptionniste appuya sur un autre bouton.

— Si tu le mets de bonne humeur, je te donne mon premier-né.

— Juste quelques échantillons, Lou. Mets ton casque, caporal. Il peut y avoir du grabuge.

Mitch fit passer Radley du petit hall à une grande salle vivement éclairée et grouillant d'activité. La pièce était découpée en plusieurs box très bruyants. L'ensemble était plutôt chaotique. Des dessins, des banderoles et quelques photographies couvraient les murs en liège. Dans un coin s'empilait une pyramide de canettes de soda vides sur lesquelles un employé s'amusait à lancer des boulettes de papier absorbant.

— Le Scorpion n'a jamais été très coopératif. Pourquoi se mettrait-il au service de la loi et de la justice ?

Une femme rousse, les cheveux hérissés de crayons, pivota sur une chaise à roulettes. Ses grands yeux étaient soulignés par des traits de crayon noir et du mascara.

— Soyons réalistes, continua-t-elle. Il ne peut pas sauver les réserves d'eau du monde tout seul. Il a besoin de quelqu'un comme Atlantis.

Un homme assis en face d'elle mangeait un énorme cornichon.

— Depuis qu'ils se sont affrontés au moment de l'Affaire triangulaire, ils se détestent.

— Justement, imbécile. Ils vont devoir mettre leurs sentiments personnels de côté pour le bien de l'humanité. C'est la morale de l'histoire.

La femme leva la tête et aperçut Mitch.

— Hé, le Dévastateur a empoisonné les réserves d'eau du monde. Le Scorpion a trouvé un antidote. Qui va le distribuer ?

— Je pense qu'il devrait faire la paix avec Atlantis, répliqua Mitch. Qu'en penses-tu, Radley ?

L'espace d'un instant, Rad resta interdit, le regard fixe. Puis il prit une profonde inspiration et se lança.

— Je pense qu'ils feraient une équipe formidable, car ils se sont toujours battus ensemble.

— Je suis d'accord avec toi, mon garçon, répondit la rousse en lui tendant la main. Je m'appelle M.J. Jones.

— Ça alors, vraiment ?

Radley était-il impressionné de rencontrer M.J. Jones ou de découvrir qu'il s'agissait d'une femme ? Mitch ne trouva pas nécessaire de souligner qu'elle faisait partie de l'aventure.

— Et ce rouspéteur là-bas, c'est Rob Myers, continua la

femme. Tu as amené cet enfant pour qu'il te serve de bouclier, Mitch ? demanda-t-elle sans laisser à Rob le temps d'avaler son cornichon.

Mitch sourit. Ils étaient mariés depuis six ans et visiblement elle prenait un malin plaisir à le taquiner.

— Tu crois que j'ai besoin d'un bouclier ?

— Si tu n'amènes rien de fabuleux dans ces tubes, je te conseille de repartir discrètement.

Elle poussa de côté une pile de dessins préliminaires.

— Maloney vient de démissionner. Il est parti chez Five Star.

— Sans blague ?

— Skinner peste contre les traîtres depuis le début de la matinée. Et la neige ne fait rien pour arranger son humeur. Donc, si j'étais toi… Mince, trop tard.

Comme les rats désertant le navire, M.J. lui tourna le dos et entra en grande discussion avec son mari.

— Dempsey, cela fait deux heures que je vous attends.

Mitch décocha à son éditeur un sourire mielleux.

— Mon réveil n'a pas sonné. Je vous présente Radley Wallace, un ami. Rad, voici Rich Skinner.

Sidéré, Radley regarda l'homme fixement. Skinner ressemblait trait pour trait à Hank Wheeler, l'imposant et autoritaire chef de Joe David, alias la Mouche. Plus tard, Mitch devait lui apprendre que cette ressemblance n'était pas fortuite. D'un geste nerveux, Radley fit passer la laisse de Taz dans son autre main.

— Bonjour, monsieur Skinner. J'aime vraiment vos bandes dessinées. Elles sont bien meilleures que celles de Five Star. Je n'en ai presque jamais acheté, parce que leurs histoires ne sont pas aussi intéressantes que les vôtres.

— C'est bien, mon garçon, répondit Skinner en passant une main dans ses rares cheveux. Très bien, répéta-t-il avec plus de conviction. Ne dépense pas ton argent de poche en achetant des bandes dessinées Five Star, mon petit.

— Non, monsieur.

— Mitch, vous savez que vous n'êtes pas censé amener votre clébard ici.

— Vous savez à quel point Taz vous aime.

Au même moment, Taz leva la tête et poussa un hurlement.

Skinner commença à jurer, mais sembla se souvenir de la présence du petit garçon.

— Vous apportez quelque chose dans vos tubes ou bien vous êtes venu éclairer cette triste journée ?

— Pourquoi ne regardez-vous pas vous-même ?

Skinner s'empara des dessins en grommelant et tourna les talons. Mitch lui emboîta le pas, suivi de Radley qui mit sa petite main dans la sienne.

— Est-il vraiment fou ? s'enquit le petit garçon.

— Certainement.

— Va-t-il crier après toi comme Hank Wheeler crie après la Mouche ?

— Peut-être.

L'air impressionné, Radley enfouit sa main dans celle de Mitch.

— D'accord.

Avec un sourire amusé, Mitch amena Radley dans le bureau de Skinner, où les stores vénitiens avaient été baissés pour cacher la vue de la neige. Skinner déroula le contenu du premier tube sur un bureau déjà bien encombré. Il ne s'assit pas mais se pencha sur les feuilles, tandis que Taz s'affalait sur le linoléum pour entamer un petit somme.

— Pas mauvais, déclara Skinner après avoir étudié une série de dessins et de légendes. Pas mal du tout. Ce nouveau personnage, Mirium, vous prévoyez de le développer ?

— J'aimerais bien. Je pense que le cœur de Zark est prêt à prendre une autre direction. Cela permet de créer plus de conflits émotionnels. Il aime sa femme, mais elle reste sa pire ennemie. Pourtant, il se heurte à cette empathie et est sans cesse déchiré à cause des sentiments qu'il a pour elle.

— Zark n'a jamais beaucoup de temps pour réfléchir.

— Pour moi, c'est le meilleur, intervint Radley avec enthousiasme.

Skinner étudia l'enfant avec attention, l'air soucieux.

— Tu ne penses pas qu'il se laisse un peu trop emporter par son sens de l'honneur et du devoir ?

— Non, pas du tout.

Radley ne savait pas s'il était soulagé ou déçu de ne pas entendre Skinner crier.

— On sait que Zark va toujours faire les bons choix, ajouta-t-il. Il n'a pas de superpouvoirs, mais il est vraiment intelligent.

Skinner hocha la tête comme s'il approuvait son opinion.

— Nous allons faire un essai avec votre Mirium et voir comment réagissent les lecteurs.

Puis il laissa les feuilles s'enrouler sur elles-mêmes.

— C'est la première fois que vous êtes aussi en avance sur les délais, Mitch.

— J'ai un assistant, maintenant, répondit-il en posant une main sur l'épaule de Radley.

— Bon travail, mon garçon. Pourquoi n'emmenez-vous pas votre assistant visiter les locaux ?

Radley aurait eu besoin de plusieurs semaines pour raconter l'heure qu'il passa dans les bureaux d'Universal Comics. Lorsqu'ils partirent, il emmena un sac plein de crayons estampillés Universal, un mug de Matilda la Folle que Mitch avait déterré d'un casier, une demi-douzaine de dessins rejetés et une pile de bandes dessinées fraîchement sorties de presse.

— C'est le plus beau jour de ma vie, déclara Radley en sautillant sur le trottoir couvert de neige. Attends que je montre tout ça à maman. Elle ne va pas le croire.

Etrangement, Mitch pensait lui aussi à Hester. Il allongea le pas pour rattraper Radley.

— Pourquoi n'allons-nous pas lui rendre une petite visite ?

— D'accord, répondit Radley en glissant de nouveau sa main dans celle de Mitch. Mais les banques ne sont pas aussi excitantes que l'endroit où tu travailles. Personne ne peut écouter la radio et crier, mais elles possèdent une pièce où l'on garde beaucoup d'argent — des millions de dollars — et il y a des caméras partout, qui permettent de voir les gens qui essaieraient de les voler. Ma mère n'a jamais été dans une banque qui a été attaquée.

Radley avait formulé cette dernière information comme s'il s'en excusait et Mitch éclata de rire.

— Nous ne pouvons pas tous avoir de la chance, répondit-il en se massant le ventre.

Il n'avait rien avalé depuis au moins deux heures.

— Allons d'abord chercher des tacos, proposa-t-il.

A l'abri entre les murs élégants et feutrés de la National Trust, Hester traitait une pile de dossiers. Elle aimait cette partie de son travail, sa monotonie organisée. Elle aimait trier les données et les chiffres et les traduire en biens immobiliers, en équipement pour les entreprises, en décors de théâtre ou en bourses d'études. Rien ne lui procurait plus de plaisir que d'apposer son tampon sur un dossier de prêt.

Au fil du temps, elle avait dû apprendre à ne pas se laisser attendrir. Parfois, indépendamment du sérieux du demandeur, les données et les chiffres la poussaient au refus. Une partie de son travail consistait alors à dicter des courriers polis et impersonnels dans ce sens. Hester s'efforçait de ne pas le prendre trop à cœur, et elle acceptait cette responsabilité au même titre que les appels furieux du demandeur lorsqu'il prenait connaissance de sa lettre.

A cet instant précis, elle faisait une pause déjeuner avec un muffin et un café. Elle voulait boucler une demande de prêt qui devait passer en commission le lendemain. Un autre rendez-vous l'attendait dans quinze minutes. Si elle n'était pas interrompue, sa journée serait alors terminée. Elle n'accueillit donc pas avec joie l'appel de son assistante.

— Oui, Kay.

— Il y a un jeune homme qui souhaite vous voir, madame Wallace.

— Il a rendez-vous dans quinze minutes. Faites-le attendre.

— Non, il ne s'agit pas de M. Greenburg. Je ne crois pas que ce visiteur soit venu pour un prêt. Tu es venu pour un prêt, mon chéri?

En entendant le petit rire familier, Hester se dirigea en trombe vers la porte.

— Rad ? Tout va bien… Oh !

Il n'était pas venu seul, bien sûr. Imaginer que son fils ait pu venir de son propre chef avait été stupide de sa part. Radley était accompagné de Mitch, flanqué de son énorme chien au regard doux.

— Nous sommes allés manger des tacos, déclara fièrement le petit garçon.

Hester remarqua la légère trace de sauce qui maculait le menton de son fils.

— Je vois ça.

Elle se pencha pour l'embrasser, puis leva les yeux vers Mitch.

— Tout va bien ? demanda-t-elle.

— Oui. Je devais faire une petite course, puis nous avons décidé de venir vous rendre une courte visite.

Mitch la détaillait attentivement. Son bleu était camouflé derrière une épaisse couche de maquillage qui laissait transparaître une légère teinte jaune et mauve.

— On dirait que votre œil va mieux, remarqua-t-il.

— La crise est passée.

— C'est votre bureau ?

Sans y avoir été invité, il s'avança d'un pas nonchalant et passa la tête par l'ouverture de la porte.

— Mon Dieu, que c'est déprimant. Peut-être pourrez-vous convaincre Radley de vous offrir l'un de ses posters ?

— Tu peux en avoir un si tu veux, approuva aussitôt son fils. J'en ai eu un sac entier lorsque Mitch m'a emmené dans les bureaux d'Universal Comics. Tu aurais dû voir ça, maman ! J'ai rencontré M.J. Jones et Rich Skinner, et j'ai vu une pièce où ils rangent des milliards de bandes dessinées. Regarde ce qu'ils m'ont donné.

Il souleva son sac.

— Et tout ça gratuitement.

Hester se sentit d'abord gênée. Sa dette envers Mitch semblait croître de jour en jour. Puis elle croisa le visage lumineux et enthousiaste de Radley.

— On dirait que tu as passé une bonne matinée.

— La meilleure de ma vie.

— Alerte rouge, murmura Kay. Rosen à 3 heures.

Mitch n'eut pas besoin de plus d'informations pour comprendre que Rosen était une force que l'on ne pouvait pas sous-estimer. Il vit le visage d'Hester se crisper aussitôt tandis qu'elle lissait ses cheveux pour s'assurer que tout était en place.

— Bonjour, madame Wallace.

Rosen examina avec attention le chien qui reniflait le bout de sa chaussure.

— Vous avez peut-être oublié que les animaux ne sont pas autorisés dans notre banque.

— Non, monsieur. Mon fils était juste...

— Votre fils ?

Rosen hocha brièvement la tête en direction de Radley.

— Comment allez-vous, jeune homme ? Madame Wallace, je suis certain que vous vous souvenez que la politique de notre banque ne tolère pas les visites personnelles pendant vos heures de travail.

— Madame Wallace, intervint son assistante, puis-je déposer sur votre bureau ces documents qui n'attendent plus que votre signature ? Dès que votre pause déjeuner sera terminée, évidemment.

Kay brassa quelques formulaires d'un air sérieux, puis fit un clin d'œil à Radley.

— Merci, Kay, répondit Hester, reconnaissante.

Rosen prit un air outré. De toute évidence, il n'en avait pas fini avec elle. S'il ne pouvait la reprendre au sujet de la pause déjeuner, il ne manquerait sans doute pas de souligner les autres infractions au règlement.

— Concernant cet animal...

Comme alarmé par le ton de Rosen, Taz poussa sa truffe contre le genou de Radley et grogna.

— Il est à moi, annonça Mitch en avançant dans la pièce, un sourire charmeur aux lèvres et la main tendue.

Avec un sourire comme celui-ci, Mitch aurait pu vendre à n'importe qui des marécages en Floride.

— Mitchel Dempsey Junior. Hester et moi sommes de bons amis, de très bons amis. Elle ne tarit pas d'éloges sur vous et votre banque.

Mitch serra vigoureusement et diplomatiquement la main de Rosen, sous l'œil sidéré d'Hester.

— Ma famille possède plusieurs avoirs à New York, continua-t-il. Hester m'a demandé si je pouvais user de mon influence pour les transférer à la National Trust. Vous connaissez certainement quelques-unes des entreprises qui appartiennent à ma famille : Trioptic, D & H Chemicals, Dempsey Paperworks ?

— Bien entendu, bien entendu.

La poignée de main hésitante de Rosen s'affirma.

— C'est un plaisir de faire votre connaissance, un vrai plaisir, déclara le directeur.

— Hester m'a demandé de passer dans vos bureaux me rendre compte par moi-même de l'efficacité de votre banque, précisa Mitch.

Il avait définitivement acquis la sympathie du banquier. Mitch pouvait presque voir l'appât du gain éclairer son regard.

— Je suis impressionné, continua-t-il. Evidemment, j'aurais pu croire Hester sur parole.

Il pressa légèrement les épaules raides de la jeune femme.

— C'est un as en matière de finances. Croyez-moi, mon père pourrait vous la débaucher dans la minute. Vous avez beaucoup de chance de l'avoir.

— Mme Wallace est l'une de nos meilleures employées.

— Je suis heureux de vous l'entendre dire. Il faudrait que je puisse parler des avantages de votre banque à mon père.

— Je serais heureux de vous faire visiter moi-même nos locaux. Je suis certain que les bureaux de la direction vous intéresseront davantage.

— J'en serais ravi, mais je suis un peu pressé par le temps.

Même s'il avait eu toute la journée devant lui, Mitch n'aurait pas consacré une minute de plus à visiter les bureaux oppressants d'une banque.

— Pourquoi ne me préparez-vous pas un dossier que je pourrais présenter lors de notre prochain conseil d'administration ?

— Avec plaisir, répondit Rosen, le visage fendu d'un large sourire.

Gagner un client avec des avoirs aussi importants et diversifiés que ceux des Dempsey serait une véritable aubaine pour le pompeux directeur de banque.

— Faites-le passer à Hester, proposa Mitch d'une voix enjouée. Cela ne vous dérange pas de servir de messager, n'est-ce pas, ma chérie ?

— Non, balbutia-t-elle.

— Parfait ! s'écria Rosen, l'air tout excité. Je suis certain que vous découvrirez très vite que nous sommes capables de satisfaire tous les besoins de votre famille. Nous sommes la banque avec qui vous pourrez vous développer, c'est certain.

Le banquier tapota la tête de Taz.

— Gentil chien, dit-il avant de s'éloigner d'un pas plus léger.

— Quel snobinard ! lança Mitch. Comment faites-vous pour le supporter ?

— Voulez-vous entrer dans mon bureau quelques instants ? proposa Hester d'une voix aussi tendue que le reste de son corps.

Radley, qui connaissait ce ton, roula de grands yeux vers Mitch.

— Kay, si M. Greensburg arrive, faites-le patienter, s'il vous plaît, ajouta-t-elle.

— Oui, madame.

Hester fit entrer Mitch dans son bureau et s'adossa contre la porte. Elle était partagée entre l'envie de rire, de se jeter au cou de Mitch et de pousser des hurlements de joie pour la façon dont il avait parlé à Rosen. Mais une autre partie d'elle-même, celle qui avait besoin d'un travail, d'un salaire régulier et de ses avantages sociaux, l'empêcha de le faire.

— Comment avez-vous pu faire une chose pareille ?

— Quoi donc ? demanda Mitch en balayant le bureau du

regard. Cette moquette marron doit absolument être remplacée. Et cette peinture ! C'est quoi, cette couleur ?

— Beurk, s'aventura Radley en s'asseyant dans un fauteuil, la tête de Taz sur les genoux.

— Oui, je suis d'accord avec toi, approuva Mitch. Vous savez, votre lieu de travail a une grande influence sur votre travail. Vous pouvez le dire à Rosen.

— Lorsqu'il saura ce que vous avez fait, je ne pourrai plus rien dire à Rosen. Je serai renvoyée.

— Ne soyez pas stupide. Je ne lui ai jamais promis que ma famille transférerait ses biens à la National Trust. Mais, si son dossier est suffisamment intéressant, elle pourrait le faire.

Mitch haussa les épaules pour manifester son indifférence.

— Si cela peut vous rendre service, je peux transférer mes comptes personnels chez vous. En ce qui me concerne, une banque reste une banque.

— Bon sang ! s'écria Hester.

Cela lui arrivait rarement de jurer à voix haute et avec autant de conviction. Surpris, Radley se concentra encore plus sur la fourrure de Taz et se fit tout petit.

— Grâce à vous, Rosen a des vues sur tous les biens de ce groupe. Il sera furieux après moi lorsqu'il découvrira que vous avez tout inventé.

Mitch posa une main sur une pile de documents proprement rangés.

— Vous êtes obsédée par l'ordre, vous savez ? Et je n'ai rien inventé du tout. J'aurais pu le faire, ajouta-t-il pensivement. J'ai un don pour ça, mais dans le cas présent je n'en voyais pas l'utilité.

— Voulez-vous arrêter ?

Elle s'avança vers lui et lui fit ôter les mains de ses dossiers.

— Tout ce baratin à propos de Trioptic et de D & H Chemicals ! soupira-t-elle avant de s'asseoir lourdement sur le bord du bureau. Je sais que vous avez fait tout cela pour m'aider, et j'apprécie votre geste, mais…

— Vous appréciez vraiment ? demanda-t-il en suivant du bout du doigt le revers de sa veste de tailleur.

— Vos intentions sont louables, je suppose, murmura-t-elle.

— Parfois.

Il s'approcha d'elle.

— Vous sentez trop bon pour ce bureau, ajouta-t-il.

— Mitch.

Hester posa une main sur son torse en lançant un regard anxieux vers Radley. L'enfant avait posé un bras autour de Taz et s'était déjà plongé dans la lecture d'une bande dessinée.

— Pensez-vous vraiment que l'expérience serait traumatisante si votre fils me voyait vous embrasser ?

— Non.

Mitch esquissa un léger mouvement et elle le repoussa plus fort.

— Mais là n'est pas le propos.

— Quel est-il, alors ?

Il ôta la main de sa veste pour caresser sa boucle d'oreille en or.

— Il va falloir que j'aille trouver Rosen pour lui expliquer que...

Elle ne trouvait plus ses mots.

— Que vous fantasmez, conclut-elle.

— Cela m'arrive en effet souvent, répondit-il en faisant glisser un pouce le long de sa joue. Mais cela ne le regarde absolument pas. Vous voulez que je vous raconte celui où je nous imagine, vous et moi, sur un radeau, perdus au milieu de l'océan Indien ?

— Non.

Cette fois, elle ne put s'empêcher de rire, même si la chaleur qui venait de l'envahir n'avait rien à voir avec son hilarité. Piquée par la curiosité, elle leva les yeux vers lui, puis les détourna.

— Pourquoi ne rentrez-vous pas à la maison avec Rad ? J'ai encore un rendez-vous. Ensuite, j'irai tout expliquer à M. Rosen.

— Vous n'êtes plus fâchée ?

Hester secoua la tête et réprima le besoin de caresser le visage de Mitch.

— Vous avez simplement essayé de m'aider. C'était très gentil de votre part.

Mitch devinait qu'elle aurait réagi de la même manière si son fils avait cassé une assiette en essayant de faire la vaisselle.

Comme pour la tester, il réduisit la distance qui les séparait et pressa fermement ses lèvres contre les siennes. Il ressentit la moindre de ses réactions — le choc, la tension, puis le désir. Lorsqu'il s'écarta, il vit un éclair ardent traverser brièvement, mais intensément, ses grands yeux gris.

— Viens, Rad, ta mère doit retourner travailler. Si nous ne sommes pas chez moi à votre retour, c'est que nous sommes au parc.

— Parfait.

Inconsciemment, elle pressa les lèvres pour préserver la chaleur de leur baiser.

— Merci.

— A votre service.

— Au revoir, Rad. Je rentre bientôt à la maison.

— D'accord !

Radley passa les bras autour du cou de sa mère.

— Tu n'es plus fâchée contre Mitch, alors ?

— Non, répondit-elle d'une voix tendre. Je ne suis fâchée contre personne.

Hester leur sourit, puis se raidit de nouveau. Mitch aperçut alors la lueur d'inquiétude qui teintait son regard. La main sur la poignée, il s'arrêta à hauteur de la porte.

— Vous allez vraiment aller trouver Rosen pour lui dire que j'ai tout inventé ?

— Il le faut.

Comme elle se sentait coupable de l'avoir attaqué, elle lui lança un sourire qui se voulait rassurant.

— Ne vous inquiétez pas. Je sais comment le prendre.

— Et si je vous disais que je n'ai rien inventé, que ma famille a vraiment créé Trioptic il y a de cela quarante-sept ans ?

Hester lui lança un regard dubitatif.

— Je vous dirais de ne pas oublier vos gants. Il fait plutôt froid dehors.

— D'accord, mais, avant de vendre votre âme à Rosen, je vous conseille de consulter d'abord le Who's Who.

Les mains dans les poches, Hester s'avança vers la porte du

bureau. Elle aperçut alors Radley mettre sa main gantée dans celle de Mitch.

— Votre fils est adorable, dit Kay en tendant à Hester un dossier.

La petite altercation avec Rosen avait complètement changé son opinion à propos de la très réservée Mme Wallace.

— Merci.

Lorsque Hester lui renvoya son sourire, l'avis de Kay fut conforté.

— J'ai apprécié que vous me couvriez de cette façon, ajouta-t-elle.

— Je n'ai pas fait grand-chose. Et je ne vois pas quel mal il y a à ce que votre fils vienne vous rendre visite une petite minute.

— C'est la politique de la banque, murmura Hester.

— Dites plutôt la politique de Rosen, grogna Kay. Sous son apparence bourrue, il cache aussi un caractère bourru. Mais ne vous inquiétez pas à son sujet. Je sais de source sûre qu'il considère votre travail comme étant de loin supérieur à celui que faisait votre prédécesseur. Le concernant, c'est le principal.

Kay hésita quelques secondes, tandis qu'Hester hochait la tête en parcourant le dossier.

— C'est dur d'élever seule un enfant, continua-t-elle. Ma sœur a une petite fille d'à peine cinq ans. Et je sais que certains soirs Annie en a assez de porter toutes les casquettes.

— Oui, je sais ce que c'est.

— Mes parents voudraient qu'elle revienne vivre chez eux afin que ma mère puisse garder Sarah lorsque Annie travaille, mais ma sœur ne sait pas si c'est vraiment le bon choix.

— Parfois, c'est difficile de savoir s'il faut accepter de l'aide, murmura Hester en songeant à Mitch. Et, parfois, nous oublions d'être reconnaissants envers ceux qui sont là pour nous.

Elle coinça le dossier sous son bras et chassa ces pensées de son esprit.

— M. Greenburg est-il arrivé? demanda-t-elle.

— A l'instant.

— Parfait. Faites-le entrer dans mon bureau, Kay.

Puis elle s'interrompit.

— Oh! J'oubliais. Pouvez-vous me trouver un exemplaire du Who's Who, s'il vous plaît?

6

Mitch était richissime.

En entrant dans son appartement, Hester n'en revenait toujours pas. Le voisin du dessous qui s'était présenté à elle pieds nus, vêtu d'un jean troué, était l'héritier de l'une des plus grandes fortunes de ce pays.

Elle ôta son manteau et le suspendit machinalement dans la penderie. Ainsi, l'homme qui passait ses journées à écrire les aventures du commandant Zark venait d'une famille propriétaire de poneys de polo et de pavillons d'été. Et, malgré cela, il vivait au quatrième étage d'un banal immeuble de Manhattan.

De surcroît, Mitch était attiré par elle. Il fallait qu'elle soit aveugle et sourde pour ne pas en être persuadée. Mais elle avait beau le fréquenter depuis des semaines, jamais il ne lui avait parlé de sa famille ou de sa position sociale pour l'impressionner.

Qui était-il vraiment ? Elle qui croyait commencer à le cerner, elle avait l'impression d'avoir affaire à un étranger.

Il fallait qu'elle l'appelle pour le prévenir qu'elle était rentrée, et demander à Radley de monter. Extrêmement gênée, Hester décrocha le combiné. Dire qu'elle l'avait sermonné pour avoir raconté des histoires à M. Rosen avant de lui pardonner dans un élan de générosité teintée de condescendance. Elle avait donc fait ce qu'elle détestait le plus. Elle était passée pour une imbécile.

Poussant un juron, elle décrocha le téléphone avec rage. Elle se serait sentie beaucoup mieux si elle avait pu s'en servir pour frapper Mitchell Dempsey Junior.

Elle venait de composer la moitié de son numéro lorsque les hurlements de rire de Radley et un bruit de pas précipités dans le hall attirèrent son attention. Elle ouvrit la porte juste au moment où Radley tirait les clés de sa poche.

Ils étaient tous les deux couverts de neige. Quelques flocons commençaient à fondre et dégoulinaient du bonnet et des bottes de Radley. Les deux garçons avaient indéniablement l'air de s'être roulés dans la neige.

— Salut, maman. Nous étions au parc. Nous sommes passés chez Mitch pour prendre mon sac, puis nous sommes montés en pensant que tu étais rentrée. Viens dehors avec nous.

— Mais je ne suis pas habillée pour une bataille de boules de neige !

Hester sourit en ôtant le bonnet incrusté de neige de son fils. Mais elle évitait soigneusement son regard, remarqua Mitch.

— Dans ce cas, changez-vous, proposa-t-il, nonchalamment appuyé contre le chambranle de la porte, indifférent à la neige qui tombait à ses pieds.

— J'ai construit un fort, insista Radley. S'il te plaît, viens le voir. J'ai même commencé à faire un guerrier avec de la neige, mais Mitch a préféré revenir pour ne pas que tu t'inquiètes.

Tant de considération contraignit Hester à lever les yeux vers lui.

— J'apprécie votre geste, dit-elle.

Mitch la regardait avec beaucoup trop d'insistance à son goût.

— Rad m'a dit que vous saviez très bien confectionner les guerriers avec de la neige.

— S'il te plaît, maman, implora son fils. Si le temps se réchauffe, demain, toute la neige aura fondu. C'est à cause de l'effet de serre. J'ai lu un article complet sur le sujet.

Hester comprit qu'elle était piégée.

— Très bien, je vais me changer. Pourquoi ne sers-tu pas à Mitch une tasse de chocolat chaud pour vous réchauffer ?

— J'y vais !

Radley s'assit par terre devant la porte.

— Tu dois enlever tes bottes, conseilla-t-il à Mitch. Ma mère risque de se fâcher si tu salis la moquette.

Mitch commença à déboutonner son manteau. Hester s'était déjà éloignée.

— Inutile qu'elle se mette en colère, approuva-t-il.

Quinze minutes plus tard, Hester avait enfilé un pantalon en velours, un pull chaud et de vieilles bottes. Elle avait troqué son manteau rouge contre une parka bleue qui présentait quelques signes d'usure. Une main agrippée à la laisse de Taz et l'autre dans la poche, Mitch traversait le parc en se demandant pourquoi il éprouvait un tel plaisir à voir Hester en tenue décontractée, la main de son fils étroitement serrée dans la sienne. Il ne savait pas très bien pourquoi il désirait passer ce moment avec elle, mais c'était lui qui avait soufflé cette idée à Radley, et lui avait suggéré d'aller convaincre sa mère de sortir.

Mitch aimait l'hiver. Tout en marchant dans la neige douce et épaisse qui couvrait Central Park, il prit une profonde goulée d'air frais. La neige et l'air piquant l'avaient toujours attiré, surtout lorsque les arbres étaient parés de blanc et qu'il y avait des châteaux de neige à construire.

Lorsqu'il était enfant, sa famille passait souvent l'été dans les Caraïbes, loin de ce que sa mère appelait « le désordre et les désagréments » de la ville. Mitch s'était pris d'affection pour la plongée et le sable blanc mais, pour lui, un palmier ne remplacerait jamais un sapin à Noël.

Il avait passé ses plus beaux hivers chez son oncle dans le New Hampshire, à marcher dans les bois et à dévaler les pentes sur une luge. Etrangement, avant que les Wallace emménagent, il prévoyait de retourner y passer quelques semaines. Mais sa rencontre avec Hester et son fils avait ajourné ses projets.

La jeune femme, qui marchait à côté de lui, paraissait gênée, contrariée et mal à l'aise. Mitch étudia discrètement son profil. Ses joues étaient déjà roses sous l'effet du froid et elle veillait à ce que Radley marche entre eux. Se rendait-elle compte à quel point sa stratégie était flagrante ? Hester ne se servait pas de son enfant pour satisfaire ses ambitions ou atteindre ses objectifs, comme le faisaient d'autres parents. Il la respectait trop pour penser cela d'elle. Mais en plaçant Radley entre eux elle le tenait à distance, et Mitch n'était plus que l'ami de son fils.

C'était d'ailleurs le cas, songea-t-il en souriant. Mais il n'avait pas l'intention de se contenter de ce rôle.

— Voici le fort, tu le vois ? demanda Radley en tirant sur la main de sa mère.

Puis il partit en courant, trop impatient pour attendre plus longtemps.

— Impressionnant, non ? commenta Mitch.

Avant qu'elle puisse l'en empêcher, son séduisant voisin avait nonchalamment passé un bras autour de ses épaules.

— Il est vraiment très doué, ajouta-t-il.

Tout en observant l'œuvre de son fils, Hester tâcha d'ignorer la chaleur et la pression de son bras. Les murs du fort mesuraient presque un mètre de hauteur. Ils étaient lisses comme de la pierre, avec à leur extrémité une forme plus haute qui ressemblait à une tour. Les deux garçons avaient creusé une porte voûtée assez haute pour que Radley puisse s'y faufiler. Lorsqu'elle eut atteint le fort, Hester vit son fils se glisser sous l'arche à quatre pattes avant de ressortir de l'autre côté, les bras en l'air.

— Il est magnifique, Rad, le félicita-t-elle. J'imagine que vous y êtes pour beaucoup, dit-elle discrètement à Mitch.

— J'y ai un peu contribué.

Puis il sourit, comme s'il se riait de lui-même.

— Rad est un bien meilleur architecte que moi, précisa-t-il.

— Je vais finir mon guerrier, déclara Rad en rampant de nouveau par l'ouverture. Fais-en un de l'autre côté du fort, maman. Ce seront nos sentinelles.

Rad commença à rassembler de la neige autour du personnage à moitié formé.

— Tu peux aider ma mère, Mitch. J'ai une bonne longueur d'avance.

— Il n'a pas tort, déclara Mitch en saisissant une poignée de neige. Vous avez quelque chose contre le travail en équipe ? demanda-t-il à Hester.

— Non, bien sûr que non, répondit-elle en évitant son regard.

Puis elle s'agenouilla dans la neige. Mitch lui lança dans la tête la boule qu'il venait de former.

— C'était le meilleur moyen de vous obliger à me regarder, expliqua-t-il, amusé.

Visiblement furieuse, elle entreprit de former un petit monticule.

— Il y a un problème, madame Wallace ?

Quelques secondes passèrent pendant qu'elle s'affairait en silence.

— J'ai consulté le Who's Who, finit-elle par dire.

— Et ? demanda Mitch en s'agenouillant près d'elle.

— Vous disiez la vérité.

— Cela m'arrive de temps en temps.

Il déposa de la neige sur son monticule.

— Et alors ? ajouta-t-il, intrigué.

Hester tapa la neige pour lui donner une forme, l'air soucieux.

— Je me sens ridicule.

— Je vous ai dit la vérité et vous vous sentez ridicule ?

D'un geste patient, Mitch lissa la base du monticule.

— Quel est le rapport ? ajouta-t-il.

— Vous m'avez laissée vous faire la morale.

— C'est difficile de vous arrêter une fois que vous êtes lancée.

Hester creusa la neige des deux mains pour former les jambes du guerrier.

— Vous m'avez laissé croire que vous étiez un pauvre bon samaritain un peu excentrique. J'étais même prête à vous proposer de recoudre votre jean.

— Sans blague.

Incroyablement ému, Mitch saisit son menton entre ses doigts gantés couverts de neige.

— C'est très gentil de votre part.

Hester n'était pas prête à le laisser user de son charme.

— En réalité, reprit-elle, vous êtes un bon samaritain excentrique, mais riche.

Puis elle écarta la main de Mitch et commença à rassembler de la neige pour former le torse du guerrier.

— Dois-je comprendre que vous n'allez pas recoudre mon jean ?

Hester poussa un long soupir patient. Un nuage de vapeur blanche s'échappa de sa bouche.

— Je ne veux plus en parler.

— Mais si.

Mitch rassembla plus de neige et réussit à enterrer les bras d'Hester jusqu'aux coudes.

— L'argent ne devrait pas vous gêner, Hester. Vous êtes banquière.

— L'argent ne me gêne pas.

Elle tira un coup sec pour se dégager et lança au passage deux gros tas de neige au visage de Mitch. Elle lui tourna le dos pour s'empêcher de rire.

— J'aurais préféré que la situation soit plus claire, c'est tout, conclut-elle.

Mitch essuya la neige sur sa joue, puis en recueillit de nouveau entre ses mains. Il avait une certaine expérience de ce qu'il considérait comme la boule de neige suprême.

— Et quelle est la situation, madame Wallace ?

— J'aimerais que vous arrêtiez de m'appeler ainsi en usant de ce ton.

Hester se retourna, juste à temps pour recevoir le projectile entre les deux yeux.

— Désolé, dit Mitch en souriant avant d'épousseter le manteau d'Hester. Elle m'a échappé des mains. A propos de cette situation...

— Il n'y a pas de situation.

Sans réfléchir, elle le poussa assez fort pour l'étendre dans la neige.

— Excusez-moi ! s'écria-t-elle, prise d'un fou rire. Je ne voulais pas faire ça. Je ne sais pas pourquoi je réagis comme ça avec vous.

Mitch s'assit tout en continuant de la regarder fixement.

— Je suis navrée, répéta-t-elle. Je pense qu'il vaudrait mieux laisser de côté ce sujet. Maintenant, si je vous aide à vous lever, me promettez-vous de ne pas chercher à vous venger ?

— Bien sûr, répondit Mitch en lui tendant une main gantée.

Dès l'instant où ses doigts se refermèrent sur les siens, Mitch la tira d'un coup sec vers lui. Hester tomba au sol, face à terre.

— Au fait, je ne dis pas toujours la vérité, précisa-t-il.

Sans lui laisser le temps de répondre, il l'enlaça et roula avec elle dans la neige.

— Hé! Vous êtes censés faire une autre sentinelle, s'indigna Radley.

— Une minute, répondit Mitch tandis qu'Hester tentait de reprendre son souffle. J'apprends à ta mère un nouveau jeu. Vous l'aimez? demanda-t-il en la faisant de nouveau rouler sous lui.

— Levez-vous. J'ai de la neige sous mon pull, sous mon pantalon…

— Inutile d'essayer de me séduire ici. J'ai plus de résistance que vous ne le croyez.

— Vous êtes fou, lâcha-t-elle en essayant de s'asseoir.

Mitch la maintint fermement sous son corps.

— Peut-être, concéda-t-il.

Lorsque Mitch lécha langoureusement une traînée de neige sur sa joue, Hester se figea.

— Mais je ne suis pas stupide, conclut-il.

La voix de Mitch avait changé. Ce n'était plus le ton paisible et détaché de son voisin, mais les inflexions rauques et feutrées d'un amant.

— Vous ressentez quelque chose pour moi, ajouta-t-il. Peut-être que cela vous déplaît, mais vous avez des sentiments pour moi.

Ce n'était pas cette promenade inattendue qui empêchait Hester de respirer. C'était les yeux de Mitch, si bleus sous les rayons du soleil couchant. Ses cheveux couverts d'une fine pellicule de neige brillaient doucement. Et son visage était si près du sien, si attirant. Oui, elle avait bien des sentiments pour lui, elle en avait eu dès la première fois qu'elle l'avait vu. Mais elle non plus n'était pas stupide.

— Si vous me lâchez, je vous montrerai ce que je ressens.

— Pourquoi ai-je le sentiment que cela ne va pas me plaire? Peu importe.

Avant qu'elle puisse lui répondre, il effleura ses lèvres.

— Hester, voici quelle est la situation. Vos sentiments pour moi n'ont rien à voir avec mon argent, pour la simple raison qu'avant aujourd'hui vous ne saviez pas que j'en avais. Certains de ces sentiments n'ont rien à voir avec le fait que j'aime beaucoup votre fils. C'est quelque chose de très personnel, entre vous et moi.

Mitch avait raison, complètement raison. Elle aurait pu le tuer pour ça.

— Ce n'est pas à vous de me dire ce que je ressens.

— Très bien.

Sur ces mots, et à sa grande surprise, il se leva et l'aida à se mettre sur pied. Puis il la prit de nouveau dans ses bras.

— C'est moi qui vais vous parler de mes sentiments, dans ce cas. Je vous apprécie, plus que ce que j'espérais.

Malgré ses joues rosies par le froid, Hester blêmit. Mitch lut bien plus que du désespoir dans son regard tandis qu'elle essayait de se dégager de son étreinte.

— Ne me dites pas ça.

— Et pourquoi pas ? demanda-t-il d'une voix impatiente. Vous allez devoir vous y faire. Tout comme moi.

— Je n'ai pas envie de tout ça. Je ne veux pas ressentir tout ça.

Mitch la contraignit à lever les yeux vers lui et la regarda d'un air grave.

— Il faut qu'on en parle.

— Non, il n'y a rien à dire. Tout cela nous échappe.

— Non, pas encore.

Sans la quitter des yeux, il enfouit les doigts dans ses cheveux.

— Je suis certain que ça sera bientôt le cas, mais nous n'en sommes pas encore là. Vous êtes trop intelligente et trop forte pour ça.

Dans quelques instants, elle serait capable de reprendre son souffle, songea Hester. Dès qu'elle se serait éloignée de lui.

— Je n'ai pas peur de vous.

Etrangement, elle disait vrai.

— Alors, embrassez-moi, murmura Mitch d'une voix douce et sensuelle. La nuit va bientôt tomber. Embrassez-moi, une seule fois, avant que le soleil se couche.

Sans comprendre comment ni pourquoi, elle accéda à sa demande. Elle se pencha vers lui, lui offrit ses lèvres et ferma les yeux sans remettre en question un acte aussi juste et naturel. Les questions viendraient plus tard, même si elle n'était pas certaine que les réponses coulent de source. Pour l'instant, ses lèvres effleuraient celles de Mitch. Des lèvres fraîches et patientes.

Autour d'elle, le monde était fait de glace et de neige, de châteaux forts et de pays enchantés. Mais la bouche de Mitch était bien réelle. Fermement pressée contre la sienne, elle réchauffait sa peau douce et sensible tout en faisant battre son cœur plus fort. Le bruit de la circulation lui parvenait au loin. Mais, plus près, le frottement de leurs manteaux lui parut plus intime.

Mitch se voulait tendre, convaincant. Juste une fois, il aurait aimé voir les lèvres d'Hester s'étirer en un sourire. Mais il savait que, parfois, même les hommes d'action devaient s'efforcer d'avancer pas à pas. Surtout lorsque la récompense était si élevée.

Même s'il n'était pas préparé à rencontrer une femme comme elle, ce qui se passait entre eux était plus facile à accepter pour lui que pour elle. Hester avait des secrets encore cachés, des blessures à peine cicatrisées. Et il n'avait pas le pouvoir de les effacer, il en était conscient. La manière dont elle avait vécu, les événements qui avaient marqué sa vie faisaient intrinsèquement partie d'elle. Elle, la femme dont il était à deux doigts de tomber amoureux.

Il allait donc avancer pas à pas, songea-t-il en la repoussant doucement. Et il attendrait.

— Nous avons donc éclairci plusieurs points, déclara-t-il, mais je persiste à croire qu'une discussion s'impose.

Il prit la main d'Hester pour la garder près de lui quelques instants.

— Très bientôt, dit-il enfin.

— Je ne sais pas.

Jamais elle ne s'était sentie aussi confuse, elle qui croyait avoir laissé ses sentiments et ses doutes loin derrière elle, il y avait très longtemps.

— J'irai chez vous ou vous viendrez chez moi, mais nous parlerons, insista-t-il.

Mitch l'avait poussée dans un lieu où, tôt ou tard, elle aurait été acculée.

— Pas ce soir, dit-elle en se méprisant pour sa lâcheté. Rad et moi avons beaucoup à faire.

— Ce n'est pas dans vos habitudes de tergiverser.

— Cette fois, si, murmura-t-elle avant de tourner les talons rapidement. Viens, Radley, nous devons rentrer.

— Regarde, maman, je viens juste de finir, c'est super, non ? L'enfant recula pour leur montrer son guerrier.

— Vous avez à peine commencé le vôtre ! protesta-t-il.

— Nous le finirons peut-être demain, le rassura-t-elle. Puis elle s'avança vers lui et le prit fermement par la main.

— Nous devons rentrer préparer le dîner maintenant.

— Mais nous ne pouvons pas juste…

— Non, l'interrompit-elle, il fait presque nuit.

— Mitch peut venir avec nous ?

— Non, il ne peut pas.

Tout en s'éloignant, elle lança un regard par-dessus son épaule. L'homme n'était plus qu'une ombre debout à côté du fort de son fils.

— Pas ce soir, ajouta-t-elle.

Mitch posa la main sur la tête de son chien, qui émit un grognement avant de se mettre en route.

— Non, murmura-t-il à son tour. Pas ce soir.

Elle n'avait aucun moyen de l'éviter, songea Hester en descendant chez Mitch à la demande de son fils. C'était idiot d'essayer, il fallait bien qu'elle se rende à l'évidence. A première vue, n'importe qui aurait pensé que Mitch Dempsey était la solution à beaucoup de ses problèmes. L'homme aimait profondément Radley et offrait à son fils une compagnie et un lieu pratique et sûr en attendant qu'elle revienne du travail. Mitch avait des horaires souples, et il donnait beaucoup de son temps.

Mais, en réalité, il lui avait compliqué la vie. Malgré les efforts qu'elle faisait pour le voir comme l'ami de son fils ou comme un voisin un peu étrange, il lui faisait revivre des sensations qu'elle avait oubliées depuis presque dix ans. Le pouls qui s'accélère ou les brusques montées de chaleur étaient des réactions qu'elle imputait pourtant aux personnes très jeunes ou très optimistes. Lorsque le père de Radley était parti, elle avait cessé d'être tout ça.

Pendant toutes les années qui avaient suivi, Hester s'était consacrée à son fils. Elle avait tout fait pour lui offrir le meilleur des foyers, et pour que sa vie soit aussi normale et équilibrée que possible. Si la femme qui était en elle s'était égarée en cours de route, la mère de Radley y avait trouvé son compte. Mais aujourd'hui Mitch Dempsey était entré dans sa vie, et avec lui non seulement elle s'était surprise à ressentir des tas de choses, mais aussi à rêver.

Prenant une profonde inspiration, Hester frappa à la porte de Mitch. La porte de l'ami de Radley, corrigea-t-elle fermement. Si elle était là, c'était uniquement pour faire plaisir à son fils, qui brûlait de lui montrer quelque chose. Non, elle n'était pas venue voir Mitch ; elle n'était pas venue dans l'espoir qu'il caresse sa joue, comme il le faisait parfois. A cette seule pensée, elle se sentit rougir.

Croisant les mains, elle préféra se concentrer sur Radley. Elle allait voir ce qu'il semblait si désireux de lui montrer, puis elle remonterait se mettre à l'abri dans son appartement.

Mitch vint bientôt lui ouvrir. Il portait un sweat-shirt à l'effigie d'un superhéros concurrent et un pantalon de survêtement troué au genou. Une serviette-éponge était enroulée autour de ses épaules. Il s'en servit pour essuyer son visage où perlaient des gouttes de sueur.

— Vous n'êtes pas allé courir par ce temps ? demanda-t-elle sans réfléchir.

Mais elle regretta aussitôt cette question où pointait une certaine inquiétude.

— Non, répondit-il en prenant sa main pour la conduire à l'intérieur.

Hester sentait bon le printemps, pourtant très loin encore. Son tailleur bleu marine lui donnait un air très professionnel que Mitch trouva ridiculement sexy.

— Je fais de la musculation, expliqua-t-il.

Depuis sa rencontre avec Hester Wallace, il soulevait beaucoup plus de fonte que d'ordinaire. C'était une façon comme une autre d'éliminer les tensions et de canaliser son trop-plein d'énergie.

— Je vois.

Elle comprenait mieux à présent la force qui se dégageait de lui.

— Je ne savais pas que vous vous livriez à ce genre d'exercices, ajouta-t-elle, troublée malgré elle.

— Ça vous paraît terriblement macho ? demanda-t-il en riant. Si je ne m'entraîne pas régulièrement, je deviens aussi maigre qu'un cure-dents. Ce n'est pas très beau à voir.

Hester semblait terriblement gênée. Mitch ne résista pas à la tentation de plier son avant-bras pour lui montrer ses muscles.

— Vous voulez sentir mes pectoraux ?

— Je m'en passerai bien, merci. M. Rosen m'a donné ce dossier pour vous.

Elle lui tendit une épaisse enveloppe.

— Vous vous souvenez, continua-t-elle, vous l'aviez demandé.

— C'est vrai, répondit-il en posant le paquet sur la table basse au sommet d'une pile de magazines. Dites à votre chef que je le ferai passer.

— Le ferez-vous vraiment ?

Surpris, il la dévisagea quelques instants.

— Je tiens toujours parole.

Hester n'en doutait pas. Elle se rappela aussi qu'il voulait lui parler, et très bientôt.

— Radley m'a dit qu'il avait quelque chose à me montrer.

— C'est dans le bureau. Vous voulez du café ?

L'invitation avait fusé avec tellement de naturel, de façon si aimable, qu'elle faillit l'accepter.

— Non, merci. Je ne peux pas rester. J'ai amené du travail à la maison.

— Dans ce cas, venez. Il faut que j'aille boire.

— Maman !

Elle était à peine entrée dans le bureau que Radley la tirait déjà par la main.

— Regarde ça, ajouta son fils, au comble de l'excitation. C'est le plus beau cadeau de ma vie.

Sans lâcher la main de sa mère, Radley l'amena vers une table à dessin miniature.

Ce n'était pas un jouet. Dès le premier regard, Hester comprit qu'il s'agissait d'un équipement de grande qualité, ramené à la taille d'un enfant. Le petit tabouret était certes usé, mais l'assise était en cuir. Radley avait déjà épinglé du papier millimétré sur la table à dessin et, à l'aide d'un compas et d'une règle, il avait commencé à tracer ce qui ressemblait à une série de plans.

— Elle appartenait à Mitch ? demanda-t-elle.

— Oui, mais il a dit que je pouvais m'en servir autant que je voudrais. Regarde, je dessine les plans d'une station spatiale. Ça, c'est la salle des machines. Et là, les quartiers. Il y a aura aussi une serre, comme celle que j'ai vue dans un film avec Mitch. Il m'a montré comment faire des dessins à l'échelle grâce à ces petits carrés.

— Je vois.

La fierté qui perçait dans la voix de son fils effaça toutes ses tensions tandis qu'elle se penchait sur le dessin pour mieux le regarder.

— Tu apprends vite, Rad. C'est merveilleux. Je me demande si la NASA ne va pas t'embaucher.

Son fils gloussa en cachant son visage dans ses mains, comme il le faisait souvent lorsqu'il était heureux ou gêné.

— Je pourrais peut-être devenir ingénieur.

— Tu peux devenir tout ce que tu veux, répondit-elle en déposant un baiser sur sa tempe. Si tu continues de dessiner comme ça, je vais avoir besoin d'un interprète pour déchiffrer tes dessins. Et regarde-moi tous ces outils.

Elle saisit une équerre.

— J'imagine que tu sais à quoi ça sert.

— Mitch m'a montré. Il s'en sert parfois quand il dessine.

— Vraiment ?

Elle observa l'objet sous plusieurs angles. Il lui paraissait si… professionnel.

— Les bandes dessinées requièrent elles aussi une certaine discipline, lança Mitch depuis le couloir.

Il tenait dans la main un grand verre de jus d'orange à moitié vide. Il lui apparut soudain si... viril, songea-t-elle en se redressant lentement.

Son T-shirt était mouillé par endroits et Mitch s'était contenté de passer ses mains dans les cheveux pour se coiffer. Il n'avait pas pris la peine non plus de se raser. A côté d'elle, son fils était déjà occupé à remanier ses plans.

Mitch avait beau être viril, dangereux et éprouvant pour ses nerfs, il était aussi l'homme le plus gentil qu'elle ait rencontré. Forte de ce constat, Hester s'avança vers lui.

— Je ne sais pas comment vous remercier.

— Radley l'a déjà fait.

Elle acquiesça, puis posa une main sur l'épaule de son fils.

— Tu finis ton dessin, Rad ? Mitch et moi allons parler dans le salon.

Comme elle s'y attendait, la pièce était dans un désordre sans nom. Taz flairait le sol à la recherche de quelques miettes de biscuits.

— Moi qui croyais connaître Rad de A à Z, commença-t-elle. Je ne pensais pas qu'une table à dessin représenterait autant pour lui. J'aurais même cru qu'il serait trop jeune pour l'apprécier.

— Je vous ai déjà dit qu'il était naturellement doué.

— Je sais, répondit-elle, gênée.

Si seulement elle avait accepté une tasse de café, elle aurait pu se donner une contenance.

— Rad m'a dit que vous lui donniez quelques cours de dessin. Vous avez fait pour lui plus que ce que j'espérais. Beaucoup plus que ce que vous devez.

Mitch lui lança un long regard pénétrant.

— Cela n'a rien à voir avec mes obligations. Pourquoi ne vous asseyez-vous pas ?

Hester croisa les mains.

— Je suis bien debout.

— Vous préférez aller vous promener ?

L'amabilité de son sourire l'incita à se détendre un peu plus.

— Plus tard peut-être. Je voulais juste vous dire à quel point je vous suis reconnaissante. Rad n'a jamais eu…

De père. L'horreur s'abattit sur elle au moment où elle faillit prononcer ces mots. Non, elle ne voulait pas dire ça, se rassura-t-elle.

— Il n'a jamais eu personne qui s'intéresse autant à lui, à part moi, se rattrapa-t-elle.

Elle poussa un soupir de soulagement. Voilà ce qu'elle voulait dire, bien sûr.

— La table à dessin est un cadeau très généreux, ajouta-t-elle. Rad m'a dit qu'elle vous appartenait ?

— Mon père me l'a fait fabriquer lorsque j'avais l'âge de Rad. Il espérait que j'arrêterais un jour de dessiner des monstres pour passer à quelque chose de plus productif.

Mitch s'était exprimé sans amertume, avec une pointe d'humour. Il avait visiblement cessé d'en vouloir à ses parents pour leur manque de compréhension depuis longtemps.

— Cet objet doit signifier beaucoup pour vous si vous l'avez gardé pendant tout ce temps. Je sais que Rad l'apprécie beaucoup, mais ne devriez-vous pas le garder pour vos propres enfants ?

Mitch but une gorgée de jus de fruit et balaya l'appartement du regard.

— Il me semble qu'il n'y en a aucun pour l'instant.

— Pourtant…

— Hester, je ne lui aurais pas fait ce cadeau si je ne l'avais pas voulu. Cette table prend la poussière dans ma cave depuis des années. Cela me fait plaisir de voir Rad l'utiliser.

Mitch vida son verre et le posa sur la table avant de se tourner vers elle.

— Ce cadeau est pour Rad. C'est sans rapport avec sa mère.

— Je le sais, je ne sous-entendais pas que…

— Non, pas exactement.

Il la regardait à présent d'un air sévère, avec cette intensité et ce calme qu'il affichait dans les moments les plus inattendus.

— Je ne pense pas que vous aviez cette idée à l'esprit, mais je crois qu'elle trottait quelque part dans votre tête.

— Je n'ai jamais songé un seul instant que vous utilisiez Radley pour m'atteindre, si c'est ce que vous insinuez.

— Parfait.

Il fit alors le geste qu'elle avait imaginé plus tôt : il caressa sa joue du bout du doigt.

— Parce que, en réalité, madame Wallace, même sans vous j'apprécie cet enfant. Comme je vous apprécie indépendamment de votre fils. Il se trouve simplement que vous êtes venus à moi ensemble.

— C'est exactement ça. Radley et moi ne formons qu'un. Ce qui l'affecte m'affecte aussi.

Mitch hocha la tête tandis qu'une pensée germait dans son esprit.

— Je viens d'avoir un flash. Ainsi, vous ne pensez pas que j'ai sympathisé avec Rad pour mettre sa mère dans mon lit ?

— Bien sûr que non, répondit-elle en reculant vivement, la tête tournée vers le bureau. Si j'avais de telles pensées, je veillerais à tenir Radley loin de vous.

— Mais…

Mitch posa les mains sur ses épaules et noua les doigts derrière sa nuque.

— Vous vous demandez si vos sentiments pour moi pourraient être un résidu de ceux que Radley a pour moi, ajouta-t-il.

— Je n'ai jamais dit que j'avais des sentiments pour vous.

— Mais si. Et vous le dites chaque fois que j'arrive à vous approcher de près. Non, ne partez pas, Hester ! dit-il en serrant un peu plus ses mains. Soyons francs. J'ai envie de coucher avec vous. Cela n'a rien à voir avec Rad, et encore moins avec le désir que j'ai ressenti la première fois que j'ai vu vos superbes jambes.

Hester le contempla d'un air méfiant, mais soutint son regard.

— Je vous trouve séduisante sous bien des aspects, continua-t-il. Vous êtes intelligente, forte et stable. Mon discours n'est pas très romantique, mais votre stabilité présente de nombreux attraits pour moi. Je n'en ai pas bénéficié souvent.

Il caressa doucement sa nuque.

— Maintenant, vous n'êtes peut-être pas prête à sauter le pas. Mais j'aimerais beaucoup que vous réfléchissiez de près à ce que vous désirez, à ce que vous ressentez.

— Je ne suis pas certaine de le pouvoir. Vous n'avez que vous, tandis que, moi, j'ai Radley. Mes actes et mes choix ont des conséquences pour lui. Je me suis fait la promesse, il y a très longtemps, qu'il ne serait jamais plus blessé par l'un de ses parents. Je suis bien décidée à la tenir.

Mitch voulut lui demander de lui parler du père de Radley, mais l'enfant se trouvait dans la pièce d'à côté.

— Laissez-moi vous dire ce que je crois, répondit-il. Vous ne pourrez jamais prendre de décision susceptible de blesser Rad, mais vous êtes capable d'en prendre une qui vous blesse, vous. J'ai envie d'être avec vous, Hester, et je ne pense pas que le fait que nous soyons ensemble puisse blesser Radley.

— J'ai terminé, annonça le petit garçon en sortant du bureau, une feuille à la main.

Hester se dégagea aussitôt. Comme pour confirmer ce qu'il venait de dire, Mitch la retint près de lui.

— J'ai envie de l'emporter pour le montrer à Josh, demain. C'est possible ? demanda Radley.

Sachant que lutter était encore pire que se soumettre, Hester resta immobile, les bras de Mitch posés sur ses épaules.

— Bien sûr, répondit-elle.

Radley les observa quelques instants. Il n'avait jamais vu sa mère dans les bras d'un homme, à l'exception de son grand-père ou de son oncle. Cela voulait-il dire que Mitch faisait partie de la famille ?

— Je vais chez Josh demain après-midi et je reste dormir chez lui, expliqua-t-il. Nous allons veiller toute la nuit.

— Dans ce cas, je vais devoir veiller sur ta mère, déclara Mitch.

— Oui, je crois.

Radley entreprit de rouler la feuille dans un tube, comme Mitch le lui avait montré.

— Radley sait très bien que je n'ai pas besoin que l'on veille sur moi, répliqua Hester.

Mitch décida d'ignorer la remarque et continua de s'adresser à Radley.

— Qu'est-ce que tu dirais si je sortais avec ta mère?

— Tu veux dire, aller au restaurant avec de beaux habits, et tout ça?

— On peut dire ça.

— Je suis d'accord.

— Parfait. J'irai la chercher à 19 heures.

— Je ne pense pas que…, objecta Hester.

— 19 heures ne vous convient pas? l'interrompit Mitch. 19 h 30 alors, mais ce sera mon dernier mot. Si je ne dîne pas à 20 heures, je deviens désagréable.

Puis il embrassa Hester furtivement sur la tempe avant de la lâcher.

— Amuse-toi bien chez Josh, dit-il à Radley.

— Ça, c'est sûr! répondit l'enfant en prenant son manteau et son sac.

Puis il se dirigea vers Mitch pour l'embrasser. Les mots qu'Hester avait sur le bout de la langue moururent sur ses lèvres.

— Merci pour la table à dessin et pour tout le reste, déclara Radley. C'est vraiment super.

— Pas de quoi. A lundi?

Mitch attendit qu'Hester ait rejoint le palier.

— 19 h 30, ajouta-t-il.

Elle acquiesça, avant de fermer doucement la porte derrière elle.

7

Hester aurait pu trouver mille excuses pour ne pas se rendre à ce rendez-vous, mais elle n'en avait pas envie. Mitch lui avait certes forcé la main, mais cela lui était égal, songea-t-elle en fermant la boucle de sa ceinture en cuir. Elle était même soulagée qu'il ait pris la décision pour elle, enfin presque.

Prenant plusieurs inspirations pour calmer son anxiété, elle se planta devant le miroir accroché au-dessus de sa commode. Oui, elle était nerveuse, mais son stress n'avait rien à voir avec celui qui lui vrillait le ventre juste avant un entretien professionnel. Et, ses sentiments à l'égard de Mitch Dempsey avaient beau ne pas être bien clairs dans son esprit, elle était au moins certaine de ne pas avoir peur.

Hester étudia attentivement son reflet dans le miroir tout en lissant ses cheveux. Sa nervosité ne se voyait pas, conclut-elle. C'était un autre point en sa faveur. Sa robe noire en laine était très flatteuse, avec son grand col boule et sa taille cintrée. Une large ceinture rouge accentuait les plis évasés de la jupe. Pour une raison qu'elle ignorait, le rouge lui donnait de l'assurance. Pour une personne réservée comme elle, cette couleur audacieuse servait de défense. Hester accrocha de grands anneaux écarlates à ses oreilles. Comme l'ensemble de sa garde-robe, la robe était fonctionnelle. Elle pouvait la porter aussi bien pour aller au bureau, à une réunion de parents d'élèves qu'à un déjeuner d'affaires. Ce soir, songea-t-elle le sourire aux lèvres, ce serait pour un rendez-vous.

Depuis combien de temps n'était-elle pas sortie avec un

homme ? Mieux valait ne pas trop y réfléchir. De plus, elle connaissait suffisamment Mitch pour parler de tout et de rien avec lui toute une soirée. Une soirée entre adultes. Elle avait beau adorer son fils, elle ne pouvait que s'en réjouir.

Lorsqu'elle entendit frapper, elle examina une dernière fois son reflet dans le miroir. Mais, dès qu'elle ouvrit la porte, toute sa belle assurance s'évanouit.

Son séduisant voisin ne ressemblait pas au Mitch qu'elle connaissait. Oubliés, le jean usé et les pulls informes. L'homme devant elle portait un magnifique costume sombre et une chemise bleu ciel. Et aussi une cravate. Le premier bouton de la chemise était peut-être ouvert et la cravate de soie bleu marine était certes desserrée, elle n'en restait pas moins une cravate. Mitch s'était rasé de près et, même si certains auraient jugé qu'il avait encore besoin d'une bonne coupe, ses cheveux sombres et brillants ondulaient élégamment sur le col de sa chemise.

Soudain, Hester se sentit terriblement intimidée.

Elle était vraiment superbe, songea Mitch, lui-même gêné en contemplant sa voisine. Perchée sur ses escarpins, la jeune femme était presque aussi grande que lui. Son regard empreint d'une certaine réserve l'aida à se détendre, et il lui sourit.

— On dirait que j'ai choisi la bonne couleur, déclara-t-il en lui tendant un grand bouquet de roses rouges.

A son âge, elle n'aurait pas dû se sentir émue par de simples fleurs. Mais Hester sentit sa gorge se nouer en les prenant dans ses bras.

— Vous avez encore oublié votre réplique ? murmura-t-il.

— Ma réplique ?

Le parfum délicat et subtil des roses se répandit autour d'elle.

— Merci, répondit-elle.

Mitch caressa un pétale. Il savait que la peau d'Hester était aussi douce.

— Maintenant, vous êtes censée les mettre dans de l'eau.

Hester recula. Elle se sentait ridicule.

— Bien sûr. Entrez.

— L'appartement n'est pas le même sans Rad, commenta-t-il tandis qu'elle partait à la recherche d'un vase.

— Je sais. Lorsqu'il est invité à dormir chez un ami, il me faut des heures pour m'habituer au calme.

Mitch la suivit dans la cuisine tandis qu'elle s'affairait pour arranger les roses. Pourquoi était-elle aussi nerveuse ? Elle était adulte, non ? Et, même si elle n'était plus allée à un rendez-vous depuis le lycée, elle savait à quoi s'attendre.

— Que faites-vous lorsque vous avez une soirée libre ? demanda-t-il.

— Eh bien, je regarde des films tard le soir.

Lorsqu'elle se retourna, le vase à la main, elle faillit percuter Mitch. L'eau menaça de déborder du récipient.

— Votre œil est quasiment guéri, dit-il en effleurant sa peau, là où le bleu n'était plus qu'une ombre.

— Ce n'était pas si grave, répondit-elle, la gorge serrée.

Adulte ou non, Hester était soulagée que le vase se trouve entre elle et lui.

— Je vais chercher mon manteau, ajouta-t-elle.

Après avoir posé les roses sur la table basse à côté du canapé, Hester se dirigea vers la penderie. Elle avait déjà glissé un bras dans une manche lorsque Mitch vint se placer derrière elle pour l'aider. Ce geste si banal devenait si sensuel avec lui, songea-t-elle en regardant droit devant elle. Mitch posa les mains sur ses épaules, s'y attarda puis les fit glisser le long de ses bras avant de remonter vers son cou pour dégager doucement ses cheveux du col de son manteau.

Hester serra très fort les poings en tournant la tête vers lui.

— Merci, dit-elle.

— De rien.

Les mains posées sur ses épaules, Mitch tourna le visage d'Hester vers le sien.

— Peut-être vous sentirez-vous mieux si nous en finissons tout de suite ?

Sans ôter ses mains, il posa ses lèvres chaudes et fermes sur les siennes. Hester se détendit aussitôt. Il n'y avait rien d'exigeant ou de passionné dans ce baiser et elle fut incroyablement émue d'y percevoir autant de compréhension.

— Vous vous sentez mieux, murmura-t-il.

— Je n'en suis pas sûre.

Riant doucement, il effleura de nouveau ses lèvres.

— Moi, si, lui confia-t-il.

Puis il se dirigea vers la porte en lui prenant la main.

Mitch l'emmena dîner dans un restaurant français très chic aux lumières tamisées. Le papier peint au motif discrètement fleuri luisait doucement à la lueur des bougies. Les clients murmuraient au-dessus des tables élégamment nappées et des verres à pied en cristal. L'effervescence de la rue était atténuée par de grandes portes vitrées biseautées.

— Ah, monsieur Dempsey, cela faisait longtemps que nous ne vous avions pas vu !

Le maître d'hôtel s'avança vers Mitch pour le saluer.

— Vous savez que je reviens toujours pour vos escargots.

L'homme rit doucement en faisant signe à un serveur.

— Bonsoir, mademoiselle, dit le jeune homme. Je vais vous conduire à votre table.

L'alcôve éclairée par des bougies était un peu isolée des autres clients. C'était l'endroit rêvé pour échanger des secrets et se frôler discrètement, songea Hester, plus troublée que jamais.

— Le sommelier va venir prendre votre commande, déclara le serveur. Je vous souhaite une bonne soirée.

— Vous êtes un habitué des lieux, dit-elle.

— Je viens de temps en temps, lorsque j'en ai assez des pizzas surgelées. Voulez-vous du champagne ?

— Avec plaisir.

Mitch honora le sommelier en commandant une bouteille millésimée. Hester soupira longuement en étudiant le menu composé de mets plus raffinés les uns que les autres.

— J'essaierai de me souvenir de cette carte la prochaine fois que je mangerai un sandwich au thon entre deux rendez-vous.

— Vous aimez votre travail ?

— Oui, beaucoup, répondit-elle en se demandant si le soufflé au crabe était aussi bon que sa description. Rosen peut être pénible, mais il nous pousse à l'efficacité.

— Et vous aimez l'efficacité.

— C'est important pour moi.

— Qu'est-ce qui est important pour vous, en dehors de Rad ?

— La sécurité.

Hester le dévisagea quelques instants, un sourire aux lèvres.

— Je suppose que c'est à cause de Rad. Je pense même que tout ce qui a été important pour moi ces dernières années est directement lié à lui.

Pendant que le sommelier faisait goûter le champagne à Mitch, elle lui lança un regard furtif. Puis elle contempla le liquide mousseux couleur paille monter dans sa flûte.

— Buvons à Rad, alors, proposa Mitch en trinquant avec elle. Et à sa fascinante mère.

Hester but une petite gorgée, stupéfaite de découvrir à quel point le vin était bon. Elle avait déjà bu du champagne, mais celui-ci était différent, comme tout ce qui avait trait à Mitch.

— Je ne me suis jamais considérée comme quelqu'un de fascinant.

— Une belle femme qui élève seule un garçon dans une des villes les plus dures au monde ne peut que me fasciner, répondit Mitch en souriant. De plus, vous avez vraiment des jambes magnifiques, Hester.

Elle rit et lorsqu'il glissa sa main sur la sienne, elle ne ressentit aucune gêne.

— Vous me l'avez déjà dit. Elles sont longues, c'est tout ce que je peux dire. Jusqu'à ce que mon frère entre au lycée, j'étais plus grande que lui. Cela le rendait furieux, ce qui m'a valu le surnom d'asperge.

— On m'appelait Fil de fer.

— Fil de fer ?

— Vous imaginez un gringalet de quarante kilos ? C'était moi.

Par-dessus son verre, Hester étudia la manière dont Mitch remplissait la veste de son costume.

— Je ne vous crois pas.

— Un jour, si je suis suffisamment éméché, je vous montrerai des photos.

Mitch passa la commande dans un français parfait qui laissa Hester sans voix. Etait-ce bien le même homme qui écrivait des bandes dessinées, qui construisait des châteaux de neige et qui parlait à son chien ? Croisant son regard, il lui lança un regard interrogateur.

— J'ai passé plusieurs étés à Paris lorsque j'étais au lycée.

— Oh.

Dire qu'elle avait failli oublier d'où il venait !

— Vous avez dit que vous n'aviez ni frère ni sœur. Vos parents vivent à New York ? demanda-t-elle, curieuse.

— Non.

Mitch rompit un morceau de pain français croustillant à souhait.

— Ma mère y fait un saut de temps en temps pour faire les boutiques ou aller au théâtre, et mon père vient occasionnellement pour affaires. Mais New York n'est pas leur genre. Ils passent le plus clair de leur temps à Newport, là où j'ai grandi.

— Oh ! Je vois très bien. J'y suis allée une fois quand j'étais enfant. L'été, nous avions l'habitude de partir en voiture et de voyager de ville en ville.

Machinalement, Hester coinça une mèche des cheveux de Mitch derrière son oreille dans un geste qui offrit à ce dernier une vue excitante sur son décolleté.

— Je me souviens des maisons, de ces immenses demeures avec leurs piliers, leurs fleurs et leurs arbres ornementaux. Nous avons même pris des photos. J'avais du mal à croire que l'on pouvait vraiment habiter dans de tels endroits.

Puis elle se ravisa brusquement, sous le regard amusé de Mitch.

— C'était votre cas, conclut-elle, l'air gêné.

— C'est drôle. J'ai passé du temps l'été à observer les touristes avec des jumelles. J'ai peut-être vu votre famille.

— Nous avions un break avec des valises accrochées sur le toit.

— Oui, je me souviens de vous, plaisanta-t-il en lui tendant un morceau de pain. Je vous enviais beaucoup.

— Vraiment? demanda-t-elle, le couteau à beurre suspendu en l'air. Pourquoi cela?

— Parce que vous partiez en vacances et que vous mangiez des hot dogs. Vous logiez dans des motels avec des distributeurs de boissons sur le palier, et vous jouiez au loto pendant les trajets en voiture.

— Oui, murmura-t-elle. C'est à peu près ça.

— Je n'ai pas envie de jouer au pauvre petit garçon riche, ajouta-t-il en voyant le regard d'Hester changer. Je veux juste dire qu'avoir une grande maison n'est pas forcément mieux qu'avoir un break.

Il remplit de nouveau le verre d'Hester.

— Sachez aussi que ma période de rébellion pendant laquelle je crachais sur l'argent est terminée depuis bien longtemps.

— Je ne sais pas si je peux le croire venant d'une personne qui laisse ses meubles Louis XV se couvrir de poussière.

— Ce n'est pas de la rébellion, c'est de la paresse.

— Je dirais même un péché, ajouta-t-elle. Chaque fois que je viens chez vous, je meurs d'envie de prendre un chiffon à poussière et de l'huile de citron.

— Chaque fois que vous aurez envie de frotter mes meubles, ne vous gênez pas, dit-il en souriant.

— Qu'avez-vous fait pendant votre période de rébellion? demanda-t-elle, intriguée.

Elle frôla sa main du bout des doigts. C'était l'une des rares fois où elle le touchait spontanément. Mitch détacha le regard de ses mains pour la dévisager.

— Vous tenez vraiment à le savoir?

— Oui.

— Faisons un marché. J'échange une tranche de vie contre une autre.

Ce n'était pas le vin qui la rendait téméraire, mais lui, comprit Hester.

— D'accord. Mais c'est vous qui commencez.

— Je commencerai donc par dire que mes parents voulaient que je devienne architecte. Pour eux, c'était le seul métier acceptable qui permettait d'exploiter mes aptitudes pour le dessin. Ils n'étaient pas vraiment scandalisés par les histoires que j'inventais. Ils les ignoraient avec d'autant plus de facilité qu'elles les laissaient perplexes. Après le lycée, j'ai décidé de sacrifier ma vie sur l'autel de l'art.

Le serveur venait de leur apporter leurs entrées et Mitch soupira de bonheur en humant ses escargots.

— Vous êtes donc venu à New York ? demanda Hester.

— Non, je suis allé à La Nouvelle-Orléans. A cette époque, je n'avais pas encore accès à mon argent, même si je doute que je l'aurais utilisé. Comme j'ai refusé le soutien financier de mes parents, La Nouvelle-Orléans était la ville la plus proche de Paris où je pouvais me permettre d'aller. Seigneur, comme je l'ai aimée ! J'y mourais de faim, mais je l'adorais. Ses après-midi moites, l'odeur de la rivière. C'était ma première grande aventure. Vous voulez goûter ça ? Ils sont délicieux.

— Non, je…

— Allez, vous me remercierez.

Puis il leva la fourchette vers ses lèvres. Hester ouvrit la bouche à contrecœur.

— Oh.

La saveur chaude et exotique des escargots envahit aussitôt sa bouche.

— Je ne m'attendais pas à ça, conclut-elle.

— C'est généralement le cas pour les meilleures choses.

Quelle serait la réaction de Radley lorsqu'il apprendrait qu'elle avait mangé un escargot ? songea-t-elle en levant son verre.

— Qu'avez-vous fait à La Nouvelle-Orléans ? s'enquit-elle.

— J'ai posé un chevalet à Jackson Square et j'ai gagné ma vie en tirant le portrait des touristes et en vendant des aquarelles. Pendant trois ans, j'ai vécu dans une chambre où je cuisais l'été et où je gelais l'hiver. Je trouvais que j'étais un garçon chanceux.

— Que s'est-il passé ?

— J'ai rencontré une femme. Je croyais être fou amoureux d'elle et vice versa. Pendant ma période Matisse, elle posait pour moi. Vous auriez dû me voir à cette époque. J'avais les cheveux aussi longs que vous et je les portais en catogan. J'avais même une boucle d'oreille en or à l'oreille gauche.

— Vous portiez une boucle d'oreille ?

— Ne vous moquez pas, elles sont devenues très à la mode. J'étais en avance sur mon temps, c'est tout.

Le serveur débarrassa les entrées pour laisser place à une salade verte.

— Nous étions sur le point d'emménager dans ma misérable petite chambre. Un soir, alors que j'avais un peu trop bu, je lui ai parlé de mes parents et de leur incompréhension face à mes velléités artistiques. Elle est entrée dans une fureur noire.

— Elle était furieuse après vos parents ?

— Vous êtes gentille, dit-il en embrassant sa main. Non, elle était en colère contre moi. J'étais riche et je ne lui avais rien dit. J'avais des montagnes d'argent et j'espérais qu'elle se satisfasse d'une dégoûtante petite chambre dans le Vieux Carré, où elle allait devoir cuisiner des haricots rouges et du riz sur une minuscule plaque de cuisson. Le plus drôle était qu'elle m'aimait vraiment lorsqu'elle me croyait pauvre. Mais dès qu'elle a découvert que ce n'était pas le cas, que je n'avais pas l'intention d'utiliser mes ressources et que, par extension, elle n'en profiterait pas, elle s'est mise en colère. Nous avons eu une terrible dispute où elle m'a clairement dit ce qu'elle pensait de moi et de mon travail.

Hester imaginait très bien Mitch jeune, idéaliste et se battant pour réussir.

— Les gens ont souvent des paroles qui dépassent leur pensée quand ils sont en colère.

Il prit sa main et baisa ses doigts.

— Oui, vous êtes absolument charmante.

Puis il poursuivit son récit en gardant la main d'Hester dans la sienne.

— Elle m'a quitté sans me donner l'occasion de m'expliquer. Pendant trois ans, j'ai vécu au jour le jour, en me répétant que j'étais un grand artiste mais que mon heure n'était pas encore venue. En réalité, je n'étais pas un grand artiste. J'étais peut-être brillant mais pas grand. Je suis donc parti de La Nouvelle-Orléans pour m'installer à New York et me consacrer à la publicité. J'étais doué. Je travaillais vite et mes clients étaient généralement satisfaits. Pourtant, j'étais malheureux. Heureusement, grâce à mes références, j'ai obtenu un poste chez Universal, d'abord en tant qu'encreur, puis en tant qu'artiste. Et puis…

Il leva son verre vers elle.

— … il y a eu Zark. Le reste appartient à l'histoire.

— Vous êtes heureux, constata-t-elle en faisant pivoter sa main sous la sienne de sorte à joindre leurs deux paumes. Cela se voit. Je ne connais pas beaucoup de gens aussi satisfaits de ce qu'ils font et aussi bien dans leur peau que vous.

— Il m'a fallu du temps.

— Et vos parents ? Vous êtes-vous réconcilié avec eux ?

— Nous sommes arrivés à la conclusion que nous ne nous comprendrions jamais. Mais nous formons une famille. Et puis, grâce à mon portefeuille d'actions, mes parents peuvent dire à leurs amis que mon travail dans la bande dessinée est une façon de m'amuser. Ce qui est assez proche de la réalité.

Mitch commanda une autre bouteille de champagne pour accompagner leur plat.

— A vous, maintenant.

Hester sourit en laissant le délicat soufflé fondre sur sa langue.

— Oh! Je n'ai rien vécu d'aussi exotique qu'une mansarde d'artiste à La Nouvelle-Orléans. J'ai eu une enfance sans histoires dans une famille sans histoires. Nous faisions des jeux de société le samedi soir et nous mangions du rôti le dimanche. Mon père avait un bon travail. Ma mère s'occupait de la maison. Nous nous aimions beaucoup, même si nous ne nous entendions pas toujours. Ma sœur était très extravertie, capitaine des majorettes, tout ça. De mon côté, j'étais maladivement timide.

— Vous l'êtes toujours un peu, murmura Mitch en mêlant ses doigts aux siens.

— Je ne pensais pas que cela se voyait.

— Votre timidité vous rend encore plus charmante. Qu'en est-il du père de Rad ?

Il sentit ses doigts se raidir.

— Je voulais vous poser la question, Hester, mais si cela vous ennuie nous n'avons pas besoin d'en parler.

Elle retira sa main pour saisir son verre. Le champagne était frais et piquant sur sa langue.

— C'est une vieille histoire. Nous nous sommes rencontrés au lycée. Radley ressemble beaucoup à son père. Vous pouvez imaginer qu'il était très séduisant. Il était aussi un peu fou, et j'étais très attirée par cet aspect de sa personnalité.

Elle s'agita un peu, déterminée à finir ce qu'elle avait commencé.

— J'étais en effet maladivement timide et un peu repliée sur moi-même. Le père de Radley me paraissait excitant, voire même exubérant. La première fois qu'il m'a remarquée, je suis tombée désespérément amoureuse de lui. C'était aussi simple que ça. Nous sommes sortis ensemble pendant deux ans, puis nous nous sommes mariés quelques semaines après avoir eu notre bac. Je venais d'avoir dix-huit ans et j'étais absolument certaine que j'allais vivre une aventure après l'autre.

— Et ce fut le cas ? demanda-t-il en profitant d'une pause.

— Ça l'a été un certain temps. Nous étions jeunes. Allan passait sans cesse d'un emploi à un autre ou abandonnait tout pendant des semaines. Mais cela n'avait pas d'importance. Une fois, il a vendu le salon que mes parents nous avaient offert pour notre mariage, afin de nous payer un voyage à la Jamaïque. Il était impétueux et romantique. A cette époque, nous n'avions aucune responsabilité. Et puis je suis tombée enceinte.

Hester s'interrompit de nouveau, se souvenant de son excitation, de son émerveillement et de sa peur à l'idée de porter un enfant.

— J'étais ravie. Allan aussi. Il a commencé à acheter des poussettes et des chaises hautes à crédit. Nous n'avions pas beaucoup d'argent, mais nous étions optimistes, même lorsqu'il a fallu que je travaille à mi-temps à la fin de ma grossesse et que je prenne un congé maternité à la naissance de Radley. Il était magnifique, confia-t-elle avec un petit rire. C'est ce que toutes les mères disent de leurs bébés mais, en toute franchise, je n'avais jamais vu d'enfant aussi beau. Il a changé ma vie, mais pas celle d'Allan.

Elle joua avec le pied de sa flûte en essayant de déterrer de son esprit les souvenirs refoulés depuis si longtemps.

— A cette époque, je ne l'avais pas encore compris, mais Allan supportait mal le poids des responsabilités. Il détestait ne pas pouvoir quitter notre appartement pour aller voir un film ou aller danser quand il le voulait. Il dépensait toujours l'argent sans compter et, à cause de Rad, je devais compenser.

— En d'autres termes, intervint Mitch calmement, vous avez dû grandir.

— Oui.

Elle était surprise, et aussi soulagée, qu'il la comprenne si bien.

— Allan voulait revenir à notre vie d'avant, mais nous n'étions plus des enfants. Avec le temps, j'ai compris qu'il était jaloux de Radley mais, à l'époque, je voulais juste qu'il mûrisse, qu'il devienne un père, qu'il assume ses responsabilités. A vingt ans, il était toujours le garçon de seize ans que j'avais connu au lycée, mais je n'étais plus la même. J'étais devenue une mère. J'avais repris le travail en pensant que ce revenu supplémentaire nous aiderait. Un jour, je suis rentrée à la maison après être allée chercher Radley chez la nourrice. Allan était parti. Il avait laissé un mot disant qu'il ne supportait plus d'être attaché.

— Saviez-vous qu'il s'apprêtait à partir ?

— Franchement, non. Selon toute probabilité, il a agi sur un coup de tête, comme toujours. Jamais il ne lui serait venu à l'esprit qu'il s'agissait d'un abandon de domicile. Dans son esprit, il passait juste à autre chose. Il croyait qu'il était équitable de n'emporter que la moitié de l'argent. En revanche, il m'a laissé toutes les dettes. J'ai dû prendre un autre emploi à mi-temps, le soir. Je répugnais de laisser Rad chez la nourrice et de ne pas le voir. Ces six mois ont été les plus durs de ma vie.

Son regard s'assombrit quelques instants. Puis elle chassa ces mauvais souvenirs d'un haussement d'épaules.

— Au bout d'un certain temps, j'ai réussi à redresser la situation.

J'ai pu quitter mon deuxième emploi. Au même moment, Allan a appelé. C'était la première fois qu'il donnait de ses nouvelles depuis qu'il était parti. Il s'est montré très aimable avec moi et me parlait comme si j'étais une vieille connaissance. Il m'a annoncé qu'il partait travailler en Alaska. Après son appel, j'ai contacté un avocat et j'ai obtenu très facilement le divorce.

— Ça a dû être difficile pour vous.

Difficile ? Il n'imaginait pas l'enfer que ça avait été.

— Vous auriez pu aller chez vos parents, ajouta-t-il.

— Non. Pendant très longtemps, j'ai été en colère. Et la colère m'a poussée à rester ici, à New York, et à m'en sortir avec Radley. Le temps que la colère s'estompe, j'avais sorti la tête de l'eau.

— Allan n'est jamais revenu voir Rad ?

— Non, jamais.

— Il ne sait pas ce qu'il perd, répondit Mitch en se penchant vers elle pour l'embrasser doucement. Vraiment.

Hester trouva tout naturel de lever une main pour caresser sa joue.

— Je pourrais dire la même chose à propos de cette femme à La Nouvelle-Orléans.

— Merci, dit-il en mordillant la lèvre d'Hester et en se délectant de son léger goût de champagne. Vous voulez un dessert ?

— Hum ?

Son petit soupir distrait arracha à Mitch un violent frisson de satisfaction.

— Nous pouvons nous en passer, déclara Hester en le regardant droit dans les yeux.

D'un signe de la main, il commanda l'addition, puis servit à Hester le reste du champagne.

— Sortons marcher un peu, proposa-t-il.

L'air était mordant, presque aussi enivrant que le vin. Mais le champagne l'avait réchauffée de l'intérieur, et elle avait l'impression de pouvoir parcourir des kilomètres sans éprouver le froid. Elle n'émit aucune objection lorsque Mitch passa un bras autour de ses épaules et se laissa guider docilement. Tant que les sentiments qui l'habitaient ne s'évanouissaient pas, peu lui importait la direction qu'ils prenaient.

Hester savait ce que l'on ressent lorsque l'on tombe amoureux, lorsque l'on est amoureux. Le temps passe au ralenti. Les couleurs sont plus vives, les sons plus aigus et, même en plein hiver, les rares fleurs paraissent odorantes. Elle avait déjà vécu ces émotions violentes, mais elle les croyait oubliées à tout jamais. Dans un coin de son esprit, une partie d'elle luttait encore pour lui rappeler qu'elle ne pouvait pas tomber amoureuse, mais elle préféra l'ignorer. Ce soir, elle était simplement une femme.

Au Rockefeller Center, des patineurs évoluaient sur la glace au rythme de la musique. Hester les regarda, blottie dans les bras de Mitch. Il avait posé la joue contre ses cheveux, et elle sentait le rythme calme et puissant de son cœur.

— Il m'arrive de venir ici avec Rad le dimanche pour patiner ou simplement regarder, commenta-t-elle. Ce soir, le spectacle me semble différent.

Elle tourna la tête. Ses lèvres n'étaient plus qu'à quelques millimètres de celles de Mitch.

— Tout me semble différent ce soir, conclut-elle.

Mitch s'était promis de lui laisser du temps. Le temps de réfléchir et de mettre ses idées au clair. Mais, si elle le regardait encore de cette façon, il ne répondrait plus de lui. Avant que ce regard s'évanouisse, il était prêt à sauter dans le premier taxi pour l'emmener dans son lit. Faisant appel à toute sa volonté, il se contenta d'effleurer ses tempes du bout des lèvres.

— Les choses semblent différentes le soir, surtout après quelques coupes de champagne, approuva-t-il.

Puis il se détendit, la tête d'Hester posée sur son épaule.

— Mais cette différence est belle, continua-t-il. Pas forcément ancrée dans la réalité, mais belle. On est suffisamment plongés dans la réalité entre 9 heures et 17 heures.

— Pas vous.

Inconsciente du combat que Mitch se livrait, elle se tourna vers lui.

— Entre 9 heures et 17 heures, ou l'horaire de votre choix, vous vivez dans un monde fait de fantaisie et de rêve.

— Si vous saviez celui qui hante mon esprit à cet instant..., répondit-il en soupirant longuement. Marchons encore un peu, et vous pourrez me faire part des vôtres.

— Vous voulez entendre l'un de mes rêves ? demanda-t-elle en calant son pas sur le sien. Le mien n'est certainement pas aussi exaltant que les vôtres, j'imagine. Il se résume à une maison.

— Une maison, répéta-t-il en prenant la direction de Central Park.

Pourvu que cette promenade les dégrise un peu avant de rentrer !

— Quel genre de maison ?

— Une maison de campagne, comme ces grandes et vieilles fermes avec des volets aux fenêtres et un grand porche. Toutes les fenêtres auraient une vue sur les bois, car elle serait perdue au milieu d'une forêt. A l'intérieur, il y aurait de hauts plafonds et de grandes cheminées. Et, dehors, il y aurait un jardin avec une treille recouverte de glycine.

Malgré le froid qui tiraillait sa peau, Hester sentait presque le parfum de l'été.

— En juillet et en août, on entendrait les abeilles bourdonner. Il y aurait un grand jardin pour Radley, et il pourrait avoir un chien. Sous le porche, il y aurait une balancelle où je pourrais m'asseoir le soir et le regarder attraper des papillons de nuit dans un bocal.

Elle rit en posant la tête sur l'épaule de Mitch.

— Je vous avais dit que mon rêve n'avait rien de très excitant.

— Il me plaît beaucoup.

Tellement qu'il se représentait même la maison avec ses volets blancs et ses toits pentus, avec une grange au loin.

— Mais vous avez aussi besoin d'un ruisseau où Rad pourrait pêcher.

Hester ferma les yeux quelques instants, puis secoua la tête.

— J'ai beau aimer mon fils, je ne crois pas être capable de poser un appât. Je peux construire une cabane dans les arbres, ou jouer avec lui au base-ball, mais pas toucher des vers.

— Vous jouez au base-ball?

Hester le regarda en souriant.

— Je suis même capable de lancer des balles courbes directement dans la zone de prises. J'étais bénévole pour entraîner les enfants à la Little League l'année dernière.

— Vous êtes une femme pleine de surprises. Vous étiez en short sur le banc de touche?

— Vous paraissez obsédé par mes jambes.

— Entre autres.

Mitch l'entraîna vers l'entrée de leur immeuble puis vers l'ascenseur.

— Cela fait longtemps que je n'ai pas passé une aussi bonne soirée, dit-elle en soupirant.

— Moi non plus.

— Je me suis longtemps posé la question, dit-elle en l'étudiant longuement. Vous ne semblez pas avoir de relations avec des femmes…

Il caressa doucement sa joue.

— Vraiment?

Lorsque le carillon de l'ascenseur retentit, signe qu'ils avaient atteint son étage, Hester cherchait encore une réponse.

— Je ne vous ai jamais vu aller à un rendez-vous ou passer du temps avec une femme, expliqua-t-elle.

Mitch fit glisser un doigt le long de la gorge d'Hester, une lueur amusée dans le regard.

— Je vous donne l'impression d'être un moine?

— Non, répondit-elle, un peu gênée et très mal à l'aise. Bien sûr que non.

— Hester, une fois que vous avez eu votre content de nuits débridées, vous en perdez le goût. Passer du temps avec une femme pour ne pas être seul n'est pas une solution très satisfaisante.

— D'après ce que disent mes collègues célibataires, beaucoup d'hommes ne partagent pas votre sentiment.

— Il est évident que vous n'avez pas mené une vie de célibataire.

Hester fouilla son sac en lui lançant un regard surpris.

— C'était un compliment, ajouta-t-il. Je voulais tout simplement dire qu'on finit par se lasser…

— Et, aujourd'hui, vous êtes entré dans l'âge des relations sérieuses.

— Vous devenez cynique. Cela ne vous ressemble pas, Hester.

Mitch s'appuya contre l'embrasure de la porte.

— Quoi qu'il en soit, sachez que je ne suis pas très doué pour trouver les bons mots. Allez-vous m'inviter à entrer ?

Hester hésita quelques secondes. La promenade lui avait suffisamment éclairci l'esprit pour laisser filtrer ses doutes. Mais le bien-être qu'elle avait ressenti en marchant à son côté retentissait encore comme un écho. Il fut le plus fort.

— Très bien. Voulez-vous du café ?

— Non, répondit-il en retirant son manteau.

— Cela ne me dérange pas du tout d'en faire. Ça ne prendra qu'une minute.

— Je ne veux pas de café, Hester, dit-il en saisissant ses mains. C'est vous que je veux.

Il fit glisser son manteau le long de ses épaules.

— Et je vous désire tellement que j'en deviens maladroit.

Elle ne recula pas. Elle resta debout devant lui, immobile.

— Je ne sais pas quoi répondre. Je manque de pratique.

— Je sais.

Il passa une main dans ses cheveux. Pour la première fois, il était incapable de masquer sa propre nervosité.

— Vous ne me simplifiez pas la tâche. Je n'ai pas envie de vous séduire.

Puis il émit un petit rire en s'éloignant de quelques pas.

— Non, vraiment pas, ajouta-t-il.

— Même si j'ai essayé de me convaincre du contraire, je savais en acceptant de sortir ce soir avec vous que nous allions nous retrouver dans cette situation.

Hester posa une main sur son ventre noué.

— J'espérais en secret que vous alliez me guider, que je n'aurais pas à prendre de décision, avoua-t-elle.

— C'est une excuse bidon, Hester.

— Je sais, répondit-elle, incapable de le regarder en face. A l'exception du père de Rad, je n'ai jamais connu aucun homme. Je n'en ai jamais éprouvé le désir non plus.

— Et maintenant ?

Il lui suffisait d'un mot, d'un seul mot.

— Cela fait si longtemps, Mitch. J'ai peur.

— Cela vous aiderait-il si je vous avouais que c'est la même chose pour moi ?

— Je ne sais pas.

— Hester, dit-il en posant les mains sur ses épaules. Regardez-moi.

Elle lui lança un regard poignant.

— Vous devez être sûre de vous. Je serai incapable d'affronter vos regrets au petit matin. Dites-moi ce que vous voulez vraiment.

Hester sentit les battements de son cœur s'accélérer. Sa vie semblait se résumer à une succession de choix. Elle n'avait personne pour lui dire si ce qu'elle faisait était bien ou mal. Comme toujours. Une fois qu'elle aurait pris sa décision, elle serait seule à en assumer les conséquences.

— Je vous désire, murmura-t-elle. Restez avec moi ce soir.

8

Lorsqu'il prit le visage d'Hester entre ses mains, Mitch la sentit trembler. Alors, il effleura ses lèvres et lui arracha un gémissement. Jamais il n'oublierait ce moment. Son acceptation, son désir, sa vulnérabilité.

Tout était silencieux dans l'appartement, mais il aurait aimé lui offrir de la musique. Le parfum des roses qu'elle avait mises dans le vase était bien fade comparé au jardin qu'il imaginait pour elle. La lumière des lampes lui paraissait trop violente. S'il avait eu le choix, il n'aurait pas choisi le secret de l'obscurité mais plutôt le mystère des bougies.

Comment pouvait-il lui faire comprendre qu'il n'y avait rien d'anodin, rien de superficiel dans ce qu'ils s'apprêtaient à s'offrir l'un à l'autre ? Comment pouvait-il lui expliquer qu'il avait attendu ce moment toute sa vie ? Il n'était même pas certain de pouvoir le dire avec des mots, ou que les mots qu'il choisirait seraient capables de l'atteindre.

Il allait donc laisser parler ses actes.

Sans quitter ses lèvres, il souleva Hester dans ses bras. Surprise, elle prit une courte inspiration et enroula les bras autour de sa nuque.

— Mitch…

— Je n'ai rien d'un preux chevalier, dit-il avec un sourire incertain. Mais, ce soir, nous pouvons faire semblant.

A ses yeux, Mitch était un homme héroïque, fort, et incroyablement tendre. Quels que soient les doutes qu'elle avait encore, elle s'abandonna à son étreinte.

— Je n'ai pas besoin de preux chevalier, protesta-t-elle doucement.

— Mais ce soir j'ai besoin de t'en offrir un, dit-il en l'embrassant une dernière fois avant de l'emmener dans sa chambre.

Une partie de lui-même la désirait si fort qu'il en avait mal, si fort qu'il brûlait de couvrir son corps avec le sien. Parfois, l'amour bouillonne trop violemment dans les veines d'un homme. Il le savait, et elle aussi. Mitch eut cependant la force de la poser à terre à côté du lit, avant de s'écarter très légèrement d'elle.

— La lumière, dit-il.

— Mais…

— J'ai envie de te voir, Hester.

Il eût été ridicule d'être intimidée. Et elle aurait eu tort de partager ce moment avec Mitch dans le noir, de manière anonyme. Hester tendit la main vers la lampe de chevet et actionna l'interrupteur.

La lumière les surprit main dans la main, les yeux dans les yeux. Puis la panique revint en force et Hester sentit son cœur s'emballer. Mais, dès que Mitch l'eut touchée, elle s'apaisa de nouveau. Il l'aida à ôter ses boucles d'oreilles et les posa sur la table de nuit. Une onde de chaleur envahit Hester, comme si par ce simple geste intime elle était déjà nue.

D'un mouvement langoureux, il laissa glisser une main vers sa taille et s'interrompit lorsqu'elle s'agita nerveusement.

— Je ne te ferai aucun mal, murmura-t-il.

— Je sais.

Comme elle avait confiance en lui, elle le laissa défaire sa ceinture qui glissa bientôt au sol. Lorsque Mitch se pencha de nouveau vers elle pour l'embrasser, Hester enroula les bras autour de sa taille et se laissa guider par la puissance de ses sentiments.

C'était ce qu'elle voulait, elle ne pouvait plus se mentir ni se servir des excuses. Ce soir, elle voulait uniquement être une femme. Elle voulait être désirée, aimée, admirée. Lorsqu'elle lui offrit ses lèvres, elle croisa son regard. Et lui sourit.

— J'attends cela depuis longtemps, dit Mitch en caressant

sa bouche pulpeuse du bout du doigt, submergé par un plaisir si chargé d'émotions qu'il en était indescriptible.

— Que tu attends quoi?

— Que tu me souries quand je t'embrasse, répondit-il en attirant son visage vers le sien. Essayons encore.

Cette fois, il approfondit son baiser, s'approchant plus près de territoires inexplorés. Hester posa les mains sur ses épaules, puis enlaça sa nuque. Il sentit ses doigts sur sa peau, timides au début, puis plus téméraires.

— Tu as toujours peur?

— Non.

Elle lui sourit encore.

— Enfin, un peu. Je ne sais pas...

Les mots moururent sur ses lèvres et elle détourna le regard, mais il l'obligea encore une fois à lui faire face.

— Tu ne sais pas quoi?

— Je ne sais pas quoi faire. Je ne sais pas ce que tu aimes.

Mitch ne fut pas surpris par ses propos si humbles. Il savait depuis longtemps qu'il appréciait Hester. Mais, dès cet instant, son cœur, qui oscillait encore quelques secondes plus tôt, bascula résolument dans l'amour.

— Hester, tu me laisses sans voix.

Mitch la serra très fort contre lui un long moment.

— Ce soir, contente-toi de faire ce qui te semble juste et tout se passera bien.

Il commença par embrasser ses cheveux, s'enivrant du parfum qui l'avait tant troublé. Le ton était déjà donné. Ils n'avaient pas besoin de se séduire. Il sentit le cœur d'Hester s'emballer contre le sien, puis elle leva la tête et trouva seule le chemin de ses lèvres.

Les mains de Mitch tremblaient en faisant glisser la longue fermeture Eclair qui courait dans le dos de sa robe. Ils avaient beau vivre dans un monde imparfait, il avait cruellement besoin de lui offrir une nuit parfaite. Il n'était pas un homme égoïste mais, avant cet instant, jamais il n'avait placé les désirs d'une autre personne à ce point au-dessus des siens.

Lentement, la robe en laine glissa le long de ses épaules puis de ses bras. Hester portait une combinaison blanche sans volants ni dentelles. Mais cette vision l'excita bien plus que toute autre fantaisie de soie ou en satin.

— Tu es magnifique, dit-il en pressant ses lèvres sur chacune de ses épaules. Absolument magnifique.

C'était ainsi qu'elle voulait lui apparaître et cela faisait longtemps qu'elle n'avait pas ressenti un tel besoin. En croisant le regard de Mitch, Hester se sentit belle. Belle et séduisante. Encouragée par ses paroles, elle entreprit de le dévêtir à son tour d'une main impatiente et maladroite.

Mitch devinait que ce n'était pas facile pour elle. Après lui avoir retiré sa veste, elle commença à dénouer sa cravate avant d'avoir le courage de lever les yeux vers lui. Il sentait ses doigts tremblants frotter délicieusement contre sa peau tandis qu'elle déboutonnait sa chemise.

— Je te trouve aussi très beau, murmura-t-elle.

Le seul et dernier homme qu'elle avait touché de cette façon n'était rien de plus qu'un enfant. Or, les muscles de Mitch étaient fins mais durs, son torse lisse mais puissant — il était la virilité incarnée.

Les mouvements d'Hester étaient lents, plus empreints de timidité que de sensualité. Mitch sentit les muscles de son ventre frémir lorsqu'elle atteignit la fermeture Eclair de son pantalon.

— Tu me rends fou.

Aussitôt, Hester retira ses mains.

— Désolée.

— Non, dit-il en riant.

Mais son rire ressemblait plus à un grognement plaintif.

— J'aime ce que tu fais, ajouta-t-il.

Grisée, Hester fit glisser, de ses doigts tremblants, le pantalon de Mitch sur ses hanches étroites. Les muscles de ses cuisses étaient longs et fermes. Fascinée et ravie, elle sentit monter une brusque bouffée de désir en les touchant. Puis elle se serra contre lui et vibra au contact de sa peau contre la sienne.

Mitch luttait contre l'envie de brûler les étapes pour laisser libre cours au désir qu'il éprouvait pour elle. Les mains hésitantes et les yeux émerveillés d'Hester l'avaient conduit au bord du gouffre. Il fallait à tout prix faire marche arrière. A ses muscles bandés et à son souffle haletant, elle devinait sans doute le combat intérieur qu'il se livrait.

— Mitch ? demanda-t-elle, l'air inquiet.

— Une minute, répondit-il en enfouissant son visage dans ses cheveux.

Il gagna péniblement cette bataille pour se dominer et en ressortit affaibli et hébété. Lorsqu'il découvrit la peau douce et sensible du cou d'Hester, il décida de focaliser toute son attention là-dessus.

Hester répondit à ses baisers en arquant son corps contre le sien. Instinctivement, elle renversa la tête pour mieux lui offrir sa gorge. Elle avait l'impression qu'un voile s'était abattu sur ses yeux. Sa chambre, si familière, était devenue floue. Partout où les lèvres de Mitch l'effleuraient et l'embrassaient, elle sentait battre son pouls. Puis son sang s'embrasa dans ses veines, mettant à vif tous ses sens. Elle poussa un gémissement rauque qui résonna de manière primitive. Ce fut elle qui l'attira vers le lit.

Mitch aurait aimé jouir d'une minute de plus avant de s'allonger sur elle. De délicieuses sensations le parcouraient tout entier. Son corps et son cœur vibraient de volupté. Il fallait qu'il se reprenne, avant que ses sens le contrôlent complètement. Mais Hester le caressait déjà d'une main langoureuse, ses hanches collées aux siennes. Vaincu, Mitch roula à côté d'elle.

Il embrassa ses lèvres et, l'espace d'un instant, tous ses rêves et ses désirs se concentrèrent sur elle. Les lèvres d'Hester étaient humides et brûlantes, comme une promesse de ce qui l'attendait une fois qu'il serait en elle. Déjà, il avait fait tomber la dernière barrière de tissu. Il l'entendit haleter de plus belle lorsqu'il partit à la rencontre de ses seins nus. Tandis qu'il refermait ses lèvres sur leurs pointes dressées, elle murmura son prénom.

Un abandon, voilà ce que c'était. Sans qu'elle puisse l'empêcher, son corps se mouvait en harmonie avec le sien. Hester ne désirait rien d'autre. Sentir la peau nue de Mitch contre la sienne, de plus en plus chaude et humide, était exaltant. De même que leurs bouches qui se cherchaient avec avidité, se trouvaient avant de se détacher. Il lui murmurait une série de mots brûlants et incohérents, et elle lui répondait de la même manière. La lumière jouait sur ses mains lorsqu'il lui montra comment une caresse pouvait exalter son âme.

Hester était nue à présent, mais toute sa timidité avait disparu. Elle désirait toucher Mitch, le goûter, admirer son corps qui l'attirait tant. Ses muscles durs et sa peau tendue la fascinaient. Jusqu'à ce jour, elle ignorait que caresser un homme pouvait soulever en elle de telles vagues de désir. Lorsque Mitch posa la main sur son sexe, elle fut submergée par une violente excitation. Haletante, elle tendit les mains vers lui pour reprendre son souffle.

Jamais il n'avait rencontré de femme qui lui réponde avec un tel enthousiasme. La voir atteindre de tels sommets lui procurait un immense plaisir. Mitch rêvait désespérément de la prendre encore et encore jusqu'à la laisser sans force et sans volonté. Mais il avait aussi de plus en plus de mal à se contrôler et Hester le réclamait haut et fort.

Il couvrit alors son corps et la pénétra.

Ils se mirent à bouger de concert, quelques minutes ou des heures peut-être…

Une chose était sûre : il n'oublierait jamais la façon dont ses yeux s'ouvrirent pour plonger dans les siens au moment où ils atteignirent ensemble le paroxysme du plaisir.

Une pluie glaciale martelait les vitres. Allongé sur le couvre-lit froissé, Mitch était bouleversé. Il tourna la tête en direction du bruit. Depuis combien de temps pleuvait-il ? Il l'ignorait. D'aussi loin que remontaient ses souvenirs, jamais il ne s'était senti aussi proche d'une femme, au point d'oublier le monde extérieur.

Il se tourna de nouveau vers elle et l'attira vers lui. Il avait un peu froid, mais il n'avait pas la moindre envie de bouger.

— Tu es bien silencieuse, murmura-t-il.

Hester avait les yeux fermés, et n'avait aucune envie de les ouvrir. Elle ne se sentait pas prête à affronter son regard.

— Je ne sais pas quoi dire.

— Pourquoi ne pas dire « c'était génial » ?

Elle fut surprise de constater qu'elle était encore capable de rire après un moment d'une telle intensité.

— D'accord. C'était génial.

— Essaie de manifester plus d'enthousiasme, s'il te plaît. Que dirais-tu de : « C'était fantastique, incroyable, la terre a tremblé » ?

Cette fois, elle plongea son regard dans le sien.

— Et pourquoi ne pas dire simplement que c'était très beau ?

Mitch saisit sa main pour l'embrasser.

— Oui, on peut dire ça.

Puis il se redressa sur un coude pour la contempler. Un peu gênée, elle se retourna pour lui cacher son visage.

— Trop tard pour être timide, dit-il en caressant son corps d'une main légère mais possessive.

— Tu sais, j'avais raison à propos de tes jambes. Mais j'imagine qu'il est inutile d'essayer de te convaincre de mettre un short et des socquettes ?

— Pardon ?

Le ton interloqué de sa voix contraint Mitch à l'attirer vers lui pour couvrir son visage de baisers.

— J'ai un faible pour les longues jambes, les shorts et les chaussettes, expliqua-t-il. Cela me rend fou de regarder les femmes courir dans le parc l'été. Et, si les couleurs sont assorties, je suis un homme mort.

— Tu es fou.

— Allons, Hester. Ne me dis pas que tu n'as pas tes secrets ? Tu fantasmes peut-être sur les hommes musclés moulés dans des T-shirts, ou en smoking avec une cravate noire et les boutons défaits ?

— Ne sois pas stupide.

— Et pourquoi pas ?

Oui, et pourquoi pas? songea-t-elle en se mordant nerveusement les lèvres.

— Eh bien, j'ai un petit faible pour les jeans qui glissent un peu sur les hanches, avec un bouton défait, avoua-t-elle.

— Je promets de ne plus jamais boutonner mon jean.

Hester rit de nouveau.

— Cela ne veut pas dire que je vais mettre des shorts et des socquettes.

— D'accord. Mais sache que te voir en tailleur m'excite aussi.

— Ce n'est pas vrai.

— Mais si, insista-t-il en roulant sur elle avant de jouer avec ses cheveux. J'aime tes chemisiers au col remonté. Et te voir avec les cheveux attachés.

Il prit la chevelure d'Hester et la remonta au-dessus de sa tête. Son visage n'était plus du tout le même mais l'excitait tout autant.

— Voici l'efficace Mme Wallace, très sûre d'elle. Chaque fois que je te vois habillée en tailleur, j'imagine comme il doit être fascinant d'ôter un à un tes habits de travail et chacune de tes barrettes.

Il fit glisser les cheveux d'Hester entre ses doigts.

Pensive, elle posa la joue contre son torse.

— Tu es un homme étrange, Mitch.

— Certainement.

— Tu fais si souvent appel à ton imagination, à ce qui pourrait être, aux rêves et à la fantaisie. De mon côté, ma vie est faite de données, de chiffres, de pertes et de profits, de ce qui est ou n'est pas.

— Tu parles de notre travail ou de notre personnalité?

— N'est-ce pas la même chose?

— Non. Je ne suis pas le commandant Zark, Hester.

Bercée par le rythme de son cœur, elle changea de position.

— Je veux simplement dire que l'artiste, l'écrivain qui est en toi, développe son imagination et toutes les possibilités qu'elle offre. Mais le banquier qui est en moi ne pense qu'aux chèques et à l'équilibre des comptes.

Mitch resta pensif quelques instants à caresser les cheveux

d'Hester. Savait-elle que sa personnalité avait bien d'autres facettes ? Elle était aussi la femme qui rêvait d'une maison à la campagne, capable de lancer des balles courbes au base-ball et de transformer un homme de chair et de sang en une boule de désir.

— Sans vouloir philosopher, je me demande pourquoi tu as choisi de gérer des prêts ? Ressens-tu la même chose quand tu refuses ou acceptes un dossier ?

— Non, bien sûr.

— Evidemment. Quand tu acceptes de donner un prêt, tu tiens entre tes mains une multitude de possibilités. Je suis persuadé que tu joues selon les règles, cela fait partie de ton charme, mais je donnerais ma main à couper que tu tires une satisfaction personnelle à pouvoir dire : « D'accord, achetez votre maison, créez votre entreprise, développez-vous. »

— Tu sembles m'avoir très bien cernée.

Comme personne auparavant, songea-t-elle, sous le choc.

— J'ai beaucoup pensé à toi, avoua Mitch en l'attirant vers lui.

Sentait-elle à quel point leurs deux corps s'emboîtaient à la perfection ?

— Beaucoup, continua-t-il. Pour tout t'avouer, je n'ai pas pensé à une autre femme depuis que je suis venu chez toi avec votre pizza.

Hester lui sourit et il eut envie de la serrer dans ses bras, mais il se retint.

— Hester…

Comme rarement dans sa vie, Mitch se sentit gagné par une étrange timidité. Hester le regardait avec les yeux chargés d'attente, voire d'impatience, tandis qu'il cherchait les bons mots.

— En réalité, commença-t-il, je n'ai pas envie de penser à une autre femme, ni d'être avec une autre femme de cette façon.

Il chercha encore comment exprimer ce qu'il ressentait et poussa un juron.

— Bon sang, j'ai l'impression d'être redevenu un lycéen.

Hester lui sourit prudemment.

— Que veux-tu dire ? Qu'il faut aller doucement ?

Ce n'était pas tout à fait ce qu'il avait à l'esprit, mais il lut dans ses yeux qu'il valait mieux ne pas précipiter les choses.

Hester baissa les yeux vers sa main posée sur la poitrine de Mitch. Etait-elle stupide de se sentir si émue ? Stupide ou non, ce sentiment n'en restait pas moins dangereux.

— Peut-être peut-on dire que je n'ai pas envie de me trouver ainsi avec une autre personne que toi, répondit-elle.

Mitch ouvrit la bouche pour répondre, puis se ravisa. De toute évidence, Hester avait besoin de temps pour être certaine que ce qu'elle ressentait était vrai. Elle n'avait connu qu'un seul homme dans sa vie, lorsqu'elle était très jeune. Il devait lui laisser la possibilité d'être sûre d'elle. Mais Mitch Dempsey n'avait pas l'esprit de sacrifice du commandant Zark.

— D'accord, approuva-t-il.

Mitch avait inventé et gagné assez de guerres pour savoir quelle stratégie adopter. Il allait faire la conquête d'Hester avant même qu'elle s'aperçoive qu'il y avait eu une bataille à livrer.

Pour commencer le premier siège, Mitch l'attira à lui et scella leurs bouches par un baiser.

Hester éprouva un sentiment à la fois étrange et merveilleux en se réveillant à côté de son amant, même si celui-ci l'avait poussée au bord du lit. Ouvrant les yeux, elle resta immobile et savoura l'instant.

Mitch avait enfoui son visage au creux de sa nuque, un bras étroitement serré autour de sa taille. Heureusement, car elle serait certainement tombée du lit sans cette étreinte. Lorsqu'elle esquissa un mouvement, la peau chaude de Mitch frotta doucement contre la sienne. Une délicieuse sensation de plaisir l'envahit aussitôt.

Elle n'avait jamais eu d'amant. Certes, elle avait eu un mari, mais sa nuit de noces, qui avait fait d'elle une femme, n'avait rien à voir avec celle qu'elle avait partagée avec Mitch. Etait-il juste de les comparer ? Sans doute pas, mais n'était-ce pas humain de le faire ?

Hester se souvenait de sa première nuit avec un homme, de

ces premiers ébats frénétiques, compliqués par sa nervosité et l'impatience de son mari. Rien à voir avec la nuit qu'elle venait de passer dans les bras de Mitch. Le désir avait enflé progressivement, étape par étape, comme s'ils avaient eu tout le temps du monde pour le savourer. Elle ignorait que faire l'amour pouvait être aussi libérateur. Et elle ignorait aussi qu'un homme pouvait sincèrement vouloir donner du plaisir autant qu'en prendre.

Hester se pelotonna contre l'oreiller en regardant la faible lueur hivernale filtrer par les fenêtres. Les choses seraient-elles différentes ce matin ? Allaient-ils se sentir gênés ? Ou bien allaient-ils se comporter de manière désinvolte et minimiser la profondeur de ce qu'ils avaient partagé ? Hester ignorait tout de ces relations, finalement.

Peut-être donnait-elle trop d'importance à cette seule nuit, se réprimanda-t-elle en soupirant. Mais comment pouvait-il en être autrement, alors que cette soirée avait été si magique ?

Hester effleura la main de Mitch, la laissa posée sur la sienne quelques instants, puis essaya de se lever. Le bras de Mitch la retint aussitôt.

— Où vas-tu ? demanda-t-il d'une voix endormie.

Elle tenta de se tourner, mais son amant bloquait ses jambes avec les siennes.

— Il est presque 9 heures.

— Et alors ?

Il la caressa doucement.

— Je dois me lever. Il faut que j'aille chercher Rad dans deux heures.

Mitch grogna en voyant son rêve de passer la matinée au lit avec Hester s'envoler, puis il imagina tout ce qu'ils pouvaient encore faire en deux heures.

— C'est si bon d'être à ton côté, soupira-t-il.

Il relâcha son étreinte juste assez pour la laisser se tourner vers lui.

— Tu es très belle, conclut-il en contemplant son visage à travers ses yeux mi-clos. Délicieuse…

Il effleura ses lèvres. Aucune gêne, aucune désinvolture ne perçait dans son baiser.

— … et merveilleuse. Imagine ça, proposa-t-il en caressant son ventre. Nous sommes sur une île des mers du Sud. Notre navire a fait naufrage une semaine plus tôt et nous sommes les seuls survivants.

Mitch ferma les yeux en pressant les lèvres contre son front.

— Nous nous sommes nourris de fruits et de poissons que j'ai habilement pêchés avec un bâton aiguisé par mes soins.

— Qui les nettoie ?

— C'est un monde imaginaire, inutile de s'encombrer de ce genre de détails. La nuit dernière, il y a eu un orage, une terrible tempête tropicale. Nous avons dû nous mettre en sécurité sous l'abri que j'ai construit.

— Que *tu* as construit ? demanda-t-elle avec un léger sourire. Je ne fais donc rien d'utile ?

— Tu peux faire tout ce que tu veux dans tes rêves. Maintenant, tais-toi.

En se blottissant contre elle, il pouvait presque sentir l'air iodé de la mer.

— C'est le matin, continua-t-il, la tempête a balayé tous les nuages. Des mouettes plongent en piqué dans les vagues. Nous sommes allongés côte à côte sur une vieille couverture.

— Que tu as héroïquement sauvée du naufrage.

— Tu commences à comprendre. Lorsque nous nous réveillons, nous découvrons que nous sommes blottis l'un contre l'autre malgré nous. Le soleil tape dur et a déjà brûlé nos corps à moitié nus. Encore engourdis de sommeil, mais déjà excités, nous nous rapprochons un peu plus l'un de l'autre. Et là…

Lorsque Mitch approcha ses lèvres à quelques millimètres des siennes, Hester ferma les yeux. Elle eut soudain l'impression d'entrer dans le tableau qu'il venait de lui dépeindre.

— Un sanglier nous attaque et je dois me battre contre lui.

— A moitié nu et sans armes ? fit-elle en riant.

— Tout à fait. Il m'inflige une vilaine morsure, mais j'arrive à le terrasser dans un combat à mains nues.

Hester leva les yeux au ciel.

— Et, pendant ce temps-là, j'imagine que je me cache sous la couverture en gémissant.

— Oui, concéda Mitch en l'embrassant sur le bout du nez. Mais, ensuite, tu m'es très reconnaissante de t'avoir sauvé la vie.

— Moi, la pauvre femme sans défense.

— C'est exactement ça. Tu es tellement reconnaissante que tu déchires ta jupe pour bander mes plaies, et puis...

Il fit une pause.

— ... tu me fais du café.

Hester le contempla, partagée entre l'étonnement et l'amusement.

— Tu m'as raconté toute cette histoire pour que je te fasse du café ?

— Pas un simple café. *Le* café du matin. Ma première tasse est vitale.

— Même sans cette histoire, je te l'aurais préparé.

— Oui, mais l'as-tu aimée ?

Hester réfléchit tout en arrangeant ses cheveux.

— La prochaine fois, c'est moi qui pêcherai le poisson.

— Marché conclu.

Elle se leva tout en éprouvant le désir ridicule d'avoir un peignoir à portée de main. Elle se dirigea vers le placard pour en enfiler un, le dos tourné.

— Tu veux un petit déjeuner ? demanda-t-elle.

Mitch s'était redressé. Il se passa une main sur le visage.

— Un petit déjeuner ? Tu veux dire avec des œufs, et tout ça ?

Son dernier vrai petit déjeuner remontait à l'époque où il avait encore l'énergie de se traîner au café du coin.

— Madame Wallace, en échange d'un vrai petit déjeuner, je vous donnerai les joyaux de la couronne de Perth.

— Tout ça pour du bacon et des œufs ?

— Parce qu'il y a du bacon aussi ? Mon Dieu, quelle femme !

Hester se mit à rire, certaine qu'il plaisantait.

— Va prendre une douche si tu veux. Je n'en ai pas pour longtemps.

En fait, Mitch ne plaisantait pas. Il regarda Hester sortir de la chambre, tout étonné. Il n'attendait pas d'une femme qu'elle lui fasse à manger, ou qu'elle le lui propose comme s'il était légitime de l'espérer. Mais il se souvint que cette même femme lui avait offert de recoudre son jean parce qu'elle croyait qu'il n'avait pas les moyens d'en acheter un neuf.

Il sortit du lit, songeur. La distante et professionnelle Hester Wallace était une femme chaleureuse très particulière, et il n'avait pas l'intention de la laisser filer.

Lorsque Mitch entra dans la cuisine, Hester était occupée à battre des œufs. Le bacon s'égouttait sur une grille et le café fumait déjà. Mitch s'arrêta quelques instants dans l'embrasure de la porte, un peu surpris de constater qu'une scène domestique aussi simple puisse l'affecter autant. Hester portait un peignoir en flanelle qui la couvrait jusqu'aux pieds. Mais, à ses yeux, elle ne pouvait pas être plus séduisante. Il n'avait pas compris avant ce jour que c'était ce qu'il avait toujours recherché : les odeurs du matin, le bruit de la radio posée sur le comptoir, la vue matinale d'une femme qui avait partagé la nuit avec lui se mouvant avec aisance dans une cuisine.

Lorsqu'il était enfant, les dimanches matin étaient très formels : brunch à 11 heures servi par un domestique en uniforme, jus d'orange de Waterford, œufs en cocotte dressés dans des assiettes en porcelaine. On lui avait appris à déplier sa serviette en tissu sur les genoux et à tenir une conversation polie. Des années plus tard, Mitch en était réduit, le week-end comme les autres jours de la semaine, à fouiller ses placards les yeux encore pleins de sommeil ou à se traîner jusqu'au café le plus proche.

Aussi bête que cela puisse paraître, il aurait aimé dire à Hester que ce simple repas pris sur le comptoir de sa cuisine avait autant d'importance à ses yeux que leur longue nuit passée dans son lit. Il s'avança vers elle et enlaça sa taille avant de déposer un baiser dans son cou.

A ce simple contact, il sentit son pouls s'accélérer et son sang bouillonner dans ses veines. Hester se laissa aller lascivement contre lui.

— C'est presque prêt, annonça-t-elle. Tu ne m'as pas dit comment tu aimais tes œufs. Je les ai donc préparés brouillés avec un peu d'aneth et de fromage.

A cet instant, Mitch était prêt à avaler n'importe quoi. Il fit pivoter Hester vers lui et lui donna un long et puissant baiser.

— Merci, dit-il dans un souffle.

Hester se sentait de nouveau nerveuse. Elle tourna les œufs juste à temps pour les empêcher de brûler.

— Pourquoi ne t'assieds-tu pas? proposa-t-elle en lui tendant un mug. Voici ta première tasse de café vitale.

Mitch en but la moitié avant d'obtempérer.

— Hester, tu te rappelles ce que je pense à propos de tes jambes?

Ne sachant où il voulait en venir, elle lui lança un regard en coin avant de mettre les œufs dans une assiette.

— Oui.

— Ton café est presque aussi bon. Ce sont des qualités exceptionnelles chez une femme.

— Merci.

Elle posa l'assiette devant lui avant d'actionner le grille-pain.

— Tu ne manges pas? demanda Mitch, étonné qu'elle ne se serve pas.

— Non, je prendrai juste un toast.

Il contempla la pile d'œufs dorés et de bacon croustillant.

— Hester, il ne fallait pas préparer tout ça si de ton côté tu ne manges pas.

— Ça ne me dérange pas, dit-elle en empilant les toasts sur une assiette. Je le fais tous les jours pour Rad.

Mitch posa une main sur la sienne lorsqu'elle s'assit près de lui.

— J'apprécie le geste.

— Ce ne sont que des œufs, se défendit-elle, l'air gêné. Tu devrais les manger avant qu'ils refroidissent.

— Cette femme est merveilleuse! Non seulement elle élève

un petit garçon intéressant et équilibré, non seulement elle occupe un emploi exigeant, mais elle cuisine.

Il goûta le bacon.

— Veux-tu m'épouser ? conclut-il.

Hester rit en remplissant de nouveau leurs tasses de café.

— S'il te suffit de quelques œufs brouillés pour que tu fasses cette demande, je suis étonnée que tu n'aies pas trois ou quatre femmes cachées dans ton placard.

En réalité, Mitch ne plaisantait pas. Elle l'aurait lu dans ses yeux si elle l'avait regardé. Mais elle était occupée à beurrer ses tartines. Il contempla quelques instants ses mains dépourvues de bagues. La façon dont il avait fait sa demande était ridicule et inefficace. Surtout s'il voulait qu'elle le prenne au sérieux. Il était également trop tôt, songea-t-il en engouffrant une pleine fourchette d'œufs brouillés.

Mais il avait un plan. D'abord, Hester devrait s'habituer à sa présence, puis il gagnerait sa confiance et l'amènerait à croire qu'il serait toujours là pour elle. Enfin, le plus dur serait de la convaincre qu'elle avait besoin de lui. Pas pour lui donner le gîte et le couvert. Elle était beaucoup trop indépendante pour cela, et il admirait cet aspect de sa personnalité. Mais, avec le temps, elle pourrait avoir besoin de son soutien émotionnel, de sa compagnie. Ce serait un début.

Faire la cour à Hester était une mission qui s'annonçait à la fois complexe et subtile. Mitch ne savait pas vraiment comment il allait s'y prendre, mais il était plus que jamais déterminé à relever le défi. Et ce, dès maintenant.

— Tu as des projets aujourd'hui ? demanda-t-il, l'air de rien.

— Je dois aller chercher Rad vers midi.

Hester prit le temps de savourer son toast. Cela faisait des années qu'elle n'avait pas pris son petit déjeuner en compagnie d'un adulte et l'expérience ne manquait pas de charme.

— Je lui ai ensuite promis que je l'emmènerais avec Josh au cinéma, voir *La lune d'Andromède*.

— Vraiment ? C'est un film fantastique. Les effets spéciaux sont saisissants.

— Tu l'as vu ? demanda-t-elle, un peu déçue.

Elle avait pensé qu'il aurait pu les accompagner.

— Deux fois. Il y a une scène renversante entre le scientifique fou et le scientifique sain d'esprit. Et puis il y a ce mutant qui ressemble à une carpe. Le personnage est fabuleux.

— Une carpe, répéta Hester en sirotant son café. Ça m'a l'air merveilleux, en effet.

— C'est un vrai spectacle pour les yeux. Je peux venir avec vous ?

— Mais tu viens de dire que tu l'as déjà vu deux fois.

— Et alors ? Il n'y a que les navets que je ne revois jamais. En plus, j'aimerais voir la réaction de Rad pendant la bataille au laser dans l'espace.

— Le film est sanglant ?

— Il n'y a aucune scène que Rad ne puisse voir.

— Je ne parlais pas pour lui.

Mitch rit en lui prenant la main.

— Je serai là pour te protéger. Qu'en penses-tu ? Je me chargerai du pop-corn.

— Comment décliner une proposition pareille ?

Il porta la main d'Hester à ses lèvres.

— Parfait. Ecoute, je vais t'aider à faire la vaisselle, puis je descendrai promener Taz.

— Pars tout de suite. Il n'y a pas grand-chose à laver et Taz t'attend certainement en gémissant derrière la porte.

— D'accord. Mais, la prochaine fois, c'est moi qui cuisine.

Hester débarrassa les assiettes.

— Tu vas me préparer des sandwichs au beurre de cacahouète et à la confiture ?

— Je peux faire mieux pour t'impressionner.

Hester lui sourit.

— Tu n'as pas besoin de m'impressionner.

Mitch s'approcha d'elle et prit son visage entre ses mains.

— Si, j'en ai besoin.

Puis il mordilla ses lèvres avant d'approfondir soudain son baiser jusqu'à ce qu'ils soient tous les deux à bout de souffle.

— C'est un bon début, conclut-elle, haletante.

Il effleura ensuite son front, le sourire aux lèvres.

— Je serai de retour dans une heure.

Hester resta immobile jusqu'à ce qu'elle entende la porte se fermer. Comment était-ce arrivé ? Comment était-elle tombée amoureuse de cet homme ? Il n'était parti que pour une heure, mais elle attendait déjà son retour avec impatience.

Prenant une profonde inspiration, elle s'assit de nouveau. Elle ne devait pas s'emballer. Il fallait à tout prix qu'elle évite de prendre cette histoire, comme tout le reste, trop au sérieux. Mitch était drôle, il était gentil, mais il n'était pas là pour toujours. En dehors de Radley et d'elle, rien ne durerait toujours. Des années plus tôt, elle s'était promis de ne jamais l'oublier. Et aujourd'hui, plus que jamais, elle était résolue à tenir ses promesses.

9

— Vous savez bien que j'ai horreur de parler affaires avant midi, Rich.

Assis dans le bureau de Skinner, Mitch contemplait Taz qui ronflait paisiblement à ses pieds. Même s'il était 10 heures passées, il était au travail depuis deux bonnes heures et, psychologiquement, il ne s'était pas préparé à affronter le froid pour parler boutique. Dire qu'il avait dû abandonner ses personnages sur sa table à dessin en très mauvaise posture ! Ils ne devaient pas apprécier d'avoir été laissés en plan, tout comme Mitch avait eu du mal à les quitter.

— Si vous m'avez appelé pour me donner une augmentation, je suis d'accord, mais vous auriez pu attendre l'heure du déjeuner.

— Vous n'allez pas recevoir d'augmentation.

Skinner ignora le téléphone qui sonnait sur son bureau.

— Vous êtes déjà surpayé, ajouta son patron.

— Eh bien, si vous comptez me renvoyer, vous auriez vraiment pu attendre une heure ou deux de plus.

— Vous n'êtes pas renvoyé, répondit Skinner en le regardant d'un air soucieux. Mais, si vous persistez à amener ici votre chien, je pourrais très bien changer d'avis.

— Taz est devenu mon agent. Vous pouvez tout dire devant lui.

Skinner s'adossa à son siège et croisa ses mains aux articulations gonflées. Cela faisait des années qu'il faisait craquer ses doigts pour calmer ses nerfs.

— Vous savez, Dempsey, quelqu'un qui ne vous connaîtrait pas aussi bien que moi pourrait croire que vous plaisantez. Mais, moi, je sais que vous êtes fou.

— C'est pour cette raison que nous nous entendons si bien, n'est-ce pas ? Ecoutez, Rich, Mirium est enfermée dans une pièce remplie de rebelles blessés de la planète Zirial. Comme elle est pleine d'empathie, elle non plus ne se sent pas très bien. Pourquoi ne pas en finir avec cette discussion afin que je puisse rentrer chez moi et la sortir de ce mauvais pas ?

— Des rebelles de Zirial, commenta Skinner d'un air pensif. Vous ne songez pas à faire revenir Nimrod le Sorcier ?

— Cette idée m'a traversé l'esprit. Si vous me dites pourquoi vous m'avez fait venir, je pourrai rentrer chez moi et découvrir ce qu'il a fait du gant qui le rend invisible.

— Vous travaillez ici, souligna Skinner.

— Ce n'est pas une excuse.

Skinner lâcha enfin le morceau.

— Vous savez que Two Moon Pictures est en train de négocier avec Universal les droits pour produire Zark au cinéma ?

— Oui. Cela fait un an, un an et demi qu'on en parle.

Comme toutes ces tractations ne l'intéressaient pas, Mitch étendit ses longues jambes devant lui et entreprit de masser le flanc de Taz du bout du pied.

— La dernière chose que vous m'ayez dite était que ces mangeurs de graines de Californiens n'arrivaient pas à s'extirper assez longtemps de leurs baignoires pour conclure l'affaire, plaisanta Mitch. Vous avez beaucoup d'humour, Rich.

— L'affaire a été signée hier, répondit platement son patron. Two Moon veut exploiter Zark.

Le sourire de Mitch s'évanouit aussitôt.

— Vous êtes sérieux ?

— Je suis toujours sérieux, répliqua Skinner en scrutant la réaction de Mitch. Je croyais que vous seriez un peu plus enthousiaste. Votre bébé va devenir une star du grand écran.

— Pour dire la vérité, je ne sais pas ce que je ressens, dit Mitch en quittant de son fauteuil.

Puis il commença à arpenter le minuscule bureau de Rich. En passant près de la fenêtre, Mitch ouvrit les stores. Une lumière dure et froide s'infiltra dans la pièce.

— Zark a toujours été un personnage très personnel. Je ne sais pas ce que je ressens à l'idée de le laisser partir à Hollywood.

— Vous avez adoré les poupées réalisées par B.C. Toys.

— Les figurines, rectifia aussitôt Mitch. Ce doit être parce qu'elles étaient assez fidèles aux personnages.

Sa réaction était stupide, il le savait. Zark ne lui appartenait pas. Certes, il l'avait créé, mais le personnage était la propriété d'Universal, à l'instar de tous les autres héros et êtres malfaisants sortis de l'imagination fertile de leur équipe. Si comme Maloney, son ancien collègue de travail, Mitch décidait de quitter la société, il devrait laisser Zark derrière lui pour qu'un autre se charge de le faire vivre.

— Garderons-nous une certaine liberté de manœuvre ? demanda-t-il enfin.

— Vous craignez qu'ils exploitent votre bébé ?

— Peut-être.

— Ecoutez… Two Moon a acheté les droits de Zark parce que le personnage possède un potentiel au box-office, tel qu'il est. Il ne serait pas sage commercialement parlant de le changer. Mais la bande dessinée est un gros marché. Cent trente millions par an, ce n'est pas négligeable. Nous n'avions pas connu un tel essor depuis la fin de la guerre. Et, même si le marché se stabilise, il restera porteur. Ces types de la côte ouest s'habillent peut-être de manière excentrique, mais ils savent reconnaître un gagnant quand ils en croisent un. Si vous avez des inquiétudes, vous pouvez toujours accepter leur offre.

— Quelle offre ?

— Ils veulent que vous écriviez le scénario du film.

Mitch s'immobilisa.

— Moi ? Mais je n'écris pas pour le cinéma.

— Vous avez créé Zark. Visiblement, c'est assez pour les producteurs. Nos éditeurs ne sont pas stupides non plus. Radins, commenta Skinner en lançant un regard furtif vers le linoléum usé, mais pas stupides. Ils veulent que le script soit écrit en interne. Le contrat que nous avons signé contient une clause stipulant que nous pouvons faire un essai. Two Moon veut que vous commenciez le travail. Si les résultats ne sont pas concluants, ils proposent que vous participiez au projet en tant que conseiller artistique.

— Conseiller artistique, répéta Mitch à haute voix, tout en réfléchissant à l'intitulé du poste.

— A votre place, Dempsey, je prendrais un agent à deux jambes.

— Peut-être. Il faut que j'y réfléchisse. Je dispose de combien de temps ?

— Personne n'a fixé de délais. Votre refus n'a même pas été évoqué. Mais, une fois encore, ils ne vous connaissent pas comme moi.

— Donnez-moi quarante-huit heures. Il faut que j'en parle à quelqu'un.

Skinner se tut jusqu'à ce que Mitch ait atteint la porte du bureau.

— Mitch, des occasions comme celles-ci ne se présentent pas tous les jours.

— Laissez-moi juste rentrer chez moi. Je vous recontacte.

Les bouleversements n'arrivent jamais seuls, songea Mitch en marchant à côté de Taz. Dire que l'année avait commencé de manière normale, presque ordinaire. Il s'était fixé quelques objectifs simples : prendre de l'avance sur son planning afin de partir trois ou quatre semaines en vacances et aller skier, boire du brandy et déblayer de la neige dans la ferme de son oncle. Il s'était dit qu'il rencontrerait une ou deux jeunes femmes séduisantes sur les pistes enneigées pour agrémenter ses soirées. Il avait également prévu de dessiner un peu, de dormir beaucoup et d'aller d'hôtel en hôtel.

Mais, depuis quelques semaines, tout avait changé. Il avait trouvé avec Hester tout ce qu'il avait toujours désiré dans sa vie personnelle. Il ne lui restait plus qu'à la convaincre qu'*il* était l'homme dont elle avait toujours rêvé. Et aujourd'hui, alors que

Skinner venait de lui faire l'une des plus importantes propositions de sa vie professionnelle, Mitch ne pouvait pas dissocier les deux.

Il n'avait jamais vraiment séparé ces deux aspects de sa vie. Lorsqu'il buvait un verre avec ses amis ou lorsqu'il travaillait toute la nuit avec Zark, il restait le même homme. S'il avait changé, c'était à cause d'Hester et de Radley. Depuis qu'il s'était épris d'eux, il s'était surpris à désirer les chaînes qu'il avait toujours évitées, les responsabilités qu'il avait toujours fuies.

Pour commencer, il allait trouver Hester.

Mitch entra d'un pas nonchalant dans la banque, les oreilles rouges de froid. Sa longue marche dans l'air glacé lui avait donné le temps de réfléchir à sa conversation avec Skinner et de ressentir les premières bouffées d'excitation. Il imaginait déjà Zark en Technicolor, en son Dolby stéréo, en Panavision.

Il s'arrêta devant le bureau de Kay et la salua.

— Elle a déjà pris son déjeuner ? demanda-t-il directement.

La jeune femme fit rouler son fauteuil en arrière.

— Non.

— Elle n'a pas de rendez-vous ?

— Elle est seule.

— Parfait. Et jusqu'à quelle heure est-elle libre ?

Kay fit courir un doigt le long de son agenda.

— 14 h 15.

— Très bien, elle sera de retour à temps. Si Rosen passe par là, dites-lui que j'ai emmené Mme Wallace déjeuner pour parler de mon prêt.

— Oui, monsieur.

Lorsque Mitch ouvrit la porte, il surprit Hester penchée sur une longue colonne de chiffres. Ses doigts survolaient rapidement la calculatrice, qui cliquetait à mesure que la bande se déroulait.

— Kay, je vais avoir besoin de l'estimation des travaux de Lorimar. Et pouvez-vous me commander un sandwich, s'il vous plaît ? Demandez ce qu'il y a de plus rapide. Je voudrais avoir fini de monter ce dossier à la fin de la journée. Oh ! Et j'aurai besoin des opérations de change sur le compte Duberry. Cherchez le 1 099.

Mitch ferma la porte derrière lui.

— Bon sang, toutes ces conversations bancaires m'excitent.

— Mitch !

Hester leva les yeux vers lui, la tête encore pleine de chiffres.

— Que fais-tu ici ?

— J'organise ton évasion, mais nous devons faire vite. Taz se charge de distraire les vigiles.

Il avait déjà décroché le manteau d'Hester de la patère située derrière la porte.

— Allons-y. Contente-toi de garder la tête baissée et d'avoir l'air naturel.

— Mitch, je dois…

— Manger chinois et faire l'amour avec moi. Peu importe dans quel ordre. Tiens, enfile ça.

— Je n'ai pas encore terminé ces calculs.

— Ils ne s'envoleront pas.

Il l'aida à boutonner son manteau, puis posa les mains sur ses épaules.

— Hester, sais-tu depuis combien de temps nous n'avons pas eu une heure pour nous ? Quatre jours.

— Je sais. Je suis désolée, j'ai été très occupée.

— Occupée, répéta-t-il en désignant son bureau. Personne ne dira le contraire, mais tu m'as aussi tenu à distance.

— Ce n'est pas vrai.

Non, songea Hester, c'était elle qui se tenait à distance de lui, pour se prouver qu'elle n'avait pas autant besoin de Mitch qu'il y paraissait. Mais sa stratégie n'avait pas fonctionné aussi bien qu'elle l'espérait. Debout devant lui, le cœur battant à tout rompre, elle en avait la preuve.

— Mitch, je t'ai expliqué comment je me sentais à l'idée d'être… avec toi dans l'appartement, en même temps que Radley.

— Oui, je sais.

Il aurait aimé parler de ce point, mais il s'abstint.

— En ce moment, continua-t-il, Rad est à l'école et tu as le droit de prendre une pause pour déjeuner. Viens avec moi, Hester. J'ai besoin de toi.

Elle ne pouvait ni lui résister, ni refuser son offre, ni prétendre qu'elle n'avait pas envie d'être avec lui. Sachant qu'elle le regretterait plus tard, elle tourna le dos à son travail.

— Je me contenterai d'un sandwich au beurre de cacahouète et de confiture. Je n'ai pas très faim.

— C'est toi qui décides.

Quinze minutes plus tard, ils pénétraient dans l'appartement de Mitch. Comme d'habitude, les rideaux étaient grands ouverts. Le soleil entrait à flots dans la pièce, où régnait une agréable chaleur. Hester enleva son manteau. Mitch devait monter le chauffage pour pouvoir rester pieds nus chez lui, vêtu d'un simple T-shirt à manches courtes. Elle se tenait debout, son manteau dans la main, ne sachant pas quoi faire.

— Laisse-moi te débarrasser, proposa Mitch en lançant négligemment son vêtement sur une chaise. Beau tailleur, mademoiselle Wallace, murmura-t-il en passant un doigt sur le revers de sa veste à fines rayures.

Hester posa une main sur la sienne, une fois de plus effrayée que tout aille trop vite.

— Je me sens…

— Décadente ?

L'humour qu'elle lut dans son regard l'aida toutefois à se détendre.

— Non, j'ai plus l'impression de m'être enfuie par la fenêtre de ma chambre en pleine nuit.

— Tu l'as déjà fait ?

— Non, j'y ai beaucoup pensé, mais je n'ai jamais su ce que j'aurais pu faire une fois dehors.

— C'est pour ça que je suis fou de toi.

Mitch embrassa ses lèvres, où planait un sourire timide. Elles s'adoucirent et s'abandonnèrent aussitôt sous les siennes.

— Sors par la fenêtre pour moi, Hester. Je te montrerai ce que l'on peut faire.

Il glissa alors une main dans ses cheveux pour faire tomber une à une les épingles qui les attachaient, et elle perdit le contrôle d'elle-même.

Elle le désirait avec une violence qui frisait la folie. Depuis qu'ils avaient fait l'amour, Hester avait passé de longues nuits à penser à lui, à la manière dont il l'avait touchée, aux endroits de son corps qu'il avait caressés. Et, maintenant, les mains de Mitch étaient de nouveau sur elle, comme dans ses souvenirs. Cette fois, elle réagit plus vite que lui. D'un geste vif, elle fit passer le pull de son amant par-dessus sa tête pour se délecter de sa peau chaude et lisse. Puis elle mordilla avec insistance les lèvres de Mitch pour mieux le séduire, jusqu'à ce qu'il lui retire à son tour sa veste puis se débatte avec les boutons qui couraient dans le dos de son chemisier.

Les gestes de Mitch devinrent moins tendres lorsqu'elle trouva le chemin de son sexe. Toute sa belle patience semblait même avoir disparu. Mais la prudence d'Hester s'était depuis longtemps évanouie elle aussi. Sans cesser de le caresser, elle se pressait désormais avec fougue contre lui. Peu lui importait que ce soit le jour ou la nuit. Elle avait beau se débattre avec cette idée, elle était là où elle voulait être, là où elle avait besoin d'être.

De la folie, c'était bien de la folie. Comment avait-il pu vivre si longtemps sans elle ? Fou de désir, Mitch défit les boutons de sa jupe et la fit glisser d'un long geste sensuel le long de ses hanches jusqu'au sol. Puis, avec un grognement de satisfaction, il pressa sa bouche contre la gorge d'Hester. Quatre jours ? Cela ne faisait que quatre jours ? Il la découvrait aussi impatiente et désespérée que lui, comme il en avait rêvé. Il savoura le contact de sa peau, même lorsque le désir se nicha au creux de ses reins et lui fit perdre la tête. Il aurait pu passer des heures à la caresser, à s'en remettre à ses mains. Mais l'intensité du moment, le manque de temps et l'urgence de ses murmures ne le lui permettaient pas.

— La chambre, bafouilla-t-elle tandis qu'il faisait glisser les fines bretelles de son soutien-gorge le long de ses épaules.

— Non, ici.

Puis il scella ses lèvres d'un baiser fougueux en l'entraînant au sol avec lui.

Il aurait aimé lui donner plus. Même s'il sentait qu'il allait bientôt atteindre le point de non-retour, il aurait aimé lui donner plus. Mais elle avait déjà enroulé ses jambes autour de sa taille. Sans lui laisser le temps de reprendre son souffle, elle posa les mains sur ses hanches pour mieux le guider en elle, puis elle enfonça profondément les doigts dans ses épaules en murmurant son prénom. Mitch eut alors l'impression que l'univers entier explosait dans sa tête.

Lorsque Hester reprit enfin ses esprits, elle aperçut de petites particules danser dans un faisceau de lumière. Elle était étendue sur un précieux tapis d'Aubusson, la tête de Mitch nichée entre ses seins. Il était midi, une pile de dossiers l'attendait sur son bureau, et elle venait de passer la plus grande partie de sa pause déjeuner à faire l'amour par terre. Elle ne s'était jamais sentie aussi comblée.

Jusqu'à ce jour, elle ignorait que l'existence pouvait ressembler à une aventure, un carnaval. Pendant des années, elle avait cru qu'il n'y avait pas de place dans sa vie pour la folie de l'amour. Son monde tournait uniquement autour des responsabilités. Mais, à cet instant précis, elle commençait à comprendre que les deux n'étaient pas incompatibles. Pendant combien de temps, elle l'ignorait. Mais, un jour, c'était déjà beaucoup.

— Je suis heureuse que tu sois venu me chercher pour déjeuner.

— Il va falloir le faire plus souvent, alors. Tu veux toujours un sandwich ?

— Non, je n'ai besoin de rien.

De rien d'autre que de lui, songea-t-elle en soupirant. Il allait falloir qu'elle se fasse à cette idée.

— Il faut que je retourne au bureau, annonça-t-elle.

— Ton prochain rendez-vous n'est qu'à 14 heures. J'ai vérifié. Tes opérations de change peuvent attendre quelques minutes, n'est-ce pas ?

— Je suppose que oui.

— Viens avec moi, dit-il en l'aidant à se lever.

— Où donc ?

— Nous allons prendre une douche rapide. Ensuite, il faut que je te parle.

Hester accepta le peignoir qu'il lui tendait en essayant de ne pas trop s'inquiéter. Elle connaissait suffisamment Mitch pour savoir qu'il était plein de surprises. Mais était-elle capable d'en supporter davantage ? Un peu tendue, elle s'assit près de lui sur le canapé et attendit.

— On dirait que tu vis tes dernières heures, remarqua-t-il. Hester tenta un sourire timide.

— Non, mais ce que tu as à me dire semble si sérieux.

— Je te l'ai déjà dit, je ne suis pas toujours drôle.

Du bout des pieds, il écarta quelques magazines de la table basse.

— J'ai eu des nouvelles aujourd'hui, expliqua-t-il, et je ne sais pas trop quoi en penser. Je voudrais avoir ton avis.

— Concernant ta famille ? demanda-t-elle aussitôt, inquiète.

— Non, répondit-il en prenant ses mains entre les siennes. Ce ne sont pas de mauvaises nouvelles. Du moins, je ne pense pas. Une société de production basée à Hollywood vient de conclure un marché avec Universal pour produire un film sur Zark.

Hester le regarda quelques instants, interdite.

— Un film ? Mais c'est merveilleux. Zark est un personnage de bande dessinée très connu, mais un film le rendra plus célèbre encore. Tu dois être ravi et très fier de voir ton travail évoluer de cette façon.

— Je ne sais toujours pas s'ils vont pouvoir le transposer sur grand écran avec le bon ton, les bonnes émotions. Ne me regarde pas comme ça.

— Mitch, je sais l'importance que Zark a pour toi. Enfin, je pense. C'est ta création.

— Pour moi, il est réel, corrigea Mitch. Ici, ajouta-t-il en tapotant sa tempe. Et aussi ridicule que ça puisse paraître, ici aussi, conclut-il en touchant son cœur. Il a changé ma vie, il a changé ma façon de me voir et de voir mon travail. Je ne veux pas que l'on gâche mon personnage, qu'on en fasse un héros en carton-pâte ou, pire encore, qu'on le rende infaillible et parfait.

Hester garda le silence quelques instants. Elle commençait à comprendre que le fait de donner vie à une idée était tout aussi bouleversant que de mettre au monde un enfant.

— Puis-je savoir pourquoi tu l'as créé ? demanda-t-elle.

— Je voulais un héros, un héros très humain, avec ses failles et ses faiblesses. Mais avec de grandes valeurs. Un personnage qui, parce qu'il est fait de chair et de sang, parle aux enfants, un héros avec une force intérieure assez puissante pour se défendre. Les enfants n'ont pas beaucoup le choix, tu sais. Quand j'étais jeune, je voulais être capable de dire : « Non, je ne veux pas, je n'aime pas ça. » Lorsque j'ai commencé à lire, je me suis aperçu qu'il y avait des possibilités, des portes de sortie. C'est dans cet esprit que j'ai créé Zark.

— Et tu penses avoir réussi ?

— Oui, d'un point de vue personnel, j'ai réussi lorsque le premier numéro est sorti. Professionnellement, Zark a poussé Universal au sommet. Il génère des millions de dollars de chiffre d'affaires chaque année.

— Et tu le déplores ?

— Non, pourquoi le ferais-je ?

— Dans ce cas, tu ne devrais pas déplorer de le voir passer à l'étape suivante.

Mitch ne répondit rien. Il réfléchissait. Il aurait dû se douter qu'Hester verrait les choses plus clairement que lui, qu'elle était plus pragmatique. N'était-ce pas la raison pour laquelle il avait besoin d'elle ?

— Ils m'ont proposé d'écrire le scénario.

— Comment ? dit-elle en se redressant, les yeux écarquillés de stupeur. Oh ! Mitch, c'est merveilleux. Je suis si fière de toi.

Il continua de jouer avec les doigts d'Hester.

— Je n'ai pas encore accepté.

— Tu crois ne pas en être capable ?

— Je n'en suis pas sûr.

Hester ouvrit la bouche, puis se ressaisit.

— Bizarre, dit-elle avec prudence. J'aurais juré que tu étais l'homme le plus sûr de lui que je connaisse. De plus, je te croyais beaucoup trop possessif à l'égard de Zark pour laisser une autre personne écrire ce scénario.

— Il y a une différence entre écrire un scénario de bande dessinée et celui d'un film à gros budget.

— Et alors ?

Mitch s'esclaffa.

— Tu te sers de mes propres réponses, à ce que je vois.

— Mitch, tu sais écrire, tu es le premier à dire que tu as beaucoup d'imagination, et tu connais ce personnage mieux que personne. Je ne vois pas où est le problème.

— J'ai peur de tout gâcher. Peu importe, même si je n'écris pas le scénario, ils veulent m'embaucher comme conseiller artistique.

— Je ne peux pas prendre de décision à ta place, Mitch.

— Mais ?

Elle se pencha vers lui, et posa les mains sur ses épaules.

— Ecris ce scénario, Mitch. Tu t'en voudras à mort si tu n'essaies pas. Il n'y a aucune garantie mais, si tu ne prends pas ce risque, tu n'auras pas non plus de récompense.

Emu, Mitch prit la main d'Hester dans la sienne et la serra très fort sans la quitter des yeux.

— C'est vraiment comme ça que tu ressens les choses ?

— Oui. Je crois aussi en toi.

Elle se pencha vers lui pour effleurer ses lèvres.

— Epouse-moi, Hester, prononça Mitch dans un souffle.

Sa bouche toujours contre la sienne, elle se raidit. Puis, très doucement, elle s'écarta de lui.

— Comment ?

— Epouse-moi, répéta-t-il en retenant fermement sa main. Je t'aime.

— Non, s'il te plaît, ne fais pas ça.

— Ne pas faire quoi ? T'aimer ?

Il resserra l'étreinte autour de ses doigts, tandis qu'elle tentait de se dégager.

— Il est beaucoup trop tard pour ça, et tu le sais, ajouta-t-il. Je ne t'ai pas menti en te disant que je ne m'étais jamais aussi bien senti avec une femme. Je veux passer le reste de ma vie avec toi.

— Je ne peux pas, murmura-t-elle.

Chaque mot semblait lui brûler la gorge.

— Je ne peux pas me marier avec toi, continua-t-elle. Je ne veux me marier avec personne. Tu ne mesures pas ce que tu me demandes.

— Le fait de ne jamais avoir été marié ne veut pas dire que je ne peux pas comprendre.

Il s'était attendu à une réaction de surprise, et même à une certaine résistance. Mais il s'apercevait à présent à quel point il s'était trompé. Il y avait une peur irraisonnée dans les yeux d'Hester, une réelle panique dans sa voix.

— Hester, je ne suis pas Allan. Et nous savons tous les deux que tu n'es pas la même femme que le jour où tu l'as épousé.

— Peu importe. Je ne suis plus prête à sauter le pas et à entraîner Radley dans tout ça.

Elle s'écarta brusquement et entreprit de se rhabiller.

— Tu n'es pas raisonnable, conclut-elle.

— Vraiment?

Luttant pour garder son calme, Mitch s'approcha d'elle par-derrière et l'aida à boutonner son chemisier. Il la sentit se raidir de nouveau.

— Maintenant, dit-il, c'est toi qui fondes tes sentiments sur des événements qui ont eu lieu il y a des années.

— Je ne veux pas en parler.

— Peut-être que ce n'est pas le meilleur moment pour le faire, mais un jour il faudra bien avoir cette discussion.

Comme elle lui résistait, il la fit pivoter.

— Nous allons devoir en parler, précisa-t-il.

Hester ne pensait plus qu'à partir, assez loin pour oublier tout ce qui venait d'être dit. Mais, pour l'heure, elle allait devoir affronter son amant.

— Mitch, nous ne nous connaissons que depuis quelques semaines, et nous commençons à peine à accepter ce qui se passe entre nous.

— Ce qui se passe? Si mes souvenirs sont bons, c'est toi qui m'as dit que les relations légères ne t'intéressaient pas.

Hester se sentit blêmir, puis pivota pour saisir sa veste.

— Je ne prends pas notre relation à la légère.

— En effet, parce que c'est sérieux, pour chacun de nous deux.

— Oui, c'est vrai, mais…

— Hester, je t'ai dit que je t'aimais. Maintenant, j'ai besoin de savoir ce que tu ressens pour moi.

— Je n'en sais rien.

Elle laissa échapper un cri lorsqu'il la prit de nouveau par les épaules.

— Je t'ai dit que je ne savais pas, continua-t-elle. Je crois que je t'aime. Aujourd'hui. Tu me demandes de mettre en péril tout ce que j'ai fait, la vie que j'ai construite pour Radley et moi-même, pour une émotion qui peut changer en une nuit.

— L'amour ne disparaît pas en une nuit, corrigea-t-il. On peut le tuer ou l'alimenter. Tout dépend de la manière dont les gens s'impliquent. Je veux que tu t'engages auprès de moi, que tu m'offres une famille, et je veux m'engager auprès de toi en retour.

— Mitch, tout va trop vite, beaucoup trop vite pour nous.

— Bon sang, Hester. J'ai trente-cinq ans. Je ne suis pas un jeune écervelé. Je ne veux pas t'épouser pour avoir une femme dans mon lit tous les soirs et un vrai petit déjeuner le matin, mais parce que je sais que nous pouvons vivre ensemble quelque chose d'authentique et de sérieux.

— Tu ne sais pas à quoi ressemble le mariage, tu ne peux que l'imaginer.

— Et, de ton côté, tu n'en as qu'une mauvaise expérience. Hester, regarde-moi. Regarde-moi, insista-t-il. Quand vas-tu cesser de prendre le père de Radley comme référence?

— C'est le seul exemple que je connaisse.

Hester se dégagea de son étreinte et reprit son souffle.

— Mitch, ta proposition me flatte.

— Ça ne me suffit pas.

— S'il te plaît, dit-elle en passant nerveusement une main dans ses cheveux. Je t'aime beaucoup, et la seule chose dont je sois certaine, c'est que je ne veux pas te perdre.

— Le mariage ne marque pas la fin d'une relation, Hester.

— Je ne peux pas penser au mariage, je suis navrée.

Un vent de panique l'envahit au point qu'elle s'interrompit quelques secondes pour se calmer.

— Si tu ne veux plus me voir, je comprendrai, conclut-elle. Mais je… j'espère que nous pouvons nous contenter de continuer comme maintenant.

Mitch enfonça les mains dans ses poches. Il avait l'habitude d'aller trop loin, trop vite, et il le savait. En revanche, il détestait l'idée de gaspiller le temps qu'ils pouvaient passer ensemble.

— Pour combien de temps, Hester?

— Aussi longtemps que notre relation durera, répondit-elle en fermant les yeux. C'est sans doute dur à entendre. Tu signifies beaucoup pour moi. Jamais je n'aurais imaginé que quelqu'un puisse de nouveau compter autant pour moi.

Mitch caressa la joue humide d'Hester.

— Je me sens désarmé, murmura-t-il en étudiant la larme sur son doigt.

— Je suis désolée. Je ne voulais pas en arriver là. Je ne savais pas que tu avais ce genre de projets en tête.

— Je le vois bien, répondit-il avec un petit rire ironique. En trois dimensions.

— Je t'ai blessé et je le regrette beaucoup.

— Non, je me suis mis tout seul dans l'embarras. En vérité, cela faisait au moins une semaine que je n'avais pas imaginé te demander en mariage.

Hester effleura sa main, puis s'interrompit.

— Mitch, ne pouvons-nous pas simplement oublier tout ça, et en rester là?

Il tendit la main vers elle et saisit le revers de sa veste.

— Non, je crains que ce ne soit pas possible. J'ai bien réfléchi, Hester. Je ne le fais qu'une ou deux fois par an mais, ensuite, je ne peux plus revenir en arrière.

Il planta son regard dans le sien avec cette intensité qui la pénétrait jusqu'aux os.

— Tôt ou tard, je t'épouserai, continua-t-il. Si c'est tard, ça me va. Mais je te laisserai du temps pour te faire à cette idée.

— Mitch, je ne vais pas changer d'avis. Ce ne serait pas juste de te laisser croire le contraire. Ce n'est pas un simple caprice, mais une promesse que je me suis faite à moi-même.

— Certaines promesses méritent d'être rompues.

Hester secoua la tête d'un air désespéré.

— Je ne sais plus quoi dire. J'espère juste que…

Il plaqua un doigt sur ses lèvres pour l'arrêter.

— Nous en parlerons plus tard. Je vais te raccompagner au bureau.

— Non, ne te dérange pas. Vraiment, dit-elle en le voyant ouvrir la bouche pour protester. J'ai besoin d'un peu de temps pour réfléchir. Ce serait plus difficile avec toi.

— C'est un bon début.

Puis il saisit son menton et étudia longuement son visage.

— La prochaine fois, essaie de ne pas pleurer quand je te demanderai de m'épouser. C'est terrible pour mon ego.

Il l'embrassa avant qu'elle puisse répondre.

— A plus tard, madame Wallace. Et merci pour le déjeuner.

Un peu hébétée, Hester sortit dans le couloir.

— Je t'appellerai plus tard, déclara-t-elle.

— Parfait. Je ne serai pas très loin.

Mitch referma derrière elle et s'adossa contre la porte. Bon sang, qu'il avait mal ! songea-t-il, une main sur le cœur. Si quelqu'un lui avait dit qu'être amoureux pouvait faire aussi mal, il aurait continué à éviter ce sentiment. Il avait eu une grande déception lorsque son lointain amour de La Nouvelle-Orléans l'avait quitté. Mais, avec Hester, il ne s'était pas préparé à un tel coup de massue. Comment aurait-il pu ?

Pourtant, il n'était pas prêt à baisser les bras. Il allait élaborer un plan d'attaque, subtil, intelligent et irrésistible, décida-t-il en regardant Taz avec circonspection.

— Où penses-tu qu'Hester aimerait passer notre lune de miel ?

Le chien grogna avant de rouler sur le dos.

— Non, décréta Mitch. Les Bermudes, c'est dépassé. Peu importe, je trouverai bien autre chose.

10

— Radley, peux-tu faire la guerre avec tes amis en faisant un peu moins de bruit, s'il te plaît ?

Saisissant le ruban mesureur autour de son cou, Hester l'apposa contre le mur.

Parfait, songea-t-elle, satisfaite. Puis elle attrapa le crayon coincé derrière son oreille et traça deux croix à l'endroit supposé accueillir les clous.

Les deux petites étagères de verre étaient une façon pour elle de se faire plaisir, même si elle n'avait pas vraiment besoin de ces objets. Quant au fait de les accrocher seule, ce n'était pas une façon de montrer ses compétences ou son indépendance, mais l'une des tâches courantes qu'elle avait pris l'habitude de réaliser seule depuis des années. Le marteau dans une main, elle s'empara du premier clou. Elle venait d'y porter deux grands coups lorsqu'elle entendit frapper à la porte.

— Une minute !

Hester donna un dernier coup. De la chambre de Radley fusait le bruit sifflant de missiles antiaériens. Elle prit le deuxième clou d'entre ses lèvres pour le glisser dans sa poche.

— Rad, la police va venir nous arrêter pour trouble à l'ordre public ! lança-t-elle.

Lorsqu'elle ouvrit la porte, elle trouva Mitch sur le palier.

— Salut, dit-elle.

Le plaisir qu'il lut sur les traits d'Hester lui réchauffa aussitôt le cœur. Mitch ne l'avait pas vue depuis deux jours. Depuis qu'il lui avait confié qu'il l'aimait et qu'il voulait l'épouser. En deux jours, il avait beaucoup réfléchi et ne pouvait qu'espérer que, malgré elle, elle en avait fait de même de son côté.

— Tu fais des travaux ? demanda-t-il en désignant le marteau.

— J'accroche une étagère, répondit-elle, les deux mains sur l'outil.

Elle semblait aussi intimidée qu'une adolescente.

— Entre.

Mitch lorgna vers la chambre de Radley en fermant la porte derrière lui. Il avait l'impression qu'une grande attaque aérienne était en cours.

— Tu ne m'avais pas dit que tu ouvrais une garderie.

— Cela fait longtemps que j'en rêve. Rad, vous venez de signer un traité. Cessez le feu !

Elle l'invita à prendre place dans un fauteuil, un sourire timide aux lèvres.

— Radley a invité Josh et Ernie, qui vit un étage au-dessus. Il fréquente la même école que lui.

— Oui, le petit monstre. Je le connais. C'est très beau, fit-il en contemplant les étagères.

— C'est un cadeau pour célébrer mon premier mois à la National Trust, expliqua Hester en passant un doigt sur le bord biseauté.

Pour tout avouer, elle préférait de loin cet objet à un nouveau vêtement.

— C'est une sorte de prime ?

— Autoattribuée, alors.

— Ce sont les meilleures. Tu veux que je t'aide à finir ?

— Oh ? Non, merci, je peux le faire. Pourquoi ne pas t'asseoir ? Je vais te faire du café.

— Non, *tu* accroches l'étagère et *je* vais faire du café, répondit-il en l'embrassant sur le bout du nez. Et détends-toi, d'accord ?

— Mitch…

Il s'était éloigné de deux pas lorsqu'elle lui prit le bras.

— Je suis terriblement heureuse de te voir, avoua-t-elle. J'avais peur que tu sois fâché.

Il lui lança un regard perplexe.

— Fâché ? Pourquoi le serais-je ?

— Eh bien…

Elle laissa sa phrase en suspens tandis qu'il continuait de la fixer d'un air mi-intéressé, mi-curieux, au point qu'elle se demanda si elle n'avait pas tout inventé.

— Rien, conclut-elle en sortant le clou de sa poche. Je te laisse te servir.

— Merci, dit Mitch en souriant comme elle avait le dos tourné.

Il avait atteint son objectif : il avait réussi à la troubler. Maintenant, elle allait devoir penser à lui et réfléchir à ce qu'ils s'étaient dit. Plus elle y penserait et plus il y avait de chances qu'il lui fasse entendre raison.

En sifflotant, Mitch se dirigea d'un pas nonchalant vers la cuisine pendant qu'elle accrochait le deuxième clou.

Il lui avait bien demandé de l'épouser, elle n'avait pas rêvé, songea Hester. Elle se souvenait de chacune de ses paroles, de chacune des réponses qu'elle lui avait faites. Et elle était certaine de l'avoir vu en colère et blessé. Ne venait-elle pas de passer deux jours à s'en vouloir ? Et, aujourd'hui, voilà qu'il se présentait chez elle comme si de rien n'était.

Elle posa le marteau puis souleva les étagères. Peut-être se sentait-il soulagé de son refus ? Cela expliquerait son attitude. Mais pourquoi cette idée ne lui apportait-elle pas le soulagement espéré ?

— Tu as fait des cookies ? demanda Mitch en amenant deux tasses ainsi qu'un plat de cookies tout chauds.

— Oui, ce matin.

Elle lui lança un sourire par-dessus son épaule en ajustant les étagères.

— Il faudrait monter celle-ci un peu plus haut vers la droite, conseilla-t-il en s'asseyant sur l'accoudoir d'un fauteuil.

Il posa la tasse d'Hester et croqua dans un cookie au chocolat.

— Délicieux, s'extasia-t-il après la première bouchée. Et sache que je suis un connaisseur !

— Je suis heureuse qu'ils te plaisent, répliqua Hester, toujours concentrée sur ses étagères.

Elle recula d'un pas pour admirer le résultat.

— C'est important. J'ignore si je pourrais épouser une femme qui ne sait pas faire les cookies.

Il en prit un deuxième qu'il examina attentivement.

— Enfin, je pourrais peut-être, rectifia-t-il tandis qu'Hester se tournait lentement vers lui. Mais ce serait difficile.

Il dévora le biscuit en lui souriant.

— Heureusement, je peux définitivement écarter cette éventualité, conclut-il.

— Mitch, dit Hester sur le ton de la réprimande.

Mais, avant qu'elle ait pu trouver quoi ajouter, Radley arriva en trombe, suivi de ses deux amis.

— Mitch! s'écria le petit garçon, ravi de le voir.

L'enfant poussa un hurlement strident avant de s'arrêter devant lui et, tout naturellement, Mitch passa un bras autour de ses épaules.

— Nous venons de livrer une bataille formidable. Nous sommes les derniers survivants.

— Vous devez avoir faim. Prends donc un cookie.

Radley se servit et engouffra le biscuit tout entier.

— Nous devons aller chez Ernie chercher d'autres armes.

Il tendit la main vers un autre cookie avant de croiser le regard de sa mère.

— Tu n'es pas venu avec Taz, constata Radley.

— Il a regardé la télévision tard hier soir. Il a décidé de dormir toute la journée.

— D'accord. Je peux aller chez Ernie un petit moment?

— Bien sûr, répondit Hester. Mais ne sortez pas sans me le dire.

— Promis. Vous pouvez partir devant, les gars. J'ai quelque chose à faire.

Radley partit en courant vers sa chambre tandis que ses deux amis se dirigeaient vers la porte d'entrée.

— Je suis heureuse qu'il se fasse de nouveaux amis, fit Hester en tendant la main vers sa tasse. Dire qu'il se faisait du souci à ce sujet...

— Radley n'est pas du genre timide.

— Non, en effet.

— Il a également la chance d'avoir une mère qui invite ses copains et qui leur fait des cookies.

Tout en buvant son café, Mitch se souvint que la cuisinière de sa mère faisait des petits gâteaux, elle aussi. Mais ce n'était pas la même chose.

— Evidemment, une fois que nous serons mariés, nous devrons lui donner des frères et sœurs. Que vas-tu mettre sur cette étagère ?

— Des objets inutiles, murmura-t-elle sans le quitter des yeux. Mitch, je n'ai pas envie de discuter avec toi, mais je pense que nous devons éclaircir les choses.

— Quoi donc ? Oh ! Je voulais te dire que j'ai commencé à travailler sur le scénario. J'avance plutôt bien.

— J'en suis ravie.

Mais Hester était également troublée.

— Vraiment, continua-t-elle, c'est formidable, mais je pense que nous devrions d'abord parler de cette affaire.

— Bien sûr. De quelle affaire s'agit-il ?

Elle ouvrit la bouche, mais fut interrompue une fois de plus par son fils. Lorsque Radley entra dans le salon, Hester se leva pour poser un petit chat en porcelaine en haut de l'étagère.

— Je t'ai fabriqué quelque chose à l'école, annonça le petit garçon à Mitch.

L'enfant avait les mains dans le dos et arborait un air gêné.

— Vraiment ? s'étonna Mitch en posant sa tasse. Puis-je voir ce que c'est ?

— C'est la Saint-Valentin, tu sais.

Après plusieurs secondes d'hésitation, il tendit à Mitch une carte en papier Canson ornée d'un ruban bleu.

— J'ai déjà fait à ma mère un cœur en dentelle, mais je me suis dit que le bleu c'était mieux pour les garçons. Elle s'ouvre.

Emu, Mitch ouvrit la carte. Radley avait utilisé ses plus belles lettres d'imprimerie pour l'écrire.

« A Mitch, mon meilleur ami. Je t'aime, Radley. »

Mitch dut s'éclaircir la gorge en veillant à ne pas avoir l'air idiot.

— C'est formidable ! s'extasia-t-il. Personne ne m'a jamais offert de carte avant aujourd'hui.

— Vraiment ?

La gêne de Radley fut remplacée par la surprise.

— J'en fais tout le temps pour ma mère. Elle dit qu'elle les préfère à celles que l'on achète dans les magasins.

— Ta maman a raison, j'aime bien mieux celle-ci.

Mitch n'était pas certain qu'un garçon de presque dix ans apprécie d'être embrassé, mais il passa une main dans les cheveux de Radley et déposa un baiser sur sa joue.

— Merci beaucoup.

— De rien. A plus tard.

Le regard toujours braqué sur le bout de papier, Mitch entendit la porte claquer.

— J'ignorais tout de cette carte, dit calmement Hester. Je pense qu'il voulait garder le secret.

— Il a fait du beau travail.

A cet instant, Mitch n'aurait su dire ce que ce carton et ce ruban signifiaient pour lui. Il se leva et s'avança vers la fenêtre, la carte à la main.

— Je suis fou de lui, constata-t-il.

— Je sais, répondit Hester en s'humectant les lèvres.

Si jamais elle avait douté de l'ampleur des sentiments de Mitch à l'égard de son fils, elle venait d'en avoir une preuve évidente. Et cela ne faisait que lui rendre la tâche plus difficile.

— En quelques semaines, tu as fait tellement pour lui. Je sais qu'aucun de nous ne peut te demander d'être ici, mais sache que ta présence signifie beaucoup pour nous.

Mitch réprima une bouffée de colère. Il n'avait que faire de sa gratitude. Il attendait tellement plus de sa part. Mieux valait qu'il se calme.

— Le meilleur conseil que je puisse te donner est de t'y habituer, Hester.

— C'est exactement ce que je ne peux pas faire.

Elle s'avança vers lui, l'air très déterminé.

— Mitch, je t'aime beaucoup, mais je ne veux pas dépendre de toi. Je ne peux pas me permettre d'avoir des attentes, de faire des projets, de placer ma confiance en toi.

— C'est toi qui le dis, répondit-il en posant précautionneusement la carte sur la table. Je n'ai pas l'intention de discuter.

— Ce que tu as dit avant…

— Qu'ai-je dit?

— A propos de quand nous serions mariés.

— J'ai parlé mariage, moi? demanda-t-il en enroulant une longue mèche de cheveux autour de son doigt, le sourire aux lèvres. Je ne sais pas ce qui a pu me passer par la tête.

— Mitch, j'ai l'impression que tu essaies de me déstabiliser.

— Et ça fonctionne?

Mieux valait prendre cette conversation avec légèreté, songea Hester. Si Mitch voulait jouer avec elle, elle allait lui faciliter la tâche.

— Uniquement parce que tu confirmes ce que j'ai toujours pensé de toi. Tu es un homme très étrange.

— Etrange comment?

— Pour commencer, tu parles à ton chien.

— Et il me répond. Ça ne compte pas. Essaie encore.

Le doigt toujours enroulé dans ses cheveux, il l'attira un peu plus près de lui. Qu'elle le veuille ou non, ils étaient en train de parler de leur relation et elle était détendue.

— Tu gagnes ta vie en écrivant des bandes dessinées. Et, en plus, tu les lis.

— En tant que femme avec une grande expérience des finances, tu dois comprendre l'importance d'un bon investissement. Sais-tu combien un double numéro de mes *Défenseurs de Perth* vaut aux yeux d'un collectionneur? Par modestie, je préfère taire le chiffre.

— Je parie qu'il coûte très cher.

Il acquiesça d'un léger signe de tête.

— Et sachez, madame Wallace, que je serais heureux de

débattre avec vous des mérites de la littérature sous toutes ses formes. Je t'ai déjà dit que j'étais chargé d'animer les débats au lycée ?

— Non.

Hester avait posé les mains sur le torse de Mitch, attirée une fois de plus par son corps ferme et musclé.

— Il y a aussi le fait que tu n'as jeté aucun journal ou magazine depuis cinq ans.

— Je les garde pour la grande collecte de papier du troisième millénaire. La conservation est une seconde nature.

— Tu as aussi réponse à tout.

— Je n'en attends qu'une seule de ta part. T'ai-je dit qu'après tes jambes je suis tombé amoureux de tes yeux ?

— Non, dit-elle, légèrement amusée. Et, moi, t'ai-je dit que la première fois que je t'ai vu à travers le judas je t'ai regardé un long moment ?

— Je sais, répliqua-t-il, l'air très sûr de lui. De l'autre côté de la porte, j'ai distingué une ombre.

— Oh ! répondit-elle sans savoir quoi ajouter.

— Les enfants peuvent revenir en courant d'une minute à l'autre, tu sais. Pouvons-nous arrêter de parler quelques instants ?

— Oui, dit-elle en l'enlaçant. C'est possible.

Hester refusait encore d'admettre qu'elle se sentait en sécurité, protégée dans les bras de Mitch. C'était pourtant la vérité. Elle ne voulait pas accepter qu'elle avait eu peur de le perdre ; elle avait été terrifiée par le vide qu'il aurait laissé dans sa vie. Mais sa crainte était encore vive. En levant les lèvres vers les siennes, ce sentiment s'estompa un peu.

Pourtant, elle était incapable de réfléchir au futur, d'envisager l'avenir que Mitch lui avait dépeint lorsqu'il lui avait parlé de mariage et de famille. Quand elle était enfant, on lui avait appris que le mariage durait toujours, mais elle avait compris depuis qu'il était très simple de briser une promesse. Et elle ne voulait plus de promesses rompues dans sa vie, plus de vœux brisés.

Les sentiments avaient beau déferler sur elle et amener avec eux leur lot de rêves nostalgiques, sa volonté restait entière. Elle avait peut-être cédé son cœur à Mitch, mais elle se montrerait forte. Même si elle se surprit à le serrer plus fort dans ses bras, à l'attirer plus près d'elle, Hester savait que c'était cette même volonté qui les empêcherait plus tard d'être malheureux.

— Je t'aime, Hester, murmura Mitch contre sa bouche.

Elle ne voulait pas l'entendre prononcer ces mots, il le savait, mais il avait besoin de les lui dire. S'il les répétait assez, sans doute pourrait-elle commencer à le croire et, mieux encore, comprendre leur sens profond.

Car il voulait qu'elle soit à lui pour toujours, comme il voulait être à elle pour toujours. Comment aurait-il pu se contenter de ce court instant volé dans la lumière qui coulait à flots par la fenêtre, ou d'autres moments arrachés dans l'obscurité ? Une seule fois dans sa vie, il avait désiré quelque chose avec cette même intensité. Quelque chose d'abstrait et de nébuleux qu'on appelle l'art. Puis l'heure était finalement venue pour lui de reconnaître que ce rêve ne serait jamais à sa portée.

A l'inverse, Hester était bien là, dans ses bras. Il pouvait même sentir les désirs doux et brûlants qui s'agitaient en elle. Elle n'était pas un rêve, mais la femme qu'il aimait, qu'il désirait, et qu'il finirait par avoir. Si, pour la garder, il devait user de quelques petites ruses pour faire tomber une à une ses résistances, alors il était prêt à jouer.

Mitch leva les mains vers son visage et glissa les doigts dans ses cheveux.

— Je pense que les enfants vont bientôt revenir, dit-il.

— Certainement, répondit Hester en cherchant de nouveau ses lèvres.

Jamais elle n'avait ressenti une telle urgence auparavant.

— Si seulement nous avions plus de temps, ajouta-t-elle.

— Tu le penses vraiment ?

Elle avait les yeux mi-clos lorsqu'il s'écarta d'elle.

— Oui.

— Laisse-moi revenir ce soir.

— Oh! Mitch, dit-elle, bouleversée, en posant la tête sur son épaule.

Pour la première fois en dix ans, la mère et la femme qui étaient en elle se livraient un combat.

— J'ai envie de toi, murmura-t-elle. Tu le sais, n'est-ce pas ? Hester sentait battre son cœur très fort contre le sien.

— Oui, j'imagine, dit-il dans un soupir.

— J'aimerais être avec toi ce soir, mais il y a Rad.

— Je sais ce que tu penses à l'idée que je dorme chez toi avec Rad dans la chambre à côté. Hester...

Il fit glisser ses mains le long de ses bras, lui arrachant un délicieux frisson.

— Pourquoi ne pas être franc avec lui ? Pourquoi ne pas lui dire tout simplement que nous nous aimons et que nous avons envie d'être ensemble ?

— Mitch, ce n'est encore qu'un bébé.

— Non, il n'est plus un bébé. Attends, continua-t-il sans lui laisser le temps de l'interrompre. Je n'insinue pas qu'il faille lui présenter notre histoire comme quelque chose sans importance. Nous devrions dire à Radley ce que nous ressentons et lui expliquer que, lorsque deux adultes ont des sentiments très forts l'un pour l'autre, ils ont besoin de les exprimer.

Présenté de cette façon, tout était si simple, si logique, si naturel. Rassemblant ses esprits, Hester recula d'un pas.

— Mitch, Rad t'aime avec l'innocence et la spontanéité d'un enfant.

— Je l'aime aussi.

Elle le regarda droit dans les yeux avant d'acquiescer.

— Oui, je te crois et, si tu es sincère, j'espère que tu comprendras. Je crains que si, à ce stade, j'implique Radley, il en viendra à dépendre de toi encore plus qu'aujourd'hui. Il serait tenté de te voir comme un...

— Comme un père, compléta Mitch, ému. Et tu ne veux pas d'un père dans ta vie, n'est-ce pas ?

— Tu n'as pas le droit de dire ça.

Le regard d'Hester, d'ordinaire si calme et si clair, se troubla.

— Peut-être pas, mais à ta place je réfléchirais sérieusement à la situation.

— Tu n'as pas besoin de te montrer aussi cruel avec moi pour la seule raison que je refuse de coucher avec toi alors que mon fils dort dans la chambre d'à côté !

Mitch saisit son chemisier si vite qu'elle ne put l'éviter. Hester l'avait vu contrarié, à bout, mais jamais aussi furieux.

— Bon sang, tu penses que tout se résume à ça ? explosa-t-il. Si j'étais uniquement à la recherche de sexe, il me suffirait de décrocher mon téléphone. Le sexe est une affaire facile, Hester. Il suffit de deux personnes consentantes et d'un peu de temps.

— Je suis désolée, répondit-elle en baissant les yeux. C'était stupide de ma part de dire ça. Mais je me sens acculée. J'ai besoin d'un peu de temps, Mitch, s'il te plaît.

— C'est ce que j'essaie de te donner. Mais, pour ma part, j'ai besoin de passer ce temps avec toi, dit-il en fourrant les mains dans les poches. Je sais que je te mets la pression, mais je n'ai pas l'intention d'arrêter, car je crois en nous.

— J'aimerais pouvoir le faire aussi, vraiment, mais il y a trop de choses en jeu pour moi.

Et pour moi aussi, songea Mitch, qui avait recouvré suffisamment de calme pour ne rien laisser transparaître des émotions qui se bousculaient en lui.

— D'accord, nous allons continuer comme ça quelque temps, proposa-t-il. Vous voulez aller faire quelques jeux d'arcade ce soir à Times Square ?

— Oui, je suis certaine que Radley appréciera.

Elle s'approcha de nouveau de lui.

— Et moi aussi, ajouta-t-elle doucement.

— Tu n'en diras pas autant lorsque je t'aurai battue à plate couture.

— Je t'aime.

Mitch expira longuement, luttant contre l'envie pressante de la prendre de nouveau dans ses bras pour ne plus la lâcher.

— Préviens-moi juste lorsque tu te sentiras à l'aise avec tout ça.

— Tu seras le premier informé, c'est promis.

Mitch saisit la carte que Radley lui avait confectionnée.

— Dis à Rad que je le verrai plus tard.

— Je n'y manquerai pas.

Il avait presque atteint la porte lorsqu'elle s'élança derrière lui.

— Pourquoi ne viens-tu pas dîner avec nous demain soir ? J'ai prévu de faire du rôti.

— Avec des petites pommes de terre et des carottes ?

— Oui.

— Et des petits gâteaux ?

— Si tu veux, dit-elle en souriant.

— C'est très tentant, mais je suis déjà pris.

— Oh.

Elle résista à l'envie de lui demander des explications avant de se souvenir qu'elle n'avait aucun droit sur lui.

Mitch lui souriait, égoïstement ravi de voir sa déception.

— On peut remettre ça ? demanda-t-il d'un air innocent.

— Bien sûr, répondit-elle en se forçant à sourire. J'imagine que Radley t'a parlé de son anniversaire la semaine prochaine, ajouta-t-elle lorsque Mitch eut atteint la porte.

— Seulement cinq ou six fois.

Il s'interrompit, la main sur la poignée.

— Il organise une fête samedi après-midi, expliqua-t-elle. Je sais qu'il aimerait que tu viennes, si tu peux.

— Je serai là. Je viens vous chercher à 19 heures, ce soir ? Je me charge de la monnaie.

— Nous serons prêts.

Il ne semblait pas vouloir l'embrasser pour lui dire au revoir, songea-t-elle, déçue.

— Mitch, je…

— Oh ! J'ai failli oublier, déclara-t-il sur un ton détaché.

Il fouilla négligemment la poche arrière de son jean et en sortit un petit paquet.

— Qu'est-ce que c'est ?

— C'est la Saint-Valentin, tu te souviens ?

Il posa le paquet dans le creux de sa main.

— C'est un petit cadeau pour cette occasion, ajouta-t-il.

— Un cadeau de la Saint-Valentin ! répéta-t-elle, stupéfaite.

— C'est la tradition, je crois. J'ai pensé à t'offrir des bonbons, et puis je me suis dit que tu passerais trop de temps à surveiller Radley pour qu'il n'en mange pas trop. Ecoute, si tu préfères des bonbons, je peux le ramener et…

— Non, dit-elle en levant le paquet hors de sa portée tout en riant. Je ne sais même pas ce que c'est !

— Tu le sauras peut-être quand tu auras ouvert la boîte.

Hester ne se fit pas prier. Lorsqu'elle souleva le couvercle, elle aperçut une fine chaîne en or, au bout de laquelle pendait un petit cœur, pavé de ravissants diamants qui brillaient de mille feux.

— Oh ! M'tch, c'est magnifique !

— Je me suis dit qu'un collier aurait plus de succès que des bonbons. Je voulais éviter que tu te focalises trop sur l'hygiène buccale.

— Je ne suis pas aussi maniaque que tu veux bien le croire, protesta-t-elle en dégageant la chaîne de la boîte. Oh ! Mitch, il est vraiment très beau, je l'aime beaucoup, mais c'est trop…

— Conventionnel, je sais, l'interrompit-il en le lui prenant des mains. Mais on ne se refait pas.

— Toi, tu es conventionnel ?

— Au lieu de parler, tourne-toi pour que je puisse l'accrocher à ton cou.

Hester obéit et leva ses cheveux pour l'aider.

— J'aime vraiment ton cadeau, mais je n'attends pas de toi que tu me gâtes autant.

— En effet, répondit-il, très concentré sur le fermoir. Et je n'attends pas de toi que tu me prépares du bacon et des œufs. Mais cela semblait te faire tellement plaisir.

Une fois la chaîne attachée, il la fit pivoter vers lui.

— Sache que j'ai beaucoup de plaisir à te voir porter mon cœur autour de ton cou.

— Merci, dit-elle en mettant la main sur le pendentif. Je ne t'ai pas acheté non plus de bonbons, mais je peux peut-être t'offrir autre chose.

Le sourire aux lèvres, elle l'embrassa tendrement, de manière espiègle, avec une force qui les surprit tous les deux. Il ne fallut à Mitch qu'un seul instant pour être perdu, pour avoir besoin d'elle, pour se laisser porter par son imagination. Le dos contre la porte, il fit glisser ses mains le long de ses épaules avant de les poser sur ses hanches aux courbes douces, afin de mieux la serrer contre lui. La flamme du désir s'embrasa rapidement et, même lorsqu'elle s'écarta de lui, il en ressentait encore la brûlure. Les yeux plongés dans ceux d'Hester, il souffla très longuement.

— Je suppose que les enfants vont bientôt rentrer.

— D'une minute à l'autre.

Il l'embrassa légèrement sur le front avant de tourner les talons et d'ouvrir la porte.

— A plus tard, dit-il.

Une longue promenade avec son chien lui ferait le plus grand bien, songea-t-il en s'éloignant dans le couloir.

Fidèle à sa parole, Mitch avait rempli ses poches de petite monnaie. La salle de jeux était pleine à craquer. De toutes parts, des bruits de sifflements et d'explosions s'échappaient des machines. Un peu à l'écart, Hester regardait Mitch et Radley combiner leurs efforts pour sauver le monde d'une guerre intergalactique.

— Beau tir, caporal, dit Mitch en tapotant l'épaule du petit garçon, qui venait de désintégrer une fusée dans une déflagration de couleurs.

— C'est à toi, déclara Radley en abandonnant le pistolet à son officier supérieur. Fais attention aux détecteurs de missiles.

— Ne t'inquiète pas, je suis un vétéran.

— Nous allons battre le record, expliqua Radley en détournant les yeux de l'écran pour regarder sa mère. Nous pourrons alors inscrire nos initiales. Cet endroit est génial, tu ne trouves pas ? On trouve de tout.

De tout, en effet, songea Hester en lançant un regard furtif vers des individus louches habillés de cuir et couverts de tatouages. Un hurlement strident s'échappa de la machine juste derrière eux.

— Nous ne sommes qu'à sept cents points du record, caporal, annonça Mitch. Surveille bien les satellites nucléaires.

— A vos ordres, chef, répondit Radley en saisissant les manettes, l'air très concentré.

— Il a de bons réflexes, confia Mitch à Hester tandis que Radley contrôlait son vaisseau d'une main tout en lançant des missiles aériens de l'autre.

— Josh possède une console de jeux vidéo, expliqua-t-elle. Rad adore aller chez lui pour y jouer.

Hester sentit les battements de son cœur s'accélérer alors que le vaisseau de Radley frôlait l'anéantissement.

— Je ne sais pas comment il fait pour se repérer dans ce jeu, ajouta-t-elle. Oh! Regarde, il vient de battre le record!

Le visage crispé, ils observèrent Radley en silence. L'enfant se battit courageusement jusqu'au bout. A la fin, un magnifique feu d'artifice éclaira l'écran dans une explosion de bruit et de lumières.

— C'est un nouveau record! s'écria Mitch en lançant le petit garçon dans les airs. Cela mérite une promotion. Sergent, inscrivez vos initiales.

— Mais tu as fait plus de points que moi.

— Qui les a comptés? Allez, écris.

Les joues roses de fierté, Radley appuya sur le bouton pour parcourir l'alphabet et inscrivit R.A.W. Le A signifiait Allan, songea Mitch sans faire de commentaire.

— Tu veux essayer à ton tour, Hester?

— Non, merci, je préfère regarder.

— Ma mère n'aime pas jouer, lui confia Radley. Elle transpire trop des mains.

— Tu transpires des mains? demanda Mitch en souriant.

Hester lança un regard sévère à son fils.

— C'est à cause de la pression, expliqua-t-elle. Je suis incapable d'imaginer que je suis responsable du destin du monde. Je sais qu'il ne s'agit que d'un jeu, mais je me laisse vite emporter.

— Vous êtes merveilleuse, mademoiselle Wallace.

Lorsque Mitch embrassa sa mère sur la bouche, Radley resta un moment ébahi. En fait, cette scène lui procurait un sentiment étrange, dont il n'aurait su dire s'il était bon ou mauvais. Une chose était sûre : lorsque Mitch posa la main sur son épaule, Radley trouva cela agréable, comme toujours.

— Bon, où allons-nous maintenant ? demanda Mitch. Dans la jungle amazonienne, au Moyen Age ou en quête du requin tueur ?

— J'aime les jeux de ninjas, répondit Radley. J'ai vu un film de ninjas chez Josh, enfin presque. Sa mère a éteint la télévision parce que l'une des femmes était en train de retirer ses vêtements et tout ça.

— Vraiment ?

Mitch se retint de rire en voyant l'air horrifié d'Hester.

— Et comment s'appelait ce film ? ajouta-t-il.

— Peu importe, l'interrompit Hester en prenant la main de Radley. Je suis certaine que les parents de Josh ont simplement fait une erreur en les laissant regarder cette cassette.

— Le père de Josh pensait que les ninjas allaient lancer des étoiles et faire du kung-fu, expliqua Radley. Mais la mère de Josh a commencé à crier en lui demandant de retirer ce film. Moi, j'aime toujours les ninjas.

— Voyons si nous trouvons une machine disponible, décréta Mitch en marchant derrière Hester. Ne t'inquiète pas, je ne pense pas que ton fils soit traumatisé à vie.

— Non, mais j'aimerais bien savoir ce que « et tout ça » veut dire.

— Moi aussi.

Mitch passa un bras autour de ses épaules pour la guider au milieu d'un groupe d'adolescents.

— Nous pourrions peut-être louer ce film ?

— Je m'en passerai bien, merci.

— Tu ne veux pas voir *Les Ninjas nues de Nagasaki* ? plaisanta-t-il.

Lorsque Hester se tourna vers lui, l'air furieux, Mitch leva les deux mains en signe de reddition.

— Je viens de l'inventer, je te le jure. Tiens, voilà une machine libre. On y joue ?

Avec un sourire, il inséra les pièces dans l'appareil.

Au bout d'un certain temps, Hester cessa de se sentir agressée par le bruit des machines et la foule. Pour faire plaisir à son fils, elle joua à plusieurs jeux non agressifs dont le but n'était ni de dominer le monde, ni de détruire l'univers. Elle passa surtout la plus grande partie de la soirée à regarder son enfant, heureuse de le voir profiter d'une vraie sortie en ville.

Ils devaient avoir l'air d'une famille, songea-t-elle en contemplant Radley et Mitch s'affrontant dans un duel, penchés sur leurs manettes. Si seulement elle croyait encore en ces relations ! Mais, pour elle, la famille et les engagements pour la vie étaient aussi irréalistes que les machines qui projetaient leurs éclairs de lumière et leurs bruits tout autour d'eux.

L'important était de vivre au jour le jour, se rappela-t-elle en poussant un léger soupir. C'était la seule chose à laquelle elle pouvait encore croire aujourd'hui. Dans quelques heures, elle glisserait Radley dans son lit avant d'aller seule dans sa chambre. C'était l'unique façon de les mettre tous les deux à l'abri. Lorsqu'elle entendit Mitch rire en criant des mots d'encouragement à son fils, elle détourna le regard. Oui, c'était le seul moyen, songea-t-elle de nouveau. Malgré tout son désir de vouloir y croire, d'essayer d'y croire, elle ne pouvait pas se permettre de prendre ce risque.

— Tu aimes le flipper ? proposa Mitch à Radley.

— Oui, un peu.

Malgré les tintements et les éclairs de couleur et de lumière, Radley ne paraissait pas trouver beaucoup d'intérêt à ce jeu.

— Mais maman aime beaucoup ce jeu, ajouta le petit garçon.

— Tu te débrouilles ? demanda Mitch à Hester.

Distraite, elle chassa ses mauvaises pensées.

— Pas trop mal.

— Ça te dirait qu'on fasse une partie tous les deux ? demanda-t-il en faisant tinter les pièces dans sa poche.

Hester n'avait jamais vraiment eu l'esprit de compétition, mais l'air arrogant de Mitch la poussa à relever le défi.

— Très bien.

Hester avait toujours eu un bon contact avec les flippers et maniait les boutons d'un doigt assez léger, assez rapide pour battre son frère neuf fois sur dix. Même si ces machines électroniques étaient plus sophistiquées que celles qu'elle avait connues dans sa jeunesse, elle était certaine de pouvoir faire une bonne prestation.

— Tu peux me donner un handicap, suggéra Mitch en insérant les pièces dans la fente.

— Très drôle. J'allais te proposer exactement la même chose.

Le sourire aux lèvres, Hester prit les commandes. Coupée du monde, elle se concentra sur la bille en s'efforçant surtout de ne pas la perdre.

Son jeu était précis, constata Mitch. Il se tenait debout derrière elle, les mains enfoncées dans les poches, et hochait la tête tandis que la bille tournoyait sans relâche. Il aimait sa façon de se pencher sur la machine, les lèvres entrouvertes, les yeux plissés, tout son corps en alerte. De temps en temps, Hester coinçait la langue entre ses dents et poussait le buste en avant, comme pour suivre la boule dans sa course folle et imprévisible.

La petite bille argentée heurta les bumpers en caoutchouc, qui cliquetèrent furieusement en clignotant. Lorsque Hester perdit la première bille, elle avait déjà atteint un score impressionnant.

— Pas trop mal pour un amateur, fit-il en adressant un clin d'œil à Radley.

— C'était un simple échauffement, riposta-t-elle avec un sourire, avant de lui laisser la place.

Radley observa la progression de la bille tandis que Mitch prenait le contrôle. Mais, pour avoir un aperçu complet du jeu, il devait se mettre sur la pointe des pieds. Il regarda avec un regain d'attention la bille rebondir à toute vitesse en haut du plateau d'un bumper à l'autre. Puis il lorgna avec envie les autres machines en regrettant de ne pas avoir demandé à Mitch quelques pièces avant que lui et sa mère commencent à jouer. A défaut de participer, il pouvait toujours se poser en simple spectateur. Radley fit un pas de côté pour mieux suivre la partie qui se jouait sur la machine voisine.

— On dirait que je viens de dépasser ton score de quelques centaines de points, déclara Mitch en laissant la place à Hester.

— Je ne voulais pas te dégoûter dès la première bille, riposta-t-elle. Cela aurait été grossier de ma part.

Puis elle tira sur le lanceur et engagea une nouvelle boule.

Cette fois, elle avait mieux assimilé le rythme. Hester ne laissa à la bille aucun repos tandis qu'elle l'envoyait vers la droite, vers la gauche puis vers le milieu du plateau à travers un tunnel où elle atterrit avec fracas dans le ventre d'un dragon lumineux. Hester avait l'impression d'être retombée en enfance, cette époque bénie où tous ses désirs étaient simples et ses rêves dorés. Elle rit aux éclats en faisant trembler bruyamment la machine et se lança à corps perdu dans la compétition.

Son score se mit à clignoter, toujours plus élevé, dans un vacarme tel qu'il attira vers eux un petit groupe de joueurs. Avant même que sa deuxième bille retombe, les paris fusaient de toutes parts.

Mitch prit place devant l'appareil. Contrairement à Hester, il ne chercha pas à bloquer les lumières et les sons, mais s'en servit pour faire monter l'adrénaline. Tout le monde retint son souffle lorsqu'il faillit perdre la bille avant de la récupérer du bout de son flipper pour l'envoyer avec force dans un coin du plateau. Mais, cette fois, il termina avec cinquante points de moins qu'elle.

La troisième et dernière manche attira plus de monde encore. Hester entendit les paris que lançaient les spectateurs avant de se concentrer sur la bille et sur sa cadence. A la fin de la partie, elle était presque exténuée.

— Tu vas avoir besoin d'un miracle, Mitch.

— Ne sois pas arrogante, répondit-il en tournant ses poignets comme un pianiste avant un concert.

La foule lui lança des cris d'encouragement.

Hester observa sa technique. Il jouait brillamment, elle devait le reconnaître. Mitch prenait des risques qui auraient pu lui coûter sa dernière bille, mais il parvint à les transformer en victoire. Il se tenait debout, les jambes écartées, l'air détendu, mais il avait ce regard profond et concentré qu'elle lui connaissait bien maintenant. Fidèles à sa désinvolture, ses cheveux tombaient devant ses yeux de manière désordonnée. Sur ses lèvres planait un léger sourire, mélange de ravissement et d'insouciance.

Hester jouait avec le petit cœur en diamants qu'elle portait sur un pull noir uni à col montant lorsqu'elle s'aperçut qu'elle contemplait Mitch et non la bille.

Il était le genre d'homme dont les femmes rêvent à la manière d'un héros. Le genre d'homme sur lequel elle aurait pu se reposer si elle n'y prenait pas garde. Un homme comme lui était capable de lui garantir des années de rire et de bonne humeur. Hester soupira en sentant faiblir les remparts qu'elle avait érigés tout autour de son cœur.

Mitch perdit sa dernière bille dans la caverne du dragon après une série de rugissements bruyants.

— Elle t'a battu de dix points, souligna un spectateur. Dix points, mon gars.

— Tu as gagné une partie gratuite, commenta une autre personne en tapotant amicalement le dos d'Hester.

L'air contrit, Mitch s'essuya les mains sur son jean.

— A propos de ce handicap…, commença-t-il.

— Trop tard, répliqua Hester.

Ridiculement fière d'elle, elle passa les pouces dans les boucles de son pantalon en étudiant son score.

— J'ai de meilleurs réflexes que toi, voilà tout, conclut-elle. Tout est dans les poignets.

— Que dirais-tu d'une revanche ?

— Non, je m'en voudrais de t'humilier de nouveau.

Puis elle se tourna vers son fils avec l'intention de lui offrir sa partie gratuite.

— Rad, pourquoi ne… Rad ?

Hester joua des coudes pour se frayer un chemin à travers le groupe de curieux.

— Radley ? appela-t-elle en sentant un frisson de panique courir dans son dos. Il n'est plus là !

— Pourtant, je l'ai vu il y a à peine une minute, répondit Mitch en scrutant la salle de jeux.

— Je n'ai pas fait attention à lui, déclara-t-elle en portant une main à sa gorge serrée, nouée par la peur.

Mitch se mit en marche rapidement.

— Je n'aurais pas dû le quitter des yeux dans un endroit comme celui-ci, déclara-t-elle, prise de panique.

— Arrête.

Mitch s'était exprimé d'une voix calme, mais Hester lui avait déjà communiqué sa peur. Il savait à quel point il était aisé de s'emparer d'un petit garçon dans une foule. Il en avait terriblement conscience.

— Il se promène entre les machines, c'est tout, fit-il pour la rassurer. Nous allons le retrouver. Je vais de ce côté. Toi, pars par là.

Sans un mot, Hester tourna les talons et se lança à la recherche de son fils. Un petit groupe de personnes étaient absorbées devant plusieurs machines. Elle s'arrêta pour les interroger, leur demandant si elles n'avaient pas vu un petit garçon blond vêtu d'un pull bleu. Puis elle l'appela à voix haute en essayant de couvrir le bruit et le cliquetis des machines, en vain.

Lorsqu'elle passa les grandes portes vitrées pour scruter les trottoirs bondés de Times Square, elle sentit son cœur chavirer. Non, il n'était pas sorti, songea-t-elle au comble de l'inquiétude. Radley n'aurait jamais fait une chose aussi expressément interdite. Sauf si quelqu'un l'avait emmené…

Les mains pressées l'une contre l'autre, elle rebroussa chemin. Il ne fallait pas qu'elle tienne de tels raisonnements. Mais la salle était si grande et si pleine d'inconnus… Et le bruit était encore plus assourdissant que dans ses souvenirs. Comment son fils aurait-il pu l'entendre dans tout ce vacarme?

Sans cesser de l'appeler, Hester s'avança vers l'allée suivante. Soudain, elle entendit un rire d'enfant et fit volte-face. Mais il ne s'agissait pas de Radley. Elle avait parcouru la moitié de la salle et dix minutes s'étaient déjà écoulées lorsqu'elle songea à appeler la police. Accélérant le pas, elle essaya de couvrir du regard le moindre recoin et la moindre allée.

Le bruit était trop assourdissant, les lumières trop vives.

Peut-être valait-il mieux rebrousser chemin — elle devait l'avoir raté. Peut-être Radley l'attendait-il maintenant à côté de ce fichu flipper en se demandant où elle était partie. Il avait sans doute peur. Il l'appelait probablement. Il...

C'est alors qu'elle le vit dans les bras de Mitch. Sans hésiter, elle bouscula deux personnes pour s'élancer vers eux.

— Radley! cria-t-elle.

Puis elle les enlaça tous les deux et enfouit son visage dans les cheveux de son fils.

— Il était parti voir d'autres personnes jouer, expliqua Mitch en caressant le dos d'Hester, ce qui la réconforta aussitôt. Puis il a rencontré un camarade d'école.

— C'était Ricky Nesbit, expliqua Radley. Il était avec son grand frère et il m'a donné une pièce pour jouer. Il m'a emmené vers une machine, mais je ne me suis pas rendu compte qu'elle était si loin de vous.

— Radley, murmura Hester en luttant pour refouler ses larmes et maîtriser les tremblements qui menaçaient de briser sa voix. Tu connais les règles, tu sais que tu dois rester près de moi. Je dois pouvoir te faire confiance. Tu ne dois jamais t'éloigner.

— Je ne voulais pas le faire, mais Ricky m'a dit que ça ne prendrait qu'une minute. J'étais sur le point de revenir.

— Nous avons de bonnes raisons de fixer des règles, nous en avons déjà parlé, gronda-t-elle.

— Mais, maman...

— Rad, intervint Mitch en le faisant pivoter face à lui. Tu nous as fait peur, tu sais.

— Je suis désolé, répondit le petit garçon d'un air triste. Je ne voulais pas vous effrayer.

— Que cela ne se reproduise plus, répondit sa mère d'une voix plus douce.

Puis elle déposa un baiser sur sa joue.

— La prochaine fois, tu seras puni. Tu es tout ce que j'ai, Rad, dit-elle en le serrant contre elle.

Hester ferma les yeux et ne put donc pas voir le visage de Mitch changer d'expression.

— Je ne peux pas me permettre qu'il t'arrive quoi que ce soit, conclut-elle.

— Je ne le referai plus, promit le petit garçon.

Il était tout ce qu'elle avait, songea Mitch en posant l'enfant au sol. Pourquoi était-elle aussi bornée, au point de refuser d'admettre qu'elle avait aussi quelqu'un d'autre dans sa vie? Les mains dans les poches, il ravala sa colère et sa tristesse. Hester allait devoir lui faire une place, et ce très bientôt. Sinon, il n'hésiterait pas à le faire pour elle.

11

Mitch ignorait s'il se faisait plus de mal que de bien en sortant de la vie d'Hester quelques jours, toujours est-il qu'il avait lui aussi besoin de temps. Il n'était pas du genre à tout disséquer et analyser, mais plutôt à sentir et agir. Pourtant, jamais ses émotions n'avaient été aussi fortes et ses actes si irréfléchis.

Dès qu'il le pouvait, il se réfugiait dans le travail ou dans ses fantasmes, qu'il contrôlait suivant son envie. Il passait le plus clair de son temps seul dans son appartement, à regarder des vieux films à la télévision ou à écouter de la musique à plein volume à la radio. Il continuait de travailler sur le scénario sans savoir s'il en viendrait à bout, dans l'espoir que ce défi l'empêche de gravir les deux étages qui le séparaient d'Hester pour la ramener à la raison.

Elle le désirait, mais ne voulait pas de lui. Elle s'ouvrait à lui, mais gardait enfoui en elle ce qu'elle avait de plus précieux. Elle lui faisait confiance, mais pas assez pour partager sa vie avec lui.

Rad était tout ce qu'elle avait. Soit. Mais était-il tout ce qu'elle désirait ? Mitch était contraint de se poser lui-même la question. Comment une femme aussi intelligente et généreuse qu'elle pouvait-elle fonder le reste de sa vie sur une erreur vieille de plus de dix ans ?

Son impuissance le rendait furieux. Même lorsqu'il avait touché le fond à La Nouvelle-Orléans, il ne s'était pas senti aussi découragé. A l'époque, il avait été confronté à ses limites, les avait acceptées et avait orienté sa carrière artistique différemment. L'heure était-elle venue pour lui de faire face aux limites de sa relation avec Hester?

Il passait des heures à y réfléchir et à envisager des compromis avant de les rejeter l'un après l'autre. Pouvait-il accéder à la demande d'Hester et continuer de vivre leur relation telle qu'elle était aujourd'hui? Ils deviendraient amants. Ils ne seraient liés par aucune promesse et ne parleraient pas d'avenir. Tant qu'il ne serait pas question de durée et d'attaches, ils pourraient poursuivre leur relation.

Non, il ne pouvait pas s'y résoudre. Maintenant qu'il avait trouvé la seule femme avec laquelle il ait jamais voulu vivre, il ne pouvait accepter de ne l'avoir qu'à mi-temps ou partiellement.

Quel choc de se découvrir un tel engouement pour le mariage! Il ne pouvait pourtant pas dire qu'il connaissait beaucoup d'unions heureuses. Certes, ses parents étaient bien assortis — ils partageaient les mêmes goûts, la même élégance, la même conception des choses —, mais ils n'avaient jamais vécu la moindre passion. De l'affection et de la loyauté, oui. Ils avaient formé un front uni contre les ambitions farfelues de leur fils. Mais jamais la moindre étincelle n'avait animé leurs vies.

Mais ressentait-il uniquement de la passion à l'égard d'Hester? Inutile de se poser la question, il connaissait déjà la réponse. Il pouvait même imaginer leur couple trente ans plus tard. Ils seraient assis côte à côte sur une balancelle sous le porche qu'Hester lui avait décrit, vieillissant ensemble et se remémorant leurs souvenirs.

Il n'était pas prêt à perdre tout ça. Même si le chemin était long et les obstacles nombreux, il n'était pas prêt à laisser passer sa chance.

Prenant une grande inspiration, Mitch rassembla ses paquets avant de monter rejoindre Hester.

Hester craignait qu'il ne vienne pas. Depuis leur soirée à Times Square, elle avait observé des changements subtils chez Mitch. Il avait été étrangement distant au téléphone avec elle et, malgré les multiples invitations qu'elle lui avait lancées, il avait toujours trouvé une bonne excuse pour les décliner.

Elle était en train de le perdre, songea-t-elle en versant du jus de fruits dans des verres en plastique. Hélas, depuis le début, elle savait que leur relation n'était que temporaire. Mitch avait le droit de vivre sa vie et de suivre son propre chemin. Elle pouvait difficilement lui demander d'accepter la distance qu'elle estimait devoir mettre entre eux ou de comprendre que son fils et son travail lui laissaient peu de temps à lui accorder. Elle espérait juste qu'ils resteraient amis.

Seigneur, comme il lui manquait ! Parler, rire et même s'abandonner contre lui lui manquait —, même s'il ne fallait pas qu'elle s'y habitue. Hester posa le pichet sur le comptoir et prit une profonde inspiration. Il ne fallait pas qu'elle accorde trop d'importance à tout cela, elle ne pouvait pas se le permettre. Dix petits garçons surexcités et bruyants l'attendaient dans la pièce à côté. C'était elle, la seule responsable. Elle ne pouvait pas passer son temps à dresser la liste de ses regrets alors que ses obligations l'attendaient.

Lorsqu'elle arriva dans le salon, chargée du plateau de boissons, elle trouva deux enfants qui faisaient semblant de tirer l'un sur l'autre. Trois autres se battaient en se roulant par terre pendant que les autres criaient pour couvrir le bruit du tourne-disque. Hester avait déjà remarqué que l'un des nouveaux amis de Radley portait une boucle d'oreille en argent et parlait des filles en connaisseur. Elle posa le plateau en levant les yeux au ciel.

S'il vous plaît, donnez-moi encore quelques années de bandes dessinées et de Meccano, pria-t-elle en silence. Elle n'était pas encore prête pour le reste.

— Petite pause, dit-elle d'une voix forte. Michael, pourquoi ne lâches-tu pas Ernie pour venir boire un peu de jus de fruits ? Rad, pose le chaton. Les chats deviennent agressifs lorsqu'on les touche trop.

A contrecœur, Radley posa la petite boule de poils noir et blanc dans son panier douillet.

— Ce petit chat est trop mignon, décréta-t-il. Je l'adore.

Puis il saisit un verre sur le plateau en faufilant sa main parmi celles de ses amis.

— Ma montre me plaît beaucoup aussi, ajouta-t-il.

Il tendit alors le bras et poussa un bouton pour basculer du mode « heure » au mode « jeux vidéo ».

— J'espère que tu ne vas pas jouer en classe, le prévint Hester.

Plusieurs enfants gloussèrent en donnant des coups de coude à Radley. Hester venait presque de les convaincre de s'asseoir autour d'un jeu de société lorsqu'elle entendit frapper à la porte.

— J'y vais ! s'écria Radley.

D'un bond, il se leva et courut vers la porte. Il y avait encore un vœu qu'il espérait voir se réaliser pour son anniversaire. Lorsque le battant s'ouvrit, il s'exauça.

— Mitch ! Maman m'a dit que tu étais certainement trop occupé pour venir, mais je savais que tu le ferais. J'ai eu un chaton pour mon anniversaire. Je l'ai appelé Zark. Tu veux le voir ?

— Dès que j'aurai posé tous ces paquets.

A peine Mitch eut-il posé ses fardeaux sur le canapé qu'il reçut Zark dans les mains. Le chaton ronronna et se cambra sous ses caresses.

— Il est très mignon. Nous allons devoir le présenter à Taz.

— Taz ne va pas le dévorer ?

— Tu plaisantes ?

Puis, le chaton sous le bras, Mitch se tourna vers Hester.

— Salut, dit-il.

— Salut.

Son amant avait besoin d'un bon rasage, son pull était troué, mais Hester le trouva magnifique.

— Nous avions peur que tu ne puisses pas te libérer.

— J'ai dit que je serais là, répondit-il en grattouillant d'une main lascive la tête du chat entre les deux oreilles. Je tiens toujours mes promesses.

— J'ai aussi eu cette montre, intervint fièrement Radley en levant son poignet. Elle donne l'heure, la date, et on peut aussi jouer à Dive Bomb et à Scrimmage avec.

— A Dive Bomb ? s'étonna Mitch en s'asseyant sur l'accoudoir du canapé.

Il regarda le petit garçon envoyer en l'air de petits points lumineux.

— Tu ne risques plus de t'ennuyer pendant les longs trajets en métro, à ce que je vois ?

— Ou dans la salle d'attente chez le dentiste. Tu veux jouer ?

— Plus tard. Je suis désolé d'être en retard. Il y avait la queue au magasin.

— Pas de problème. Nous t'avons attendu pour manger le gâteau. Il est au chocolat.

— Génial. Tu ne me demandes pas ce que je t'ai apporté ?

— Ça ne se fait pas, répondit Radley en lançant un regard en coin vers sa mère, occupée à séparer de nouveau deux de ses camarades. Tu m'as vraiment apporté quelque chose ?

— Non.

En voyant l'expression déçue du petit garçon, Mitch ébouriffa ses cheveux.

— Mais bien sûr que si ! rectifia-t-il en riant. Mon cadeau est là, sur le canapé.

— C'est quel paquet ?

— Tous.

Radley ouvrit de grands yeux.

— Tous ?

— On peut dire qu'ils vont ensemble. Pourquoi n'ouvres-tu pas celui-ci en premier ?

Mitch n'avait pas eu le temps d'emballer les cartons. Il avait à peine eu la présence d'esprit de mettre du scotch sur la marque et le modèle. Mais acheter des cadeaux à un petit garçon était pour lui une expérience nouvelle qu'il appréciait énormément. L'air curieux, Radley commença à ouvrir le lourd carton avec l'aide de ses invités.

— Oh ! Un ordinateur ! s'extasia Josh en passant la tête par-dessus l'épaule de Radley. Robert Sawyer en a eu un exactement comme celui-ci. Tu peux jouer à toutes sortes de jeux sur une machine comme ça.

— Un ordinateur! répéta Radley d'un air hébété sans quitter des yeux le carton.

Puis il se tourna vers Mitch.

— C'est pour moi, vraiment? Je peux le garder?

— Bien sûr, c'est un cadeau. J'espérais juste que tu me laisserais jouer de temps en temps.

— Tu pourras y jouer quand tu voudras! s'écria Radley, débordant d'enthousiasme.

Puis il se jeta au cou de Mitch. La présence de ses amis ne semblait pas l'embarrasser.

— Merci, ajouta-t-il, ému. On peut le brancher tout de suite?

— J'ai cru que tu ne le demanderais jamais.

— Rad, intervint Hester, tu dois d'abord ranger ton bureau. Attends! s'écria-t-elle en voyant une horde d'enfants s'élancer dans le couloir. Cela ne veut pas dire qu'il faut tout jeter par terre, d'accord? Mitch et moi allons nous charger d'apporter tout ceci.

Les enfants s'élancèrent vers la chambre de Radley en poussant des cris de guerre. Hester savait déjà qu'elle découvrirait des surprises sous le lit de Rad et sous le tapis. Elle s'en inquiéterait plus tard.

— Tu as été terriblement généreux avec lui, déclara-t-elle en s'avançant vers Mitch.

— Radley est intelligent. Un enfant avec sa vivacité mérite un ordinateur.

— Oui, répondit-elle, le regard braqué sur les cartons encore fermés.

— Les autres boîtes contiennent un écran, un clavier et des logiciels.

— J'ai déjà pensé à lui en offrir un, tu sais, mais j'aurais été incapable de tout brancher.

— Ce n'était pas une critique de ma part, Hester.

— Je sais.

Hester se mordilla nerveusement les lèvres.

— Je sais aussi que ce n'est pas le moment de parler, mais nous devons le faire. Je veux que tu saches que je suis très heureuse que tu sois venu.

— C'est ici que j'ai envie d'être, répondit-il en lui caressant la joue. Il va falloir que tu te fasses à cette idée.

Hester saisit la main de Mitch et déposa un baiser au creux de sa paume.

— Tu ne diras peut-être plus la même chose quand tu auras passé une heure en compagnie d'une horde d'enfants.

Comme pour illustrer ses paroles, un bruit de casse monta en provenance de la chambre de Radley.

— Encore une infraction à la règle ? demanda Mitch.

Le bruit fut suivi d'une discussion animée entre les enfants.

— Peu importe, soupira Hester en soulevant le premier carton.

C'était fini. Le dernier invité était parti avec ses parents. Un silence étrange et merveilleux régnait dans le salon. Hester s'installa dans un fauteuil, les yeux mi-clos, tandis que Mitch se prélassait sur le canapé, les yeux fermés. A travers le silence lui parvenaient de temps en temps le cliquetis des touches du nouvel ordinateur de Radley et les faibles miaulements de Zark confortablement installé sur les genoux du petit garçon. Hester poussa un soupir de bien-être en contemplant son salon.

Le désordre était complet. Des verres et des assiettes en carton étaient éparpillés un peu partout. Des restes de chips et de bretzels écrasés s'amoncelaient au fond des bols et sur le tapis. Des lambeaux de papier gisaient parmi les jouets que les invités de Radley avaient jugés dignes d'intérêt. Hester osait à peine imaginer à quoi ressemblait la cuisine.

— Nous avons fini par gagner ? demanda Mitch en ouvrant un œil à son tour.

— Absolument, confirma Hester en se redressant. Notre victoire a été éclatante. Tu veux un coussin ?

— Non.

Il prit sa main et l'attira avec lui sur le canapé. Hester se retrouva couchée sur lui.

— Mitch, Radley est…

— Très occupé avec son ordinateur, acheva-t-il avant de

frotter son nez contre ses lèvres. Je suis certain qu'il va craquer et tester l'un des logiciels éducatifs avant la fin de la journée.

— C'était très rusé de ta part de les mélanger aux autres.

— Je suis un homme très intelligent, confia-t-il en la calant dans le creux de son épaule. Je suis même certain que, lorsque tu seras convaincue de l'utilité de cette machine, tu nous permettras de jouer, Rad et moi.

— Je suis surprise que tu ne sois pas déjà équipé.

— En fait… en allant acheter l'ordinateur de Rad, j'ai failli en prendre un autre pour moi. Pour faire mes comptes et moderniser mon système de classement.

— Tu n'as pas de système de classement.

— Vraiment ? dit-il en posant la joue contre ses cheveux. Hester, sais-tu quelle est l'une des dix plus grandes inventions pour l'homme civilisé ?

— Le four à micro-ondes ?

— La sieste. Ton canapé est formidable.

— Il a besoin d'être retapissé.

— Ça ne se voit pas quand on est couché dessus, répliqua-t-il en enroulant un bras autour de sa taille. Dormons un petit moment.

— Mais il faut que je range l'appartement, protesta-t-elle. Cependant, c'était si bon de fermer les yeux.

— Pourquoi ? Tu attends de la visite ?

— Non. Mais tu ne dois pas sortir Taz ?

— J'ai donné à Ernie quelques dollars pour qu'il aille le promener.

Hester enfouit son visage au creux de son épaule.

— Tu penses vraiment à tout.

— C'est ce que j'essaie de t'expliquer.

— Je n'ai rien prévu pour le dîner, murmura-t-elle en se sentant sombrer dans le sommeil.

— Nous mangerons du gâteau.

Hester rit doucement avant de s'endormir au côté de Mitch.

Un peu plus tard, Radley entra dans le salon, le chaton dans le creux de la main. Il voulait leur annoncer son dernier score. Debout près du canapé, il grattouilla la tête du chat en contemplant sa mère et Mitch, pensif. Parfois, lorsqu'il faisait un mauvais rêve ou qu'il ne se sentait pas bien, sa mère dormait avec lui. Sa présence était vraiment réconfortante. Peut-être qu'en dormant à côté de Mitch sa mère se sentait-elle, elle aussi, beaucoup mieux ?

Mitch était-il amoureux de sa mère ? songea-t-il. Lorsqu'il y pensait, une étrange sensation l'envahissait. Il voulait que Mitch reste avec eux et qu'il soit son ami. Si Mitch se mariait avec sa mère, cela voulait-il dire qu'il partirait un jour ? Il fallait qu'il en parle à sa mère. Elle lui dirait la vérité. Elle ne mentait jamais. Sans un bruit, Radley passa le chaton sous son bras et emporta un bol de chips dans sa chambre.

Lorsque Hester se réveilla, il faisait presque nuit. Elle ouvrit les yeux et croisa aussitôt le regard de Mitch. Battant paresseusement des cils, elle essaya de retrouver ses repères. Puis Mitch l'embrassa et tous ses souvenirs refirent surface.

— Nous avons dû dormir pendant une heure, murmura-t-elle.

— Presque deux. Comment te sens-tu ?

— Vaseuse. Je suis toujours vaseuse quand je dors l'après-midi.

Puis elle s'étira et entendit Radley rire dans sa chambre.

— Il est toujours devant son ordinateur. Je ne me rappelle pas l'avoir vu aussi heureux.

— Et toi, comment te sens-tu ?

— Moi aussi, je suis heureuse, dit-elle en suivant le contour des lèvres de Mitch du bout du doigt.

— Si tu es heureuse et vaseuse, c'est peut-être le moment idéal de renouveler ma demande en mariage.

— Mitch.

— Non ? D'accord, j'attendrai que tu sois ivre, alors. Il reste du gâteau ?

— Un peu. Tu n'es pas fâché ?

Mitch se coiffa du bout des doigts en s'asseyant.

— Fâché, pour quoi ?

Hester posa sa joue contre lui.

— Je suis navrée de ne pas pouvoir te donner ce que tu veux.

Il la serra plus fort, puis la lâcha à contrecœur.

— Parfait, cela veut dire que tu vas bientôt changer d'avis.

— Mitch ! gronda-t-elle.

— Quoi ?

Hester leva les yeux au ciel.

— Rien. Je pense qu'il vaut mieux ne rien dire. Va te chercher du gâteau si tu veux, je vais commencer à ranger.

Mitch balaya la pièce du regard. Selon ses propres critères, tout lui semblait en ordre.

— Tu tiens vraiment à nettoyer ça ce soir ?

— Tu n'espères pas que je vais laisser tout ce désordre jusqu'à demain ? demanda-t-elle avant de se raviser. Pardon, j'oubliais à qui je parlais.

Mitch plissa les yeux d'un air suspicieux.

— Essaies-tu de me dire que je suis désordonné ?

— Pas du tout. Mais je suis certaine qu'il y aurait beaucoup à dire sur ta décoration et les papiers qui jonchent ton appartement. Cela vient certainement du fait que tu as vécu entouré de domestiques pendant ton enfance.

— En fait, je n'ai jamais eu le droit de mettre du désordre dans une pièce. Ma mère ne pouvait pas le supporter.

Mitch s'était toujours plu dans son désordre. Mais il aurait aussi eu des commentaires à faire sur l'obsession d'Hester pour le rangement.

— Pour mon dixième anniversaire, expliqua-t-il, ma mère a fait venir un magicien. Nous étions tous assis sur de petites chaises pliantes — les garçons en costume et les filles dans des robes en organdi — pour regarder le spectacle. Ensuite, on nous a servi un repas léger sur la terrasse. Il y avait assez de domestiques autour de nous pour qu'il n'y ait même pas une miette à ramasser. Je pense qu'aujourd'hui je me rattrape.

— Un peu, en effet, dit Hester en l'embrassant sur les deux joues.

Quel homme étrange ! songea-t-elle. Si calme, si accommodant par certains côtés et tellement hanté par ses démons ! Hester croyait dur comme fer que l'enfance affectait la vie des adultes jusque dans leur vieillesse. C'était d'ailleurs cette croyance qui la poussait si farouchement à éduquer de son mieux son fils.

— Tu as le droit de vivre dans la poussière et le désordre, Mitch. Ne laisse personne te les prendre.

Mitch l'embrassa à son tour sur les deux joues.

— Je suppose que tu as le droit de vivre dans l'ordre et la propreté. Où est ton aspirateur ?

Elle lui lança un regard surpris.

— Tu sais donc à quoi ressemble cet objet ?

— Très drôle, dit-il en lui pinçant les côtes.

Hester fit un bond en poussant un cri aigu.

— Tu crains les chatouilles ?

— Arrête ça, le menaça-t-elle en se servant d'une pile d'assiettes en papier comme bouclier. Je n'ai pas envie de te faire mal.

— Allez, dit-il en rampant vers elle à la manière d'un lutteur. Ça fait deux défaites à trois.

— Je te préviens, lança-t-elle en croisant le regard espiègle de Mitch, je peux devenir violente.

— Vraiment ?

Puis, d'un mouvement brusque, il la saisit par la taille. Impulsivement, Hester leva les bras. Les assiettes, dégoulinantes de gâteau et de glace, tombèrent sur le visage de Mitch.

— Oh, mon Dieu ! s'écria-t-elle en se tordant de rire.

A bout de forces, elle s'écroula dans un fauteuil. Elle voulut parler, mais le rire la plia de nouveau en deux.

D'un geste très lent, Mitch essuya sa joue puis étudia la traînée de chocolat. Sans le quitter du regard, Hester éclata de rire en se tenant les côtes.

— Qu'est-ce que vous faites ? demanda Radley.

En entrant dans le salon, le petit garçon regarda fixement sa mère, laquelle, incapable de parler, se contenta de montrer Mitch du doigt.

— Ça alors ! s'écria Radley à son tour.

Puis, roulant de grands yeux, il éclata également de rire.

— La petite sœur de Mike se barbouille de la même manière. Elle a presque deux ans.

Hester, qui faisait de gros efforts pour se contrôler, abandonna tout espoir. Elle attira Radley contre elle en s'étranglant de rire.

— C'était un accident, bafouilla-t-elle avant de s'effondrer de nouveau.

— Non, c'était une attaque sournoise et délibérée, corrigea Mitch. Et elle mérite un châtiment immédiat.

— Non, s'il te plaît, protesta Hester, la main levée, sachant qu'elle était trop faible pour se défendre. Je suis désolée, je le jure. C'était un réflexe, c'est tout.

— Ça aussi.

Mitch s'approcha d'elle et, comme elle se servait de Radley comme bouclier, il se contenta de prendre le petit garçon en sandwich entre eux. Puis il l'embrassa sur la bouche, le nez, les joues, tandis qu'elle se débattait en riant. A la fin, il avait transféré une quantité de chocolat satisfaisante sur son visage. Radley jeta alors un regard vers sa mère et s'écroula par terre, saisi d'un fou rire.

— Espèce de fou! l'accusa Hester en essuyant une coulée de chocolat du dos de la main.

— Tu es très belle, barbouillée de chocolat, Hester.

Il leur fallut plus d'une heure pour tout remettre en ordre. A l'unanimité, ils votèrent pour commander une pizza, puis ils passèrent le reste de la soirée à tester les trésors que Radley avait reçus pour son anniversaire. Lorsque le petit garçon commença à dodeliner de la tête au-dessus du clavier, Hester le déposa dans son lit.

— Quelle journée! s'exclama-t-elle en installant le chaton dans le panier au pied du lit de Radley.

— Je dirais plutôt que c'est un anniversaire mémorable, corrigea Mitch.

— Moi aussi, répondit-elle en massant sa nuque douloureuse. Tu veux un peu de vin?

— Je vais me servir, dit-il en la poussant vers le salon. Va plutôt t'asseoir.

— Merci, répliqua Hester en s'asseyant sur le canapé.

Puis elle étendit les jambes et ôta ses chaussons. Non, elle n'était pas près d'oublier cette journée. Pas plus, peut-être, que la nuit à venir, songea-t-elle, pleine d'espoir.

— Tiens, dit Mitch en lui tendant un verre.

Il vint ensuite s'asseoir près d'elle sur le canapé. Levant son propre verre, il passa un bras autour de ses épaules et l'attira vers lui.

— On est bien, murmura-t-elle en portant le verre à ses lèvres.

— Oui, très bien, renchérit-il en déposant un baiser dans son cou. Je t'avais dit que ce canapé était confortable.

— Parfois, j'oublie presque que ces moments de détente existent. Tout est rangé, Radley est heureux et couché. Demain, nous sommes dimanche et nous n'avons rien d'urgent à faire.

— Tu n'as pas envie de sortir danser ou faire la fête ?

— Non, répondit-elle en se raidissant. Et toi ?

— Je suis très heureux ici.

— Alors reste. Reste avec moi ce soir.

Mitch garda le silence quelques instants. Il cessa de masser sa nuque, puis recommença, tout doucement.

— Tu en es sûre ?

— Oui.

Prenant une profonde inspiration, elle se tourna vers lui.

— Tu m'as manqué. Je ne sais pas vraiment ce qui est bien ou mal, ni ce qui est le mieux pour nous. Mais je sais que tu m'as manqué. Tu vas rester ?

— Je ne vais nulle part.

Satisfaite de sa réponse, Hester se cala de nouveau contre lui. Ils restèrent un long moment sans bouger ni parler, l'esprit dans le vague, baignant dans une douce pénombre.

— Tu travailles toujours sur ton scénario ? demanda-t-elle enfin.

— Oui.

Mitch pourrait facilement s'habituer à la présence d'Hester

à ses côtés tard le soir, s'enivrer du parfum de ses cheveux à la faible lueur d'une lampe.

— Tu avais raison, continua-t-il. Je m'en serais voulu si je n'avais pas essayé de l'écrire. Il fallait juste que je laisse mon anxiété de côté.

— Toi, anxieux? fit-elle en souriant.

— Dès que je suis confronté à des événements inhabituels ou importants, je suis toujours nerveux. J'étais d'ailleurs extrêmement tendu la première fois que nous avons fait l'amour.

Hester n'était pas surprise de l'entendre, mais le savoir ne faisait qu'embellir ce souvenir à ses yeux.

— Je n'ai rien remarqué.

— Tu peux me croire sur parole.

Mitch entreprit de caresser doucement sa cuisse d'un geste délicieusement désinvolte.

— J'avais peur d'être maladroit, murmura-t-il, et de gâcher un des moments les plus importants de ma vie.

— Non seulement tu n'as pas été maladroit, mais grâce à toi je me suis sentie unique.

Hester trouva tout naturel de lui tendre la main pour l'aider à se lever avant de l'attirer vers elle. Elle éteignit les lumières et l'entraîna avec elle vers la chambre.

Mitch ferma la porte derrière lui pendant qu'elle rabattait les draps. Toutes les soirées qu'il leur restait à vivre pouvaient se dérouler ainsi. Il en fallait peu pour qu'elle aussi commence à le croire. Mitch le savait, il l'avait lu en croisant son regard. Hester ne le quitta pas des yeux en défaisant un à un les boutons de son chemisier.

Ils se déshabillèrent en silence, mais l'air autour d'eux crépitait déjà. Mitch se sentait plus détendu, même si son désir était plus violent que jamais. Ils savaient désormais ce qu'ils pouvaient s'apporter. Ils se glissèrent entre les draps et se tournèrent l'un vers l'autre.

Mitch se sentait si bien, le bras posé simplement sur la taille d'Hester. Leurs deux corps réunis se nourrissaient de leur chaleur.

Hester connaissait désormais la fermeté et la force de son corps viril. Elle savait aussi avec quelle facilité le sien s'harmonisait avec lui. Renversant la tête en arrière, son regard toujours plongé dans celui de Mitch, elle lui offrit ses lèvres.

Embrasser Hester revenait à descendre une rivière tranquille pour plonger dans un ruisseau bouillonnant. Mitch laissa échapper un râle de plaisir lorsqu'elle se pressa contre lui. Bien sûr, sa timidité n'avait pas disparu, mais Hester avait abandonné son habituelle réserve avec lui. Ses gestes ne trahissaient plus la moindre hésitation.

Il ne lui restait plus qu'à lui offrir sa tendresse. Chaque fois qu'ils étaient ensemble, Mitch ressentait la même chose. Un sentiment grisant, stupéfiant et authentique. Il prit le visage d'Hester entre ses mains. Le goût du vin dansait encore sur ses lèvres. Il s'en abreuva tandis qu'il explorait sa bouche avec délice. Il sentit en elle une hardiesse qu'il ne lui connaissait pas, comme si, récemment, elle avait acquis une confiance qui la poussait vers lui, avec ses propres demandes et ses propres besoins.

Hester lui avait ouvert son cœur, songea-t-il en sentant ses lèvres glisser le long de son cou. Et elle était libre. Avec un grognement qui aurait pu s'apparenter à un rire, il la fit rouler sur le dos et entreprit de lui faire perdre la tête.

Hester n'en avait jamais assez de lui. Elle passait ses mains et ses lèvres sur son corps avec une impatience et une intensité presque féroces, sans pour autant assouvir son désir. Jamais elle n'aurait imaginé se sentir aussi bien dans les bras d'un homme. Jamais elle n'aurait imaginé ressentir pareille excitation. Comment aurait-elle pu savoir que l'odeur de la peau de Mitch lui ferait tourner la tête et exacerberait à ce point ses sens ? Il lui suffisait de l'entendre murmurer son prénom pour qu'elle perde la tête.

Peau contre peau, soudés l'un contre l'autre, ils roulèrent sur les draps, s'emmêlèrent dans la couverture avant de l'écarter sans regrets : leur fougue suffisait à leur tenir chaud. Mitch bougeait aussi vite qu'elle, découvrant de nouvelles zones secrètes pour mieux la ravir et la tourmenter. Elle l'entendit haleter en murmurant son prénom lorsqu'elle déposa une pluie de baisers sur son torse. Puis elle sentit son corps se tendre et s'arquer tandis qu'elle poursuivait son chemin vers le bas de son ventre.

Peut-être avait-elle toujours eu ce pouvoir en elle, mais Hester était certaine qu'il était né cette nuit-là. Le pouvoir d'exciter un homme au-delà de toute sagesse. Sage ou non, elle en fit sa gloire lorsque Mitch la piégea sous son corps avant de se laisser guider par son propre désir.

La bouche de Mitch s'abattit sur elle, brûlante et vorace. L'esprit d'Hester était rempli de demandes, de promesses et de prières qu'elle ne pouvait pas exprimer. Tandis que Mitch la conduisait toujours plus haut vers le paroxysme du plaisir, son souffle se trouva piégé. Dans cette mer de sensations déchaînée, Hester s'accrocha à lui comme à une bouée de sauvetage.

Dans un même élan de passion, ils sombrèrent tous les deux.

12

Le ciel chargé de nuages était lourd de neige. A moitié assoupie, Hester quitta des yeux la fenêtre et tendit la main vers Mitch. A côté d'elle, les draps étaient froissés mais le lit était vide.

Etait-il parti au beau milieu de la nuit? songea-t-elle en caressant l'empreinte du corps de son amant sur le matelas. Quelle déception… Elle aurait tant aimé le trouver près d'elle au petit matin. Pleine de regrets, elle ramena pensivement la main sous son menton.

Peut-être valait-il mieux qu'il soit parti, après tout. Car comment Radley aurait-il réagi en le voyant à son réveil? Si Mitch restait près d'elle, à portée de main, elle n'éprouverait que plus de difficulté à se retenir d'aller vers lui. Personne n'imaginait à quel point cela avait été dur pour elle d'apprendre à se passer des autres. Et, après toutes ces années de bataille, Hester commençait à peine à voir les résultats de ses efforts. Elle avait construit un foyer confortable pour Radley, dans un bon quartier. Elle avait un travail sûr et bien payé. Elle bénéficiait à la fois de sécurité et de stabilité.

Elle ne pouvait pas tout mettre en péril en raison d'une nouvelle dépendance, songea-t-elle en rabattant les draps. Or, elle commençait bel et bien à dépendre de Mitch. Son esprit avait beau lui rappeler qu'il valait mieux qu'il ne soit plus là, elle le regrettait déjà. Elle se sentait triste, mais elle était assez forte pour rester loin de lui.

Hester enfila un peignoir et décida d'aller voir Radley pour lui proposer un petit déjeuner.

Elle le trouva en compagnie de Mitch. Tous deux étaient penchés au-dessus du clavier, face à de petits éléments graphiques qui explosaient de manière désordonnée à l'écran.

— Il y a quelque chose qui ne va pas, insista Mitch. J'ai visé dans le mille.

— Tu l'as raté d'un kilomètre au moins.

— Je vais dire à ta mère que tu as besoin de lunettes. Cet ordinateur ne fonctionne pas correctement. En plus, comment veux-tu que je me concentre, avec ce stupide chat qui me mord les orteils?

— Mauvais joueur, répondit Radley à voix basse tandis que le dernier homme de Mitch se faisait tuer.

— Mauvais joueur? Je vais te montrer ce que c'est qu'être bon joueur!

Mitch prit Radley dans ses bras et le tint tête en bas par les pieds.

— Alors, cette machine déraille, oui ou non? demanda-t-il d'un air faussement menaçant.

— Non, gloussa Radley en prenant appui sur ses mains. C'est peut-être toi qui as besoin de lunettes.

— Je n'ai vraiment pas le choix, je vais devoir te lâcher. Oh! Bonjour, Hester!

Les bras enroulés autour des jambes de Radley, Mitch lui décocha un large sourire.

— Salut, maman! lança le petit garçon, ravi d'être dans cette position, les joues rouges comme des tomates. J'ai gagné trois fois contre Mitch. Mais il n'est pas vraiment en colère, tu sais.

— Ah oui? riposta Mitch en remettant l'enfant à l'endroit avant de le déposer avec précaution sur le lit. J'ai été humilié.

— Je t'ai battu, le taquina Radley, l'air très fier de lui.

— Je n'arrive pas à croire que j'ai pu dormir sans vous entendre, avança Hester en leur adressant un sourire prudent.

Radley semblait vraiment heureux de la présence de Mitch. Tout autant qu'elle, d'autant qu'elle avait de plus en plus de mal à cacher son plaisir.

— Je suppose qu'après ces grandes batailles vous avez envie d'un petit déjeuner ? demanda-t-elle.

— Nous avons déjà mangé, déclara Radley, allongé sur le lit à la recherche du chaton. J'ai montré à Mitch comment faire du pain perdu. Il m'a dit que c'était très bon.

— J'espère que tu ne mens pas, dit Hester, dubitative.

— Pas du tout, confirma son fils en roulant sur le dos avec le chaton. Mitch a lavé la poêle et je l'ai séchée. Nous voulions en préparer pour toi, mais nous n'avons pas voulu te réveiller.

L'idée que les deux hommes de sa vie aient pu cuisiner pendant qu'elle dormait la mit mal à l'aise.

— Je n'espérais pas que vous vous lèveriez si tôt, riposta-t-elle pour se justifier.

— Hester.

Mitch s'avança vers elle et passa un bras autour de ses épaules.

— Je déplore de devoir te le dire, mais il est plus de 11 heures.

— 11 heures ?

— Oui. Que dirais-tu de préparer le déjeuner ?

— Eh bien…

— Je te laisse y réfléchir. Je dois descendre sortir Taz.

— Je m'en charge, proposa Radley en se levant d'un bond. Je peux même lui donner à manger et l'emmener se promener. Je sais comment faire, tu me l'as montré.

— Je suis d'accord. Et toi, Hester ?

L'esprit encore embrumé, elle avait du mal à se concentrer.

— D'accord, mais couvre-toi bien.

— Promis, répondit le petit garçon en enfilant son manteau. Je peux amener Zark avec moi ? Il n'a pas encore fait la connaissance de Taz.

Hester contempla la petite boule de poils et imagina les grandes dents de Taz.

— Je ne sais pas si c'est une bonne idée. Zark est tout petit.

— Taz adore les chats, la rassura Mitch en ramassant le bonnet de Radley qui était tombé par terre. A titre tout à fait amical.

Puis il fouilla ses poches à la recherche de ses clés.

— Sois prudent! lança Hester à Radley, qui s'éloignait déjà dans le couloir en faisant tinter les clés de Mitch.

La porte claqua derrière lui.

— Bonjour, dit alors Mitch en la prenant dans ses bras.

— Bonjour. Tu aurais dû me réveiller.

— J'ai été tenté de le faire, souligna-t-il en glissant ses mains sous son peignoir. J'avais l'intention de faire du café et de t'en apporter une tasse, mais Radley est arrivé et, avant de m'en apercevoir, je me suis retrouvé à battre des œufs.

— Et il n'a pas demandé ce que tu faisais là?

— Non.

Alors qu'elle réfléchissait, il déposa un baiser sur le bout de son nez. Puis il l'entraîna avec lui vers la cuisine.

— Il est arrivé alors que je faisais bouillir de l'eau et m'a demandé si j'étais en train de préparer le petit déjeuner. Après un échange rapide, nous en avons conclu que Radley était plus qualifié que moi. Il reste encore du café, mais peut-être préfères-tu que j'en refasse?

— Ça devrait aller.

— Dire que la femme que j'aime est si optimiste!

Hester réussit à lui sourire en sortant le lait du réfrigérateur.

— Je croyais que tu étais parti.

— Tu aurais préféré que ce soit le cas?

Elle hocha la tête en veillant à ne pas croiser son regard.

— Mitch, c'est si dur. Et ça le devient de plus en plus.

— Quoi donc?

— D'essayer de ne pas vouloir que tu sois là tout le temps.

— Dis seulement une parole et j'emménage chez toi avec ma valise et mon chien.

— Si seulement c'était possible! J'aimerais vraiment pouvoir le faire, Mitch. Lorsque je suis entrée ce matin dans la chambre de Radley et que je vous ai vus tous les deux, j'ai eu un déclic. Je me suis dit que nous pourrions vivre comme ça tous les trois.

— Tu as raison, Hester.

— Tu es si sûr de toi.

Avec un petit rire de dérision, elle s'accouda au comptoir.

— Depuis le début, continua-t-elle, tu es si sûr de toi. Et c'est peut-être ce qui me fait le plus peur.

— Dès que je t'ai vue, Hester, ma vie s'est éclairée.

Il s'approcha d'elle et posa les mains sur ses épaules.

— Je n'ai pas toujours su ce que je voulais, et je ne peux pas prétendre que tout s'est passé dans ma vie comme je le désirais. Mais, avec toi, je suis sûr de moi, conclut-il en embrassant ses cheveux. Est-ce que tu m'aimes, Hester?

— Oui, répondit-elle en soupirant longuement, les yeux fermés. Je t'aime, Mitch.

— Alors, épouse-moi.

Il la fit pivoter doucement vers lui.

— Je ne te demande de changer que ton nom.

Comme elle avait envie de le croire, comme elle avait envie de croire qu'il était possible de commencer une nouvelle vie! Elle sentit son cœur tambouriner dans sa poitrine tandis qu'elle passait les bras autour de la taille de l'homme qu'elle aimait. Pourquoi ne saisissait-elle pas sa chance? Pourquoi passerait-elle à côté de l'amour?

— Mitch...

Soudain, le téléphone sonna et Hester poussa un soupir de frustration.

— Désolée, ajouta-t-elle.

— Pas autant que moi, murmura-t-il avant de la lâcher.

Elle alla décrocher d'un pas incertain.

— Allô?

Tout son plaisir s'évanouit aussitôt.

— Allan.

Elle avait l'impression d'avoir reçu une douche froide.

Mitch braqua aussitôt les yeux sur elle. D'une main nerveuse, Hester s'accrocha au câble du téléphone comme à une ancre et l'enroula autour de sa main.

— Nous allons bien, dit-elle. En Floride? Je te croyais à San Diego.

Ainsi, il avait encore déménagé, songea-t-elle en écoutant la voix familière et insouciante de son ex-mari. Elle l'écouta froidement lui faire le récit de ses merveilleuses et incroyables aventures.

— Rad n'est pas ici, l'informa-t-elle, même si Allan ne lui avait pas posé la question. Si tu veux lui souhaiter un bon anniversaire, il peut te rappeler.

Devant la réponse d'Allan, Hester sentit la fureur la gagner.

— C'était hier, souffla-t-elle entre ses dents. Il a eu dix ans, Allan. Radley a eu dix ans hier. Oui, je suis certaine que tu as du mal à l'imaginer.

Elle garda de nouveau le silence, se contentant d'écouter. Une colère froide s'était logée dans sa gorge, et lorsqu'elle reprit la parole, sa voix sonna faux.

— Félicitations. De la rancune ? demanda-t-elle avec un rire sardonique. Non, Allan. Je ne t'en veux plus. Je te souhaite bonne chance. Désolée de ne pas faire preuve de plus d'enthousiasme. Je dirai à Radley que tu as appelé.

Puis elle raccrocha en réprimant l'envie de lancer le combiné contre le mur. Lentement, elle déroula le câble qui avait commencé à creuser la peau de sa main.

— Tout va bien ? demanda Mitch, l'air inquiet.

Hester acquiesça en se dirigeant vers la cuisinière pour se verser une tasse de café dont elle n'avait plus envie.

— Il m'a appelée pour m'annoncer qu'il allait se remarier, expliqua-t-elle. Il pensait que ça m'intéresserait de le savoir.

— Et ?

— Cela m'est complètement égal.

L'amertume de la boisson brûlante lui fit du bien.

— Il y a des années que ce qu'il fait a cessé de m'intéresser. Il ignorait que c'était l'anniversaire de Radley.

Malgré ses efforts pour se contenir, la colère la submergea de nouveau.

— Il ne sait même pas quel âge a son fils, ajouta-t-elle en posant d'un geste violent la tasse, qui déborda sur le comptoir. Radley a cessé d'être une réalité pour lui dès l'instant où Allan a franchi le pas de notre porte. Il lui a suffi de la refermer derrière lui.

— Et quelle différence cela fait-il ?

— C'est le père de Radley !

— Non ! explosa Mitch. Il faut que tu te sortes cette idée de la tête. Il faut que tu l'acceptes. Il n'en est que le père biologique, et rien d'autre. Cet état de fait ne suffit pas à créer des liens.

— Mais il a une responsabilité envers son fils.

— Il n'en veut pas, Hester.

Luttant pour rester patient, Mitch saisit les mains de la femme qu'il aimait.

— Il s'est complètement coupé de Rad, ajouta-t-il. Personne ne peut dire que son geste est louable, et il est évident qu'il ne l'a pas fait dans le bien de son enfant. Mais vas-tu le laisser entrer et sortir de la vie de ton fils quand bon lui semble, au risque de le perturber et de le blesser ?

— Non, mais…

— Tu aimerais qu'il s'inquiète pour lui, mais il s'en fiche.

Même si Hester avait gardé ses mains dans les siennes, il sentit un changement s'opérer en elle.

— Tu t'éloignes de moi, constata-t-il.

Hester le regrettait, mais c'était la vérité et elle ne pouvait pas s'en empêcher.

— Ce n'est pas ce que je veux.

— Mais c'est ce que tu fais.

Cette fois, ce fut lui qui s'écarta d'elle.

— Il t'a suffi d'une conversation téléphonique.

— Mitch, essaie de comprendre.

— C'est ce que j'ai tenté de faire, répondit-il d'une voix agacée qu'elle ne lui connaissait pas. Cet homme t'a abandonnée et il t'a blessée, mais tout est terminé depuis très longtemps.

— Ce n'est pas tant la blessure qu'il m'a infligée qui compte, commença-t-elle en passant une main dans ses cheveux. Ou peut-être partiellement. Mais je ne veux jamais plus vivre dans la peur et la solitude. Je l'aimais. J'étais certes jeune et stupide, mais je l'aimais, tu comprends.

— Je l'ai toujours compris, répondit Mitch, même s'il n'était pas ravi de l'entendre. Je sais qu'une femme comme toi ne fait pas de promesses à la légère.

— Non, et quand j'en fais je veille à les tenir. Je voulais respecter celle que j'avais faite à Allan.

Hester saisit de nouveau sa tasse à deux mains pour profiter de sa chaleur.

— Tu n'imagines pas à quel point j'ai lutté pour sauver mon mariage. En épousant Allan, je lui ai donné une partie de moi-même. Il avait dit que nous déménagerions à New York, que nous allions faire de grandes choses et je suis partie. J'étais terrorisée à l'idée de quitter ma ville, ma famille et mes amis, mais je l'ai fait pour le suivre. Presque tout ce que j'ai fait pendant notre mariage, je l'ai fait pour lui. Et aussi parce qu'il était plus simple d'accepter les choses que de m'y opposer. J'ai construit ma vie sur ce principe. Et puis, à vingt ans, j'ai découvert que je n'avais pas de vie du tout.

— Alors, tu t'en es bâtie une pour Radley et toi. Tu dois en être fière.

— C'est vrai. Il m'a fallu huit ans pour avoir l'impression d'être de nouveau sur pied. Et puis tu es arrivé.

— Je suis arrivé, dit-il à voix basse en la regardant. Mais tu ne peux pas te sortir de la tête que je vais te faire souffrir.

— Je ne veux plus être cette femme-là.

Elle avait prononcé cette phrase avec désespoir, cherchant des réponses à mesure qu'elle s'efforçait de les lui donner.

— Une femme qui concentre tous ses besoins et ses objectifs sur une autre personne, ajouta-t-elle. Si je me retrouve seule, cette fois, je ne suis pas certaine de m'en relever.

— Ecoute-toi. Tu préfères rester seule plutôt que de prendre des risques ? Regarde-moi bien, Hester. Je ne suis pas Allan Wallace. Je ne te demande pas de t'enterrer pour que je sois heureux. C'est la femme que tu es aujourd'hui que j'aime et avec qui je veux passer le reste de ma vie.

— Les gens changent, Mitch.

— Mais ils peuvent changer ensemble, souligna-t-il en

soupirant. Ou changer séparément. Dès que tu auras les idées claires, dis-moi juste ce que tu veux faire, d'accord ?

Hester ouvrit la bouche pour lui répondre, puis la referma en le regardant s'éloigner. Non, elle n'avait pas le droit de le retenir.

Il ne pouvait pas se plaindre, songea Mitch devant son tout nouveau clavier d'ordinateur, alors qu'il peaufinait la prochaine scène de son scénario. Son travail avançait mieux que prévu — et aussi plus vite. Comme il était simple de s'absorber dans les problèmes de Zark en laissant les siens de côté !

A ce stade, Zark, assis au chevet de Leilah, priait pour qu'elle survive à l'horrible accident qui, à défaut de lui avoir enlevé sa beauté, avait ravagé son cerveau. Bien évidemment, à son réveil, elle était devenue une étrangère pour lui. Même si elle était sa femme depuis deux ans, elle allait devenir son pire ennemi. Son esprit plus vif que jamais était devenu pervers et mauvais. Tous les projets et les rêves de Zark étaient brisés à tout jamais. Toutes les galaxies de l'univers étaient en danger.

— Et tu crois que tu as des problèmes ? murmura Mitch. Tout n'est pas rose pour moi non plus.

Il étudia attentivement l'écran. L'atmosphère était bonne, songea-t-il en s'inclinant en arrière. Il n'avait aucun mal à imaginer une chambre d'hôpital au vingt-troisième siècle, la détresse de Zark ou la folie qui larvait dans le cerveau inconscient de Leilah.

En revanche, il était incapable d'imaginer une vie sans Hester.

— Quel idiot ! jura-t-il.

Le chien à ses pieds bâilla en signe d'approbation.

— Pourquoi ne vais-je donc pas la chercher dans cette satanée banque ? Elle aimerait ça, tu ne crois pas ? demanda-t-il en s'écartant de l'ordinateur pour s'étirer. Je pourrais la supplier.

Mitch laissa l'idée mûrir dans son esprit avant de la rejeter.

— Je pourrais le faire, mais Hester risquerait d'être gênée. J'ai essayé de la raisonner, mais cela n'a pas fonctionné. Qu'allons-nous faire, Zark ?

Mitch ferma les yeux en se balançant en arrière. Zark, ce

saint, ce héros, baisserait-il les bras à sa place ? Zark, défenseur du droit et de la justice, tirerait-il élégamment sa révérence ? Non, décida Mitch. Mais, en matière d'amour, Zark n'était pas très doué. Leilah ne cessait de le repousser, mais il croyait encore qu'elle allait lui revenir.

Au moins, Hester n'avait pas essayé de l'empoisonner avec du gaz toxique. Leilah avait fait subir les pires horreurs à Zark, mais celui-ci était toujours fou d'elle.

Mitch étudia attentivement le poster de Zark accroché devant lui, en quête d'inspiration. Son héros et lui étaient sur le même bateau, mais lui n'était pas prêt à ramer. Et il savait qu'Hester allait bientôt devoir affronter des eaux tumultueuses.

Mitch jeta un coup d'œil vers le réveil posé sur son bureau avant de se rappeler qu'il s'était arrêté deux jours plus tôt. Il était également certain d'avoir oublié sa montre dans les poches d'un vêtement qu'il avait porté au pressing. Pour savoir combien de temps il lui restait avant qu'Hester rentre chez elle, il se dirigea vers le salon. Il y trouva sa vieille pendule de cheminée qu'il aimait assez pour ne pas oublier de la remonter. Au même moment, il entendit Radley frapper à la porte.

— Juste à l'heure, dit Mitch en caressant comme à son habitude la joue de Radley après lui avoir ouvert. Il fait froid ? Environ six degrés, je dirais, conclut-il.

— Mais il fait beau, précisa Radley en posant son sac à dos. Tu as envie d'aller te promener au parc ?

Mitch attendit que Radley ait soigneusement posé son manteau sur l'accoudoir du canapé.

— Peut-être après avoir fait une petite pause. Mlle Jablanski, notre voisine, a fait des cookies. Elle est désolée que personne ne me prépare de plats chauds, alors elle m'en a donné une douzaine.

— Ils sont à quel parfum ?

— Au beurre de cacahouète.

— Génial ! s'écria le petit garçon en s'élançant vers la cuisine.

Radley aimait la table de bois d'ébène et de verre fumé de cette pièce. Surtout parce que Mitch se fichait qu'il y laisse l'empreinte de ses doigts. Il s'installa devant un verre de lait et plusieurs biscuits, heureux tant de son goûter que de la compagnie de Mitch.

— Nous devons faire un exposé sur un Etat, dit-il, la bouche pleine. J'ai eu Rhode Island. C'est le plus petit de tous. Dire que je voulais le Texas...

— Rhode Island, répéta Mitch en croquant dans un cookie. C'est si terrible que ça ?

— Tout le monde se fiche de Rhode Island. Au moins, au Texas, ils ont le Fort Alamo, et tout ça.

— Je peux peut-être t'aider. J'y suis né.

— A Rhode Island ? Vraiment ?

Le minuscule Etat revêtit soudain un nouvel intérêt.

— Oui. Tu dois le rendre dans combien de temps ?

— Six semaines, répondit Radley en prenant un autre biscuit. Nous devons l'accompagner d'illustrations. Ce n'est pas un problème. En revanche, nous devons aussi faire des recherches sur les industries et les ressources naturelles. Pourquoi es-tu parti ?

Mitch fut tenté de lui servir une réponse facile, puis il se souvint du code d'honneur d'Hester à propos de la franchise.

— Je ne m'entendais pas très bien avec mes parents. Mais nous sommes amis maintenant.

— Il y a aussi des gens qui partent et qui ne reviennent jamais.

Le petit garçon s'était exprimé d'une voix détachée. Mitch décida de lui répondre de la même manière.

— Je sais.

— Avant, j'avais peur que ma mère s'en aille, mais elle ne l'a jamais fait.

— Elle t'aime, répondit Mitch en passant une main dans les cheveux de Radley.

— Tu vas te marier avec elle ?

Surpris, Mitch suspendit son geste.

— Eh bien, je...

Comment allait-il s'y prendre, cette fois ?

— Je dois avouer que j'y ai pensé, ajouta-t-il.

Mitch se sentait ridicule. Pour masquer sa nervosité, il se leva pour réchauffer du café.

— En réalité, j'y pense beaucoup, continua-t-il. Qu'est-ce que tu en penses, toi?

— Tu vivrais avec nous tout le temps?

— Oui, c'est ça l'idée, dit Mitch en se servant avant de reprendre sa place à côté de Radley. Ça t'ennuierait?

L'enfant le contempla de ses yeux sombres et insondables.

— La mère d'un de mes amis s'est remariée. Kevin dit que, depuis, son beau-père et lui ne sont plus amis.

— Tu crois que si j'épouse ta mère je cesserai d'être ton ami? demanda Mitch en saisissant le menton de Radley. Je ne suis pas ton ami à cause de ta mère, mais à cause de toi. Je te promets que rien ne changera si jamais je deviens ton beau-père.

— Je ne veux pas que tu deviennes mon beau-père.

Les lèvres de l'enfant tremblaient à présent.

— J'en veux un pour de vrai. Je veux un père qui ne s'en aille pas.

Mitch installa Radley sur ses genoux.

— Tu as raison. Les vrais pères ne partent pas.

La vérité sort de la bouche des enfants, songea Mitch en frottant affectueusement son nez contre Radley.

— Tu sais, je n'ai pas beaucoup d'expérience en tant que père. Seras-tu fâché après moi si jamais je cafouille de temps en temps?

Radley secoua la tête en se blottissant encore plus contre lui.

— Nous allons le dire à ma mère?

Mitch rit doucement.

— Oui, bonne idée. Prenez votre manteau, sergent, nous partons pour une mission très importante.

La tête entre les mains, Hester était penchée au-dessus de ses chiffres. Pour une raison qu'elle ignorait, elle avait du mal à savoir combien faisaient deux plus deux. Plus rien ne semblait avoir d'importance. C'était la preuve qu'elle n'allait pas bien. Elle parcourut des dossiers et effectua plusieurs calculs et estimations avant de les refermer avec indifférence.

Tout était de la faute de Mitch. C'était à cause de lui si elle était devenue un automate et si elle était condamnée à faire mécaniquement son travail pendant les vingt années à venir. Il l'avait poussée à se remettre en question. Il l'avait obligée à faire face à la douleur et à la colère qu'elle avait essayé d'enfouir au plus profond de son être. Il l'avait amenée à vouloir ce qu'elle s'était juré ne plus jamais désirer.

Et maintenant? s'interrogea-t-elle en posant les coudes sur la pile de dossiers, les yeux dans le vague. Elle était amoureuse, plus profondément et sincèrement qu'elle ne l'avait jamais été. L'homme qu'elle aimait était excitant, gentil et responsable. Il lui offrait un nouveau départ.

C'était de ça dont elle avait peur, en fait. C'était ça qu'elle essayait de fuir. Avant Mitch, elle n'avait pas vraiment compris que pendant toutes ces années elle s'en était voulu, à elle, au lieu d'incriminer Allan. Elle avait considéré le naufrage de son mariage comme une faute personnelle, dont elle était la seule responsable. Et, plutôt que de risquer un nouvel échec, elle s'apprêtait à tourner le dos à son premier et véritable espoir de bonheur.

Elle prétendait vouloir rester seule à cause de Radley, mais ce n'était pas tout à fait vrai. Elle considérait son divorce comme un échec personnel, et redoutait de s'engager pleinement avec Mitch.

Pourtant, Mitch avait raison. Il avait raison sur tellement de points… Elle n'était plus la femme qui avait aimé et épousé Allan Wallace. Elle n'était même plus celle qui s'était battue à corps perdu lorsqu'elle s'était trouvée seule avec un nourrisson.

Quand allait-elle cesser de se punir? Sur-le-champ, décida-t-elle en décrochant le téléphone. Elle composa le numéro de Mitch d'une main calme, mais son cœur battait à tout rompre. Le téléphone sonna et sonna encore, sans réponse.

— Oh! Mitch, murmura-t-elle, nous ne serons donc jamais en phase?

Déçue, elle raccrocha en se jurant de ne pas perdre courage. Dans une heure, elle rentrerait chez elle et lui annoncerait qu'elle était prête pour un nouveau départ.

Hester fut détournée de ses bonnes résolutions par la sonnerie du téléphone. L'appel venait de son assistante.

— Oui, Kay.

— Madame Wallace, quelqu'un désire vous voir pour un prêt.

Hester consulta son agenda en fronçant les sourcils.

— Je n'ai pas de rendez-vous.

— Je pense que vous pouvez l'intégrer à votre planning, madame.

— Parfait, mais sonnez-moi dans vingt minutes, s'il vous plaît. Je dois régler certaines affaires avant de partir.

— Bien, madame.

Hester rangea son bureau et s'apprêtait à se lever lorsqu'elle vit Mitch entrer.

— Mitch ? J'étais justement en train de… Mais que fais-tu ici ? Où est Rad ?

— Il attend avec Taz dans le hall.

— Kay m'a dit que quelqu'un désirait me voir.

— C'était moi, expliqua-t-il en posant un porte-documents sur son bureau.

Mitch paraissait très déterminé.

— Mitch, tu n'avais pas besoin de prétendre vouloir un prêt pour venir me voir.

— C'est pourtant pour ça que je suis venu.

— Ne sois pas stupide, répondit-elle en souriant.

— Madame Wallace, êtes-vous bien la personne responsable des prêts dans cette banque ?

— Mitch, vraiment, ce n'est pas nécessaire.

— Tu ne voudrais pas que j'aille dire à Rosen que tu m'as envoyé à la concurrence ? demanda-t-il en ouvrant sa serviette. Je t'ai amené tous les documents nécessaires pour constituer le dossier. Je suppose que de ton côté tu as tous les formulaires ?

— Bien sûr, mais…

— Alors, pourquoi ne pas en sortir un ?

— Très bien.

S'il voulait jouer à ce petit jeu, il allait être servi.

— Tu veux donc contracter un prêt. Veux-tu acheter un bien en vue d'investir, de louer ou à des fins professionnelles ?

— Non, c'est purement personnel.

— D'accord. As-tu une proposition de vente ?

— La voici.

Mitch se délecta de la mine déconfite d'Hester. Elle lui prit les documents des mains et les étudia attentivement.

— Mais tout est vrai !

— Bien sûr. J'ai fait une offre il y a quelques semaines, expliqua-t-il en se grattant le menton comme s'il réfléchissait. Voyons voir. C'était le jour où j'ai décliné ton invitation à venir manger du rôti.

— Tu as acheté une maison ? s'étonna-t-elle en parcourant de nouveau la liasse de documents. Dans le Connecticut ?

— Oui, et ils ont accepté mon offre. Je viens de recevoir les papiers. J'imagine que la banque devra faire sa propre estimation. Il y a des frais pour ça, n'est-ce pas ?

— Comment ? Heu, oui, je vais remplir le dossier.

— Parfait. J'ai aussi amené des photos et un plan.

Mitch les sortit de la serviette et les posa sur son bureau.

— Veux-tu les regarder ? demanda-t-il.

— Je ne vois pas pourquoi.

— Tu comprendras peut-être en voyant les photos.

Hester saisit les clichés et tomba nez à nez avec la maison de ses rêves. C'était une immense demeure avec une terrasse circulaire et couverte, percée de grandes et larges fenêtres. Tout autour, la neige couvrait les arbres à feuillage persistant et s'accumulait en couches immaculées sur le toit.

— Il y a aussi des dépendances qui ne figurent pas sur les photos, commenta Mitch. Des écuries et un poulailler, tous les deux occupés pour l'instant. Le tout s'étend sur deux hectares, avec des bois et un ruisseau. L'agent immobilier m'a soutenu que la pêche y était bonne. Le toit a besoin de quelques réparations et les gouttières doivent être remplacées. A l'intérieur, il faut rafraîchir les peintures et le papier peint, et prévoir aussi quelques travaux de plomberie. Mais la bâtisse est solide.

Tout en parlant, Mitch ne quittait pas Hester des yeux. Elle semblait hypnotisée par les photos.

— La maison a été construite il y a cent cinquante ans, continua-t-il. Je suppose qu'elle peut encore rester sur pied quelques années.

— Elle est magnifique, bredouilla Hester, les yeux humides de larmes qu'elle refoula rapidement. Vraiment magnifique.

— C'est le point de vue du banquier ?

Mitch n'était pas décidé à lui simplifier la tâche. Mais comment lui en vouloir, alors que de son côté elle leur avait tellement compliqué les choses ?

— Je ne savais pas que tu envisageais de déménager, dit-elle enfin. Comment vas-tu faire pour ton travail ?

— Je pourrais installer ma table à dessin dans le Connecticut aussi facilement qu'à New York. La distance est raisonnable et je ne passe pas vraiment beaucoup de temps au bureau.

— C'est vrai, approuva-t-elle en saisissant un stylo.

Mais, plutôt que d'écrire les informations de rigueur, elle se contenta de le faire rouler machinalement entre ses doigts.

— J'ai entendu dire qu'il y avait une banque en ville, ajouta Mitch. Rien qui n'arrive à la cheville de la National Trust. Il s'agit d'une petite banque indépendante. Mais il semblerait qu'une personne expérimentée pourrait y occuper un emploi intéressant.

— J'ai toujours préféré les petites banques, avoua-t-elle, la gorge serrée. Les petites villes aussi.

— Ils ont aussi quelques bonnes écoles. L'école primaire est tout près de la ferme. On m'a même dit que parfois les vaches s'échappaient de leur pré et allaient brouter dans la cour.

— On dirait que tu as pensé à tout.

— C'est vrai.

Hester regarda fixement les photos. Comment Mitch avait-il fait pour trouver la maison dont elle avait toujours rêvé ? Et comment pouvait-elle avoir eu la chance qu'il adhère à ses projets ?

— Tu fais tout ça pour moi ?

— Non.

Mitch attendit qu'elle lève les yeux vers lui.

— Je le fais pour nous, ajouta-t-il.

Hester sentit de nouveau des larmes brûler ses yeux.

— Je ne te mérite pas.

— Je sais.

Mitch saisit alors ses mains et l'obligea à se lever.

— Ne me dis pas que tu vas être assez stupide pour refuser une affaire pareille ?

— Je m'en voudrais trop, reconnut-elle en contournant le bureau. Je dois te dire quelque chose mais, d'abord, j'aimerais que tu m'embrasses.

— Est-ce ainsi que l'on accorde les prêts dans cette banque ? demanda Mitch en saisissant le revers de sa veste pour attirer Hester vers lui. Je vais devoir faire un rapport sur vous, madame Wallace. Mais plus tard.

Mitch scella alors leurs lèvres par un baiser. Aussitôt, il sentit en elle un mélange d'abandon, de force et d'acceptation. Avec un râle de plaisir, il prit son visage en coupe et sentit sous ses doigts la courbe douce de ses lèvres étirées par un sourire.

— Cela veut-il dire que le prêt est accordé ?

— Nous parlerons affaires dans une minute.

Hester s'interrompit quelques secondes avant de s'écarter.

— Avant que tu arrives, j'étais là, sur cette chaise. En fait, cela fait des jours que je reste assise sans pouvoir faire mon travail. Je n'arrête pas de penser à toi.

— Continue. Je suis sûr que je vais aimer cette histoire.

— Lorsque je n'étais pas occupée à penser à toi, je pensais à moi. Pendant les dix dernières années de ma vie, sache que je me suis beaucoup obstinée à ne pas le faire. Ça n'a donc pas été facile.

Hester garda les mains de Mitch entre les siennes, mais recula encore d'un pas.

— J'ai compris que ce qui était arrivé à Allan et moi était couru d'avance. Si j'avais été plus intelligente et plus forte, j'aurais reconnu il y a bien longtemps que notre histoire ne pouvait pas durer. Peut-être que s'il n'était pas parti comme il l'a fait…

Hester laissa sa phrase en suspens en soupirant.

— Aujourd'hui, continua-t-elle, ça n'a plus d'importance. C'est la conclusion à laquelle je suis arrivée. Mitch, je ne veux pas passer le reste de ma vie à me demander si notre histoire à nous aurait pu fonctionner. Je préfère passer le reste de ma vie à faire en sorte qu'elle fonctionne. Avant que tu arrives dans mon bureau avec ton projet, j'avais décidé de te demander si tu voulais toujours m'épouser.

— Ma réponse est oui, sous plusieurs conditions.

Hester s'était déjà avancée vers lui pour se blottir dans ses bras. Elle se figea.

— Des conditions ?

— Oui, tu es banquière, tu sais ce que sont des conditions, non ?

— Bien sûr, mais je ne considère pas notre histoire comme une transaction.

— Ecoute-moi avant de répondre, car c'est important, répondit Mitch. J'aimerais devenir le père de Rad.

— Si nous nous marions, tu le deviendras.

— Non, je deviendrai son beau-père. Et Rad et moi sommes d'accord pour dire que cela ne nous convient pas.

— Vous êtes d'accord ? demanda-t-elle sur la défensive. Tu as donc parlé de ça avec Rad ?

— Oui, nous en avons parlé. C'est lui qui a amené le sujet, mais je l'aurais fait de toute façon. Il m'a demandé cet après-midi si je voulais t'épouser. Tu voulais que je lui mente ?

— Non, évidemment. Et qu'a-t-il répondu ?

— Il voulait surtout savoir si nous allions continuer à être amis parce qu'il a entendu dans la bouche de ses camarades que, parfois, les beaux-pères changeaient d'attitude une fois qu'ils étaient installés chez eux. Il m'a ensuite avoué qu'il ne voulait pas que je devienne son beau-père.

— Oh ! Mitch ! s'écria Hester en se laissant tomber lourdement sur le bord du bureau.

— Il veut un vrai père, Hester, parce que les vrais pères ne s'en vont pas.

Mitch vit son regard s'assombrir, puis elle ferma les yeux.

— Je vois, dit-elle d'une voix blanche.

— Voilà comment je vois les choses. Tu vas devoir prendre une autre décision, Hester. Me permets-tu d'adopter Radley?

Elle ouvrit les yeux, pétrifiée de surprise.

— Tu as déjà fait le choix de te partager pour moi, continua Mitch. Maintenant, j'ai besoin de savoir si tu es prête à partager Rad. Pleinement, légalement. Je ne pense pas que ton ex-mari s'y opposera.

— Non, c'est certain.

— Et je ne crois pas non plus que cela pose problème à Rad. Maintenant, j'ai besoin de ton avis.

Hester se leva et fit quelques pas.

— Je ne sais pas quoi dire. Je ne trouve pas les bons mots.

— Prends-les au hasard.

Hester prit une profonde inspiration avant de se tourner vers lui.

— Je pense que Radley va avoir un père merveilleux. Et je t'aime très, très fort.

— C'est bon de l'entendre, dit-il en la prenant dans ses bras, soulagé. Vraiment bon.

Puis il l'embrassa avec avidité et désespoir. Accrochée à son cou, Hester riait de bonheur.

— Cela veut-il dire que tu vas m'accorder ce prêt?

— Je suis navrée, mais je vais devoir le refuser.

— Comment?

— En revanche, je suis d'accord pour accepter une demande de toi *et* de ta femme. Si c'est notre maison, c'est notre engagement.

— Je pense pouvoir vivre avec ces conditions, dit-il en effleurant les lèvres d'Hester. Pour les cent années à venir.

Mitch se dégagea brusquement.

— Allons l'annoncer à Rad!

Main dans la main, ils commencèrent à s'avancer vers la porte.

— Dis-moi, Hester, que dirais-tu d'une lune de miel à Disneyland?

— C'est une merveilleuse idée. Absolument merveilleuse! répondit-elle en riant à gorge déployée.

LE SECRET DE KERGALLEN

1

Le trajet n'en finissait pas, et Serenity, épuisée, n'en pouvait plus. Sa dispute de la veille au soir avec Tony n'arrangeait en rien son humeur. Cet épisode, ajouté au long vol de Washington à Paris et, maintenant, à ces heures interminables passées dans ce train surchauffé… Elle avait beau serrer les dents, son dynamisme habituel l'avait abandonnée. Au bout du compte, jugea-t-elle, misérable, elle faisait une piètre voyageuse.

Ce périple, qui la conduisait d'Amérique en Europe, avait déclenché l'ultime conflit entre Tony et elle. Leur relation était tendue et houleuse depuis des semaines, certes. En un an, ils avaient connu plusieurs querelles, surtout dues à son refus obstiné de céder au mariage qu'il lui proposait régulièrement, mais elles avaient toujours été sans conséquence. Tony la voulait, et sa patience semblait inépuisable. Jusqu'au jour où elle lui avait annoncé son départ. Il avait alors craqué, et la guerre avait commencé.

Pour s'achever hier, songea-t-elle, la scène de leur dispute toujours vive à ses oreilles.

— Tu ne peux pas t'envoler comme ça pour la France, s'était-il exclamé. T'en aller voir une supposée grand-mère dont tu ignorais jusqu'à l'existence il y a encore deux semaines !

Il avait arpenté la pièce, son agitation visible dans la façon dont il laissait sa main ébouriffer ses cheveux blonds si bien coiffés d'ordinaire.

— Pour la Bretagne, avait-elle précisé. Et peu importe quand j'ai appris l'existence de ma grand-mère ; maintenant je sais qu'elle existe.

— Cette vieille bique t'envoie une lettre, affirme qu'elle est ta grand-mère, dit qu'elle veut te voir, et tu t'en vas, comme ça.

Devant son exaspération, elle s'était répété qu'il ne pouvait pas, rationnel comme il était, comprendre son impulsion. Alors, puisant dans ses ultimes ressources, elle s'était efforcée de plaider sa cause calmement.

— C'est la mère de ma mère, Tony, avait-elle avancé, la seule famille qui me reste, et j'ai l'intention d'aller la voir. Tu sais que j'envisage ce voyage depuis le jour où j'ai reçu sa lettre.

— Vingt-quatre ans sans le moindre mot et, tout à coup, cette sommation.

Il avait continué d'arpenter la grande pièce au plafond haut, puis il avait fait volte-face et fondu sur elle.

— Pourquoi tes parents ne t'ont-ils jamais parlé d'elle, bon sang ? Pourquoi a-t-elle attendu qu'ils soient morts pour te contacter ?

La flèche l'avait atteinte en plein cœur. Il ne voulait pas être cruel, s'était-elle dit. Ce trait n'était pas dans sa nature, contrairement à la logique. Avocat, cartésien dans l'âme, Tony ne raisonnait qu'en faits et chiffres. Il pouvait même ignorer la douleur sourde, profonde qui, deux mois après la mort brutale de ses parents, continuait de la faire souffrir. Savoir que ses mots n'étaient pas destinés à lui faire mal ne l'avait pas empêchée de s'emporter, et la dispute avait enflé jusqu'au moment où Tony était parti, la laissant seule, furieuse, en proie au pire ressentiment.

À présent, livrée aux soubresauts du train dans la campagne bretonne, elle était obligée de reconnaître qu'elle aussi avait des doutes. Pourquoi sa grand-mère, Françoise de Kergallen, cette inconnue comtesse bretonne, était-elle restée silencieuse pendant près d'un quart de siècle ? Pourquoi sa mère, son adorable, fragile et passionnément fantasque mère, n'avait-elle jamais évoqué de famille dans cette contrée lointaine ? Même son père, aussi fougueux, franc et direct qu'il avait été, n'avait jamais parlé de lien outre-Atlantique.

Ils avaient été si proches tous les trois, songea-t-elle avec un soupir mélancolique. Ils avaient fait tant de choses ensemble.

Déjà, quand elle était enfant, ses parents l'emmenaient aux réceptions données chez les sénateurs, représentants du Congrès, ou ambassadeurs qui les invitaient.

Jonathan Smith avait été un peintre très recherché ; un portrait dessiné de sa main talentueuse, un bien prisé. Pendant plus de vingt ans, tout Washington s'était disputé ses commandes. Il était aimé et respecté, aussi bien en tant qu'homme qu'en tant qu'artiste ; et le doux charme, la grâce de Gaelle, sa femme, avaient fait d'eux un couple très apprécié des milieux les plus en vue de la capitale.

Lorsque Serenity avait grandi, et que ses dons artistiques s'étaient révélés, la fierté de son père n'avait connu aucune limite. Ils avaient dessiné et peint ensemble, d'abord comme maître et élève, puis en égaux, et les joies partagées de la création les avaient encore rapprochés.

La petite famille avait mené une existence idyllique dans leur élégante maison de Georgetown, une vie pleine d'amour et de rire, jusqu'au jour où l'univers de Serenity s'était effondré, en même temps que s'écrasait l'avion qui emportait ses parents en Californie. Elle avait d'abord refusé de croire qu'ils étaient morts et qu'elle était en vie, que les pièces aux plafonds hauts ne renverraient plus l'écho de la voix retentissante de son père ou le rire léger de sa mère. La maison était soudain devenue vide, à l'exception des souvenirs tapis dans chaque recoin comme des ombres.

Les deux premières semaines, elle n'avait pas supporté la vue d'une toile ou d'un pinceau, ni la perspective de monter au dernier étage, dans l'atelier où elle avait passé tant d'heures avec son père, où sa mère venait régulièrement leur rappeler que même les artistes avaient besoin de manger.

Lorsqu'elle avait enfin trouvé le courage de grimper l'escalier, de pénétrer dans la pièce inondée de soleil, elle avait été surprise de découvrir, au lieu de l'insupportable chagrin auquel elle s'attendait, une paix étrange, réconfortante. La chaleur du soleil se déversait par la verrière et les murs avaient conservé l'amour et les rires qu'ils avaient, un jour, contenus. Elle avait recommencé à vivre, à peindre, et Tony, par sa gentillesse constante, sa tendre discrétion, l'avait aidée à surmonter le vide causé par la perte de ses parents.

Puis la lettre était arrivée.

Laissant Georgetown et Tony derrière elle, elle s'était mise en quête d'une part d'elle-même, enracinée en Bretagne et détenue par une grand-mère inconnue. La lettre insolite, au ton protocolaire, qui l'avait conduite de l'animation familière des rues de Washington à l'inhabituelle campagne bretonne, était soigneusement glissée dans le sac de cuir posé à côté d'elle. Dépourvu d'affection, se limitant aux faits, le courrier s'achevait sur une invitation. Ou plutôt, se corrigea-t-elle, partagée entre l'amusement et la contrariété, sur ce qui ressemblait à une assignation royale. Elle aurait pu, par orgueil, mépriser l'injonction qui lui était ainsi faite, mais sa curiosité, son désir de connaître la famille de sa mère l'avaient emporté. Son tempérament impulsif, combiné à son sens de l'organisation, avait fait le reste. Elle avait préparé son voyage, fermé la chère maison de Georgetown… et coupé les ponts avec Tony.

Le train, dans un concert de gémissements et de crissements récalcitrants, freina en gare de Lannion. Son excitation tempérée par le décalage horaire, elle attrapa ses bagages à main et descendit sur le quai. Posant son premier regard vraiment attentif sur le pays natal de sa mère, elle fut aussitôt subjuguée par la beauté naturelle, la douceur des couleurs, si particulières à cette région.

Le sourire qui effleurait ses lèvres entrouvertes, sa contemplation attentive inspirèrent un léger mouvement de surprise à l'homme qui, un peu plus loin, l'observait. Avec curiosité, il prit le temps d'étudier la voyageuse. Sa grande et fine silhouette était drapée dans un tailleur bleu pastel dont la jupe flottait autour d'interminables jambes gracieuses. La brise qui jouait dans ses cheveux ensoleillés dégageait l'ovale d'un visage délicat. Ses yeux, remarqua-t-il, grands ouverts, étaient de la couleur du cognac et bordés de longs cils, d'une teinte plus sombre que la blondeur de ses cheveux. Sa peau semblait d'une incroyable douceur et aussi lisse que l'albâtre, deux caractéristiques qui lui donnaient l'allure éthérée, fragile et délicate, d'une élégante orchidée.

Les apparences sont souvent trompeuses, se dit-il, il le découvrirait bien assez vite.

Il approcha lentement, presque à contrecœur.

— Mademoiselle Serenity Smith ? s'enquit-il dans un anglais à peine teinté d'accent.

Serenity était si absorbée par la contemplation du paysage que le son de la voix dans son dos la fit sursauter. Repoussant une mèche de cheveux, elle se tourna vers l'inconnu. Surprise de lever la tête bien plus qu'elle n'en avait l'habitude pour s'adresser à quelqu'un, elle croisa un regard brun, ténébreux.

— Oui, répondit-elle, intriguée par l'étrange sensation que lui inspiraient ces yeux sombres. Vous êtes du château de Kergallen ?

Un seul de ses sourcils noirs se haussa, subrepticement.

— *Oui*, répondit-il en français. Je suis Christophe de Kergallen, chargé de vous conduire à la comtesse.

— De Kergallen ? répéta-t-elle, décontenancée. Un autre parent mystérieux ?

Le sourcil resta dressé, et elle vit les lèvres pleines, sensuelles, s'incurver imperceptiblement.

— On peut en effet considérer, *mademoiselle*, que nous sommes, d'une obscure façon, cousins.

— Cousins, murmura-t-elle tandis qu'ils se dévisageaient.

Ou, plutôt, qu'ils se jaugeaient, constata-t-elle en lui rendant le regard circonspect auquel il la soumettait.

Il avait de beaux cheveux noirs, assez longs pour effleurer le col de sa chemise, et ses yeux sombres, qui demeuraient imperturbables, semblaient presque d'ébène sur le bronzage de son visage. Ses traits tranchants évoquaient l'acuité du faucon. Ou celle du pirate, se reprit-elle, sensible à l'aura qu'il dégageait — une sorte de sauvagerie, dont l'intensité primitive et troublante l'attirait autant qu'elle la repoussait. Elle songea aussitôt à son carnet de croquis, curieuse de savoir si elle serait capable de saisir, avec du papier et un crayon, l'aristocrate brutalité qui émanait du personnage.

Et la froideur de son dédain, ajouta-t-elle en notant l'indifférence manifeste avec laquelle il soutenait son examen prolongé.

— Vos malles vont être transportées au château.

Il se pencha pour prendre la valise qu'elle avait posée sur le quai.

— Si vous voulez bien me suivre, la comtesse est impatiente de vous rencontrer.

Il se dirigea vers une berline noire, à la carrosserie parfaitement lustrée, l'aida à s'asseoir, puis s'en alla mettre ses bagages dans le coffre. D'abord intriguée par ses airs de noble et froide distinction, elle le regarda démarrer et se mettre en route sans un mot. Puis son silence l'irrita. Elle se tourna alors vers lui et le dévisagea ouvertement.

— Et comment se fait-il que nous soyons cousins ? s'enquit-elle tout en se demandant de quelle façon elle était censée l'appeler. *Monsieur ? Christophe ? Hé, vous ?*

— Le premier mari de la comtesse, commença-t-il, le père de votre mère, est mort lorsque votre mère était enfant.

Il s'exprimait d'un ton poli, mais empreint d'une légère lassitude, si bien qu'elle faillit lui demander de ne surtout pas se fatiguer en explications.

— Plusieurs années après, poursuivit-il, la comtesse a épousé mon grand-père, le comte de Kergallen, dont la femme était morte et l'avait laissé avec un fils, mon père.

Il lui jeta un bref regard.

— Votre mère et mon père ont donc été élevés comme frère et sœur au château. Mon grand-père est mort, mon père s'est marié, a vécu assez longtemps pour me voir naître, et s'est rapidement tué dans un accident de chasse. Ma mère l'a pleuré pendant trois ans, puis l'a rejoint dans la crypte familiale.

Il s'exprimait avec si peu d'émotion que la sympathie qu'elle aurait, en temps normal, éprouvée pour l'orphelin n'eut pas l'occasion de voir le jour. Elle observa son profil acéré un instant.

— Cela fait donc de vous l'actuel comte de Kergallen, observa-t-elle, et mon cousin par alliance.

Il lui jeta le même regard, bref et distant.

— *Oui*, répondit-il.

— Je ne peux vous dire à quel point ces deux faits me transportent, déclara-t-elle en cédant au sarcasme que son auguste distinction lui inspirait.

Elle crut déceler un brin d'humour dans son expression. Mais devant l'éclat sombre de son regard, totalement dépourvu de chaleur, elle se ravisa. De toute évidence, cet homme hautain et renfrogné ne riait jamais.

— Avez-vous connu ma mère ? lui demanda-t-elle en cédant à l'unique curiosité qui l'habitait.

— *Oui.* J'avais huit ans lorsqu'elle a quitté le château.

— Pourquoi est-elle partie ? ajouta-t-elle en dardant sur lui ses yeux d'ambre.

Cette fois, leurs regards se croisèrent, chargés de la même flamboyance, et elle eut le temps de se sentir transpercée avant qu'il ne reporte son attention sur la route.

— La comtesse vous dira ce qu'elle souhaite que vous sachiez.

— Ce qu'elle souhaite que je sache ? fit-elle, sidérée d'une telle rebuffade, et d'un mépris, qu'il ne prenait même pas la peine de dissimuler. Ecoutez-moi, *cousin*, et que les choses soient claires. J'ai l'intention de découvrir pourquoi ma mère a quitté la Bretagne et pourquoi j'ai passé ma vie à ignorer l'existence de ma grand-mère.

Il prit le temps d'allumer un petit cigare et d'exhaler paresseusement la fumée.

— Je ne peux strictement rien vous dire.

— Dites plutôt que vous ne voulez rien me dire, le reprit-elle sèchement.

Voyant ses larges épaules se soulever dans un geste de dédain très français, elle lui rendit la pareille, version américaine, et se tourna vers la fenêtre, ratant du même coup le léger sourire que sa réaction faisait naître sur ses lèvres.

Le trajet se poursuivit dans un silence uniquement interrompu par les questions qu'elle posait sur le paysage. Il répondait par des monosyllabes polis, sans déployer le moindre effort pour nourrir la conversation. En temps normal, le soleil radieux et le ciel limpide auraient suffi à adoucir l'humeur de Serenity, mais le voyage l'avait mise à mal et la froideur dédaigneuse et persistante de son chauffeur sapait son naturel joyeux.

— Pour un comte breton, vous parlez un anglais remarquable, observa-t-elle avec une amabilité feinte, après deux monosyllabes de trop.

Le sarcasme glissa sur lui, sans plus d'effet qu'une brise, et sa réponse survint, teintée de condescendance.

— La comtesse parle également très bien anglais, *mademoiselle*. Les domestiques, en revanche, ne pratiquent que le français ou le breton. En cas de difficulté, vous devrez donc vous tourner vers la comtesse ou moi-même.

Elle releva le menton avec fierté.

— *Ce ne sera pas nécessaire, monsieur le comte. Je parle bien le français.*

Il esquissa un vague sourire.

— *Parfait*, répliqua-t-il dans la même langue. *Cela rendra votre séjour moins compliqué.*

— *Le château est encore loin ?* demanda-t-elle, toujours en français.

En plus d'avoir chaud, elle se sentait fatiguée. Le long voyage et le décalage horaire lui donnaient l'impression d'être prisonnière d'un véhicule ou d'un autre depuis des jours. Elle avait hâte de se prélasser dans une baignoire stable, bien ancrée sur terre, et remplie d'eau chaude et moussante.

— Nous sommes sur les terres de Kergallen depuis un moment, *mademoiselle*, répliqua-t-il, concentré sur la route maintenant sinueuse. Le château n'est plus très loin.

La voiture entamait l'ascension d'une côte. En proie à un mal de tête naissant, Serenity ferma les yeux, regrettant que sa mystérieuse grand-mère n'habite pas un endroit plus accessible, comme l'Idaho ou le New Jersey, par exemple. Lorsqu'elle souleva les paupières, quelques instants plus tard, toutes ses souffrances, sa fatigue et ses lamentations s'envolèrent d'un coup.

— Stop ! s'écria-t-elle en posant une main sur le bras de son conducteur.

Le château, haut, fier et solitaire, se dressait devant eux.

C'était un immense édifice de pierre surgi d'un autre siècle, tout en donjons, murs à créneaux, et toits d'ardoises d'un gris étincelant contre le bleu céruléen du ciel. La lumière déclinante du soleil se reflétait dans une myriade de couleurs sur les fenêtres nombreuses, étroites et hautes. Il était ancien, imposant, imprenable, et elle en tomba immédiatement amoureuse.

Christophe regarda la surprise et le plaisir se dessiner sur le visage de sa passagère. Elle ne lui prêtait plus aucune attention. Sa main, légère et chaude, était posée sur son bras, et une boucle de ses cheveux avait glissé sur son front. Il leva la main pour la repousser, mais se retint juste à temps.

Serenity était trop absorbée par le château pour avoir remarqué son geste. Elle s'interrogeait sur le meilleur angle pour le dessiner et imaginait les douves qui avaient dû, autrefois, l'entourer.

— Il est fabuleux, dit-elle enfin en se tournant vers son chauffeur.

Elle retira subitement sa main, surprise de la découvrir sur son bras.

— On dirait qu'il sort d'un conte de fées. Je peux presque entendre les trompettes, voir les chevaliers en armure et leurs dames en grande tenue et hennin de soie. Est-ce qu'il y a aussi un dragon dans les environs ?

Elle lui souriait à présent. Son visage, lumineux, était d'une beauté saisissante.

— Non, à moins de compter Marie, la cuisinière, répondit-il, oubliant un instant sa froide politesse.

Serenity eut le temps d'apercevoir un large et désarmant sourire éclairer ses traits, le rendant plus jeune et plus accessible.

Il est humain, finalement. Mais, en même temps qu'elle sentait son pouls réagir à ce brusque sourire, elle songea qu'il n'en était, sous cette forme, qu'infiniment plus dangereux. Elle ne pouvait toutefois détourner les yeux de son visage. Leurs regards s'étaient croisés et, tandis qu'ils se soutenaient, elle eut tout à coup l'étrange sensation d'être totalement seule avec lui, comme si le reste du monde s'était effacé pour les laisser tous les deux dans une intimité enchantée. Georgetown, tout à coup, lui paraissait à des années-lumière.

L'étranger froid et distant remplaça toutefois vite le charmant compagnon, et Christophe reprit la route, dans un silence d'autant plus glacial que le bref interlude avait été chaleureux.

Fais attention, s'admonesta-t-elle. *Ton imagination recommence à s'emballer. Cet homme n'est définitivement pas fait pour toi. Il ne t'apprécie même pas, et ce n'est pas un sourire furtif qui fait de lui autre chose qu'un aristocrate insensible et condescendant.*

Il s'arrêta au bout d'une large allée circulaire, devant une cour pavée dont les petits murets de pierre débordaient d'une multitude de jolies petites fleurs, et descendit de voiture avec agilité. Peu encline à se faire aider, elle s'empressa de l'imiter, trop envoûtée par l'atmosphère de conte de fées pour remarquer la grimace contrariée que sa rapidité inspirait à Christophe.

Lui prenant le bras, il l'entraîna sur le perron de granite, jusqu'à une imposante porte de chêne. La main sur la poignée de cuivre étincelante, il s'inclina légèrement et l'invita à entrer.

Le vestibule qui s'ouvrit devant elle était immense. Le sol, lustré comme un miroir, était couvert de magnifiques tapis et les murs, lambrissés, étaient ornés de gigantesques tapisseries, aussi incroyablement anciennes que vivement colorées. Une grande étagère et une table de chasse, toutes deux de chêne massif et polies par les ans, ainsi que des fauteuils sculptés, composaient le mobilier. Un parfum de fleurs coupées embellissait encore la pièce, qui lui sembla… étrangement familière. Comme si Serenity avait su à quoi s'attendre en franchissant le seuil, comme si les lieux l'avaient reconnue et accueillie.

— Quelque chose ne va pas ? lui demanda Christophe, qui avait dû remarquer son trouble.

Elle frissonna légèrement.

— *Une impression de déjà-vu*, murmura-t-elle avant de se tourner vers lui. C'est très curieux ; j'ai la sensation de m'être déjà trouvée ici.

Elle sursauta.

— Avec vous, ajouta-t-elle, décontenancée.

Elle laissa échapper un soupir.

— C'est très étrange, conclut-elle en haussant les épaules, agacée.

— Alors tu l'as amenée, Christophe.

Elle s'arracha au regard tout à coup intense posé sur elle pour voir sa grand-mère approcher.

La comtesse de Kergallen était grande et presque aussi svelte qu'elle. Ses cheveux, d'un blanc pur et lumineux, auréolaient un visage fin, dont les traits anguleux contrastaient avec le doux réseau de rides laissé par l'âge. Ses yeux étaient clairs, d'un bleu perçant sous des sourcils parfaitement dessinés, et son maintien, altier, était celui d'une femme dont la beauté restait intacte, bien qu'elle ait vécu plus de six décennies, et qui le savait.

Cette dame est comtesse jusqu'au bout des ongles.

Et ses yeux vifs la détaillaient, lentement, de la tête aux pieds. Elle surprit une émotion fugace sur son visage, mais il reprit vite son expression impassible et circonspecte, et la comtesse lui tendit une main élégante.

— Bienvenue au château de Kergallen, Serenity Smith. Je suis *Mme la comtesse Françoise de Kergallen*.

Serenity accepta la main tendue, en se demandant, un peu désarçonnée, si elle devait faire la révérence. Mais le contact bref et formel — ni étreinte affectueuse ni sourire chaleureux — l'empêcha de s'interroger trop longtemps. Elle ravala sa déception et répondit avec le même formalisme.

— Merci, *madame*. Je suis heureuse d'être ici.

— Vous devez être fatiguée après votre voyage, déclara la comtesse. Je vais vous conduire à votre chambre. Vous avez certainement besoin de repos avant de vous changer pour le dîner.

La voyant s'éloigner vers un bel escalier incurvé, Serenity s'empressa de la suivre, ne s'arrêtant que brièvement à l'étage pour jeter un regard en arrière.

Christophe l'observait, le regard sombre et inquiétant. Comme il ne faisait rien pour adoucir son expression, ou détourner les yeux, elle fit rapidement volte-face et se dépêcha de rejoindre la comtesse.

Elle franchit avec elle un long couloir étroit, agrémenté de lampes de cuivre, accrochées aux murs à intervalles réguliers. Elle imaginait les torches qui, un jour, avaient dû servir d'éclairage quand la comtesse s'arrêta devant une porte pour se tourner vers elle. Après l'avoir de nouveau attentivement examinée, elle ouvrit le battant et l'invita à entrer.

La chambre, malgré ses proportions impressionnantes, dégageait un charme délicat. Le mobilier était en merisier laqué. Un superbe lit à baldaquin — orné d'un couvre-lit brodé au petit point — dominait tout l'espace. Face à lui trônait une cheminée de pierre dont le manteau richement sculpté supportait un grand miroir dans lequel se reflétait une collection de figurines de Dresde. Le mur du fond, arrondi, s'ouvrait sur une belle et large fenêtre dans l'embrasure de laquelle une banquette tapissée invitait à s'asseoir et admirer la vue époustouflante qui s'étendait au-delà.

Serenity, qui avait tout de suite reconnu l'élégance subtile de la décoration, et submergée par une bouffée d'amour et de bonheur, se sentit aussitôt attirée à l'intérieur de la pièce.

— C'était la chambre de ma mère, dit-elle, émue.

L'émotion qu'elle avait un peu plus tôt surprise sur le visage de sa grand-mère réapparut pour s'éteindre aussi vite que la flamme d'une bougie soufflée par une bourrasque.

— *En effet,* déclara la comtesse, imperturbable. Gaelle l'a décorée elle-même lorsqu'elle avait seize ans.

— Je vous remercie de me l'avoir attribuée, *madame.*

La froideur de sa grand-mère ne pouvait dissiper l'impression que lui inspirait la chambre, et elle sourit.

— Je vais me sentir près d'elle durant mon séjour.

La comtesse se contenta d'opiner et pressa un petit bouton à côté du lit.

— Bridget va faire couler votre bain. Vos malles ne vont pas tarder à arriver, elle s'occupera de les défaire. Nous dînons à 20 heures, à moins que vous ne souhaitiez un rafraîchissement dès maintenant.

— Non merci, *comtesse,* répondit-elle avec le sentiment de

plus en plus net de n'être qu'une étrangère reçue dans un hôtel parfaitement dirigé. 20 heures, ce sera parfait.

La comtesse s'éloigna vers la porte.

— Bridget vous conduira dans le salon après que vous vous serez reposée. Nous prenons l'apéritif à 19 h 30. Si vous avez besoin de quelque chose d'ici là, il vous suffit de sonner.

Restée seule, Serenity poussa un profond soupir et s'assit lourdement sur le lit.

Pourquoi suis-je venue ? se demanda-t-elle en fermant les yeux sur le sentiment terrible de solitude qui l'accablait. *J'aurais dû rester à Georgetown, avec Tony, dans mon univers. Qu'est-ce que je viens chercher ici ?*

Elle souleva les paupières et regarda de nouveau autour d'elle.

C'est la chambre de ma mère, se dit-elle en même temps qu'une vague de réconfort la submergeait. *Je n'y suis pas une étrangère.*

Elle se leva et, à travers la fenêtre, regarda le jour décliner. Le soleil, dans un ultime et splendide embrasement, cédait au crépuscule. Un vent léger agitait les arbres, et les quelques nuages dispersés qu'il emportait avec lui glissaient paresseusement sur le velours du ciel.

Un château de légende perché sur une colline en Bretagne…

Avec un hochement de tête, elle s'agenouilla sur la banquette et admira la tombée de la nuit.

Où était sa place dans ce paysage ?

Quelque part. Elle plissa le front, frappée par la réflexion qui semblait surgir du plus profond d'elle-même autant que de la pièce qui l'entourait.

Elle appartenait à cet endroit. Une part d'elle-même en tout cas. Elle l'avait senti à l'instant où elle avait levé les yeux sur ces incroyables murs de granite, et puis lorsqu'elle était entrée dans le vestibule.

Chassant le souvenir de cette impression étrange, elle se concentra sur sa grand-mère.

Celle-ci n'était certainement pas émue par leur rencontre, se dit-elle avec tristesse. A moins que sa froideur ne soit due aux coutumes européennes… Pourquoi pas ? tenta-t-elle de se rassurer. Il était en effet absurde de croire que sa grand-mère ne voulait pas la rencontrer. Pourquoi l'aurait-elle invitée, sinon ? Serenity s'attendait à plus parce qu'elle espérait plus.

Ses épaules s'affaissèrent légèrement.

La patience n'avait jamais été la première de ses qualités. Peut-être devrait-elle apprendre à la cultiver. D'un autre côté, si on l'avait accueillie à la gare un tout petit peu plus chaleureusement, peut-être que…

Le souvenir du comportement de Christophe fit naître un nouveau pli sur son front.

Elle aurait juré que, à la seconde où il l'avait vue, il l'aurait volontiers remise dans le train. Et puis, il y avait eu cette conversation énervante dans la voiture… Contrariée, elle en oublia la tranquille montée du crépuscule.

Cet homme était exaspérant.

Il incarnait aussi, songea-t-elle en glissant vers la rêverie, l'archétype du comte breton. C'était peut-être pour cela qu'il la troublait tellement.

Le menton sur la paume, elle se souvint du frémissement qui s'était produit entre eux au moment où ils s'étaient arrêtés, dans l'ombre du château.

Il ne ressemblait à aucun autre. Distingué et primitif à la fois, raffiné et brutal. Il y avait, dans cette contradiction, une virilité, une fougue qu'elle devinait contenue sous le vernis du raffinement. De la *puissance* !

Le terme la surprit tellement qu'elle plongea dans un abîme de réflexion.

Oui, fut-elle forcée d'admettre avec un agacement qu'elle ne s'expliquait pas, il dégageait de la puissance, une force qui exprimait l'essence même de l'assurance.

Il constituait, pour un artiste, un sujet d'étude formidable.

C'était d'ailleurs en tant qu'artiste qu'il l'attirait, en aucun cas en tant que femme. Il faudrait être folle pour vouloir un homme comme lui.

Oui, complètement folle.

2

Le grand miroir ovale, une psyché à la dorure délicate, lui renvoyait l'image d'une jeune femme blonde à la silhouette élancée. La couleur cendre de rose de sa robe fluide au col montant donnait un éclat crémeux à ses épaules et ses bras nus.

Concluant son examen sur le reflet de ses yeux d'ambre, Serenity soutint son propre regard et soupira. Il était temps pour elle de rejoindre la comtesse — son imposante et distante grand-mère — et le comte, son cousin affecté et curieusement hostile à son égard.

Ses malles étaient arrivées pendant qu'elle profitait du bain préparé par la jeune femme de chambre bretonne. Bridget avait défait et sorti ses vêtements, d'abord timidement, puis en s'animant joyeusement au sujet des articles qu'elle suspendait dans la grande armoire ou qu'elle rangeait, soigneusement pliés, dans l'antique commode. Comparés à la froideur des membres de sa famille, son bavardage incessant et son amitié facile lui avaient fait l'effet d'un saisissant contraste.

Sa tentative de sieste entre les draps de lin frais du lit à baldaquin s'était malheureusement soldée par un échec. Trop d'émotions l'agitaient. L'étrange sensation qu'elle avait éprouvée dans le vestibule, l'accueil si peu chaleureux de sa grand-mère, la force de sa réaction physique au comte dédaigneux, tout s'était ligué contre elle pour la rendre inhabituellement nerveuse et peu sûre d'elle. Elle se surprit, une fois de plus, à regretter de n'avoir pas laissé Tony l'influencer et d'avoir, un peu rapidement, quitté un environnement familier, composé de gens qu'elle connaissait et comprenait.

Avec un nouveau soupir, elle redressa les épaules et se ressaisit. Elle n'était plus une collégienne naïve, se rabroua-t-elle. Elle avait passé l'âge de se laisser intimider par les châteaux, les grands airs et le protocole. Elle était Serenity Smith, la fille de Jonathan et Gaelle Smith, et c'était la tête haute qu'elle allait affronter comte et comtesse réunis.

Bridget frappa discrètement à sa porte. Après un dernier regard à sa tenue, elle suivit la jeune femme de chambre le long du couloir étroit et s'engagea, pleine d'assurance, dans la descente du bel escalier.

— *Bonsoir*, mademoiselle Smith.

Le salut de Christophe, marqué de l'affectation à laquelle elle s'attendait, la cueillit au bas des marches, où Bridget effectua une rapide et discrète retraite.

— *Bonsoir*, monsieur le comte, répondit-elle sur le même ton, tandis qu'ils échangeaient un nouveau regard méfiant.

La couleur sombre de son costume de soirée donnait un air diabolique à ses traits aquilins. L'éclat de ses yeux semblait de jais, et le bronze de sa peau paraissait encore plus mat contre le blanc éclatant de sa chemise. S'il comptait des flibustiers parmi ses ancêtres, ceux-ci ne devaient pas manquer d'allure. Et, si elle se fiait au regard appuyé qu'il faisait peser sur elle, ils devaient aussi connaître, et maîtriser, tous les aspects de la piraterie.

— La comtesse nous attend dans le salon, déclara-t-il lorsqu'il eut jugé bon de mettre un terme à son examen approfondi.

Il lui offrit le bras, avec une galanterie inattendue, et l'entraîna avec lui.

La comtesse les regarda entrer. Lui, grand et altier, elle, blonde et élancée, qui le mettait parfaitement en valeur. Ils formaient un couple remarquable, se dit-elle, de ceux qui attirent tous les regards.

— *Bonsoir*, Serenity, Christophe.

Serenity salua sa grand-mère. La comtesse de Kergallen, dans sa robe bleu saphir, le cou orné de diamants scintillants, offrait l'image d'une resplendissante majesté.

— *Mon apéritif,* Christophe, *s'il te plaît.* Et pour vous, Serenity?

— Un vermouth, *madame.* Merci, répondit-elle en affichant le sourire de circonstance requis.

— Vous vous êtes bien reposée, j'espère? s'enquit aimablement la comtesse en prenant le petit verre de cristal que Christophe lui tendait.

— Oui, très bien, *madame.*

Elle se tourna pour accepter son vin liquoreux.

— Je...

Les mots convenus qu'elle s'apprêtait à prononcer moururent dans sa gorge. Un instant figée, elle se tourna tout à fait pour contempler le portrait qu'elle venait d'apercevoir.

Depuis son cadre, une jeune femme blonde, à la peau claire, lui renvoyait le reflet... de sa propre image. A l'exception de la longueur des cheveux, dont le blond soyeux descendait jusqu'aux épaules, et des yeux d'un bleu profond au lieu de l'ambre, ce portrait était en effet le sien! Sauf qu'elle reconnaissait très bien, dans l'ovale délicat du visage, les courbes douces, la bouche bien dessinée aux lèvres pleines, la fragile, l'insaisissable beauté de sa mère, peinte à l'huile un quart de siècle plus tôt.

Le travail de son père, comprit-elle aussitôt. Le coup de pinceau, le jeu des couleurs, la technique trahissaient Jonathan Smith aussi sûrement que si elle avait vu sa signature dans le coin en bas. Elle repoussa les larmes qui lui montaient aux yeux. Ce portrait était si expressif et tellement naturel que, durant quelques secondes, il avait ramené ses parents à la vie, et elle était à présent submergée d'une affection, d'un attachement pénétrant desquels elle apprenait tout juste à se passer.

Elle poursuivit son examen, s'absorbant dans les détails du travail de son père. Les plis aériens du blanc nacré de la robe, les rubis scintillants des boucles d'oreilles, le vif contraste de couleurs discrètement repris dans la pierre de la bague que sa mère portait à son doigt... Quelque chose la titillait, un détail qu'elle n'arrivait pas à saisir, mais qui s'effaça avant qu'elle ne puisse l'identifier.

— Votre mère était une très belle femme, remarqua la comtesse dans son dos.

— Oui, répondit-elle distraitement, encore envahie par l'amour et le bonheur qui rayonnaient dans les yeux posés sur elle. C'est incroyable comme elle a peu changé depuis que mon père a fait ce portrait. Quel âge avait-elle ?

— A peine vingt ans, répondit la comtesse d'un ton frisant la brusquerie. Vous avez vite reconnu la main de votre père.

— Bien sûr, avoua-t-elle.

Ignorant la sécheresse de sa grand-mère, elle se tourna vers elle, un sourire franc et chaleureux aux lèvres.

— Je suis sa fille et, en tant qu'artiste moi-même, je reconnais son travail aussi bien que son écriture.

Elle revint au portrait qu'elle désigna du doigt.

— Ce tableau a vingt-cinq ans et il n'a rien perdu de sa vitalité ; on a l'impression qu'ils sont tous les deux dans cette pièce.

— Votre ressemblance est saisissante, observa Christophe.

A côté de la cheminée, il buvait tranquillement une gorgée de son vin. Mais il aurait aussi bien pu la toucher, tant sa voix lui semblait pénétrante.

— Elle m'a frappé lorsque vous êtes descendue du train, poursuivit-il.

— A part les yeux, intervint la comtesse. Vous avez les yeux de votre père.

Cette fois, l'amertume était évidente et Serenity fit volte-face, son geste vif accompagné par le mouvement paresseux de sa robe.

— Oui, *madame*, répliqua-t-elle en considérant la comtesse sans équivoque. J'ai les yeux de mon père. Cela vous déplaît-il ?

Sa question fut balayée d'un haussement d'épaules élégant, et la comtesse, visiblement décidée à ne pas lui répondre, souleva son verre et but une gorgée.

— Est-ce que mes parents se sont connus ici, au château ? reprit Serenity, gagnée par l'impatience. Pourquoi sont-ils partis et ne sont-ils jamais revenus ? Pourquoi ne m'ont-ils jamais parlé de vous ?

Elle dévisagea ses hôtes tour à tour, mais ne croisa que des expressions figées, froides et muettes. La comtesse avait dressé un bouclier autour d'elle et, de toute évidence, Christophe l'aiderait à le maintenir en place. Il ne lui dirait rien. Comprenant que les seules réponses lui viendraient de la vieille dame, elle ouvrit la bouche, mais une main impérieuse lui coupa la parole.

— Nous évoquerons tout cela bien assez tôt, trancha la comtesse d'un ton royal en se levant. Il est temps de passer à table.

La salle à manger était aussi imposante que le reste du château, mais Serenity avait décidé ne pas se laisser impressionner. Aussi posa-t-elle un œil détaché sur le plafond de cathédrale à la charpente apparente, les murs sombres et lambrissés, les hautes fenêtres, et les épais rideaux de velours de la couleur du sang. Une cheminée, assez haute pour qu'on y tienne debout, occupait un mur entier. Les flambées devaient offrir un spectacle éblouissant. Mais, pour l'heure, la pièce était éclairée par un superbe lustre, dont les multiples perles de cristal créaient en frémissant de minuscules arcs-en-ciel sur le chêne sombre et majestueux du mobilier.

Le repas débuta sur une soupe à l'oignon, épaisse, riche — typiquement française — qu'ils dégustèrent autour d'une conversation polie. Serenity jeta un coup d'œil sur Christophe, intriguée malgré elle par son charme ténébreux et son allure hautaine.

Il était évident qu'il ne l'appréciait pas, et son hostilité avait commencé à l'instant même où il avait posé les yeux sur elle, sans qu'elle sache pourquoi.

Peut-être n'aime-t-il pas les femmes, se dit-elle en goûtant son saumon à la crème.

Elle releva la tête, pour croiser son regard, et eut l'impression d'être transpercée par la foudre. Sentant son cœur bondir, comme s'il avait voulu lui échapper, elle baissa vivement les yeux sur son verre de vin blanc.

Non, se corrigea-t-elle, *il n'a rien contre les femmes.* Ces yeux pleins d'expérience en témoignaient.

Tony ne lui avait jamais produit un tel effet.

Mal à l'aise, elle prit son verre et but une gorgée.

Personne ne l'avait jamais fait réagir de cette façon.

— Stevan, lança la comtesse, *du vin pour mademoiselle.*

L'ordre de la comtesse au domestique la tira de ses réflexions.

— *Non, merci. J'ai tout ce qu'il me faut.*

— Vous parlez très bien français pour une Américaine, observa la vieille dame. Je suis heureuse de constater que vous avez reçu une bonne éducation, bien que vous soyez née dans ce pays barbare.

Le mépris de ses derniers mots était si manifeste qu'elle ne sut pas si elle devait se sentir insultée ou amusée.

— Ce pays « barbare », *madame*, s'appelle les Etats-Unis, répliqua-t-elle, et il est à peu près civilisé aujourd'hui. En fait, il se passe même des semaines sans que les Indiens nous attaquent.

La tête orgueilleuse se redressa avec autorité.

— Inutile d'être insolente, jeune femme.

— Vraiment ? demanda-t-elle avec un sourire ingénu. C'est curieux, il m'avait semblé le contraire.

Elle surprit, en prenant son verre et à son plus grand étonnement, le grand et lumineux sourire qui traversait le visage de Christophe.

— Vous avez peut-être les agréables traits de votre mère, observa la comtesse, pincée, mais vous avez la langue de votre père.

— Merci, répliqua-t-elle en saluant les yeux bleus qui la considéraient avec sévérité. Pour ce double compliment.

Jusqu'à la fin du repas, la conversation roula sur des sujets neutres et sans importance. Mais au moment de quitter la table, si le dîner avait pris des allures de trêve, Serenity continuait de s'interroger sur les raisons de la guerre.

Au salon, Christophe s'installa dans un fauteuil confortable et fit nonchalamment tourner son cognac entre ses mains, tandis qu'elle buvait un café avec la comtesse dans de fragiles tasses en porcelaine de Chine.

— Jean-Paul Le Goff, le fiancé de Gaelle, a rencontré Jonathan à Paris, commença la comtesse sans le moindre préambule.

Serenity sursauta, la tasse au bord des lèvres, et tourna les yeux vers le visage anguleux.

— Impressionné par le talent de votre père, poursuivit la vieille dame sans trahir la moindre émotion, Jean-Paul lui a demandé de faire le portrait de votre mère, pour le lui offrir en cadeau de mariage.

— Ma mère était fiancée à un autre avant d'épouser mon père? demanda-t-elle, sidérée, en posant sa tasse avec le plus grand soin.

— *Oui*. Les fiançailles étaient convenues de longue date; cet arrangement satisfaisait Gaelle. Jean-Paul était un homme bien, issu d'une bonne famille.

— C'était un mariage arrangé?

La comtesse balaya l'aversion de Serenity d'un revers de la main.

— C'est une vieille coutume et, comme je l'ai dit, cet arrangement satisfaisait Gaelle. Mais l'arrivée de Jonathan Smith au château a tout bouleversé. Si je m'étais montrée plus vigilante, j'aurais saisi le danger, vu les regards qu'ils échangeaient tous deux, surpris le rose qui montait aux joues de ma fille dès que l'on prononçait le nom du peintre.

Françoise de Kergallen poussa un profond soupir et leva les yeux sur le portrait qui les contemplait sereinement.

— Je n'ai jamais imaginé qu'elle puisse rompre son engagement, et jeter le déshonneur sur la famille. Elle avait toujours été une enfant adorable et obéissante. Votre père l'a rendue aveugle à son devoir.

Les yeux bleus glissèrent du tableau sur elle.

— Je n'avais aucune idée de ce qui s'était passé entre eux. Contrairement à son habitude, ma fille ne s'est pas confiée à moi, ne m'a demandé aucun conseil. Le jour où le portrait a été terminé, Gaelle s'est évanouie dans le jardin. Lorsque j'ai insisté pour faire venir le médecin, elle m'a dit qu'elle n'en avait pas besoin. Elle n'était pas malade, mais enceinte.

Un silence lourd et pesant s'abattit sur la pièce. Serenity le rompit, d'une voix claire et posée.

— *Madame,* si vous comptez heurter ma sensibilité en me disant que j'ai été conçue avant le mariage de mes parents, je suis navrée de vous décevoir. L'époque n'est plus à la lapidation ou au fer rouge, dans mon pays du moins. Mes parents s'aimaient, qu'ils aient exprimé cet amour avant ou après l'échange de leurs vœux ne me concerne pas.

La comtesse s'adossa à son fauteuil et, croisant les doigts, l'observa avec attention.

— Vous êtes très franche, *n'est-ce pas ?*

— Oui, je le suis, répondit-elle en soutenant son regard. J'essaie toutefois d'éviter que ma franchise ne soit blessante.

— *Touché,* murmura Christophe en s'attirant un regard imperceptiblement réprobateur de la comtesse, avant qu'elle ne repose les yeux sur Serenity.

— Votre mère était mariée depuis un mois, déclara-t-elle, placide. Ils s'étaient mariés en secret dans la petite chapelle d'un village voisin, pensant garder la nouvelle pour eux jusqu'au jour où votre père aurait été en mesure d'emmener Gaelle avec lui en Amérique.

— Je vois, fit-elle avec un sourire en s'adossant à son tour. Mon existence a précipité les choses. Et qu'avez-vous fait, *madame,* en découvrant que votre fille s'était mariée et portait l'enfant d'un obscur artiste ?

— Je l'ai reniée, je leur ai dit de quitter ma maison. A partir de ce jour, je n'avais plus de fille.

Elle avait parlé très vite, comme pour se débarrasser d'un poids depuis longtemps insupportable.

Un gémissement franchit les lèvres de Serenity. Malgré elle, ses yeux cherchèrent le secours de Christophe, mais se heurtèrent à un mur. Transpercée d'une profonde douleur, elle se leva lentement et, tournant le dos à la comtesse, chercha le sourire réconfortant de sa mère.

— Je ne suis pas étonnée qu'ils vous aient chassée de leur vie et tenue à l'écart de la mienne.

Elle fit volte-face et affronta la comtesse dont le visage, à l'exception de sa pâleur évidente, restait de marbre.

— Je suis désolée pour vous, *madame*. Vous vous êtes privée d'un immense bonheur. En les chassant, vous vous êtes retrouvée seule et abandonnée. Mes parents partageaient un amour profond, tandis que vous vous êtes cloîtrée dans l'orgueil de l'amour-propre blessé. Ma mère vous aurait pardonné; si vous la connaissiez vraiment, vous l'auriez su. Mon père vous aurait pardonné lui aussi, pour elle, parce qu'il ne pouvait rien lui refuser.

— Me pardonner? s'exclama la comtesse.

Une vive rougeur avait remplacé la pâleur de son visage et son intonation distinguée vibrait maintenant de colère et de stupeur.

— Qu'ai-je à faire du pardon d'un voleur et d'une fille qui a trahi son rang, sa parole et son héritage?

Serenity, le rouge aux joues, maîtrisa sa fureur.

— Un voleur? fit-elle, glaciale. Insinuez-vous, *madame*, que mon père vous a volée?

— *Oui*, il m'a volée.

Le regard était aussi dur que la réponse.

— Non content de me voler ma fille, l'enfant que j'aimais plus que tout au monde, il a dérobé la Madone de Raphaël que possédait ma famille depuis des générations. Deux trésors inestimables, tous deux irremplaçables, et tous deux perdus à cause d'un homme auquel j'ai fait confiance et que j'ai stupidement accueilli chez moi.

— Un Raphaël? répéta-t-elle en portant une main incrédule et confuse à sa tempe. Vous prétendez que mon père aurait volé *un Raphaël*? Vous devez être folle.

— Je ne prétends rien, corrigea la comtesse en se dressant avec la fierté d'une reine sur le point d'infliger une sentence. J'affirme que Jonathan Smith a pris Gaelle *et* la Madone. Il était très intelligent. Il savait que je voulais faire don du tableau au musée du Louvre, et il m'a proposé de le restaurer. Je lui ai fait confiance. Il a abusé cette confiance, poursuivit-elle, un masque de sang-froid impénétrable sur le visage. Il a détourné ma fille de son devoir, et quitté le château avec mes deux trésors.

— C'est un mensonge ! s'écria Serenity, révoltée. Mon père n'aurait jamais volé, jamais ! Vous avez perdu votre fille à cause de votre orgueil et de votre seul aveuglement.

— Et la Madone ?

La question, posée d'une voix tranquille, résonna dans la pièce.

— Je n'ai pas la moindre idée de ce qui est arrivé à votre Raphaël.

Son regard passa de la femme inflexible à l'homme imperturbable, et elle se sentit soudain écrasée par un terrible sentiment de solitude.

— Mon père ne l'a pas pris ; ce n'était pas un voleur, répétat-elle. Il n'a jamais rien fait de malhonnête.

Elle arpentait désormais la pièce, luttant contre sa fureur et l'envie de faire voler leur mur de froideur en éclats.

— Si vous étiez tellement certaine qu'il avait pris votre précieux tableau, reprit-elle, pourquoi n'avez-vous pas appelé la police et prouvé son forfait ?

— Comme je l'ai dit, répliqua la comtesse, votre père était très intelligent. Il savait parfaitement que je n'impliquerais pas ma fille dans un scandale pareil. Quelle que soit la trahison qu'elle m'ait infligée, avec ou sans mon consentement, il était son mari et le père de l'enfant qu'elle portait. Il était à l'abri.

Interrompant sa furieuse déambulation, Serenity fit volte-face, incrédule et consternée.

— Vous croyez que mon père a épousé ma mère pour assurer sa propre sécurité ?

C'était le comble !

— Vous n'avez aucune idée de ce qu'ils partageaient. Il l'aimait plus que sa vie, plus que des centaines de Raphaël.

— Quand j'ai découvert la disparition du tableau, poursuivit la comtesse comme si Serenity n'avait strictement rien dit, je suis allée voir votre père et je lui ai demandé des explications. Ils se préparaient déjà à partir. Lorsque je l'ai accusé d'avoir pris le tableau, j'ai vu le regard qu'ils échangeaient — lui, cet homme auquel j'avais fait confiance, et ma propre fille. J'ai compris qu'il avait la peinture, que Gaelle le savait, mais qu'elle le soutiendrait contre moi. Elle ne trahissait pas seulement ce qu'elle était, mais aussi sa famille et son pays.

Ces derniers mots s'achevèrent dans un souffle, et une brève grimace de douleur s'imprima sur le visage sévèrement contrôlé.

— Tu as assez parlé de cette histoire pour ce soir, intervint Christophe en se levant pour servir un verre de cognac et l'apporter à la comtesse avec un murmure en breton.

— Ils ne l'ont pas pris, répéta Serenity, obstinée.

Elle approcha de la comtesse, mais fut interceptée par la main dure de Christophe posée sur son bras.

— Cette discussion est terminée pour aujourd'hui.

Elle se dégagea et déversa sa fureur sur lui.

— Ce n'est pas à vous de me dire quand parler ou non! Je ne tolérerai pas que mon père soit accusé de vol! D'ailleurs, *monsieur le comte*, reprit-elle, exaspérée par les incohérences de cette histoire abracadabrante, si mon père a pris ce tableau, où est-il? Qu'en a-t-il fait?

Il haussa un sourcil et soutint, sans broncher, le regard de défi qu'elle lui lançait. Devant son expression tranquille et de plus en plus explicite, elle se sentit pâlir, puis violemment rougir. D'abord muette d'humiliation, elle se ressaisit et le toisa.

— Si j'étais un homme, dit-elle d'une voix parfaitement maîtrisée, je vous ferais payer ces insultes contre mes parents et moi-même.

— *Dans ce cas, mademoiselle*, répliqua-t-il avec une obligeance exagérée, j'ai de la chance que vous ne le soyez pas.

Le laissant à sa raillerie, elle se tourna vers la comtesse, qui les observait en silence.

— Si vous m'avez fait venir, *madame*, dans le but d'obtenir des informations sur votre Raphaël, vous allez être déçue. Je ne sais rien. Quant à moi, j'ai accepté votre invitation en pensant trouver une famille, un lien qui me rapprocherait de ma mère.

Ce n'est pas le cas. Il ne nous reste plus, l'une comme l'autre, qu'à vivre avec nos déceptions.

Elle fit demi-tour et quitta la pièce sans ajouter un mot.

Dans sa chambre, après avoir claqué la porte dans un fracas satisfaisant, Serenity sortit ses valises de l'armoire et les lança sur son lit. Furieuse, l'esprit en ébullition, elle entreprit ensuite d'arracher ses vêtements des abris où ils étaient soigneusement rangés pour les jeter, pêle-mêle, dans la gueule grande ouverte de ses bagages.

— Partez! répondit-elle sans ménagement au coup frappé contre sa porte avant de se retourner, le regard meurtrier, sur l'intrus qui ignorait son commandement.

Christophe, sur le seuil, considéra d'un œil circonspect sa façon de faire ses valises, puis entra et ferma la porte derrière lui.

— Alors, vous partez, *mademoiselle*?

— Excellente déduction.

Elle ajouta le chemisier rose pâle au sommet de la montagne colorée qui se dressait sur son lit, bien décidée à l'ignorer.

— Sage décision, déclara-t-il au dos qu'elle lui tournait. Il eût été préférable que vous ne veniez pas.

— Préférable? répliqua-t-elle en se retournant, frémissante de rage. Préférable pour qui?

— Pour la comtesse.

Elle avança lentement, scrutant son adversaire, maudissant l'avantage que lui donnait sa stature.

— C'est elle qui m'a demandé de venir. Ou plutôt ordonné, précisa-t-elle en laissant siffler sa voix. Oui, ordonné est plus juste. Alors de quel droit osez-vous venir dans cette chambre et me parler comme si j'avais commis un sacrilège? Je n'avais aucune idée de l'existence de cette femme jusqu'à l'arrivée de sa lettre. Et cette ignorance, voyez-vous, me comblait d'aise.

— Il eût été plus judicieux que la comtesse vous laisse à votre félicité.

— Voilà, *monsieur le comte*, un admirable euphémisme. Et

je suis heureuse de vous entendre dire que j'étais tout à fait capable d'affronter l'existence sans rien connaître de mes liens avec la Bretagne.

Elle lui tourna le dos et passa sa colère sur d'innocents vêtements.

— Etant donné la brièveté de votre séjour, vos capacités de survie ne devraient pas être affectées.

— Vous voulez que je parte, n'est-ce pas ?

Son rejet n'aurait pu être plus évident, et elle sentit, en pivotant, tout le cuisant de la blessure infligée à son amour-propre.

— Et le plutôt sera le mieux, ajouta-t-elle. Alors laissez-moi vous dire une chose, *monsieur le comte de Kergallen*, je préfère camper sur le bord de la route plutôt qu'accepter votre gracieuse hospitalité. Tenez, poursuivit-elle en lui jetant la jupe à fleurs qu'elle avait à la main, pourquoi ne m'aidez-vous pas à faire mes valises ?

Il ramassa le vêtement fluide déployé sur le sol et le déposa, d'un geste désinvolte, sur le dossier d'une chauffeuse.

— Je vais vous envoyer Bridget.

Sa noble froideur, doublée de sa parfaite suffisance, ne fit que décupler la fureur de Serenity. Elle chercha, ivre de colère, un objet plus solide pour le lui envoyer à la figure.

— Vous semblez avoir besoin de secours, poursuivit-il.

— Ne vous avisez pas de m'envoyer quelqu'un ! cria-t-elle en le voyant se tourner vers la porte.

Il fit volte-face et s'inclina.

— Comme vous voulez, *mademoiselle*, concéda-t-il aimablement. L'état de vos vêtements ne regarde que vous.

Ne trouvant rien pour lui faire ravaler sa détestable courtoisie, et son insupportable placidité, elle saisit la première provocation qui lui vint à l'esprit, et le toisa.

— Je m'occuperai de mes valises, *cousin*, lorsque j'aurai décidé de partir.

D'un geste volontairement détaché, elle ramassa un des vêtements au sommet de la pile entassée sur son lit et se tourna vers l'armoire.

— Je vais peut-être changer d'avis, déclara-t-elle, pleine d'onctuosité à son tour, et rester un jour ou deux. Il paraît que la campagne bretonne est délicieuse.

— La décision de rester vous appartient, *mademoiselle*.

Sentant une infime pointe de contrariété percer dans ces paroles, elle ne put résister à un sourire de victoire.

— Compte tenu des circonstances, poursuivit-il, je me permettrais toutefois de ne pas vous le conseiller.

— Vraiment ? fit-elle, mine de s'étonner. C'est drôle comme ce conseil me pousse, au contraire, à rester.

Elle s'aperçut qu'elle avait fait mouche en voyant son regard s'assombrir. Son visage toutefois restait de marbre. Et il semblait si maître de lui qu'elle se demanda, vaguement impressionnée, quelle forme pouvait prendre sa colère si d'aventure il la lâchait.

— Ainsi que je le disais, reprit-il d'une voix calme, la décision de rester vous appartient, *mademoiselle*.

Elle le croyait sur le point de partir, mais il la surprit en avançant sur elle pour capturer sa nuque d'une main ferme. A ce contact, elle comprit que sa colère n'était pas aussi domptée qu'elle le croyait.

— Votre séjour peut toutefois s'avérer moins confortable que vous ne le souhaitez.

— Je suis capable de supporter l'inconfort.

Elle tenta de se dégager, mais sa main la retenait sans effort.

— Peut-être, mais l'inconfort n'est pas ce que recherchent les personnes intelligentes.

Jugeant son sourire suave plus désagréable qu'un sarcasme, elle se raidit et fit un nouvel effort pour échapper à sa poigne.

— Et je vous prends, sinon pour quelqu'un de sage, du moins pour une personne sensée, *mademoiselle*.

Refusant de céder à la peur qui la gagnait, elle s'obligea à soutenir son regard.

— Comme vous l'avez si bien souligné, rétorqua-t-elle, la décision de rester ou non m'appartient. Je n'ai pas à en discuter avec vous. La nuit porte conseil et je prendrai les dispositions adéquates demain matin. Bien sûr, vous pouvez toujours m'enchaîner à un mur du donjon.

— Une suggestion intéressante, admit-il.

Avec un sourire à la fois moqueur et amusé, il exerça une brève pression des doigts et la lâcha.

— Je vais y réfléchir, la nuit porte conseil...

Il se dirigea vers la porte.

— Et je prendrai les dispositions adéquates demain matin.

Furieuse de s'être laissé manipuler, elle jeta une chaussure contre le battant qui se fermait sur lui.

3

Serenity ouvrit les yeux, intriguée par l'inhabituelle quiétude qui l'avait réveillée. Regardant d'abord, sans la reconnaître, la chambre inondée de soleil, elle se rappela où elle se trouvait, puis se redressa sur son lit et tendit l'oreille. Le silence, d'une magnifique profondeur, n'était brisé que par le chant occasionnel d'un oiseau. Se laissant gagner par cette sérénité, loin des bruits lancinants et de l'agitation de la ville, elle sourit.

Le petit réveil ouvragé posé sur le secrétaire de merisier indiquait à peine 6 heures, alors elle se rallongea et se nicha paresseusement dans le luxe des coussins et des draps accueillants. La fatigue de son interminable périple avait été plus forte que la tension provoquée par les révélations et les accusations de sa grand-mère, et elle s'était endormie très vite et très profondément, bercée par une paix inattendue dans le lit qui avait un jour été celui de sa mère. Les yeux fixés au plafond, elle se remémorait maintenant les événements de la veille.

La comtesse était amère. Le vernis de son stoïcisme pouvait être ancien et soigneusement poli, il ne parvenait pas à dissimuler la rancœur qu'il recouvrait. Ou du moins, admit Serenity, la souffrance. Sa propre colère ne l'avait pas empêchée de s'en apercevoir. La comtesse avait banni sa fille, mais elle avait gardé son portrait. Son cœur, songea-t-elle en méditant sur cette contradiction, n'était peut-être pas aussi dur que son orgueil.

Le comportement de Christophe, en revanche, continuait de la faire frémir. Elle avait eu l'impression de se trouver devant un juge prêt à abattre sa sentence avant même le jugement. Eh bien, elle avait sa fierté, elle aussi ! Et, s'il croyait l'impressionner, il se trompait. Elle ne risquait pas de se recroqueviller en tremblant, et laisser sa tête sur le billot, quand le nom de son père était traîné dans la boue. Elle aussi pouvait jouer la morgue assurance, le détachement poli et la froideur. Elle n'allait pas détaler comme un lapin, mais rester là, et se défendre.

Le regard posé sur la chambre inondée de soleil, elle soupira.

— *C'est un nouveau jour, maman*, dit-elle à voix haute.

Repoussant les draps, elle se leva et alla jusqu'à la fenêtre. Le parc s'offrait à son regard comme une invitation précieuse.

— Je vais aller marcher dans ton jardin, *maman*, et après je dessinerai ta maison.

Elle attrapa sa robe de chambre.

— Ensuite, peut-être parviendrons-nous, la comtesse et moi, à un accord.

Elle prit une douche et, optant pour la teinte pastel d'une robe d'été sans manches, s'habilla rapidement. Elle traversa le château plongé dans la quiétude, et sortit dans la chaleur matinale.

Au bas du perron, elle tournoya quelques instants sur elle-même.

Comme il était étrange, se dit-elle, gagnée par la quiétude qui l'entourait, de ne voir aucune maison, aucune voiture, ni même aucun être humain aux alentours. Elle savoura une grande bouffée d'air pur, puis fit le tour du château pour commencer sa promenade.

Le parc était encore plus magnifique de près que depuis sa fenêtre. Une profusion de fleurs explosait dans une myriade de couleurs, et le mélange de leurs parfums créait une fragrance inconnue, douce et forte à la fois. De nombreux chemins coupaient des allées parfaitement entretenues, dont les dalles miroitaient à la lumière du soleil. Elle en choisit un au hasard et, s'abandonnant à son bien-être, au plaisir de la solitude, laissa son tempérament d'artiste goûter l'abondance des nuances, le foisonnement des formes.

— *Bonjour, mademoiselle.*

Elle fit volte-face, surprise de l'intrusion de cette voix profonde qui brisait la tranquillité et sa contemplation solitaire.

Christophe approchait d'un pas lent. Il était aussi grand qu'élancé, et son allure lui rappelait le danseur russe et arrogant qu'elle avait rencontré lors d'une soirée à Washington. Gracieux, sûr de lui, et très viril.

— *Bonjour, monsieur le comte*, répondit-elle en optant, au lieu de gaspiller un sourire, pour une cordiale réserve.

Il portait une chemise havane et un pantalon marron. Elle avait déjà remarqué ses airs d'aventurier mais, cette fois, elle était saisie.

Arrivé devant elle, il la gratifia de son habituel regard perçant.

— *Vous êtes matinale. J'espère que vous avez bien dormi.*

— *Très bien, merci*, répliqua-t-elle, contrariée de devoir combattre non seulement l'animosité mais l'attirance qu'il lui inspirait. *Vos jardins sont splendides et très attrayants.*

— *J'ai un penchant pour ce qui est beau et attrayant*, répliqua-t-il en la fixant.

Elle soutint son regard, se sentant curieusement enveloppée par le brun foncé de ses prunelles, jusqu'au moment où, n'arrivant plus à respirer, elle s'arracha à leur emprise.

— Oh! Coucou, toi! s'exclama-t-elle en découvrant le chien sur les talons de Christophe.

Ils s'étaient exprimés en français, mais elle revint spontanément à l'anglais.

— Comment s'appelle-t-il? demanda-t-elle en s'accroupissant pour ébouriffer le poil épais et soyeux de l'animal.

— Korrigan, répondit Christophe, captivé par le halo de boucles blondes et ensoleillées penchées devant lui.

— Korrigan, répéta-t-elle, si enchantée qu'elle en oubliait le désagrément que lui causait son maître. De quelle race est-il?

— C'est un épagneul breton.

Korrigan se mit à lui manifester son affection par de petits coups de langue sur les joues. Avant que Christophe ne puisse intervenir, elle éclata de rire et enfouit son visage dans le cou soyeux de l'animal.

— J'aurais dû me douter de sa réaction, lança-t-elle, amusée. J'ai eu un chien, un jour ; il m'avait suivie jusqu'à la maison.

Elle releva les yeux et repoussa en souriant les nouveaux assauts de Korrigan.

— En fait, je l'avais pas mal encouragé, reprit-elle. Je l'avais appelé Leonardo, mais mon père préférait Affreux, et ce nom lui est resté. Il faut dire que peu importait le nombre de bains ou de coups de brosse que nous lui donnions, son côté pendard prenait toujours le dessus.

Au moment où elle se redressait, Christophe l'aida à se relever. Au lieu de céder, déroutée par sa poigne ferme, à sa brusque envie de lui échapper, elle s'écarta tranquillement pour reprendre sa route. Le chien et le maître lui emboîtèrent le pas.

— Votre calme est revenu, observa Christophe. Je trouvais surprenant qu'une coquille aussi fragile puisse contenir un tempérament aussi fougueux.

— Je crains que vous ne vous trompiez, dit-elle en lui adressant un regard bref mais posé. Pas sur le tempérament, mais sur la fragilité. Je suis solide, et ne me brise pas facilement.

— Peut-être avez-vous été épargnée, répliqua-t-il. Avez-vous décidé de rester ?

— Oui, reconnut-elle en se tournant franchement vers lui, bien que j'aie la nette impression que vous préféreriez le contraire.

Il eut un mouvement d'épaules.

— *Mais non, mademoiselle.* Vous serez la bienvenue aussi longtemps qu'il vous plaira de rester.

— Votre enthousiasme me va droit au cœur, murmura-t-elle.

— *Pardon ?*

— Rien, lâcha-t-elle dans un soupir avant de redresser la tête pour le regarder. Dites-moi, *monsieur*, vous ne m'aimez pas parce que vous tenez mon père pour un voleur, ou est-ce strictement personnel ?

La neutralité de son visage ne changea pas d'un iota.

— Je regrette de vous avoir donné cette impression, *mademoiselle*, mon attitude doit être en cause. Je vais tâcher de me montrer plus poli.

— Vous êtes si infernalement poli, répliqua-t-elle en cédant à son agacement, que votre politesse confine parfois à l'indécence.

— L'indécence serait-elle davantage à votre goût ? s'enquit-il en considérant son emportement d'un œil parfaitement détaché.

— Oh !

Elle préféra lui tourner le dos et cueillir une rose d'une main rageuse.

— Vous m'exaspérez ! Aïe ! lâcha-t-elle, piquée par une épine. Regardez ce que vous m'avez fait !

Elle porta son pouce à ses lèvres en le foudroyant du regard.

— Toutes mes excuses, lui retourna Christophe, un sourire moqueur aux lèvres. Je suis impardonnable.

— Vous êtes surtout arrogant, condescendant et prétentieux, dit-elle pour se venger.

— Et vous êtes désagréable, capricieuse et têtue, renchérit-il, en croisant les bras sur sa poitrine.

Ils se dévisagèrent un instant. Leur échange avait dû écailler son vernis, car elle devinait, sous l'apparence froidement détachée, l'homme implacable et passionnant qu'il recouvrait.

— Nous semblons nous tenir en grande estime en si peu de temps, observa-t-elle en repoussant les boucles tombées sur son visage. Pour peu que nous nous connaissions mieux, nous allons tomber fous amoureux.

— Une conclusion intéressante, *mademoiselle.*

Sur une courte révérence, il pivota et se dirigea vers le château. Elle éprouva aussitôt une déception inattendue.

— Christophe, lâcha-t-elle.

Elle voulait, de façon inexplicable, détendre l'atmosphère entre eux.

Comme il se tournait, l'œil interrogateur, elle avança à sa rencontre.

— Ne pouvons-nous être simplement amis ?

Il la considéra un long moment, et elle ne tarda pas, livrée à son regard intense, à se sentir mise à nu.

— Non, Serenity, répondit-il enfin, j'ai bien peur que nous ne puissions jamais être simplement amis.

Elle le regarda s'éloigner, la démarche souple et agile, son épagneul sur les talons.

Une heure plus tard, Serenity retrouvait Christophe avec sa grand-mère, au petit déjeuner. Après une question banale de la comtesse sur la façon dont elle avait dormi, la conversation glissa sur des sujets ordinaires, sinon insignifiants. De toute évidence, la vieille dame faisait des efforts pour alléger la tension provoquée par la confrontation de la veille. Peut-être n'était-il pas d'usage de se quereller autour de croissants, se dit Serenity, impressionnée par le degré de civilité dont ses hôtes faisaient preuve. Réprimant un sourire ironique, elle s'aligna sur leur comportement.

— Vous voulez certainement visiter le château, Serenity, *n'est-ce pas ?*

Reposant le pot de crème dont elle venait de se servir tout en levant les yeux sur elle, la comtesse remua son café d'une main parfaitement manucurée.

— Oui, *madame*, j'en serais enchantée, répondit Serenity avec le sourire attendu. J'aimerais faire des croquis de l'extérieur, mais je serais ravie de voir l'intérieur d'abord.

— *Bien entendu*, approuva la vieille dame avant d'interpeller son petit-fils qui buvait son café d'un air absent. Christophe, nous devons faire faire le tour du château à Serenity ce matin.

— Rien ne me ferait plus plaisir, *grand-mère*, répondit-il en reposant sa tasse de porcelaine, mais je crains d'être malheureusement occupé. Le taureau que nous avons importé arrive ce matin, je dois surveiller l'opération.

— Ah, le bétail, lâcha la comtesse dans un soupir, avant de hausser les épaules. Tu penses trop au bétail.

Serenity, saisissant le premier commentaire spontané qu'elle entendait, se tourna vers Christophe.

— Vous élevez du bétail ?

— Oui, lui confirma-t-il en croisant son regard intrigué. L'élevage est l'activité principale du château.

— Vraiment ? s'étonna-t-elle de façon exagérée. Je n'aurais jamais cru que les Kergallen puissent s'embarrasser de choses aussi triviales. Je croyais qu'ils se contentaient de compter leurs serfs.

Il s'inclina très légèrement.

— Nous ne le faisons qu'une fois par mois, concéda-t-il, l'ombre d'un sourire flottant sur ses lèvres. Ils ont tendance à proliférer.

Gagnée par l'humour qui dansait dans son regard, elle se laissa surprendre par le sourire, maintenant large, qu'il lui adressait. Alertée par sa propre réaction, elle baissa vivement les yeux sur son café.

Finalement, ce fut la comtesse elle-même qui fit faire à Serenity la visite du château. Elle se laissa conduire, de pièce stupéfiante en recoin inattendu, en écoutant une partie de son histoire.

Le château avait été construit à la fin du xviie siècle, mais ses presque trois cents ans d'existence ne l'empêchaient pas, au regard des normes de la région, d'être considéré comme récent. La bâtisse et les terres attenantes étaient transmises de père en fils depuis des générations et, malgré les quelques aménagements effectués au cours des siècles, il demeurait tel qu'il était lorsque le premier comte de Kergallen avait fait franchir le pont-levis à son épouse. Aux yeux de Serenity, il incarnait un temps et un charme depuis longtemps disparus, et sa visite ne fit qu'accroître l'enchantement et l'affection qu'elle avait éprouvés au premier regard pour le lieu.

Dans la galerie des portraits, elle découvrit la sombre et fascinante beauté de Christophe reproduite au cours des siècles. D'une génération à l'autre, elle notait bien quelques variations, mais la fierté tenace, l'allure aristocratique et l'air énigmatique demeuraient. Elle s'arrêta devant un ancêtre du xviiie siècle dont la ressemblance avec Christophe était si frappante qu'elle approcha pour l'étudier de plus près.

— Vous trouvez Jean-Claude intéressant, Serenity ? lui demanda la comtesse en suivant son regard. Christophe lui ressemble beaucoup, *n'est-ce pas ?*

— Oui, c'est impressionnant.

Le regard était particulièrement assuré et brûlant et, à moins qu'elle ne se trompe, la bouche avait connu de nombreuses femmes.

— Il passe pour avoir été un peu *sauvage*, poursuivit la comtesse, une pointe d'admiration dans la voix. Il paraît que la contrebande était son passe-temps favori; c'était un marin dans l'âme. La légende raconte qu'il est tombé amoureux lors d'un voyage en Angleterre. N'ayant pas la patience de faire une cour en bonne et due forme, à savoir longue et démodée, il a enlevé sa dulcinée pour la ramener au château. Il l'a épousée, bien sûr. Elle est ici.

Elle désigna le portrait d'une jeune anglaise au teint crème, d'environ vingt ans.

— Elle n'a pas l'air malheureuse, constata Serenity.

Sur ce commentaire, la comtesse poursuivit son chemin, la laissant observer le visage souriant de la jeune épouse kidnappée.

La pièce suivante, la salle de bal, était immense, et ses dimensions étaient encore accentuées par les fenêtres aux vitres cloisonnées de plomb qui occupaient le mur du fond. Un autre mur était entièrement recouvert de miroirs, dans lesquels se reflétaient trois lustres. Du haut de leurs poutres, ils devaient, les soirs de bal, déverser une pluie d'étoiles scintillantes sur les danseurs. Pour ceux qui préféraient voir les couples tourbillonner sur le parquet parfaitement astiqué, des fauteuils Régence, au dossier droit et à l'élégante tapisserie, étaient adroitement disposés. Elle se demanda si Jean-Claude avait donné un bal nuptial pour la Sabine enlevée à son pays natal, et décida que oui.

Serenity suivit la comtesse le long d'un autre couloir étroit jusqu'à un escalier de pierre, dont les marches en colimaçon conduisaient au sommet de la plus haute tour. La pièce dans laquelle elles débouchèrent était entièrement nue, mais elle poussa un cri d'extase et avança jusqu'au centre en regardant autour d'elle comme si elle était emplie de trésors. Cette salle était très grande, entièrement circulaire et, par les fenêtres qui en faisaient tout le tour, se déversait à flots toute la lumière du soleil. Elle s'imagina aussitôt peindre ici des heures durant, baignée dans une solitude bienheureuse.

— Cette pièce a servi d'atelier à votre père.

Notant le retour de la dureté dans la voix de sa grand-mère, Serenity coupa court à sa rêverie pour l'affronter.

— *Madame*, si vous souhaitez que je reste ici quelque temps, nous devons trouver un terrain d'entente. Dans le cas contraire, je serai obligée de partir.

Elle s'était exprimée d'un ton ferme, avec une politesse soigneusement contrôlée, mais elle luttait pour contenir sa colère.

— J'aimais beaucoup mon père, tout comme ma mère. Je ne tolérerai pas le ton que vous employez pour parler d'eux.

— Est-il d'usage, dans votre pays, qu'une jeune femme s'adresse à ses aînés de cette façon ?

Le port de tête était royal, la colère, tout aussi visible.

— Je ne peux parler qu'en mon nom, *madame*, répliqua-t-elle, se tenant fièrement dans la lumière de la pièce. Mais je ne suis pas de ceux qui pensent que l'âge va forcément de pair avec la sagesse. Je ne suis pas non plus assez hypocrite pour vous entendre insulter sans réagir un homme que j'aimais et respectais plus que tout au monde.

— Sans doute serions-nous sages d'éviter de parler de votre père pendant votre séjour.

C'était, en dépit de la formule, plus un ordre qu'une demande, et elle sentit sa colère redoubler.

— J'ai l'intention de parler de lui, *madame*. J'ai l'intention de découvrir exactement ce qu'est devenue la Madone de Raphaël et de laver la tache que vous avez jetée sur son honneur.

— Et de quelle façon comptez-vous vous y prendre ?

— Je l'ignore, mais je le ferai.

Serenity arpenta la pièce, ouvrant grand les bras.

— Le tableau est peut-être caché ici, dans le château ; quelqu'un d'autre l'a peut-être dérobé.

Elle fit volte-face, prise d'une soudaine fureur.

— Peut-être l'avez-vous vendu pour accuser mon père.

— Vous m'insultez! s'exclama la comtesse, les yeux flamboyants.

— Vous accusez mon père de vol, et c'est moi qui vous insulte? rétorqua-t-elle sur le même mode. Je connaissais Jonathan Smith, *comtesse*, et ce n'était pas un voleur. Mais je ne vous connais pas.

La comtesse la dévisagea un moment, puis Serenity vit le flamboiement des yeux bleus s'atténuer pour finalement céder à un air de considération réfléchi.

— C'est exact, dit enfin sa grand-mère. Vous ne me connaissez pas, et je ne vous connais pas. Je ne peux donc pas faire retomber la faute sur vous, ni vous blâmer de ce qui s'est passé avant votre naissance.

Elle se dirigea vers la fenêtre et contempla le paysage.

— Mon opinion sur votre père reste la même, reprit-elle après un long silence en se tournant, la main levée, pour couper court à toute réplique. Mais j'ai été injuste envers sa fille. Vous êtes venue chez moi, à ma demande, et je vous ai méchamment accueillie. Pour cela au moins, je vous présente mes excuses.

Un faible sourire étira ses lèvres.

— Si cela vous convient, nous ne parlerons pas du passé avant de nous connaître mieux.

— Très bien, *madame*, fit Serenity.

De toute évidence, cette offre et ces excuses étaient une sorte de brin d'olivier.

— Vous avez un cœur généreux en plus d'un esprit fort, observa la comtesse. C'est une bonne association. Mais vous avez aussi un vif tempérament, *n'est-ce pas?*

— *En effet,* admit-elle.

— Christophe aussi a des accès de colère et d'humeur sombre, lui apprit la comtesse en changeant tout à coup de sujet. Il a une forte personnalité, il est têtu, et il a besoin d'une femme à sa mesure, mais dotée d'un bon cœur.

Déroutée par cette déclaration, Serenity ne sut d'abord que répondre.

— Cette femme a toute ma sympathie, commença-t-elle avant

qu'un doute ne germe dans son esprit. *Madame*, quel rapport entre les besoins de Christophe et moi ?

— Il est en âge de se marier, déclara simplement la comtesse. Et vous avez largement dépassé celui auquel la plupart des Bretonnes sont épouses et mères de famille.

— Je ne suis qu'à moitié bretonne, répliqua-t-elle, distraite, avant d'écarquiller les yeux. Etes-vous en train de... Vous ne suggérez tout de même pas que Christophe et moi, nous... ? Oh ! s'exclama-t-elle, sidérée, c'est parfaitement ridicule !

Son éclat de rire résonna dans la pièce vide.

— Je suis navrée de vous décevoir, *madame*, mais le comte ne s'intéresse pas le moins du monde à ma personne. Il n'a aucune sympathie pour moi, et je dois admettre que je ne l'apprécie pas beaucoup moi-même.

— La sympathie n'a rien à voir ici, déclara la comtesse en balayant ce mot de la main.

Le rire de Serenity se figea. Elle secoua la tête, d'abord incrédule, puis fut bien obligée de se rendre à l'évidence : la comtesse, digne et sérieuse, ne plaisantait pas.

— Lui en avez-vous déjà parlé ? demanda-t-elle, saisie d'un horrible soupçon.

— *Oui,* reconnut la comtesse sans ambages.

Serenity ferma les yeux, submergée de honte.

— Je ne m'étonne plus de son accueil, entre ces élucubrations et ce qu'il pense de mon père !

Elle se détourna puis revint, furieuse, vers sa grand-mère.

— Vous dépassez les bornes, *comtesse*. Le temps des mariages arrangés est depuis longtemps révolu.

— Pff! s'exclama la vieille dame. Christophe est beaucoup trop indépendant pour accepter quoi que ce soit organisé par quelqu'un d'autre, et je constate que vous êtes aussi entêtée. Mais...

Serenity vit un sourire étirer les lèvres fines et écouta la suite, au comble de la stupeur.

— ... vous êtes très belle, et Christophe est un homme viril et séduisant. Peut-être que la nature — comment dit-on? — suivra son cours.

Elle ne put, muette de stupéfaction, que contempler le visage tranquille qu'elle avait en face d'elle.

— Venez, reprit la comtesse en se dirigeant d'un pas décontracté vers la porte. Votre visite n'est pas terminée.

4

L'après-midi était chaud et Serenity bouillait à petit feu. L'indignation provoquée par les manigances de sa grand-mère s'étendait maintenant à Christophe.

D'insupportables et vaniteux aristocrates, voilà ce qu'ils sont! fulminait-elle.

Elle ajouta un trait rageur au croquis des tourelles du château qu'elle était en train de dessiner. *Plutôt épouser Attila qu'être liée à ce rustre détestable.* Elle laissa éclater un bref éclat de rire, qui troubla la quiétude qui l'entourait. *Madame s'imagine sans doute des douzaines de mini-comtes et comtesses jouant sagement dans le jardin avant de perpétuer, dans la plus pure tradition bretonne, l'impériale lignée des Kergallen!*

Elle leva subitement son crayon pour parcourir les environs du regard. C'était tout de même un endroit idéal pour élever des enfants, songea-t-elle en soupirant.

D'un œil adouci, elle contempla un instant la sereine beauté du paysage, avant de se raidir de nouveau, furieuse. *La comtesse Serenity de Kergallen*, se dit-elle dans un regain de rage, *il ne manquerait plus que ça!*

Un mouvement attira son attention et elle tourna la tête. Plissant les yeux pour se protéger du soleil, elle vit Christophe traverser la pelouse d'un pas long et assuré. Il marchait comme si le monde lui appartenait, songea-t-elle, partagée entre l'admiration et le ressentiment. Le temps qu'il arrive, ce dernier sentiment l'avait, heureusement, victorieusement remporté.

— Vous! s'exclama-t-elle en se dressant tel un ange vengeur dans la lumière du soleil.

Son attaque sembla le prendre de court, mais il prit la parole d'un ton placide et contrôlé.

— Quelque chose ne va pas, *mademoiselle*?

Sa froideur ne fit qu'attiser sa colère et, cette fois, elle s'emporta.

— Oui, s'exclama-t-elle, je suis furieuse! Vous savez parfaitement que je suis furieuse! Pourquoi ne m'avez-vous pas parlé de cette idée ridicule de la comtesse?

— Ah.

Il haussa les sourcils, tandis qu'un sourire infernal se dessinait sur ses lèvres.

— *Alors grand-mère* vous a informée de notre bonheur conjugal. Quand souhaitez-vous, ma bien-aimée, voir publiés les bans?

— Quel prétentieux petit…

Elle s'étrangla, incapable de formuler l'insulte appropriée.

— Vous savez parfaitement ce que vous pouvez faire de vos bans! acheva-t-elle. Je ne risque pas de vous épouser!

— Nous sommes au moins d'accord sur un point, répliqua-t-il, l'air satisfait. Je n'ai aucune envie de m'attacher à une espèce de furie mal élevée dans votre genre. J'ignore qui a choisi de vous baptiser Serenity, mais ce choix démontre une singulière absence de clairvoyance.

— Vous êtes l'homme le plus exécrable que j'aie jamais rencontré! rétorqua-t-elle d'un ton jurant avec le calme insolent dont il faisait preuve. Même votre vue m'insupporte.

— Dois-je en déduire que vous avez décidé d'écourter votre séjour et de rentrer en Amérique?

Elle leva le menton avec fierté.

— Oh non, *monsieur le comte*, je vais rester. Certaines motivations pèsent plus que les sentiments que vous m'inspirez.

Il scruta son visage, son regard sombre à peine visible à travers la fente de ses paupières.

— La comtesse aurait ajouté quelques francs pour vous convaincre de rester?

Elle le dévisagea avec stupeur, puis le sens de sa question s'éclaira jusqu'à ôter toute couleur à ses joues. Incapable de contenir plus longtemps sa colère, elle le gifla dans un claquement retentissant. Déjà, elle faisait demi-tour et s'enfuyait vers le château, mais des mains dures s'abattirent sur ses épaules et la firent pivoter. Alors, elle se retrouva contre lui, les lèvres écrasées par un baiser brutal.

Le choc fut violent et aussi bref qu'un éclair. Elle resta quelques secondes inerte, incapable de s'extraire de l'obscurité qui l'avalait. Il lui volait jusqu'à son souffle, s'aperçut-elle brusquement. Terrifiée à l'idée de rester prisonnière de cette brûlante et dévorante noirceur, elle le repoussa, puis le frappa de ses poings.

Mais l'étau de ses bras la plaquait contre lui. Elle n'était pas seulement forcée d'éprouver l'inflexible dureté de son corps, il l'obligeait à se fondre avec lui dans cette étreinte passionnée. Sa main glissa sur sa nuque et, comme elle se débattait toujours, ses doigts l'emprisonnèrent, tandis que son autre bras, tout aussi implacable, la maintenait sous son emprise absolue.

Sa lutte n'avait aucun effet. Pire, plus elle tentait de se libérer, plus elle sentait sa supériorité physique, et la violence qui sourdait sous la surface, l'écraser. Forcées par son assaut, ses lèvres cédèrent. Il s'empara alors de sa bouche sans aucune pitié ni la moindre compassion. Son goût musqué la transperça, dévastant ses sens, sa volonté, ne laissant émerger que le commentaire de sa grand-mère sur l'ancêtre depuis longtemps disparu dont Christophe avait hérité les traits. *Sauvage*, avait-elle dit. *Sauvage*.

Il libéra sa bouche aussi brutalement qu'il s'en était emparé et, sa poigne s'abattant sur ses épaules, plongea les yeux dans son regard qu'elle savait trouble, voilé de confusion. Le silence flotta entre eux, chargé de vibrations.

— Qui vous a permis de faire ça ? demanda-t-elle d'une voix incertaine en portant la main à sa tempe pour faire cesser son vertige.

— C'était cela ou vous rendre votre gifle, *mademoiselle*.

Si elle en jugeait à sa voix rauque et à son expression farouche, il n'avait pas tout à fait achevé la transformation qui menait du pirate à l'aristocrate.

— Je répugne malheureusement à frapper une femme, et ce, aussi amplement qu'elle le mérite.

Elle eut un mouvement de recul, frappée par la froideur de son flegme, et lutta contre les larmes qui, traîtreusement, lui montaient aux yeux.

— La prochaine fois, giflez-moi. Je préfère ça.

— Si vous relevez la main sur moi, *chère cousine*, soyez certaine que je blesserai plus que votre fierté.

— Vous l'avez déjà fait, répliqua-t-elle, sentant ses yeux, brillants et grands ouverts sur son désarroi, briser tout son aplomb. Comment osez-vous m'accuser d'avoir monnayé mon séjour ? Ne vous est-il jamais venu à l'esprit que je pouvais vouloir rester pour connaître la grand-mère dont j'ai été privée ? N'avez-vous jamais envisagé que je puisse vouloir découvrir l'endroit où mes parents se sont rencontrés et aimés ? Que j'aie besoin de rester pour prouver l'innocence de mon père ?

Elle chassa chacune des larmes de faiblesse qui roulaient sur ses joues.

— Je regrette seulement de ne pas vous avoir giflé plus fort. Que feriez-vous si on vous accusait de vous laisser acheter comme un vulgaire morceau de viande ?

Christophe regarda une larme glisser sur le satin de sa peau, et esquissa un sourire.

— J'aurais démoli mon adversaire. Mais vos larmes sont un châtiment bien plus efficace que les poings.

— Je ne m'en sers pas comme d'une arme, répliqua-t-elle en les essuyant d'un revers de main et regrettant de ne pouvoir les arrêter.

— Non, et c'est pourquoi elles sont si redoutables.

Il en écrasa une, d'un doigt bronzé. Surpris par le contraste des couleurs qui donnait à l'ivoire de la peau de Serenity une apparence vulnérable et délicate, il retira vivement la main et poursuivit d'un ton égal :

— Mon accusation était injuste et je m'en excuse. Nos punitions infligées, nous voici donc — comment dites-vous ? — quittes.

Il lui offrit son sourire rare et charmant. Serenity le regarda, séduite par son pouvoir et captivée par le changement si radical que cette expression imprimait à son visage. Sans qu'elle puisse l'empêcher, elle sentit son propre sourire, comme une brusque et radieuse éclaircie après l'orage, lui répondre. Il émit un petit bruit agacé, comme s'il regrettait de s'être laissé aller à ce bref écart de conduite, et pivota pour s'en aller d'un pas vif, la laissant derrière lui, plus déconcertée que jamais.

Au dîner, la conversation se cantonna une fois de plus à des sujets strictement ordinaires. Comme si, songeait Serenity, la stupéfiante conversation dans la tour et la rencontre impétueuse sur la pelouse du château n'avaient jamais eu lieu. La capacité de ses hôtes à maintenir, au-dessus de leurs *langoustes à la crème*, le vernis d'un bavardage insignifiant lui semblait stupéfiante. Sans la morsure qu'elle sentait encore sur ses lèvres, elle aurait juré avoir rêvé le baiser tumultueux que Christophe y avait planté. Un baiser qui lui avait arraché, du tréfonds d'elle-même, une étrange réponse et qui l'avait déstabilisée plus qu'elle n'était prête à l'admettre.

Cela ne signifiait rien, se répéta-t-elle en se concentrant sur la délicieuse langouste dans son assiette. On l'avait déjà embrassée et on l'embrasserait encore. Elle n'allait pas laisser un tyran lunatique la perturber.

Décidant de reprendre sa place dans le jeu des mondanités sans conséquence, elle prit son verre, but une gorgée, et fit un commentaire sur le vin qu'il contenait.

— Il vous plaît? demanda Christophe sur le même ton de conversation désinvolte. C'est le muscadet du château. Nous élevons quelques hectares de vignes pour notre propre consommation et celle du voisinage.

— Je le trouve très agréable, répondit-elle. Ce doit être un plaisir de boire le vin de ses propres vignes. Je n'en ai jamais goûté de semblable.

— Le muscadet est le seul cépage élevé en Bretagne, lui apprit la comtesse avec un sourire. La région est surtout connue pour la mer et la dentelle.

Serenity passa la main sur la nappe immaculée qui recouvrait la table de chêne.

— La dentelle bretonne est exquise, dit-elle, admirative. Elle semble si fragile et, pourtant, les années ne font qu'accroître sa beauté.

— Comme une femme, murmura Christophe.

Elle leva les yeux et croisa son regard sombre.

— Vous élevez donc aussi du bétail, enchaîna-t-elle pour dissimuler son trouble.

— Ah, le bétail.

Un imperceptible sourire dansait à présent sur ses lèvres, donnant à Serenity la nette et désagréable impression qu'il n'ignorait rien de l'effet qu'il produisait sur elle.

— Ayant toujours vécu en ville, je ne sais strictement rien de l'élevage, reprit-elle. Ce doit être quelque chose de voir les animaux paître en liberté.

Elle s'empêtrait, de plus en plus déconcertée par l'aplomb de son regard. La comtesse, heureusement, détourna son attention.

— Nous devons vous faire découvrir la campagne bretonne, Serenity. Que diriez-vous d'une excursion demain pour visiter le domaine ?

— J'en serais enchantée, *madame*. Cela me changera des trottoirs et des musées de Washington.

— Je serais ravi de vous accompagner, Serenity.

Elle se tourna vers Christophe, surprise de sa soudaine obligeance. Il lui sourit et s'inclina courtoisement.

— Avez-vous une tenue convenable ?

— Une tenue convenable ?

— Oui, une tenue convenable.

Les changements d'expression qui traversaient son visage devaient le ravir, car son sourire s'élargit.

— Vos choix vestimentaires sont irréprochables, mais vous aurez du mal à monter à cheval dans ce genre de robe.

Elle baissa les yeux sur les pans vaporeux de sa robe, avant de les relever sur son air amusé.

— A cheval ? répéta-t-elle, cette fois soucieuse.

— Il est impossible de faire le tour du domaine en voiture, lui dit-il. Le cheval s'impose.

Devant ses yeux rieurs, elle se redressa et rassembla sa dignité.

— J'ai peur de ne pas savoir monter à cheval.

— *C'est impossible !* s'exclama la comtesse. Gaelle était une merveilleuse cavalière.

— L'équitation ne doit pas être pas génétique, *madame*, avança-t-elle, amusée par l'incrédulité stupéfaite de sa grand-mère. Cette activité m'est tout à fait étrangère. Je ne suis même pas capable de tenir sur un poney de manège.

— Je vais vous apprendre.

L'intervention de Christophe, qui n'avait rien d'une suggestion, l'agaça.

— C'est très aimable à vous, *monsieur*, répliqua-t-elle avec hauteur, mais je n'ai aucune envie d'apprendre. Ne vous donnez pas cette peine.

— Vous allez tout de même apprendre, déclara-t-il en levant son verre. Soyez prête à 9 heures, demain matin. Je vous donnerai votre première leçon.

Elle lui décocha un regard furieux, sidérée du peu de cas qu'il faisait de ses décisions.

— Je viens de vous dire…

— Soyez ponctuelle, l'avertit-il avec nonchalance en se levant de table. Je ne doute pas que vous préfériez marcher jusqu'aux écuries plutôt que d'y être tirée par les cheveux.

Il sourit, comme si cette perspective l'enchantait au plus haut point, puis se tourna vers la comtesse.

— *Bonne nuit, grand-mère*, lui dit-il avec affection avant de disparaître.

— Quel toupet ! bredouilla Serenity lorsqu'elle eut recouvré sa voix.

Elle se tourna, fulminante, vers la comtesse, qui affichait un air scandaleusement ravi.

— S'il croit que je vais lui obéir docilement et…

— Vous seriez sage d'obéir. Docilement ou non, la coupa la comtesse. Quand Christophe s'est mis quelque chose en tête…

Accompagnant son silence d'un haussement d'épaules éloquent, elle laissa le reste de sa phrase en suspens.

— Vous possédez un pantalon, je suppose, reprit-elle. Bridget vous apportera une des paires de bottes de votre mère, demain matin.

— *Madame*, commença-t-elle, bien décidée à se faire comprendre, je n'ai aucune intention de monter sur un cheval demain matin.

— Ne faites pas l'enfant, répliqua sa grand-mère en prenant tranquillement son verre. Christophe est on ne peut plus capable de mettre sa menace à exécution. C'est un homme très entêté, ajouta-t-elle dans un sourire que Serenity jugea, pour la première fois, empreint de vraie chaleur. Peut-être même plus entêté que vous.

Muselant sa rage, Serenity enfila une des bottes robustes qui avaient un jour appartenu à sa mère. Nettoyées et cirées, elles étaient d'un noir luisant et convenaient à ses pieds fins comme si elles avaient été faites sur mesure.

A croire que même sa mère se liguait contre elle, gémit-elle, accablée.

— Entrez, répondit-elle au coup frappé contre sa porte.

Ce ne fut pas Bridget qui franchit le seuil, mais Christophe, élégamment vêtu d'un pantalon d'équitation couleur fauve et d'une chemise de lin blanc.

— Que voulez-vous ? lui demanda-t-elle, renfrognée, en tirant d'un coup sec sur la seconde botte.

— Seulement m'assurer de votre ponctualité, Serenity, répondit-il, un sourire aux lèvres, en détaillant sa mine rebelle puis sa tenue, un T-shirt imprimé et un jean moulant.

Fatiguée de ses regards minutieux — il l'observait toujours comme s'il voulait mémoriser ses moindres traits —, elle se leva sur la défensive.

— Je suis prête, capitaine, mais j'ai bien peur de faire une piètre élève.

— Cela reste à prouver, *ma chère*, dit-il avant de l'étudier d'un regard cette fois pensif. Vous me semblez tout à fait capable de suivre quelques instructions simples.

Elle refréna la colère qu'il se faisait une habitude de provoquer en elle.

— Je ne suis pas complètement idiote, merci. Mais il se trouve que je n'aime pas qu'on me dicte mes actes.

Il resta silencieux, visiblement surpris de sa repartie.

Drapée dans un silence dédaigneux, elle le suivit donc en direction des écuries, veillant à ne pas se laisser distancer pour s'épargner l'humiliation de traîner derrière lui comme une élève obéissante.

A l'instant où ils arrivaient, un palefrenier sortait du bâtiment, menant deux chevaux par la bride, sellés et prêts à partir. La robe de l'un était d'un noir luisant, celle du second, beige crème. Leurs dimensions lui paraissaient également gigantesques.

Elle s'immobilisa et considéra les deux bêtes d'un œil dubitatif.

— Et si je tournais les talons, demanda-t-elle, prudente, que feriez-vous ?

— Je vous ramènerais, *ma petite*.

Comprenant qu'il était en effet capable de mettre sa menace à exécution, elle changea de tactique.

— Le noir est de toute évidence le vôtre, *monsieur le comte*, déclara-t-elle d'une voix légère destinée à masquer sa panique grandissante. Je vous imagine très bien, l'éclat d'un sabre brillant à la ceinture, galopant sur la lande par une nuit de pleine lune.

— Vous êtes perspicace, *mademoiselle*, se contenta-t-il de lui répondre.

Le voyant prendre les rênes du cheval beige et approcher, elle recula et déglutit.

— Je suppose que vous voulez que je le monte.

— C'est une jument, précisa-t-il, un léger sourire aux lèvres.

Elle lui décocha un regard noir.

— Je me moque pas mal de son sexe, répliqua-t-elle, aussi nerveuse qu'agacée par son appréhension.

Elle leva les yeux sur l'animal.

— Elle est… très grande, dit-elle d'une voix plus faible qu'elle n'espérait.

— Babette est aussi gentille que Korrigan, la rassura-t-il d'un ton étonnamment doux. Vous aimez les chevaux, *n'est-ce pas ?*

— Oui, mais…

— Elle est très douce.

Il lui prit la main et la posa sur l'encolure soyeuse.

— Elle est placide et ne souhaite que faire plaisir.

Sa main, prise entre la chaleur de l'animal et la pression insistante de la paume de Christophe, lui procurait une sensation curieusement agréable. Acceptant de se détendre, elle laissa Christophe guider sa caresse sur le pelage de la jument, puis se tourna pour lui sourire.

— Elle a l'air sympathique, commença-t-elle.

Mais l'animal s'ébroua, et elle fit un bond en arrière qui la cogna contre Christophe.

— Détendez-vous, lâcha-t-il dans un rire en la retenant pour l'empêcher de tomber. C'est sa façon de vous dire qu'elle vous aime bien.

— Elle m'a juste prise au dépourvu, se défendit-elle.

Vexée de sa frayeur, et bien décidée à la surmonter, elle se tourna vers lui. Mais, au lieu d'annoncer à Christophe qu'elle était prête à commencer, elle se retrouva muette, enveloppée par son regard sombre et énigmatique et ses bras serrés sur elle.

Durant une brève seconde, tandis que son cœur s'arrêtait net avant de reprendre sa course sur un rythme erratique, elle crut qu'il allait l'embrasser. Stupéfaite — et consternée — de s'apercevoir qu'elle voulait plus que tout au monde sentir ses lèvres sur les siennes, elle vit son front se plisser, puis il la relâcha.

— Commençons, lui dit-il.

Sa façon de glisser, sans le moindre effort, dans le rôle d'instructeur la ramena brusquement à la réalité.

Recouvrant sa fierté, elle décida d'être une élève parfaite. Ce qui impliquait de ravaler son anxiété et de laisser Christophe la hisser sur sa monture. Ce qu'il fit avec une aisance parfaite. Soulagée de constater que le sol n'était pas si loin, elle écouta attentivement ses instructions et, plus que jamais décidée à ne plus se laisser ridiculiser, fit exactement ce qu'il lui demandait.

Puis elle le regarda enfourcher son cheval avec élégance et dans une économie de mouvement qu'elle lui envia, avant de sentir son cœur se serrer. Ce cavalier, sombre et altier, n'était pas seulement à l'image de son étalon fougueux. Tony, dans ses moments les plus ardents, ne l'avait jamais affectée de la façon dont les regards enveloppants de cet homme insolite et distant le faisaient.

Elle ne pouvait pas se laisser séduire, se défendit-elle farouchement. Cet homme était bien trop imprévisible. Et il était capable, saisit-elle dans un éclair de lucidité, de la faire souffrir plus qu'aucun autre n'avait été en mesure de le faire. De toute façon, acheva-t-elle, un œil sur la robe crème de sa jument, elle n'aimait pas ses airs et son attitude despotiques.

— Vous avez décidé de faire une sieste, Serenity ?

La voix moqueuse de Christophe la tira brusquement de ses réflexions. Non contente de sursauter, elle se sentit, en croisant son regard rieur, rougir.

— *Allons-y, ma belle.*

Saluant d'un air amusé le feu qui embrasait maintenant ses joues, il écarta son cheval et s'éloigna d'un pas lent.

Appliquant les consignes qu'il lui avait données, Serenity se mit à sa hauteur. Ils avancèrent côte à côte et, rassurée par leur allure tranquille, elle ne tarda pas à se sentir à l'aise sur sa selle. Christophe lui donnait des instructions, qu'elle transmettait à sa jument, et celle-ci obéissait facilement. Sentant sa confiance croître, portée par le rythme régulier de son cheval, elle s'autorisa à regarder le paysage et goûter la caresse du soleil matinal sur son visage.

— *Maintenant, au trot*, annonça Christophe tout à coup.

Elle le regarda avec inquiétude.

— Mon français n'est peut-être pas aussi bon que je le croyais. Avez-vous dit « au trot » ?

— Votre français est parfait, Serenity.

— Le pas me convient parfaitement, répliqua-t-elle, boudeuse. Je ne suis absolument pas pressée.

— Il faut accompagner les mouvements du cheval, répliqua-t-il sans se soucier de son commentaire. Vous vous soulevez à chaque foulée. Pressez légèrement les talons.

— Attendez…

— Vous avez peur ?

Piquée par son regard et son sourcil narquois, elle donna un coup de talon aux flancs de son cheval… et le regretta aussitôt.

Voilà ce que ça doit faire d'être attachée à l'un de ces maudits marteaux-piqueurs qui défoncent les rues à longueur de journée, songea-t-elle, le souffle entrecoupé et brinquebalée sans aucune grâce sur le dos de sa monture.

— Soulevez-vous à chaque foulée, lui rappela-t-il.

Elle était trop absorbée par ses difficultés pour voir l'immense sourire qui accompagnait ses conseils. Fort heureusement, après quelques secousses embarrassantes, elle prit le rythme.

— *Ça va ?* s'enquit-il à sa hauteur sur le chemin poussiéreux.

— Maintenant que mes os ont cessé de gesticuler, ce n'est pas si désagréable. En fait, se ravisa-t-elle en lui souriant, c'est même amusant.

— *Bon.* Alors maintenant, au galop.

Elle le foudroya du regard.

— Vraiment, Christophe, si vous tenez à m'assassiner, une dose de poison, ou un bon coup de couteau dans le dos, devraient suffire.

Son éclat de rire, riche, sonore, et déstabilisant, vibra dans la quiétude matinale. Et, lorsqu'il tourna son grand sourire vers elle, elle sentit le monde vaciller et comprit que son cœur, quelles que soient ses mises en garde, était perdu.

— *Allons, ma belle !* s'exclama-t-il d'une voix légère à l'insouciance contagieuse. Pressez les talons, et je vais vous apprendre à voler.

Ses pieds obéirent d'eux-mêmes, et la jument docile augmenta son allure pour se lancer dans un galop facile. Serenity sentait le vent traverser ses cheveux et caresser ses joues. Elle avait aussi l'impression de flotter sur un nuage. Etourdie et légère, elle n'arrivait pas à savoir si son vertige était dû au vent ou à l'amour. Mais elle s'en fichait éperdument. Ces deux sensations étaient nouvelles, et seule comptait l'ivresse qui l'emportait.

Au signal de Christophe, elle tira sur ses rênes. Sa jument passa immédiatement du galop au trot, puis du trot au pas, avant de s'immobiliser complètement. Levant son visage vers le ciel, Serenity poussa un profond soupir de plaisir, puis se tourna vers Christophe.

Le vent et l'exaltation avaient rosi ses joues, constata-t-il. Ses yeux d'or grands ouverts étaient lumineux, et ses cheveux ébouriffés entouraient son bonheur d'un halo indiscipliné.

— Cela vous a plu, *mademoiselle*?

Serenity lui décocha un sourire radieux, encore grisée du vin puissant de l'amour.

— Allez-y, lui lança-t-elle. Dites que vous m'aviez prévenue. Cela m'est parfaitement égal.

— *Mais non*. Je me réjouis simplement de voir une élève si douée.

Il lui rendit son sourire, brisant du même coup l'invisible barrière dressée entre eux.

— Vous faites preuve d'une aisance naturelle surprenante, ajouta-t-il. C'est peut-être génétique, après tout.

— Oh! *monsieur*, répliqua-t-elle en battant des cils espiègles. Tout le mérite revient à mon professeur.

— Vos origines françaises sont nettes, Serenity, mais votre technique a besoin de pratique.

— Je ne suis pas si douée, hein?

Passant une main dans ses cheveux désordonnés, elle laissa échapper un profond soupir.

— J'imagine que je n'y arriverai jamais complètement. Trop de puritains parmi les ancêtres de mon père.

— De puritains?

Son éclat de rire troubla une fois de plus la quiétude matinale.

— Je n'ai jamais vu aucun puritain doté d'une telle fougue!

— Je vais prendre ce commentaire pour un compliment, même si ce n'était pas votre intention.

Serenity détourna les yeux.

— Oh! comme c'est beau! s'exclama-t-elle en découvrant la vallée qui s'étendait à leurs pieds.

Un paysage de carte postale, des collines aux pentes douces ponctuées de troupeaux paisibles et de fermes bien entretenues, s'étirait jusqu'à l'horizon. Dans le lointain, un minuscule village, construit autour d'une église blanche dont le clocher partait à l'assaut du ciel, ressemblait à un jeu disposé par la main d'un géant.

— C'est superbe. J'ai l'impression d'avoir remonté le temps.

Elle revint aux troupeaux.

— Ils sont à vous? lui demanda-t-elle en les désignant de la main.

— *Oui*.

— Tout cela est donc à vous? demanda-t-elle encore, vaincue par un brusque accablement.

— C'est une partie du domaine.

Depuis le temps qu'ils chevauchaient, ils étaient encore sur ses terres… Dieu seul savait jusqu'où elles s'étendaient. Cet homme ne pouvait-il donc pas être comme tout le monde?

Elle posa les yeux sur son profil d'aigle.

Mais il n'était pas comme les autres, se rappela-t-elle. C'était le comte de Kergallen, seigneur et maître de tout ce qu'elle contemplait en ce moment même, et elle ne devait pas l'oublier.

Préoccupée, elle reporta les yeux sur la vallée.

Elle ne voulait pas être amoureuse de lui.

Ravalant le nœud qui se formait dans sa gorge, elle s'abrita derrière cette pensée.

— Ce doit être magnifique de posséder tant de beauté.

Il se tourna vers elle, l'air surpris.

— On ne possède pas la beauté, Serenity. Tout juste peut-on en prendre soin et la chérir.

Déconcertée par la douceur de sa réponse, elle repoussa

l'agréable sensation qui la gagnait et garda résolument les yeux posés sur la vallée.

— Vraiment ? Je croyais que les jeunes aristocrates tenaient ce genre de choses pour acquises. Après tout, poursuivit-elle avec un ample geste de la main, tout cela vous appartient.

— Vous ne goûtez guère l'aristocratie, Serenity, mais ce sang coule aussi dans vos veines.

Elle fronça les sourcils, ce qui fit naître un sourire sur les lèvres de Christophe.

— Le père de votre mère, bien que son domaine ait été ravagé durant la guerre, était également comte, lui apprit-il avec une obligeance aussi froide que détachée. Le Raphaël était l'un des quelques trésors que votre grand-mère avait sauvés en s'échappant.

Encore ce fichu tableau ! songea-t-elle sombrement. Quant à Christophe, il était maintenant en colère. C'était visible dans la dureté de son regard. Curieusement, elle s'en trouvait satisfaite. S'ils restaient à couteaux tirés, elle aurait moins de mal à dominer les sentiments qu'elle éprouvait pour lui.

— Demi-aristocrate de naissance, je suis donc à moitié roturière, répliqua-t-elle en rejetant son argument. Eh bien, *mon cher cousin*, sachez que je préfère largement mon côté prolétaire. Je vous laisse le sang bleu de la famille.

— Je vous rappelle qu'il n'y a aucun lien de sang entre nous, *mademoiselle*. Vous feriez bien de vous en souvenir.

Sa voix sourde et son regard tendu lui inspirèrent un frisson d'inquiétude.

— Les Kergallen sont connus pour obtenir ce qu'ils veulent, ajouta-t-il, et je ne fais pas exception. Faites attention à la façon dont vous vous servez de vos yeux d'ambre.

— Inutile de me mettre en garde, *monsieur*. Je sais me défendre toute seule.

Un sourire lent, plein d'assurance et plus troublant qu'une réplique furieuse, s'étira sur les lèvres de Christophe, puis il tourna son cheval et se mit en route vers le château.

Le retour se fit en silence. Serenity se contenta de suivre les quelques instructions que Christophe lui donnait, songeant qu'ils avaient de nouveau croisé le fer, et qu'il avait facilement paré ses coups.

Arrivés aux écuries, il mit pied à terre avec aisance. Avant qu'elle n'ait le temps de se passer de lui, il tendit ses rênes au palefrenier et vint l'aider à descendre. Ignorant la raideur de ses muscles, elle glissa de sa monture dans les bras qu'il lui tendait. Il la maintint par la taille, le temps de la considérer d'un œil sombre, presque menaçant.

— Allez prendre un bain chaud, lui dit-il, cela soulagera vos courbatures.

Il la lâcha, mais elle continuait de sentir, à travers le fin tissu de son T-shirt, la marque brûlante de ses mains.

— Votre capacité à donner des ordres est stupéfiante, *monsieur*.

Elle vit son regard se rétrécir, mais n'eut pas le temps d'anticiper son geste. En un éclair, elle se retrouva plaquée contre lui, les lèvres écrasées par un baiser dur, profond, qui, non content de balayer toute velléité de lutte ou de protestation, déclencha en elle une vague de sensations irrésistibles.

Prisonnière de cette étreinte, dominée par une volonté contre laquelle elle ne pouvait rien, elle se sentit glisser dans ce baiser passionné. Et plus il durait, plus la fougue de Christophe, l'intensité de sa langue, libéraient en elle un besoin primitif et inconnu. Alors, vaincue par une exigence qu'elle ne pouvait défaire, renonçant à sa fierté pour s'ouvrir à l'amour, elle capitula. Le monde, comme une aquarelle diluée sous la pluie, s'effaça, emportant avec lui les couleurs du paysage breton pour ne laisser que deux corps brûlants, et des lèvres affamées qui cherchaient son abandon. La main de Christophe, posée sur sa hanche, remonta dans son dos avec autorité et la plaqua contre lui avec une force stupéfiante.

L'amour, se dit-elle, prise d'un vertige insensé. Mais l'amour était une promenade sous la bruine, une soirée tranquille devant un feu de cheminée, pas cette tempête tourbillonnante qui lui coupait le souffle et les jambes pour la laisser affaiblie, hors d'haleine et vulnérable. Comment pouvait-on désirer être démunie et fragile *à ce point*? Etait-ce là ce qu'avait vécu sa mère? L'origine du voile rêveur posé sur son regard?

Allait-il jamais la libérer? se demanda-t-elle, désespérée, tandis qu'elle sentait ses propres bras trahir sa volonté et se nouer autour de son cou.

Il s'écarta très légèrement.

— *Mademoiselle*, murmura-t-il d'un ton moqueur contre ses lèvres tout en lui caressant la nuque, vous avez le don de vous attirer des sanctions, et de m'inspirer le besoin urgent de vous discipliner.

Sur cette déclaration, il la relâcha et s'éloigna d'un pas tranquille, ne s'arrêtant que pour caresser Korrigan qui s'était fidèlement lancé à sa poursuite.

5

Sur la terrasse entourée de végétation, Serenity déjeunait en compagnie de la comtesse. Refusant poliment le vin qu'on lui proposait pour accompagner la bisque d'écrevisse, elle avait demandé du café et ignoré le sourcil blanc et réprobateur que cette requête lui avait valu.

Elle passait certainement pour une béotienne, se dit-elle en réprimant un sourire, tout en savourant une gorgée du liquide noir et fort, mais elle s'en moquait.

— J'espère que votre promenade vous a plu, avança la comtesse après quelques échanges courtois sur le contenu de leurs assiettes et le temps.

— Oui, *madame*, à ma plus grande stupéfaction, admit-elle. Mon seul regret est de ne pas avoir appris l'équitation plus tôt. Votre domaine est splendide.

— Christophe est très fier de ses terres, lui dit la comtesse. A juste titre, renchérit-elle en examinant le vin pâle dans son verre. Il les aime passionnément, comme un homme peut aimer une femme. Mais si la terre est éternelle, c'est aussi une amante bien froide. Et un homme a besoin d'une femme.

Déconcertée par la franchise de sa grand-mère, et son brusque abandon des convenances, Serenity haussa légèrement les épaules.

— Je suis sûre qu'il n'a aucun mal à trouver des maîtresses plus chaleureuses.

Il n'avait certainement qu'à claquer des doigts pour en voir tomber des douzaines à ses pieds, se dit-elle en réprimant une pointe de jalousie féroce.

— *Naturellement*, répliqua la comtesse, une lueur amusée au fond des yeux. Comment pourrait-il en être autrement ?

Elle digéra l'information tandis que sa grand-mère, levant son verre, poursuivait :

— Mais les hommes finissent par avoir besoin de stabilité, même ceux tels que Christophe. Ah, il ressemble tellement à son grand-père...

Levant vivement les yeux sur le soupir de sa grand-mère, Serenity vit la douceur se peindre sur son visage anguleux et en transformer les traits.

— Ils sont fiers, ces hommes de Kergallen, dominateurs, virils et arrogants. Les femmes qu'ils aiment reçoivent l'enfer et le paradis en partage.

Les yeux bleus l'épinglèrent et lui sourirent.

— Celles-ci, de leur côté, doivent être assez fortes pour pouvoir leur tenir tête, et assez sages pour savoir quand leur céder.

Sortant tout à coup de l'envoûtement dans lequel l'avaient plongée ces propos, elle repoussa son assiette.

— *Madame*, commença-t-elle dans le but de lever le moindre malentendu, je n'ai aucune intention de participer au concours pour la conquête du comte actuel. De mon point de vue, nous sommes parfaitement mal assortis.

Elle n'avait pas fini sa phrase que la sensation des lèvres plaquées contre les siennes, l'exigence du corps bandé contre le sien, lui revenaient à la mémoire et la faisaient frémir. Les yeux résolument plantés dans ceux de sa grand-mère, elle secoua la tête avec énergie.

— Non ! s'exclama-t-elle. Non.

Sans chercher à savoir si elle s'adressait à son cœur ou à la femme assise devant elle, elle se leva et rentra précipitamment au château.

La lune, ronde et brillante au firmament du ciel étoilé, déversait ses rayons argentés au milieu de la chambre. Serenity, misérable, endolorie et irritable, n'arrivait plus à dormir. Prétextant une migraine pour s'arracher à l'homme qui assombrissait ses pensées, elle s'était pourtant retirée tôt. Mais le sommeil n'était pas venu facilement. Et voilà, quelques heures à peine après l'avoir saisie, qu'il s'échappait de nouveau. Elle se tourna de l'autre côté du lit dans un gémissement douloureux.

Elle payait le prix de sa petite aventure matinale, se dit-elle en s'asseyant avec une grimace. Un nouveau bain lui ferait peut-être du bien… Décidant qu'il ne risquait pas d'aggraver ses souffrances, elle se leva et, ignorant la violente protestation de ses muscles, comme sa robe de chambre posée au pied du lit, se dirigea vers la salle de bains. Elle se cogna malheureusement le tibia contre un élégant fauteuil Louis XVI placé sur son chemin.

Poussant un cri de douleur et de colère, elle ramassa le siège renversé et, tout en se frottant énergiquement la jambe, s'appuya dessus.

— Quoi ? répondit-elle sans ménagement au coup frappé contre sa porte.

Celle-ci s'ouvrit et Christophe, en pyjama et robe de chambre de soie bleu royal, apparut dans l'encadrement.

— Vous seriez-vous blessée, Serenity ?

Elle n'avait pas besoin de voir son visage pour saisir le sarcasme.

— Je me suis seulement cassé la jambe, répliqua-t-elle, acerbe. Inutile de vous inquiéter.

— Peut-on savoir ce que vous faites dans le noir, debout à cette heure ?

Il était adossé au chambranle, et son calme imperturbable, sa nonchalance et son arrogance, agirent sur elle comme un catalyseur.

— Je vais vous dire ce que je fais dans le noir, espèce de brute suffisante ! commença-t-elle dans un souffle furibond. J'allais prendre un bain dans l'espoir de noyer les souffrances que *vous* m'avez infligées aujourd'hui !

— Moi ? s'enquit Christophe, amusé.

Elle était visiblement bien trop furieuse pour noter son regard ou s'apercevoir du spectacle qu'elle lui offrait. Mais le clair de lune, à travers le tissu léger de sa vaporeuse chemise de nuit, révélait tous les détails de ses formes harmonieuses, sa silhouette fine, ses longues jambes élancées et le pur albâtre de sa peau.

— Oui, vous! répliqua-t-elle. C'est vous qui m'avez hissée sur ce cheval, ce matin. Et, maintenant, le moindre de mes muscles se venge.

Elle passa la main sur ses reins douloureux.

— Si ça trouve, gémit-elle, je ne marcherai plus jamais correctement.

— Ah.

— C'est incroyable ce qu'une syllabe peut exprimer, railla-t-elle avec un regard meurtrier. Vous pourriez mieux faire?

— *Ma pauvre chérie,* murmura-t-il avec une sympathie exagérée. *Je suis désolé.*

Le voyant s'écarter de la porte et avancer vers elle, Serenity se souvint brusquement qu'elle était en chemise de nuit.

— Christophe, commença-t-elle, les yeux écarquillés, je…

Mais ses mots moururent dans sa gorge. Il avait posé les mains sur ses épaules et commençait à la masser.

— Vous avez découvert l'existence de nouveaux muscles, n'est-ce pas? Et ils ne sont pas très obligeants. Ce ne sera pas aussi douloureux la prochaine fois.

Il la poussa vers son lit et la força à s'asseoir. Ce qu'elle fit sans résister, goûtant seulement la fermeté de ses doigts sur sa nuque et ses épaules nues. Elle ne protesta pas davantage lorsqu'il glissa derrière elle pour poursuivre son massage sur son dos : elle sentait, sous ses mains habiles, toute douleur s'effacer.

Emportée par une douce léthargie, elle s'abandonna un peu plus contre lui.

— Vous avez des mains magiques, murmura-t-elle dans un soupir. Des doigts merveilleusement forts. Je ne vais pas tarder à ronronner.

Elle n'aurait su dire à quel moment la transition s'opéra, quand son assoupissement bienheureux se mua en un léger frémissement, quand le massage de Christophe glissa de la neutralité à la caresse, mais elle sentit tout à coup qu'elle avait beaucoup trop chaud et que la tête lui tournait.

— Je me sens mieux, beaucoup mieux, bredouilla-t-elle en voulant s'écarter.

Mais ses mains s'abattirent sur ses hanches et l'empêchèrent de bouger. Complètement immobile, elle sentit les lèvres de Christophe chercher le creux sensible de sa nuque et y déposer un baiser aussi léger qu'une plume. Un frémissement terrible la parcourut, puis elle tressaillit comme une biche effarouchée. Hélas, avant qu'elle ne puisse lui échapper, il avait surgi devant elle et, coupant court à toute protestation, s'emparait de sa bouche.

Elle n'eut aucune chance de lutter. Ce qui avait débuté comme un frémissement s'était transformé en brasier, et, entraînée par les bras de Christophe qui se refermaient sur elle, elle se laissa allonger. Sa bouche la dévorait avec une assurance presque effrayante, et ses mains la parcouraient comme s'il lui avait fait l'amour des milliers de fois. D'un geste vif, il fit glisser la bretelle de son déshabillé sur son épaule, chercha, et trouva son sein. Electrifiée par ce contact sur sa peau nue, emportée par la tempête de désir qu'il déclenchait en elle, elle se pressa davantage contre lui. Ses mains, plus insistantes, glissèrent alors sur la soie de sa chemise de nuit, et ses lèvres partirent à l'assaut de sa gorge avec une voracité qui lui semblait insatiable.

— Christophe, gémit-elle, se sentant incapable de lutter à la fois contre lui et contre sa propre faiblesse. Christophe, je ne veux pas me battre. Je ne gagnerai jamais.

— Ne vous défendez pas, *ma belle,* murmura-t-il contre sa gorge, et nous gagnerons tous les deux.

Il reprit possession de sa bouche avec une douceur, une lenteur qui ne firent qu'accroître et galvaniser son désir. Puis, abandonnant sa bouche pour explorer son visage, il effleura ses pommettes, mordilla ses lèvres entrouvertes avant de repartir une nouvelle fois à leur conquête. La main paresseuse qui s'était emparée de son sein pressait maintenant son galbe, ses doigts s'attardaient sur son mamelon... Envahie par une onde de plaisir, un délicieux supplice, elle exhala un soupir et laissa ses mains partir à la recherche des muscles de son dos. Elle les pressa, comme pour sentir toute leur puissance, en extraire toute la force de l'attraction qu'il exerçait sur elle.

Sa réaction dut souffler sur les braises de sa passion, car ses caresses reprirent leur fougue un instant oubliée, et sa bouche, tout à l'heure paresseuse, l'assaillait maintenant avec force, ravageant ses sens, sa raison, et réclamant plus que son abandon, une passion égale à la fièvre qui le consumait.

La main posée sur sa poitrine descendit sur sa taille, sa hanche, puis poursuivit sa route brûlante et possessive sur sa cuisse, tandis qu'il laissait courir ses lèvres de sa bouche à sa gorge pour les poser au creux de ses seins. Elle ne respirait plus que par intermittence.

Elle comprit alors, dans un ultime sursaut, qu'elle était au bord du précipice. Un pas de plus, et elle sombrerait dans un gouffre sans fond.

— Christophe, s'il vous plaît.

Elle frissonnait, malgré la chaleur du brasier qui l'entourait.

— S'il vous plaît, vous me faites peur. Je me fais peur. Je n'ai jamais… C'est… la première fois.

Sous le coup de la surprise, Christophe s'immobilisa puis, dans un silence de plus en plus lourd, s'écarta pour la regarder. Les rayons de lune donnaient un éclat d'argent à la blondeur de ses cheveux répandus sur l'oreiller, et l'ambre de son regard était voilé de passion et de frayeur.

Laissant échapper une courte et dure exclamation, il se redressa tout à fait.

— Vous avez le don de choisir vos moments, Serenity.

— Je suis désolée, commença-t-elle en s'asseyant.

— De quoi? demanda-t-il d'un ton glacial où perçait sa colère. De votre innocence, ou de vous refuser après m'avoir conduit au point de vous la ravir?

— Ce que vous insinuez est ignoble! répliqua-t-elle, frémissante. Tout est allé si vite que je n'ai pas eu le temps de réagir. Si j'avais su, vous ne seriez jamais allé aussi loin.

— Vous croyez?

Il la tira pour la plaquer, agenouillée, contre lui.

— Maintenant, vous savez. Et croyez-vous sincèrement que je ne peux pas avoir, en cette seconde, ce que je veux, et avec votre entier consentement ?

Il la regardait, sûr de lui et furieux. Quant à elle, visiblement aussi démunie face à son autorité que face au désir qui la consumait, elle restait silencieuse, ses yeux grands ouverts, brillants de crainte et d'innocence.

— *Nom de Dieu !* fit-il en la lâchant brusquement. Vous me regardez avec les yeux d'une enfant. Votre corps dissimule bien votre candeur, Serenity ; c'est un leurre dangereusement trompeur.

Il se leva et, devant la porte, se retourna sur la silhouette légèrement vêtue, qui semblait bien petite au milieu du vaste lit.

— Dormez bien, *ma jolie*, lui lança-t-il avec une pointe d'ironie. Mais à l'avenir, quand vous décidez de foncer sur les meubles en pleine nuit, assurez-vous de fermer la porte à clé. Je ne partirai pas une seconde fois.

Le lendemain matin, à la table du petit déjeuner, Serenity gratifia Christophe d'un bonjour froid et succinct. Il lui répondit sur le même ton, accompagnant ses mots d'un regard bref, aussi dénué de passion que de la colère qu'elle y avait vues la veille.

Ce contraste, doublé de l'aisance avec laquelle il poursuivait son bavardage avec la comtesse, ne tardèrent pas à l'agacer. Tout comme la façon dont il s'adressait à elle : uniquement lorsque c'était nécessaire et avec une stricte politesse qui, pour être courtoise, n'en restait pas moins désobligeante.

— Tu n'as pas oublié que Geneviève et Yves viennent dîner, ce soir ? lui demanda la comtesse.

— *Mais non, grand-mère*, la rassura-t-il en posant sa tasse. Leur visite est toujours un plaisir.

La comtesse tourna alors sur elle ses yeux vifs.

— Je suis sûre que vous allez les apprécier, Serenity. Geneviève a le même âge que vous, ou peut-être un an de moins. C'est une jeune femme délicieuse et très bien élevée. Quant à son frère, Yves, il est absolument charmant et très bel homme. Je ne doute pas, poursuivit-elle dans un sourire, que vous trouviez sa compagnie, comment dirais-je, divertissante. Qu'en penses-tu, Christophe ?

— Je suis certain que Serenity va trouver Yves hautement distrayant.

Surprise par la pointe de brusquerie qu'elle crut déceler dans sa voix, elle lui jeta un regard intrigué. Mais il buvait tranquillement son café, et elle décida qu'elle s'était trompée sur son humeur.

— Les Dejot sont des amis de longue date de la famille, poursuivit la comtesse en attirant de nouveau son attention. C'est toujours un plaisir de rencontrer des jeunes gens de son âge, *n'est-ce pas ?* Geneviève vient souvent au château. Lorsqu'elle était petite, elle suivait Christophe absolument partout. *Bien sûr,* elle n'est plus une enfant, acheva-t-elle en couvant d'un regard entendu celui qui occupait la place du maître, au bout de la grande table de chêne.

Serenity dut faire appel à toute sa volonté pour réprimer la grimace que lui inspirait ce commentaire.

— En effet, approuva chaleureusement Christophe, la gamine d'hier est devenue une magnifique jeune femme.

Tant mieux pour elle, songea Serenity en s'efforçant de garder un sourire intéressé aux lèvres.

— Oh ! elle fera une épouse merveilleuse, renchérit la comtesse. Elle est si belle et possède une telle grâce ! Nous devons absolument la convaincre de jouer pour vous ce soir, Serenity. C'est une pianiste de très grand talent.

Et une qualité de plus pour le parangon de vertu, rumina-t-elle, lamentablement jalouse de l'invisible Geneviève et des relations de toute évidence intimes qu'elle entretenait avec Christophe.

— J'ai hâte de rencontrer vos amis, *madame,* dit-elle en se rappelant de détester la parfaite Geneviève au premier regard.

La matinée s'écoula dans un soleil radieux et un silence paresseux. Après le petit déjeuner, Serenity avait décidé de prendre ses carnets de croquis et de s'installer dehors pour faire quelques esquisses. En arrivant, elle avait croisé le jardinier. Ils avaient échangé quelques mots, puis chacun s'était absorbé dans ses tâches respectives. Trouvant en lui un bon sujet d'étude, elle s'était mise à le dessiner penché sur les buissons, taillant les fleurs fanées, ponctuant ses gestes de commentaires bourrus ou d'encouragements, tous destinés à ses amies colorées et parfumées.

Au milieu de son visage buriné et sans âge brillait un regard bleu d'une stupéfiante clarté. Il portait un chapeau noir à grand bord, et les deux extrémités du ruban de velours qui pendaient à l'arrière offraient un contraste saisissant avec sa crinière gris acier. Vêtu d'un gilet, d'un vieux pantalon court serré aux genoux, il faisait aussi preuve d'une agilité stupéfiante dans ses sabots de bois.

Concentrée sur son travail, Serenity n'entendit pas les pas qui remontaient l'allée.

Christophe s'arrêta un moment pour la regarder. Ainsi penchée, la courbe gracieuse de son cou lui faisait penser à l'image d'un cygne glissant fièrement sur la surface polie d'un lac. La voyant coincer son crayon derrière son oreille et passer une main distraite dans ses cheveux, il décida de se manifester.

— Vous avez merveilleusement saisi Jacques, Serenity.

Son sursaut, tandis qu'elle portait vivement la main sur son cœur, lui arracha un sourire.

— Je ne savais pas que vous étiez là, dit Serenity, en maudissant l'essoufflement de sa voix et l'emballement de son cœur.

— Vous étiez très absorbée, lui offrit-il en s'asseyant à son côté sur le banc de marbre blanc. Je ne voulais pas vous déranger.

Il aurait pu se trouver à des milliers de kilomètres, songea-t-elle, découragée, il l'aurait dérangée.

— *Merci*, répondit-elle, polie. C'est très aimable à vous. Ah, Korrigan, *comment vas-tu ?*

Préférant s'intéresser à l'épagneul sagement assis à leurs pieds, elle le gratta derrière l'oreille et celui-ci lui lécha énergiquement la main.

— Korrigan vous aime beaucoup, remarqua Christophe.

D'habitude, il est plus réservé, mais il semble que vous ayez ravi son cœur.

Au même moment, Korrigan s'écroulait en adoration à ses pieds.

— Un amoureux très démonstratif, dit-elle en montrant sa main trempée.

— C'est un faible prix à payer en regard d'une telle adoration.

Il sortit un mouchoir et lui saisit la main pour l'essuyer. Aussitôt, Serenity sentit des crépitements intenses se déclencher au bout de ses doigts pour remonter le long de son bras et se répandre comme une traînée de poudre dans tout son corps.

— Inutile, s'empressa-t-elle en tentant de reprendre sa main, j'ai un chiffon dans ma boîte à crayons.

Il resserra son étreinte. Se découvrant prisonnière, au terme d'une courte lutte silencieuse, elle poussa un soupir excédé et lui abandonna sa main.

— Vous n'en faites toujours qu'à votre tête ? demanda-t-elle, furieuse.

— *Toujours*, répliqua-t-il avec une assurance irritante avant de relâcher sa main. J'ai l'impression que c'est aussi votre cas, Serenity Smith. Nous pourrions profiter de votre séjour pour faire un concours, nous verrions qui de nous deux l'emporte.

— Dans ce cas, je vous conseille de noter les scores, suggéra-t-elle en se retirant derrière la froideur plutôt que de céder au charme de son humour discret. Pour que le gagnant ne fasse aucun doute.

Un sourire s'étira sur ses lèvres.

— Mais il ne fera aucun doute, *cousine.*

L'apparition de la comtesse l'empêcha de répondre. Jugeant qu'il valait mieux se taire que s'exposer aux questions que sa réplique ne manquerait pas de soulever, elle afficha un air détendu.

— Bonjour, mes enfants, leur dit la comtesse.

Serenity regarda, un peu surprise, le sourire maternel qui étirait les traits de sa grand-mère.

— Je vois que vous profitez du jardin. C'est la plus belle heure pour en apprécier toutes les beautés.

— Il est splendide, *madame*, répondit-elle. Le reste du monde s'efface devant les couleurs et les parfums que l'on perçoit de cet endroit.

— J'ai souvent eu cette impression sur ce banc, approuva sa grand-mère avec douceur. J'ai passé tant d'heures ici même…

Elle s'assit en face d'eux.

— Qu'avez-vous dessiné ?

Serenity lui tendit son carnet, et la comtesse étudia longuement son dessin avant de relever des yeux pensifs sur elle.

— Vous avez le talent de votre père.

Brusquée par l'évidente réticence de cet aveu, Serenity faillit riposter, mais la comtesse poursuivit :

— C'était un artiste de grand talent. Je commence à penser qu'il avait quelques qualités pour avoir gagné l'amour de Gaelle et votre loyauté.

— Oui, *madame*, répondit-elle en comprenant que sa grand-mère faisait une concession difficile. C'était un homme très bon, un père et un mari aimant.

Elle faillit évoquer le Raphaël, mais se retint. Ce n'était pas le moment de rompre le lien ténu qui était en train de se nouer entre elles. La comtesse opina puis, se tournant vers Christophe, parla du dîner.

Profitant de cette diversion, Serenity reprit son bloc et ses crayons et commença à dessiner sa grand-mère. Le bourdonnement des voix, en harmonie avec l'atmosphère du jardin, ne la poussait pas à participer à la conversation. Se laissant au contraire bercer par ce murmure apaisant et tranquille, elle s'absorba tout à fait dans son dessin.

Reproduire les traits fins, la bouche qu'elle découvrait étonnamment vulnérable, lui montrait plus clairement la ressemblance de la comtesse avec sa mère et donc, songea-t-elle sans vraiment s'y arrêter, avec elle-même. L'expression de son visage était détendue, et sa beauté sans âge affichait une évidente fierté. Mais Serenity décelait, à travers la douceur et la fragilité qui avaient été celles de sa mère, la personnalité d'une femme capable d'aimer profondément et, par conséquent, de souffrir profondément. Pour la première fois depuis qu'elle avait reçu la lettre austère, elle sentait naître un lien de parenté, le premier frémissement d'amour envers la femme qui avait enfanté sa mère, l'inconnue à laquelle elle devait la vie, sa grand-mère.

Concentrée sur son dessin, elle n'avait aucune conscience de la variété d'expressions qui traversaient son propre visage, ni de l'homme à côté d'elle, qui observait ces transformations tout en poursuivant sa conversation. Son dessin terminé, elle posa son carnet sur ses genoux et s'essuya machinalement les mains, avant de sursauter, surprise de croiser le regard de Christophe posé sur elle. Il baissa les yeux sur son carnet et les releva, l'air déconcerté.

— Vous avez un talent rare, *ma chère*, murmura-t-il.

Elle plissa le front, ne sachant pas s'il parlait de son travail ou de quelque chose d'entièrement différent.

— Qu'avez-vous dessiné ? lui demanda la comtesse.

Serenity s'arracha au regard envoûtant de Christophe pour tendre son portrait à sa grand-mère.

La comtesse l'étudia longuement, d'abord surprise, puis affichant une expression indéfinissable, avant de relever des yeux souriants sur elle.

— Je suis honorée et flattée, *mon enfant*. Si vous me le permettez, j'aimerais vous acheter ce dessin. Par vanité, poursuivit-elle d'une manière charmante, mais aussi parce que j'aimerais avoir un exemple de votre travail.

Ce fut au tour de Serenity, partagée entre la fierté et l'amour, de la dévisager.

— Je suis désolée, *madame*, répondit-elle enfin en reprenant son carnet. Il n'est pas à vendre.

Elle baissa les yeux sur la feuille avant de la détacher du bloc et de la lui tendre.

— Je vous en fais cadeau, *grand-mère*.

Elle regarda la palette d'émotions se succéder sur les traits fins et poursuivit :

— Acceptez-vous ce présent ?

— *Oui.* Et je vais le chérir. Il me rappellera qu'on ne doit jamais laisser l'orgueil l'emporter sur l'amour.

Elle se leva, déposa un baiser sur la joue de sa petite-fille, et partit vers le château.

Serenity se mit debout à son tour mais, trop émue pour lui emboîter le pas, resta immobile et silencieuse.

— Vous avez le don de susciter l'amour, observa Christophe dans son dos.

Elle fit volte-face.

— C'est aussi ma grand-mère, attaqua-t-elle, les yeux brillants.

Il se leva aussitôt.

— C'était un compliment.

— Vraiment ? A vous entendre, j'aurais plutôt cru le contraire.

Submergée d'émotions, elle était incapable de savoir si elle voulait être seule ou se réfugier entre ses bras.

— Vous êtes toujours sur la défensive avec moi, n'est-ce pas, Serenity ?

Il plissait les yeux, comme il le faisait lorsqu'il était en colère, mais elle n'avait que faire de son humeur. Ses émotions étaient trop violentes.

— Vous me donnez toutes les raisons de l'être, répliqua-t-elle. A l'instant où je suis descendue du train, vous n'avez fait aucun mystère de vos sentiments à mon égard. Vous nous avez condamnés, moi et mon père. Vous êtes froid, tyrannique, sans aucune once de compassion ou de compréhension. Partez et laissez-moi tranquille ! Allez donc fouetter l'un de vos gueux, cette occupation vous va comme un gant.

Il réagit si rapidement qu'elle n'eut pas le temps de s'écarter. Ses bras l'enserrèrent, et elle se trouva plaquée contre lui.

— Vous avez peur ? lui demanda-t-il avant d'écraser ses lèvres sur les siennes.

Toute réflexion l'abandonna. Assaillie par la douleur et le plaisir que lui infligeait sa bouche, elle gémit, les jambes et le souffle coupés par son étreinte conquérante.

Comment était-il possible d'aimer et de haïr à la fois ?

Elle n'eut pas le temps de répondre à Christophe. Sa question était noyée dans le flot tumultueux de la passion, et des doigts rudes passés dans ses cheveux la tiraient en arrière pour exposer sa gorge à l'exigence d'une bouche brûlante et affamée. La fine étoffe de son chemisier n'était qu'une frêle barrière contre la sensualité qu'il dégageait, mais cette ultime défense lui fut à son tour retirée. Glissant la main dessous, il remonta sur sa taille et s'empara de son sein avec une autorité dévastatrice.

Sa bouche revint sur la sienne, pleine d'une douloureuse douceur et d'une exigence auxquelles elle ne pouvait absolument pas se soustraire. Alors, cessant de s'interroger sur la complexité de son amour, elle céda à l'ouragan de sensations et de désir qui l'emportait.

Lorsqu'il s'écarta, le regard brûlant de colère et de passion, elle comprit, terrifiée, à quel point il la voulait. Personne ne l'avait jamais désirée avec autant de force. Et personne n'avait jamais été en mesure de la faire céder avec autant de facilité. Car, même s'il ne l'aimait pas, elle savait qu'elle allait lui céder ; et, même si elle ne lui cédait pas, elle savait qu'il obtiendrait ce qu'il voulait.

Il dut lire sa reddition dans son regard, car il lui dit, d'une voix sourde et menaçante :

— *Oui, petite cousine,* vous avez raison d'avoir peur, parce que vous savez ce qui va se passer. Pour le moment, vous êtes en sécurité. Mais, la prochaine fois que vous me provoquerez, prenez garde à l'endroit où vous le ferez.

Il la lâcha et s'éloigna d'un pas tranquille sur le chemin qu'avait emprunté sa grand-mère. Korrigan bondit sur ses pattes et, après avoir aboyé dans sa direction, s'élança sur les talons de son maître.

6

Profitant de la tranquillité de sa chambre pour calmer les émotions qui l'assaillaient et décider d'un plan d'action, Serenity se prépara avec soin pour le dîner. Aucun raisonnement ne pouvait dissimuler le fait qu'elle était tombée éperdument amoureuse d'un homme qu'elle connaissait à peine et qui la terrifiait autant qu'il la fascinait.

Un homme arrogant, autoritaire, et odieusement têtu, ajouta-t-elle en remontant la fermeture Eclair de sa robe. Et qui, en plus, tenait son père pour un voleur.

Comment avait-elle pu laisser cette catastrophe se produire ? Mais comment aurait-elle pu l'éviter ? se reprit-elle dans un soupir.

Son cœur l'avait trahie. Mais elle avait toujours la tête sur les épaules, et elle allait s'en servir. Pour commencer, il n'était pas question de laisser Christophe se rendre compte qu'elle était amoureuse de lui ; il ne manquerait plus qu'elle subisse ses sarcasmes !

Devant la coiffeuse de merisier, elle brossa ses cheveux bouclés et retoucha son maquillage léger. Ses peintures de guerre, décréta-t-elle avec un sourire satisfait. Elles étaient de circonstance, parce qu'elle préférait lui faire la guerre que lui déclarer son amour. Son sourire féroce ne tarda pourtant pas à se faner. Il ne s'agissait pas seulement de Christophe, ce soir. Il y avait aussi cette Mlle Dejot.

Elle se leva et vérifia sa tenue dans la psyché. La soie ambre de sa robe, discrètement assortie à la couleur de ses yeux, donnait une touche chaleureuse à sa peau crémeuse. De fines bretelles mettaient ses épaules en valeur, son décolleté soulignait subtilement l'arrondi de sa poitrine, et les plis flottaient gracieusement sur ses hanches. L'ensemble, conclut-elle, accentuait sa beauté fragile et délicate.

Elle fronça les sourcils. Elle ne voulait pas avoir l'air fragile, mais chic et assuré. Un coup d'œil sur l'horloge lui confirma qu'elle n'avait malheureusement plus le temps de se changer. Alors, enfilant ses escarpins et vaporisant un nuage de parfum autour d'elle, elle s'élança vers la porte.

Au rez-de-chaussée, le murmure des voix dans le salon lui apprit que les invités étaient déjà arrivés. En franchissant le seuil, elle embrassa, d'un seul regard, le tableau qui s'offrait à ses yeux. Le beau parquet de chêne, la teinte chaleureuse des lambris, les hautes fenêtres aux vitres cloisonnées, l'immense cheminée de pierre et son manteau sculpté composaient l'arrière-plan idéal aux hôtes élégants qui occupaient la pièce, dont la comtesse, incontestable reine des lieux dans sa robe de soie rouge.

Christophe était en tenue de soirée. Le noir absolu de son costume mettait en relief la blancheur immaculée de sa chemise et le hâle de son visage. Yves Dejot, également vêtu de noir, avait une carnation plus dorée que bronze, et ses cheveux étaient d'un châtain inattendu. Mais c'était la jeune femme assise entre eux qui attirait son regard et, malgré elle, son admiration. Si sa grand-mère était la reine, se dit-elle, Geneviève Dejot était la princesse. Des cheveux de jais encadraient la beauté saisissante d'un délicat visage. Ses grands yeux en amande, brun doré, accompagnaient une expression engageante, et sa robe vert profond donnait un éclat chatoyant à sa peau mordorée.

A son entrée, les deux hommes se levèrent. Peu disposée à subir le regard écrasant que Christophe faisait généralement peser sur elle, Serenity accorda son attention à l'inconnu. Les présentations lui donnèrent l'occasion de constater que le châtain de ses iris était de la même couleur que ses cheveux et qu'il la contemplait avec un indéniable plaisir et une lueur tout aussi évidente d'espièglerie.

— Tu ne m'avais pas dit, *mon ami*, que ta cousine était aussi délicieuse.

Il se pencha pour effleurer ses doigts d'un élégant baisemain.

— Je vais devoir, durant votre séjour, venir plus souvent au château, *mademoiselle*.

Elle sourit, sincèrement charmée, et jugea Yves Dejot aussi séduisant qu'inoffensif.

— Soyez sûr que cette perspective ne le rend déjà que plus agréable, *monsieur*, répondit-elle sur le même ton en s'attirant un sourire radieux.

Christophe poursuivit les présentations, et Serenity serra une main fine et hésitante.

— Je suis très heureuse de faire enfin votre connaissance, mademoiselle Smith, lui offrit Geneviève avec un sourire chaleureux. Vous ressemblez tellement à votre mère qu'il semble que son portrait ait pris vie.

La tonalité était sincère, et elle s'aperçut qu'elle aurait beau le vouloir elle serait incapable de détester l'adorable jeune femme qui la considérait avec tant de bonté.

La conversation se déroula agréablement pendant l'apéritif et le dîner — débuté sur de délicieuses huîtres au champagne. Les Dejot se révélaient curieux des Etats-Unis en général et de la vie qu'elle menait dans la capitale en particulier. Aussi tenta-t-elle, alors qu'ils savouraient un ris de veau au chablis, de leur décrire la ville des contrastes.

Elle commença par les nobles édifices publics, les lignes et les colonnes gracieuses de la Maison-Blanche.

— De nombreuses modifications ont malheureusement été apportées à la ville. D'immenses monstruosités de verre et de métal, dépourvues du moindre charme, ont remplacé plusieurs bâtiments anciens. Mais il reste des douzaines de théâtres, du Ford, où Lincoln a été assassiné, au Kennedy Center.

Elle les conduisit ensuite des élégantes avenues d'Embassy Row, aux vieux immeubles des bas quartiers, en passant par les musées, les galeries d'art et l'agitation de Capitol Hill, le quartier le plus dense de la ville.

— Mais je vis à Georgetown, un monde à l'écart du reste de Washington. La plupart des maisons sont collées les unes aux autres, parfois jumelées, et ne comptent qu'un ou deux étages, au milieu de petits jardins entourés de murets de brique, plantés d'azalées et de parterres fleuris. Certaines rues sont encore pavées et conservent tout le charme des siècles passés.

— C'est une ville qui semble si excitante, commenta Geneviève. Vous devez trouver notre existence ici bien terne. Est-ce que l'agitation de la ville, son activité, vous manquent?

Elle considéra un instant son verre de vin et secoua la tête.

— Non, déclara-t-elle, un peu surprise. C'est curieux, je suppose.

Elle croisa le regard sombre en face d'elle.

— J'ai passé ma vie là-bas, et j'étais très heureuse, commença-t-elle en détournant les yeux, mais Washington ne me manque pas du tout. J'ai éprouvé une attirance très étrange la première fois que je suis entrée au château, un sentiment de déjà-vu. Je me sens très bien ici.

Surprenant le regard intense et ténébreux que Christophe faisait peser sur elle, elle réprima un frisson de panique.

— C'est un soulagement, bien sûr, de ne pas avoir à lutter quotidiennement pour une place de parking, ajouta-t-elle avec un sourire. A Washington, les places de stationnement sont plus précieuses que l'or, et, derrière son volant, le plus doux des citoyens est capable de commettre un meurtre pour en obtenir une.

— Avez-vous eu recours à de telles méthodes, *ma chère?* lui demanda Christophe en levant son verre sans la quitter des yeux.

— Mes crimes me font frémir, répondit-elle, soulagée de voir la conversation prendre une tournure légère. Je n'ose pas confesser jusqu'où je suis allée pour garer ma voiture. Je peux être terriblement agressive.

— J'ai du mal à croire que l'agressivité soit au rang des qualités d'une aussi jolie fleur, déclara Yves en l'enveloppant d'un sourire charmeur.

— Tu serais surpris, *mon ami*, rétorqua Christophe sur un hochement de tête. La jolie fleur possède de nombreuses qualités surprenantes.

Elle lui décocha un regard courroucé, tandis que la comtesse changeait subtilement de sujet.

Le repas terminé, ils passèrent dans le salon. La vaste pièce, éclairée d'une lumière douce, baignait dans une atmosphère étonnamment intime. Yves, assis à côté d'elle, lui déployait tout son charme français. Serenity avait remarqué, avec un sentiment désagréable — qu'elle avait bien été obligée d'identifier comme de la pure jalousie —, que Christophe s'employait de son côté à distraire Geneviève. Ils avaient d'abord parlé de ses parents, qui visitaient les îles grecques, de connaissances communes et de vieux amis. Puis, après avoir attentivement écouté la jeune femme lui raconter une anecdote, il s'était mis à rire, à plaisanter, en déployant la plus grande gentillesse à son égard et une douceur qu'elle ne lui connaissait pas. Leur relation était de toute évidence si particulière, et si intime, que Serenity en éprouva une sorte de désespoir.

Il traitait Geneviève comme si elle était faite de porcelaine, fragile, précieuse et délicate, tandis qu'elle-même n'avait droit à aucun ménagement, comme si elle était aussi dure qu'un roc, et aussi dépourvue d'intérêt.

Serenity n'arrivait même pas à la détester. Elle se serait pourtant sentie infiniment mieux, mais ses bonnes dispositions, son caractère naturellement aimable, reprenaient le dessus, et plus la soirée s'écoulait, plus elle s'apercevait qu'elle appréciait les Dejot.

Poussée par les prières de la comtesse, Geneviève finit par accepter de s'asseoir au piano pour jouer quelques morceaux.

Entendant la musique s'élever, aussi douce et fragile que son interprète, Serenity songea soudain que Geneviève était parfaite pour Christophe. Ils avaient tant de choses en commun, et surtout elle lui inspirait une tendresse qui l'empêcherait toujours de la blesser…

Elle posa les yeux sur lui. Parfaitement détendu, il contemplait d'un regard fasciné la jeune femme au piano. Une palette d'émotions la traversa — l'envie, le désespoir, le désir, le ressentiment — jusqu'au moment où elle comprit, accablée, qu'elle ne pourrait jamais le voir tranquillement courtiser une autre femme.

— Une artiste, commença Yves tandis que les dernières notes flottaient dans la pièce, a toujours besoin d'inspiration, *n'est-ce pas ?*

— Oui, d'un genre ou d'un autre, reconnut-elle en lui souriant.

— Le parc du château est une source d'inspiration inépuisable au clair de lune, avança-t-il en lui rendant son sourire.

— Je suis d'humeur à me laisser inspirer, répondit-elle, subitement décidée. Peut-être puis-je vous demander de m'accompagner ?

— *Mademoiselle*, se hâta-t-il de répondre, j'en serais honoré.

Le laissant informer l'assemblée de leur intention, elle prit le bras qu'il lui offrait sans voir le regard noir que lui adressait Christophe.

Sous les rayons argentés, le parc était en effet d'une beauté saisissante. La vivacité des couleurs était transformée et les parfums des fleurs, exaltés par la tiédeur nocturne, se mêlaient dans un arôme enivrant. Cette douce nuit d'été lui semblait si propice aux amoureux qu'elle soupira, ses pensées attachées à l'homme resté dans le salon.

— Vous soupirez de plaisir, *mademoiselle* ? lui demanda Yves, alors qu'ils flânaient sur un chemin sinueux.

— *Bien sûr,* répondit-elle d'un ton léger, chassant son humeur sombre pour accorder un de ses plus beaux sourires à son cavalier. Je succombe à tant d'écrasante beauté…

— Ah, *mademoiselle.*

Il porta sa main à ses lèvres pour y déposer un fervent baiser.

— La beauté réunie de toutes ces fleurs pâlit devant la vôtre. Quelle rose pourrait soutenir la comparaison avec le velouté de vos lèvres, quel gardénia saurait être plus enivrant ?

— Comment font les Français pour faire l'amour avec des mots ?

— Nous apprenons au berceau, *mademoiselle*, répondit-il avec une surprenante sobriété.

— Comme il est difficile de résister à pareil décor ! lâcha-t-elle dans un nouveau soupir. Un clair de lune dans le parc d'un château breton, une brise saturée de parfums, un homme charmant, la poésie aux lèvres…

— *Hélas!* s'exclama-t-il en soupirant à son tour. Je crains que vous n'en ayez la force.

Elle opina, affichant un chagrin de comédie.

— Je suis, pour mon malheur, extrêmement forte, et vous, ajouta-t-elle dans un sourire espiègle, êtes un charmant tombeur breton.

Il éclata de rire.

— Ah, vous me connaissez déjà si bien. Si je n'avais pas compris, au premier regard, que nous étions destinés à être amis et non amants, je poursuivrais ma cour avec une grande assiduité. Mais nous, Bretons, croyons dur comme fer au destin.

— Et il est si difficile d'être à la fois amants et amis!

— *Mais oui.*

— Alors nous serons amis, déclara-t-elle en lui tendant la main. Dorénavant, je vous appellerai Yves et vous m'appellerez Serenity.

Il prit sa main et la garda un instant dans la sienne.

— *C'est extraordinaire*, s'exclama-t-il. Je n'aurais jamais cru pouvoir me contenter d'être l'ami d'une femme telle que vous! Car votre insaisissable beauté, *ma chère*, est de nature à envoûter un homme.

Il haussa les épaules.

— Mais c'est la vie, conclut-il dans un soupir fataliste.

Elle riait encore en revenant au château.

Le lendemain matin, Serenity accompagnait sa grand-mère et Christophe à la messe, célébrée dans le petit village qu'elle avait vu sur la colline. Une pluie fine et insistante s'était mise à tomber avant l'aube. Son murmure contre les vitres de sa fenêtre l'avait réveillée avant qu'elle ne replonge dans le sommeil, bercée par son rythme régulier.

La pluie tombait encore tandis qu'ils se rendaient au village. Mouillant les feuilles, elle faisait ployer les fleurs devant les chaumières qu'ils croisaient, et leurs corolles courbées donnaient à leurs massifs des allures de fidèles inclinés pour la prière.

Serenity avait remarqué, avec une certaine perplexité, le mutisme de Christophe depuis la veille. Les Dejot étaient partis peu après qu'elle et Yves furent revenus dans le salon. Et, si les adieux de Christophe à ses invités avaient été courtois, il avait évité de s'adresser directement à elle. Leur unique échange avait consisté en un bref — et d'après elle — sévère regard, vite détourné.

A présent, il parlait presque exclusivement à la comtesse, se cantonnant, pour ce qui la concernait, à des commentaires ou des réponses polis, empreints d'une hostilité à peine dissimulée, mais qu'elle avait décidé d'ignorer.

La chapelle était au cœur du village. C'était une minuscule construction blanche, dont le jardin parfaitement entretenu jurait de façon presque amusante avec l'état du bâtiment, au bord de la décrépitude. La toiture avait connu plus d'une réparation, et l'unique battant de la porte de chêne était patiné par les intempéries, l'âge et l'usure du temps.

— Christophe a proposé la construction d'une autre chapelle, lui apprit la comtesse, mais les villageois n'en veulent pas. Leurs parents et grands-parents ont prié ici pendant des siècles, et c'est ici qu'ils veulent continuer à le faire, quitte à ce que l'église s'écroule sur eux.

— Elle est charmante, fit-elle, émue.

Car il se dégageait, de la vétusté du bâtiment, une sorte d'immuable dignité, la fierté d'avoir accueilli tant de baptêmes, mariages et enterrement au cours des ans.

La porte, poussée par Christophe pour les laisser entrer, s'ouvrit sur un grincement désolé.

L'intérieur était sombre, tranquille, et la haute charpente de bois apportait un sentiment d'espace à ses dimensions autrement réduites. La comtesse avança jusqu'au premier rang et s'installa aux places qui, lui expliqua-t-elle, étaient réservées aux habitants du château de Kergallen depuis près de trois siècles. Apercevant Yves et Geneviève de l'autre côté de l'étroite allée, Serenity leur adressa un chaleureux sourire qui lui fut rendu, accompagné — de la part d'Yves — d'un imperceptible clin d'œil.

— Un peu de tenue, Serenity, lui murmura Christophe à l'oreille en la débarrassant de son imperméable mouillé.

Elle se sentit rougir, comme une enfant surprise à glousser dans la sacristie mais, au moment où elle se tournait pour répliquer, le prêtre — plus vieux que la chapelle elle-même — prit place à l'autel, et la cérémonie commença.

Un sentiment de paix l'envahit bientôt, aussi léger qu'un duvet. La pluie isolait l'assemblée de l'extérieur, et son doux murmure sur la toiture, au lieu de troubler la quiétude, semblait la renforcer. Le ton monocorde du vieux prêtre parlant breton, les réponses marmottées des fidèles, la plainte occasionnelle d'un bébé, un toussotement étouffé, ou encore le ruissèlement de la pluie sur les vitraux sombres, tout contribuait au sentiment apaisant d'éternité qui l'entourait. Sur son banc usé par les ans, elle se sentait gagnée par la magie de l'endroit et comprenait le refus des villageois d'abandonner leur lieu de culte ancestral pour une bâtisse solide et fonctionnelle. Parce que ici, suspendues entre le passé et les promesses de l'avenir, se trouvaient la paix et la sérénité qui lui avait valu son prénom.

Le service s'acheva en même temps que la pluie, et un rayon de soleil filtra à travers les vitraux, baignant l'église d'une subtile et nébuleuse lueur. Lorsqu'ils sortirent, l'air vif pétillait d'odeurs nouvelles. Quelques gouttes d'eau restaient accrochées aux feuillages fraîchement lavés, et elles brillaient, lumineuses, contre le vert luisant des plantes.

Yves approcha et la salua d'une courte révérence accompagnée d'un baisemain.

— Vous nous apportez le soleil, Serenity.

— *Mais oui*, s'amusa-t-elle en lui rendant son regard espiègle. J'ai exigé que chaque jour de mon séjour en Bretagne soit clair et ensoleillé.

Elle reprit sa main et sourit à Geneviève qui, dans sa robe jaune et avec son petit chapeau, ressemblait à une délicate primevère. Elles se saluèrent, et Yves se pencha vers elle, un air de conspiration sur le visage.

— Peut-être voulez-vous profiter du soleil, *mon amie*, et

faire une balade en voiture avec moi ? La campagne est exquise après la pluie.

— J'ai bien peur que Serenity ne soit occupée aujourd'hui, répondit Christophe à sa place.

Elle lui lança un regard furieux.

— Votre deuxième leçon, ajouta-t-il à son intention, sans tenir compte de son avertissement silencieux.

— Une leçon ? répéta Yves, un sourire ironique aux lèvres. Et peut-on savoir ce que tu enseignes à ton adorable cousine, Christophe ?

— L'équitation, répliqua-t-il sur le même mode. Pour l'instant.

— Oh ! vous ne pourriez avoir de meilleur professeur, s'exclama Geneviève en posant ses doigts délicats sur le bras de Christophe. Il m'a prise en main quand mon père et Yves, découragés, avaient renoncé à faire de moi une cavalière. Tu es tellement patient, acheva-t-elle en levant son regard doux vers lui.

Serenity étouffa un rire incrédule. La patience était bien la dernière qualité qu'elle aurait attribuée à Christophe. En revanche, l'arrogance, l'exigence, la supériorité, la suffisance, lui convenaient à merveille. Et ce n'était que le début. Il était également cynique et tyrannique.

Soudain, son regard glissa sur une petite fille, assise sur un coin de pelouse en compagnie d'un turbulent chiot noir. Alternant des coups de langue copieux sur le visage de l'enfant et une course frénétique autour d'elle, l'animal provoquait son rire, qui s'élevait, cristallin, dans la lumière matinale. Ce spectacle était si charmant qu'il lui fallut quelques secondes pour percevoir le danger lorsque le chiot, subitement, s'élança vers la route.

Devant cette défection inattendue, l'enfant se mit sur pied et trotta à la suite de l'animal. Amusée par le ton de sévère reproche sur lequel la petite tentait de rappeler son chien, Serenity regarda, d'abord sans réaction, la voiture qui débouchait. Puis, s'apercevant que la fillette, tout à ses remontrances, poursuivait aveuglément sa course, elle sentit le froid de la peur s'abattre sur elle.

Elle s'élança sans réfléchir, criant à l'enfant de s'arrêter, mais celle-ci, concentrée sur son chien, traversait la pelouse sans voir un seul instant la voiture qui approchait.

Serenity entendit le crissement des pneus au moment où ses bras se refermaient sur l'enfant, et sentit le pare-chocs la heurter, tandis qu'elle se jetait avec son précieux fardeau hors de sa trajectoire. Leur atterrissage fut suivi d'une longue minute de silence absolu, puis le chaos se déclencha. Aux glapissements indignés du chiot sur lequel elle était tombée répondaient les pleurs assourdissants de la fillette qui, maintenant, appelait sa mère.

Des cris excités s'ajoutèrent bientôt aux aboiements et aux jérémiades, augmentant la confusion de Serenity et son étourdissement. Elle n'avait pas la force de libérer le chiot, et laissa la petite se débattre et lui échapper pour se jeter dans les bras de sa mère, pâle et en larmes.

Brusquement, des mains puissantes la soulevèrent de terre et, la maintenant solidement par les épaules, l'obligèrent à croiser le regard noir et orageux qui cherchait le sien.

Christophe.

— Etes-vous blessée ?

Elle fit non de la tête.

— *Bon sang !* s'exclama-t-il, tendu de colère. Mais vous êtes folle !

Il la secoua, ce qui eut le don d'accroître singulièrement son vertige.

— Vous auriez pu vous faire tuer ! C'est un miracle que vous ne soyez pas touchée.

— Ils jouaient si gentiment, dit-elle d'une voix absente. Et puis, le chiot s'est enfui à toute vitesse vers la route. Oh ! est-ce que je l'ai blessé ? Je suis tombée sur lui. Le pauvre, je doute qu'il ait apprécié.

— Serenity !

La voix furieuse de Christophe et sa vigoureuse secousse la ramenèrent à la réalité.

— *Mon Dieu !* Je commence à croire que vous êtes vraiment folle.

— Je suis désolée, murmura-t-elle, vidée et étourdie. C'est idiot de penser au chien d'abord et à l'enfant ensuite. Elle va bien?

Il lâcha un soupir et une copieuse bordée de jurons.

— *Oui*, elle est avec sa mère. Vous vous êtes élancée comme un guépard; heureusement, parce que, autrement aucune de vous ne serait en train de babiller à l'heure qu'il est.

— C'est l'adrénaline, murmura-t-elle en vacillant. L'effet s'est dissipé, maintenant.

Elle sentit la poigne de Christophe se raffermir sur ses épaules, tandis qu'il scrutait son regard.

— Serenity? lui demanda-t-il en fronçant les sourcils. Avez-vous l'intention de vous évanouir?

— Certainement pas, répliqua-t-elle sans parvenir à exprimer la fermeté ni la dignité qu'elle espérait.

L'arrivée de Geneviève, heureusement, détourna son attention.

— Oh! Serenity! s'exclama la jeune femme en lui prenant la main, les yeux humides, avant de l'embrasser sur les deux joues. C'était si courageux!

— Etes-vous blessée?

La question d'Yves, à la différence de celle de Christophe, ne comportait aucune trace de colère. Seulement de l'inquiétude.

— Non, non, je vais bien, le rassura-t-elle en s'appuyant inconsciemment sur Christophe.

Elle voulait seulement s'asseoir, et attendre que le monde cesse de tourner.

Mais la mère de l'enfant, dans un breton rapide et plein de larmes, s'adressait maintenant à elle. Ses paroles vibraient d'émotion, et son accent était si prononcé que Serenity avait le plus grand mal à la comprendre. La pauvre femme s'essuyait continuellement les yeux, et son mouchoir n'était plus qu'une boule humide et chiffonnée entre ses mains. Luttant contre son épuisement, Serenity fit de son mieux pour lui donner les réponses appropriées, et se sentit encore plus embarrassée lorsque la maman lui prit les mains pour les embrasser avec une fervente gratitude. Sur un mot bref de Christophe, elle la relâcha heureusement et s'éloigna avec son enfant pour disparaître dans la foule.

— Venez, lui dit-il en glissant un bras autour de sa taille pour l'entraîner vers la chapelle.

Les gens, constata-t-elle, s'écartaient devant eux comme la mer Rouge devant Moïse.

— Je crois qu'on devrait vous attacher à une laisse, lui dit-il. Vous, l'enfant, et ce satané chien.

— C'est gentil de nous mettre ensemble, grommela-t-elle avant d'apercevoir sa grand-mère, assise à l'écart, sur un petit banc de pierre.

Frappée par sa pâleur et son air tout à coup terriblement âgé, elle s'écarta vivement de Christophe, et se précipita vers elle.

— J'ai cru que vous alliez vous faire tuer, lâcha la comtesse d'une voix étouffée.

Serenity s'agenouilla aussitôt devant elle.

— Je suis indestructible, *grand-mère*, affirma-t-elle, toute son assurance recouvrée. Je tiens cette qualité des deux côtés de ma famille.

La main fine et osseuse se posa sur la sienne et la serra fermement.

— Vous êtes effrontée, et plus têtue qu'une mule. Mais je vous aime beaucoup.

— Je vous aime aussi, répondit-elle simplement.

7

Serenity, refusant aussi vigoureusement la prescription d'une sieste que la visite du médecin, insista pour prendre sa leçon d'équitation après le déjeuner.

— Je n'ai pas besoin de médecin, *grand-mère*, et je n'ai pas besoin de me reposer. Je me sens parfaitement bien.

Elle balaya l'incident de la matinée d'un revers de la main.

— Quelques bleus et des bosses, c'est tout. Comme je vous l'ai dit, je suis indestructible.

— Vous êtes surtout têtue, corrigea la comtesse.

Avec un haussement d'épaules, Serenity sourit.

— C'était tout de même éprouvant, intervint Christophe en posant sur elle son regard critique. Une activité moins fatigante serait plus indiquée.

— Pour l'amour du ciel, s'exclama-t-elle, vous n'allez pas vous y mettre, vous aussi !

Elle repoussa son café d'une main agacée.

— Je ne suis pas une petite nature de l'époque victorienne sujette aux vapeurs et qui a besoin de se faire dorloter. Si vous ne voulez pas me donner ma leçon, je vais appeler Yves et accepter l'invitation que vous avez si gentiment refusée pour moi.

Elle le défia du regard.

— Il n'est pas question que j'aille au lit en plein milieu de la journée comme un bébé.

— Très bien, répliqua sèchement Christophe. Je vais vous la donner, votre leçon, et tant pis si elle n'est pas aussi stimulante que la promenade envisagée par Yves.

Elle le dévisagea, stupéfaite, avant de rougir.

— Ce que vous insinuez est parfaitement ridicule.

— Soyez aux écuries dans une demi-heure.

Il quitta la table et la pièce sans lui laisser le loisir de formuler une quelconque réplique.

Elle se tourna, frémissante d'indignation, vers sa grand-mère.

— Pourquoi est-il aussi odieux avec moi ?

La comtesse haussa légèrement les épaules et la considéra avec sagesse.

— Les hommes sont des créatures complexes, *ma chérie.*

— Un jour, répliqua-t-elle avec une détermination rageuse, un jour, il ne s'en ira pas avant que j'aie eu mon mot à dire.

Serenity rejoignit Christophe à l'heure dite, décidée à tout mettre en œuvre pour perfectionner sa technique, et lui prouver de quoi elle était capable. Elle enfourcha sa jument avec une assurance concentrée et suivit son professeur quand, sans un mot, il poussa son cheval dans la direction opposée à celle qu'ils déjà avaient prise. Quand il s'élança au petit galop, elle l'imita, heureuse de recouvrer l'enivrante sensation de liberté qu'elle avait éprouvée à sa première leçon. Une chose toutefois avait changé, l'attitude de Christophe. Aucun sourire ne venait subitement éclairer son visage, pas d'éclat de rire ni de taquinerie pour la surprendre.

Tant mieux, se dit-elle, elle préférait s'en passer et suivre les instructions, même sommaires, qu'il lui délivrait.

Alors, elle se contenta du plaisir de la chevauchée et des rares coups d'œil qu'elle donnait en direction de son profil sombre et acéré.

Hélas, songea-t-elle dans un soupir en regardant droit devant elle après quelques minutes de cet inutile manège, cet homme allait la hanter jusqu'à la fin de ses jours. Et, quand elle aurait passé ses plus belles années à comparer tous les autres au seul qu'elle n'aurait pu avoir, elle finirait vieille fille. Si seulement elle avait pu ne jamais le rencontrer…

— *Pardon ?*

Elle sursauta. Avait-elle parlé à voix haute ?

— Rien, je n'ai rien dit, bredouilla-t-elle avant de prendre une profonde inspiration. Oh ! reprit-elle, étonnée, j'ai l'impression que ça sent la mer.

Comme il ralentissait sa monture, elle l'imita, intriguée par le faible grondement qui troublait le silence.

— Est-ce l'orage ? demanda-t-elle en levant les yeux.

Mais le ciel était d'un bleu limpide et le grondement continuait.

— C'est bien la mer ! s'exclama-t-elle, tout à coup radieuse. Est-elle loin ? Est-ce que je vais la voir ?

Il se contenta d'immobiliser son cheval et de mettre pied à terre.

— Christophe, pour l'amour du ciel !

Il attachait son cheval à un arbre, dans un mutisme exaspérant.

— Christophe ! répéta-t-elle en dégringolant de sa selle avec plus de rapidité que d'élégance.

Il la rattrapa, juste avant qu'elle ne tombe par terre, et attacha sa jument avant de l'entraîner sur le chemin.

— Choisissez la langue que vous voulez, poursuivit-elle en s'efforçant de mater son impatience grandissante, mais répondez-moi avant que je devienne folle !

Il s'arrêta, fit volte-face et l'attira contre lui pour lui planter un bref et déconcertant baiser sur les lèvres.

— Vous parlez trop, déclara-t-il avant de poursuivre sa route.

— Vraiment, Christophe, vous…

Mais elle se tut, muselée par le regard qu'il lui lançait.

Visiblement satisfait de son silence, il l'entraîna à sa suite.

Le grondement sourd, plus proche et plus pressant à mesure qu'ils avançaient, empêcha Serenity de ruminer sa colère. Et, lorsqu'ils s'arrêtèrent, le spectacle qui s'étendait à ses pieds lui coupa le souffle.

La mer s'étirait aussi loin que portait le regard, et les rayons du soleil miroitaient sur le vert profond de sa surface. En contrebas, les vagues venaient caresser les rochers, laissant une écume semblable à de la dentelle sur une robe de velours, puis refluaient avant de revenir à la charge, languides comme les soupirs d'une amante inlassable.

— C'est merveilleux, lâcha-t-elle dans un souffle, goûtant

l'air vif des embruns et la fraîcheur de la brise qui jouait dans ses cheveux. Vous devez avoir l'habitude ; mais je ne m'y ferai jamais.

— J'aime toujours voir la mer, répondit-il, les yeux posés sur l'horizon, là où le bleu du ciel se fondait dans le vert de l'océan. Elle est d'humeur si changeante, c'est peut-être pour cela que les marins la comparent à une femme. Aujourd'hui, elle est calme et douce, mais lorsqu'elle s'emporte sa colère est sublime.

Il lui prit la main, d'un geste simple et intime auquel elle ne s'attendait pas, et son cœur en éprouva mille battements désordonnés.

— Quand j'étais petit, poursuivit-il, je voulais devenir marin, j'imaginais vivre sur les flots, naviguer selon son humeur.

Son pouce caressait à présent le creux de sa paume, et elle dut s'y reprendre à deux fois avant de pouvoir parler.

— Pourquoi n'êtes-vous pas parti ?

Il haussa les épaules et sembla oublier sa présence.

— J'ai découvert que la terre avait sa propre magie, répondit-il enfin, la vive couleur de l'herbe, la richesse des sols, les grappes pourpres, les pâturages. Une longue chevauchée est aussi excitante qu'une traversée en mer. La terre est mon devoir, mon plaisir et mon destin.

Il baissa les yeux vers elle, et quelque chose passa entre eux, un frémissement, qui se développa jusqu'à ce qu'elle se sente submergée par son intensité. Puis elle fut plaquée contre lui et, tandis que le vent tournoyait autour d'eux comme pour mieux les emprisonner de ses invisibles rubans, qu'une vague déferlait à leurs pieds dans un vacarme assourdissant, elle s'accrocha à lui et se trouva, tout à coup, le corps bandé contre le sien, à chercher la bouche qui réclamait l'absolue capitulation de la sienne.

Si la mer était calme, Christophe n'était pas à son image. Et Serenity, emportée par la tempête de son propre désir, plongeait dans leur baiser, goûtant l'emprise de ses lèvres possessives, cédant à l'exigence de ses mains qui la serraient comme si elle lui avait appartenu. Le corps parcouru de frissons, elle était impatiente de lui donner, de le voir prendre, ce qu'elle avait à lui offrir.

Aussi, quand il s'écarta, elle retint son visage entre ses mains et, refusant d'être libérée, tendit les lèvres à sa rencontre. Surprise par la force de sa nouvelle étreinte, elle s'agrippa à son dos. Sa bouche ravageait maintenant la sienne, sa main glissait sous la soie de son chemisier. Et, tandis que ses doigts brûlants s'emparaient du sein qui réclamait cette conquête, que sa langue la dévorait avec une faim accrue, elle répéta encore et encore son prénom.

Il la serra de plus belle. La force du choc lui coupa le souffle, mais quelle importance ? Les seins plaqués contre son torse puissant, elle sentait leurs cœurs battre l'un contre l'autre, à l'unisson. Elle avait franchi le pas qui la séparait du précipice, et comprenait qu'elle ne retrouverait jamais plus la terre ferme qui, jusque-là, l'avait portée.

Il la relâcha si brusquement qu'elle serait tombée s'il ne l'avait pas retenue par les épaules.

— Il faut rentrer, déclara-t-il comme si rien ne s'était produit entre eux. Il se fait tard.

Elle écarta les boucles tombées sur son visage et leva sur lui un regard perdu.

— Christophe, murmura-t-elle, désorientée.

Il la contempla de l'air revêche et insondable qu'elle connaissait.

— Il se fait tard, Serenity, répéta-t-il.

La pointe de colère qui vibrait dans sa voix ne fit qu'accroître son désarroi. Sentant brusquement le froid qui l'entourait, elle serra les bras autour d'elle.

— Christophe, pourquoi êtes-vous en colère contre moi ? Je n'ai rien fait de mal.

— Vraiment ?

Ses yeux, maintenant rétrécis, brillaient de leur mauvaise humeur habituelle, et elle sentit, bien plus forte que la douloureuse rebuffade qu'il lui imposait, la colère l'envahir.

— Oui, vraiment. Que pourrais-je bien vous faire ? Vous êtes si exaspérant de supériorité, si bien perché sur votre trône inaccessible, que je ne vois pas ce qu'une demi-aristocrate comme moi pourrait bien faire pour vous atteindre.

— Vous feriez mieux d'apprendre à tenir votre langue, Serenity, ou bien elle finira par vous causer de sérieux problèmes.

Sa mise en garde, très contrôlée, était parfaitement claire. Mais la prudence à laquelle il l'invitait était malheureusement noyée dans un océan de colère.

— Eh bien, avant que je n'apprenne à tenir ma langue, répliqua-t-elle, permettez-moi de vous dire précisément ce que je pense de votre arrogance et de votre attitude tyrannique envers la vie en général et moi en particulier.

— Une femme telle que vous, *petite cousine*, la coupa-t-il d'un ton beaucoup trop suave à son goût, a constamment besoin qu'on lui rappelle qui est le maître.

Il la prit fermement par le bras.

— J'ai dit que nous rentrons et nous allons rentrer.

— *Vous, monsieur*, répliqua-t-elle en résistant et le fusillant du regard, pouvez aller où bon vous semble.

Elle se dégagea brusquement, mais son accès de rage ne lui permit de ne faire que trois pas. Une poigne solide s'abattit sur ses épaules et l'obligea à se retourner pour affronter une fureur pire que la sienne.

— Vous m'obligez à reconsidérer la sagesse d'épargner les femmes.

Sa bouche s'écrasa aussitôt sur la sienne. Elle ressentit une vive douleur et le goût de la colère, mais rien qui ressemblait au désir. Ses doigts aussi lui mordaient cruellement les épaules. Alors, au lieu de se débattre, ou de céder, elle resta inerte entre ses bras, ne s'accrochant qu'au seul courage qui, peu à peu, l'abandonnait.

Lorsqu'il la libéra, elle le toisa, haïssant les larmes qui lui montaient aux yeux.

— Vous avez l'avantage de la force, Christophe, dit-elle d'une voix heureusement posée, et vous aurez toujours le dessus dans ce type de combat.

Elle regarda ses sourcils remonter, comme si sa réaction le laissait perplexe. Mais, quand il leva la main pour sécher une larme qui roulait sur sa joue, elle s'écarta vivement et s'essuya elle-même les yeux.

— J'ai eu ma dose d'humiliations pour aujourd'hui, et je ne vais pas vous faire le plaisir de fondre en larmes devant vous.

Elle avait recouvré son assurance et, sous son regard silencieux, elle redressa les épaules.

— Comme vous le disiez, il se fait tard.

Tournant les talons, elle se dirigea vers les chevaux.

Les jours suivants s'écoulèrent dans la tiédeur de l'été et le doux parfum des fleurs. Serenity consacrait l'essentiel de ses journées à la peinture. Reproduire sur la toile les lignes fières et indomptables du château était un plaisir et un soulagement. Elle avait remarqué, d'abord avec désespoir puis avec une irritation grandissante, le soin que mettait Christophe à l'éviter. Depuis leur chevauchée vers la mer, c'était à peine s'il lui adressait la parole et, quand il le faisait, c'était toujours sur le ton de la stricte politesse. Sa fierté avait heureusement pris le dessus et vite couvert les plaies de ses blessures. La peinture, devenue son refuge contre le désir et la mélancolie, avait fait le reste.

La comtesse ne parlait jamais du Raphaël. Et Serenity, désireuse d'approfondir leurs liens avant d'évoquer la disparition du tableau et l'accusation qui pesait sur son père, était heureuse de laisser le temps simplement s'écouler.

Elle était plongée dans son travail, vêtue d'un vieux jean et d'une blouse tachée de peinture, les cheveux emmêlés à force d'y passer la main, lorsqu'elle vit Geneviève traverser la pelouse à sa rencontre. Sa silhouette gracile était soulignée par une veste d'équitation beige et une culotte de cheval marron, et sa démarche comme sa beauté lui donnaient les allures d'une fée.

— *Bonjour,* Serenity, lui lança-t-elle en réponse au salut de la main qu'elle lui faisait. J'espère que je ne vous dérange pas.

— Pas le moins du monde. Je suis heureuse de vous voir.

Elle était sincère et posa son pinceau en souriant.

— Oh! mais je vous interromps, s'exclama la jeune femme, l'air désolé.

— Au contraire, vous me donnez une excellente excuse pour m'arrêter.

— Puis-je voir ? Ou préférez-vous ne rien montrer avant que le tableau soit terminé ?

— Regardez, je vous en prie. Et dites-moi ce que vous en pensez.

Geneviève vint se placer à côté d'elle, et elles observèrent la toile ensemble. L'arrière-plan était terminé : le ciel azur, les nuages cotonneux, l'herbe vert vif et les arbres majestueux. Au premier plan, le château lui-même prenait graduellement forme : les murs gris nacré dans le soleil, les hautes fenêtres miroitantes, les tours. Il restait beaucoup à faire, mais même à ce stade Serenity jugeait qu'elle avait réussi à saisir l'atmosphère féerique qu'elle percevait.

— J'ai toujours aimé le château, commença Geneviève sans quitter le tableau des yeux. Je vois que c'est aussi votre cas.

Elle releva son regard timide sur Serenity et poursuivit :

— Vous parvenez à exprimer sa chaleur aussi bien que son arrogance. Je suis heureuse de découvrir que vous le voyez de la même façon que moi.

— J'en suis tombée amoureuse au premier regard. Et plus je reste, plus j'en suis désespérément éprise.

Serenity soupira, consciente de parler autant du château que de son châtelain.

— Vous avez de la chance d'avoir un tel talent. Puis-je vous faire une confidence ?

— Bien sûr, répondit-elle, surprise et intriguée par le brusque embarras de la jeune femme.

— Je vous envie terriblement, lâcha alors Geneviève.

Serenity dévisagea son beau visage, médusée.

— Vous m'enviez ?

— *Oui*, répondit la jeune femme avant de poursuivre d'une voix précipitée. Et je n'envie pas seulement vos dons artistiques, mais aussi votre assurance, votre indépendance, la fierté que vous dégagez.

Serenity, au comble de la stupéfaction, ne pouvait qu'écarquiller les yeux.

— Vous possédez quelque chose qui attire les gens vers vous, continuait Geneviève, une ouverture, un éclat dans vos yeux qui inspirent la confiance. On sent que l'on peut se confier à vous, que vous comprendrez.

— Incroyable, murmura-t-elle, ébahie. Mais Geneviève, reprit-elle d'un ton plus léger, vous êtes si belle, si chaleureuse, comment pouvez-vous envier quelqu'un, et surtout moi ? A vous entendre, j'ai l'impression d'être une véritable Amazone.

— Les hommes vous traitent comme une femme, expliqua Geneviève d'une voix teintée de désespoir. Ils ne vous admirent pas seulement pour votre physique, mais aussi pour ce que vous êtes.

Elle se détourna, puis revint aussi vivement sur elle en repoussant les cheveux que son mouvement avait fait glisser sur son visage.

— Que feriez-vous si vous aimiez un homme, que vous l'aimiez depuis toujours, de toute votre âme, mais qu'il ne vous considérait que comme une enfant amusante ?

Dieu du ciel! songea aussitôt Serenity en même temps qu'une vague de désespoir s'abattait sur son cœur. Geneviève voulait son avis sur Christophe.

Elle repoussa le rire nerveux qui lui montait aux lèvres.

Qu'était-elle censée faire ? Lui donner des conseils sur l'homme dont *elle-même* était amoureuse ? Devait-elle lui dire dans quelle estime le comte tenait sa cousine d'Amérique… et son père ?

Mais Geneviève la regardait, ses beaux yeux de biche remplis d'espoir et de confiance, alors elle soupira.

— Si j'étais amoureuse d'un tel homme, commença-t-elle, résignée, je ferais tout pour lui montrer que je suis une femme et que c'est comme ça que je veux qu'il me regarde.

— Mais comment ? lui demanda Geneviève, désarmée. Je suis si lâche, j'ai tellement peur de perdre son amitié.

— Si vous l'aimez vraiment, vous devez courir le risque, ou bien vous résigner à passer le reste de votre vie à n'être que son amie. La prochaine fois qu'il vous traite comme une enfant, dites à… votre ami, que vous êtes une femme. Et dites-le-lui de telle façon qu'il comprenne parfaitement ce que vous entendez par là. Alors, ce sera à lui de jouer.

Geneviève poussa un profond soupir.

— Je vais y réfléchir, dit-elle avant de redresser les épaules, puis de poser sur elle un regard chaleureux. Merci. Merci de m'avoir écoutée, d'être une amie.

Serenity regarda la silhouette fine et gracieuse s'éloigner, avec le sentiment d'être une martyre. Mais, au lieu du rayonnement intérieur censé accompagner le don de soi, elle n'éprouvait qu'un abattement sinistre.

Ne tirant plus aucun plaisir du soleil, elle commença à rassembler ses affaires. Quitte à se sacrifier, songea-t-elle, autant choisir la veuve et l'orphelin. De toute façon, elle ne pourrait pas se sentir plus déprimée.

Elle monta dans sa chambre, chargée de ses toiles et de ses pinceaux. Découvrant Bridget, qui rangeait sa lingerie fraîchement lavée dans les tiroirs de sa commode, elle parvint, au prix d'un effort surhumain, à lui adresser un sourire.

— *Bonjour, mademoiselle*, lui répondit la jeune fille, la mine éblouissante.

— *Bonjour*, Bridget. Vous semblez d'excellente humeur.

Avisant les rayons du soleil qui entraient triomphalement par la fenêtre ouverte, Serenity soupira.

— Il faut dire que la journée est magnifique, ajouta-t-elle.

— *Oh! oui, mademoiselle, quelle journée!* s'exclama la jeune fille en désignant le ciel de la nuisette de soie vaporeuse qu'elle avait à la main. Je n'ai jamais vu le soleil briller avec autant de douceur.

Incapable de résister à cette exaltation, Serenity s'assit dans un fauteuil et gratifia d'un plus grand sourire le visage radieux de la jeune femme de chambre.

— A moins que je ne me trompe, ne serait-ce pas l'amour qui vous enchante?

Une charmante rougeur aux joues, Bridget suspendit son geste pour lui adresser un nouveau sourire éclatant.

— *Oui, mademoiselle*, je suis très amoureuse.

— Et je devine, poursuivit-elle en écartant une pointe d'envie, que vous êtes très aimée en retour.

— *Oh oui, mademoiselle*, renchérit la jeune fille, auréolée de soleil et de bonheur. Jean-Paul et moi nous marions samedi.

— Vous vous mariez? répéta-t-elle, surprise. Mais quel âge avez-vous, Bridget?

— Dix-sept ans, *mademoiselle*.

Dix-sept ans, songea Serenity dans un soupir.

— J'ai l'impression d'en avoir quatre-vingt-douze, tout à coup.

— Nous nous marions au village, poursuivit Bridget, encouragée par l'intérêt que lui témoignait Serenity. Puis tous les invités viendront chanter et danser dans les jardins du château. Le comte est très gentil et très généreux. Il a dit que nous aurions du champagne.

Elle regarda l'admiration et le respect se mêler à la joie qui illuminait le jeune visage.

— Gentil, murmura-t-elle en ruminant l'adjectif.

La gentillesse ne faisait pas partie des qualités qu'elle aurait attribuées à Christophe de Kergallen. D'un autre côté, elle se souvint, avec un redoublement d'accablement, de la douceur dont il avait fait preuve à l'égard de Geneviève. La gentillesse n'était simplement pas, elle devait se rendre à l'évidence, une qualité qu'elle éveillait en lui.

— *Mademoiselle* a tant de jolies choses.

Serenity leva les yeux. Bridget, d'un air rêveur, caressait une nuisette de soie blanche.

— Elle vous plaît? lui demanda-t-elle en se levant pour effleurer du doigt l'ourlet soyeux avant de le laisser doucement retomber. Je vous la donne, décida-t-elle subitement.

La jeune fille la contempla, les yeux ronds d'étonnement.

— *Pardon, mademoiselle*?

— Je vous la donne, répéta-t-elle en souriant. Comme cadeau de mariage.

— *Oh! mais non…* Je ne peux pas… C'est beaucoup trop beau, murmura-t-elle en baissant les yeux pleins d'envie sur le vêtement. *Mademoiselle* ne peut pas s'en séparer.

— Bien sûr que si, répliqua-t-elle, amusée. C'est un cadeau, et je serai heureuse de savoir que vous en profitez.

Voyant Bridget serrer amoureusement le déshabillé contre son cœur, elle soupira d'envie et de désespoir.

— Elle est parfaite pour une mariée, et vous serez superbe pour votre Jean-Paul.

— Oh! *mademoiselle*! s'exclama Bridget dans un souffle, les yeux humides de gratitude. Je le chérirai toute ma vie.

Cette déclaration, suivie d'un flot de remerciements joyeux en breton, lui remonta le moral. Et ce fut en souriant qu'elle regarda la future mariée se tourner devant le miroir et, la nuisette serrée contre son tablier, rêver à sa nuit de noce.

Le jour du mariage, dans un ciel céruléen parsemé de rares nuages blancs, le soleil brillait encore.

Au cours des quelques jours précédents, l'abattement de Serenity s'était mué en une hostilité glaciale. Le comportement distant de Christophe avait bien soufflé sur les braises de sa colère, mais elle les avait résolument étouffées, pour adopter la même attitude hautaine et impassible. En conséquence, leurs conversations s'étaient bornées à quelques phrases aussi polies que guindées.

Elle se tenait, entre lui et la comtesse, sur la petite pelouse devant la chapelle du village, dans l'attente de la procession nuptiale. Le tailleur de soie brute qu'elle avait choisi pour son allure justement austère et distinguée avait été rejeté par la main royale et sans appel de sa grand-mère. A la place, elle avait fait monter dans sa chambre un costume traditionnel ayant appartenu à sa mère, fleurant bon la lavande et aussi impeccable qu'au premier jour. Si bien qu'au lieu d'avoir l'air chic et crâne qu'elle espérait, elle ressemblait à une jeune fille prête pour son premier bal.

La jupe froncée, aux éclatantes rayures verticales rouges et blanches, s'arrêtait juste au-dessus de ses mollets nus. Elle la portait avec un court tablier blanc et une chemise paysanne au grand décolleté, rentrée dans une fine ceinture, et dont les manches courtes et bouffantes exposaient ses bras aux rayons du soleil. Un gilet noir, bien ajusté sur le galbe de ses seins, et un chapeau de paille à rubans sur ses boucles blondes, complétaient l'ensemble.

Lorsqu'elle avait descendu l'escalier, Christophe n'avait fait aucun commentaire. Il s'était contenté de s'incliner légèrement. Elle poursuivait maintenant la guerre en s'adressant uniquement à sa grand-mère.

— Ils arriveront de la maison de la mariée, lui dit la comtesse.

Malgré le désagrément que lui inspirait l'homme taciturne à son côté, Serenity afficha un air d'attention polie.

— Toute sa famille va l'accompagner pour sa dernière sortie de jeune fille. Puis elle va rencontrer son fiancé et entrer dans la chapelle pour devenir une femme.

— Elle est si jeune, murmura Serenity dans un soupir, à peine plus âgée qu'une enfant.

— Mais elle est assez grande pour être une femme, mon antique petite-fille ! répliqua la comtesse dans un rire léger en lui tapotant la main. J'étais à peine plus âgée lorsque j'ai épousé votre grand-père. L'âge n'a pas grand-chose à voir avec l'amour. Qu'en penses-tu, Christophe ?

Elle sentit, plus qu'elle ne vit, son haussement d'épaules.

— On le dirait bien, *grand-mère*, répondit-il. Avant ses vingt ans, notre Bridget aura un enfant accroché à son tablier et un autre niché dessous.

— *Héla*s ! lâcha la comtesse dans un soupir lourd de mélancolie. Il semble qu'aucun de mes petits-enfants ne juge bon de me fournir une adorable descendance.

Elle se tourna vers Serenity, qui la contemplait avec stupeur, et offrit à sa perplexité un sourire triste et ingénu.

— On devient moins patient en vieillissant, acheva-t-elle en guise d'explication.

— Mais on devient plus rusé, répliqua Christophe.

Sa pointe d'humour frondeuse obligea Serenity à lever les yeux. L'ombre d'un sourire flottait sur ses traits, et son sourcil très légèrement dressé l'invitait à la complicité. Mais elle resta de marbre. Elle n'avait aucune intention de céder à son charme.

— On devient plus sage, Christophe, le reprit la comtesse, à peine déstabilisée. C'est la formule exacte. *Oh! les voilà!* s'exclama-t-elle en coupant court aux éventuels commentaires.

Serenity vit d'abord un nuage de pétales de fleurs des champs, puis la ronde des jeunes enfants qui précédaient le cortège. Puisant dans leurs paniers d'osier, c'étaient eux qui, en tourbillonnant, lançaient dans les airs les flocons colorés. La mariée venait ensuite, légère sur ce tapis d'amour, entourée de sa famille, et vêtue d'un magnifique costume traditionnel et ancien. Serenity n'avait jamais vu de mariée aussi radieuse ni de robe aussi parfaite.

La jupe longue, blanche et plissée, flottait quelques centimètres au-dessus de la route couverte de pétales. Le haut du corsage, serré, était tout en dentelle et le bustier lui-même, parfaitement ajusté, était délicatement brodé. La mariée ne portait pas de voile, mais un chapeau rond, blanc, surmonté d'un ouvrage de dentelle rigide qui donnait à son visage rayonnant une beauté intemporelle.

Lorsque le fiancé avança à sa rencontre, Serenity s'aperçut, avec un soulagement presque maternel, que Jean-Paul avait l'air aussi sympathique et presque aussi innocent que sa fiancée. Il portait, lui aussi, un costume traditionnel : un pantalon blanc court, rentré dans des bottes souples, un gilet croisé sur une chemise brodée blanche, et son chapeau breton, avec ses rubans de velours, accentuait sa jeunesse. Il ne devait pas être beaucoup plus âgé que Bridget.

L'aura d'amour qui flottait autour d'eux, pure et lumineuse comme le ciel matinal, lui causa un brusque et douloureux coup au cœur. Elle pinça les lèvres et serra les mains pour réprimer leur tremblement. Si seulement Christophe pouvait une fois, juste une fois, la regarder de cette façon, alors elle pourrait continuer à vivre.

Une main sur son bras la fit sursauter. Elle leva les yeux pour croiser son regard légèrement moqueur et tout à fait détaché. Relevant fièrement le menton, elle se laissa conduire à l'intérieur de la chapelle.

*
* *

Le parc, inondé de soleil, de couleurs et de parfums, était l'endroit idéal pour célébrer un nouveau mariage, et le château de Kergallen avait déployé toutes ses richesses pour accueillir la noce. Sur la terrasse, de grandes tables couvertes de nappes immaculées regorgeaient de nourriture et de boissons, la vaisselle d'argent et de cristal brillait de tous ses feux. Et les villageois, nota Serenity, semblaient accepter ce déploiement de faste et de générosité comme leur dû. Ils appartenaient au château comme le château semblait leur appartenir.

Lorsque la musique, mêlant l'accord mélodieux des violons et le souffle nasillard des cornemuses, s'éleva au-dessus du brouhaha des rires et des voix, elle regarda, depuis la terrasse, les jeunes mariés s'élancer dans leur première danse d'époux.

C'était une danse folklorique, pleine de charme et de vivacité, dont les enchaînements, à la plus grande joie de l'assemblée, donnaient à Bridget l'occasion de taquiner son époux autant des yeux que de la tête. Le rythme accéléra et, tandis que les invités se joignaient aux mariés, Serenity se vit entraînée sur la piste, par un Yves aussi charmant que déterminé.

— Mais je ne connais pas les pas! protesta-t-elle en riant.

— Je vais vous apprendre, répliqua-t-il en lui prenant les mains. Christophe n'est pas le seul pédagogue de la région.

Il accueillit sa grimace d'un hochement de tête.

— Ah ah! C'est bien ce que je pensais.

Elle le regarda, déroutée par l'ambiguïté de sa remarque, mais il se contenta de lui sourire.

— *Pour commencer*, reprit-il, nous faisons un premier pas sur la droite.

Concentrée sur sa leçon, puis prise par le plaisir des mouvements simples et de la musique entraînante, elle ne tarda pas à sentir la tension des derniers jours s'envoler. Yves enchaînait les danses et, aussi attentif que charmant, lui apportait des coupes de champagne désaltérant. Une fois, apercevant Christophe danser avec Geneviève, gracieuse et menue entre ses bras, elle sentit un nuage de désespoir assombrir son soleil. Mais, peu désireuse de replonger dans son humeur morose, elle détourna vivement les yeux.

— Vous voyez, *ma chère*, lui dit Yves en souriant, alors que la musique s'arrêtait, la danse vous vient naturellement.

— Il semble que mes gènes bretons soient venus à mon secours.

— Vous n'accordez donc aucun crédit à votre professeur ? lui demanda-t-il, faussement peiné.

— *Mais si*, se reprit-elle avec un sourire taquin et une petite révérence. Mon professeur est aussi charmant que merveilleux.

— C'est vrai, se rengorgea-t-il, le regard pétillant. Et mon élève, ajouta-t-il, plus grave, est aussi belle qu'enchanteresse.

— C'est vrai, répliqua-t-elle en le prenant par le bras dans un éclat de rire.

— Ah, Christophe.

Serenity se figea.

— Je me suis octroyé ta place de professeur, poursuivit Yves, le regard posé derrière elle.

— Et je constate que ce changement vous réjouit tous les deux.

Sentant sa froideur, elle se tourna vers lui avec méfiance.

Dans sa chemise blanche, négligemment ouverte sur la ligne puissante de sa gorge, et le gilet noir et sans manches qu'il portait par-dessus, il ressemblait plus que jamais à l'ancêtre flibustier dans la galerie des portraits. Une impression confirmée par son pantalon, tout aussi noir, qui disparaissait dans des bottes de cuir souple de la même teinte. Il avait beau être élégant, ainsi vêtu, c'était surtout son air dur et menaçant qui l'emportait !

— Serenity est une élève délicieuse, *mon ami*, poursuivait Yves. Mais je suis certain que tu le sais déjà.

Il l'avait prise par les épaules et souriait tranquillement au visage impassible qui les contemplait sans un mot.

— Peut-être veux-tu juger la qualité de mon enseignement par toi-même ?

— *Oui.*

Elle vit Christophe s'incliner et, d'un geste plein d'élégance bien qu'un peu démodé, lui tendre la main.

Serenity hésita, partagée entre la crainte et le désir que lui inspirait ce contact, jusqu'au moment où elle surprit le regard de Christophe. Ses prunelles sombres brillaient d'une lueur provocante. Alors, avec un détachement tout aristocratique, elle posa la main dans la sienne.

Aussitôt entraînée par la musique, elle s'aperçut que les pas lui venaient facilement. L'ancienne danse galante, d'écarts en rapprochements, débutait comme un face-à-face, une sorte d'affrontement figurant la rencontre d'un homme et d'une femme. Leurs regards attachés l'un à l'autre — celui de Christophe hardi et assuré, le sien plein de fierté — ils tournèrent en alternance, leurs paumes l'une contre l'autre. Chaque fois que son bras glissait sur sa taille, qu'elle frémissait au contact de leurs hanches, elle rejetait la tête en arrière pour ne pas rompre le contact de leurs yeux.

Puis la cadence accéléra. Leurs pas devinrent plus vifs, la musique plus entraînante, et le contact des corps plus pressant. Elle gardait un menton insolent, un regard plein de défi, mais elle commençait à se sentir gagnée par la chaleur du bras qui devenait de plus en plus possessif sur sa taille et l'attirait un peu plus à chaque tour. Ce qui avait débuté comme un affrontement bien réglé tournait à la séduction, et elle sentait sa résistance sapée par l'emprise de son cavalier, aussi nette que s'il s'était emparé de ses lèvres. Consciente du danger, elle puisa dans ses dernières ressources pour reculer. Mais, au lieu de lui laisser cette latitude, il l'attira contre lui, et elle ne put, impuissante, que regarder la bouche qui planait dangereusement au-dessus de la sienne. Elle entrouvrit les lèvres, dans une tentative de protestation, mais elle était déjà vaincue. Il se pencha en effet, jusqu'à ce qu'elle sente, le cœur battant, son souffle la caresser.

Au même instant, la musique s'arrêta, et le silence claqua comme un coup de tonnerre. Elle le regarda, les yeux écarquillés, reprendre la promesse de son baiser, un sourire triomphant aux lèvres.

— Votre professeur mérite d'être félicité, *mademoiselle*.

Sur cette déclaration, et une courte révérence, il tourna les talons et la quitta.

Plus Christophe était distant et taciturne, plus la comtesse se montrait enjouée et expansive, comme si l'humeur de son petit-fils la poussait à le provoquer.

— Tu sembles bien soucieux, Christophe.

Ils dînaient dans la salle à manger.

— Est-ce le bétail qui te préoccupe ? Ou bien peut-être une *affaire de cœur* ?

Serenity, les yeux sur son verre de vin, se concentra sur le reflet des couleurs.

— Je profite seulement de cet excellent repas, *grand-mère*, répliqua-t-il sans mordre à l'hameçon. Le bétail ni aucune femme ne me préoccupe en ce moment.

— Ah, lâcha la comtesse. Peut-être confonds-tu les deux ?

Il haussa les épaules.

— Bétail ou femme, tous deux réclament la même poigne, *n'est-ce pas ?*

Elle s'étrangla sur sa bouchée de canard à l'orange.

— Dites-moi, Serenity, reprit la comtesse en se tournant vers elle, avez-vous laissé beaucoup de cœurs brisés en Amérique ?

Cette question l'empêcha de formuler les réflexions meurtrières qui lui venaient à l'esprit.

— Des douzaines, répliqua-t-elle en profitant de l'occasion pour fusiller Christophe du regard. J'ai découvert que certains hommes n'ont même pas l'intelligence d'un bœuf, et que la plupart, à défaut d'en avoir le cerveau, sont dotés des tentacules d'un poulpe.

— Vous n'avez peut-être eu affaire qu'à de mauvais spécimens, suggéra Christophe, glacial.

Ce fut à son tour de hausser les épaules.

— Les hommes sont les hommes, riposta-t-elle dans l'unique but de l'irriter avec ces lieux communs. Tout ce qu'ils cherchent, c'est un corps disposé à se laisser tripoter dans les coins, ou bien une jolie figurine de Dresde pour trôner dans leur salon.

— Et de quelle façon, d'après vous, une femme souhaite qu'on la traite ?

La comtesse s'adossa à son fauteuil, visiblement satisfaite du fruit de ses instigations.

— Comme un être humain, doté d'intelligence, d'émotions, de droits, de besoins.

Elle balaya l'air de la main.

— Pas comme un objet soumis au bon plaisir d'un homme, dont il se sert quand ça lui chante ! Ni comme un enfant qu'on a besoin de cajoler ou distraire.

— Vous semblez avoir une bien piètre opinion des hommes, *ma chère*, insinua-t-il sans s'apercevoir, davantage qu'elle, qu'ils parlaient plus qu'ils ne l'avaient fait depuis des jours.

— Non. Mon mépris se limite à ceux dotés d'idées archaïques et préconçues, contre-attaqua-t-elle. Mon père a toujours traité ma mère comme son égale ; ils partageaient tout.

— Chercheriez-vous votre père dans les hommes que vous rencontrez, Serenity ? lui demanda-t-il brusquement.

Elle écarquilla les yeux.

— Non... En tout cas, je ne crois pas, bredouilla-t-elle en sondant ses réflexions. Je cherche peut-être sa force et sa générosité, mais pas une copie. Je crois que je cherche un homme capable de m'aimer autant que mon père a aimé ma mère, quelqu'un qui m'acceptera avec mes défauts, et qui m'aimera pour ce que je suis, pas pour ce qu'il voudrait que je sois.

— Et lorsque vous trouverez cette perle rare, lui demanda-t-il en appuyant sa question d'un insondable regard, que ferez-vous ?

— Je serai contente, murmura-t-elle en baissant les yeux sur son assiette, troublée.

Le lendemain, Serenity se remit à la peinture. Sa réponse à la question inattendue de Christophe l'avait perturbée toute la soirée, et elle avait très mal dormi. Elle s'était exprimée spontanément et sa franchise, en lui révélant une attente dont elle n'avait jamais pris conscience, lui faisait l'effet d'un aveu. Maintenant, sous les rayons d'un soleil réconfortant, elle s'efforçait, sa palette à la main, de noyer son malaise dans l'amour de la peinture.

Mais elle n'arrivait pas à se concentrer. Christophe ne cessait d'envahir ses pensées, et les traits de son visage se superposaient sans fin aux lignes du château. Elle se frotta les tempes et finit, découragée, par lâcher son pinceau.

Elle rangeait ses affaires, maudissant l'homme qui perturbait son existence aussi bien que son travail, quand le bruit d'un moteur la surprit.

Elle se tourna et, la main en visière pour se protéger des rayons du soleil, aperçut un véhicule qui remontait l'allée.

Il s'arrêta, à quelques mètres de l'endroit où elle se trouvait, et elle regarda, complètement ébahie, le conducteur grand et blond en descendre et venir à sa rencontre.

— Tony! s'écria-t-elle en se précipitant vers lui.

Il la prit dans ses bras et déposa un baiser, bref mais sans aucune ambigüité, sur ses lèvres.

— Que fais-tu ici? lui demanda-t-elle, encore stupéfaite de son apparition.

— Je pourrais prétendre que je passais dans le coin, commença-t-il en lui souriant. Mais je ne pense pas que tu me croirais.

Il la contempla un instant.

— Tu es magnifique, déclara-t-il en se penchant pour l'embrasser de nouveau.

Elle s'esquiva.

— Tony, tu ne m'as pas répondu.

— Le cabinet avait une affaire à régler à Paris, expliqua-t-il. Alors j'ai pris l'avion et, l'affaire réglée, j'ai loué une voiture pour venir jusqu'ici.

— Tu as fait d'une pierre deux coups, constata-t-elle avec une pointe de déception.

Elle aurait bien aimé apprendre qu'il avait tout laissé tomber et franchi l'Atlantique parce qu'il ne supportait pas d'être loin d'elle. Mais ce n'était pas son genre, se rappela-t-elle en regardant son beau visage aux traits réguliers. Tony était bien trop raisonnable pour avoir des impulsions pareilles. Sa tempérance avait d'ailleurs été une partie du problème.

Il déposa un baiser sur son front.

— Tu m'as manqué.

— Vraiment?

Il eut l'air légèrement interloqué.

— Eh bien, oui, bien sûr, Serenity.

Il glissa un bras autour de ses épaules et l'entraîna vers le chevalet qu'elle avait abandonné.

— J'espère que tu vas revenir avec moi.

— Je ne suis pas encore prête à rentrer, Tony. J'ai des engagements ici, des choses que je dois éclaircir avant de songer à partir.

— Quelles choses? lui demanda-t-il, l'air soucieux.

— Je ne peux pas t'expliquer, Tony. Mais j'ai à peine eu le temps de connaître ma grand-mère; et il y a tant d'années à rattraper...

— Tu n'imagines tout de même pas passer vingt-cinq ans ici et rattraper tout le temps perdu! s'exclama-t-il, visiblement aussi surpris que contrarié. Tu as des amis à Washington, une maison, une carrière.

Il s'arrêta et la prit par les épaules.

— Tu sais que je veux t'épouser, Serenity. Tu me repousses depuis des mois.

— Je ne t'ai jamais fait de promesse, Tony.

— Je sais.

Il la lâcha et détourna les yeux. Prise de remords, elle s'efforça de lui faire comprendre son point de vue.

— J'ai découvert une part de moi-même, ici. Ma mère a grandi dans cette maison, sa mère y vit encore.

Elle désigna le château d'un geste ample.

— Regarde, Tony. As-tu jamais vu quelque chose de comparable?

Il suivit son regard et considéra la bâtisse de pierre d'un regard critique.

— Très impressionnant, déclara-t-il sans le moindre enthousiasme. C'est aussi gigantesque, biscornu, et très certainement bourré de courants d'air. Je préfère une maison de brique sur P Street.

Elle lâcha un soupir désabusé, puis tourna vers son compagnon un sourire plein d'affection.

— Oui, admit-elle, tu as raison, tu n'appartiens pas à cet endroit.

— Parce que c'est ton cas ?

— Je ne sais pas, murmura-t-elle, les yeux posés sur le toit conique, les murs crénelés, la cour pavée. Je ne sais pas.

Il l'observa quelques secondes.

— Le vieux Barkley avait des papiers à te transmettre, reprit-il en changeant adroitement de sujet.

Il faisait allusion à l'avocat qui avait géré les affaires de ses parents et chez lequel il était associé junior.

— Alors, reprit-il, au lieu de te les envoyer par la poste, je suis venu te les remettre en main propre.

— Des papiers ?

— Oui, et très confidentiels, ajouta-t-il avec son sourire familier. Le vieux Barkley n'a pas voulu me donner le moindre indice ; il m'a juste dit de te les transmettre aussi vite que possible.

— Je m'en occuperai plus tard.

Elle avait eu assez de paperasses et de formulaires à remplir depuis la mort de ses parents.

— Viens, je vais te présenter ma grand-mère.

Si Tony n'avait pas été impressionné par le château, il le fut apparemment par la comtesse. Au moment des présentations, Serenity dut retenir son sourire devant l'air ébahi avec lequel il prit la main qu'on lui tendait.

Elle devait reconnaître que sa grand-mère était au summum de sa forme. Après avoir royalement accueilli son visiteur, elle l'avait conduit dans le salon et avait commandé le thé. A présent, elle s'appliquait, avec une grâce admirable, à obtenir tous les renseignements possibles le concernant.

Serenity, installée dans un fauteuil, contemplait la manœuvre, en s'efforçant de conserver son sérieux.

Tony n'avait aucune chance, se dit-elle en prenant l'élégante théière d'argent pour faire le service. Elle tendit sa fine tasse de porcelaine de Chine à sa grand-mère, et croisa son regard. La lueur d'espièglerie, inattendue dans les yeux bleus, faillit lui arracher un éclat de rire, aussi se dépêcha-t-elle de servir une autre tasse.

Quelle conspiratrice ! songea-t-elle, surprise de n'éprouver aucune irritation devant l'interrogatoire en règle que sa grand-mère faisait subir à son visiteur. Elle voulait savoir si Tony était un prétendant digne de la main de sa petite-fille. Et le pauvre Tony n'y voyait que du feu.

Au terme d'une heure de conversation, la comtesse avait tout appris de son existence : ses origines familiales, son éducation, ses loisirs, sa carrière, ses convictions politiques, beaucoup de détails que Serenity elle-même ignorait. Et l'opération avait été si subtilement menée qu'elle réprima son envie de se lever et d'applaudir.

— Quand dois-tu partir ? demanda-t-elle à Tony, jugeant qu'il était temps de le sauver avant qu'il ne révèle le montant de son compte en banque.

— Demain matin, première heure, répondit-il, détendu et parfaitement ignorant de l'enquête minutieuse dont il venait de faire l'objet. J'aimerais rester plus longtemps, mais…

Il haussa les épaules.

— *Bien sûr*, votre travail avant tout, offrit la comtesse, pleine de compréhension. Mais vous devez dîner avec nous, monsieur Rollins, et rester dormir au château.

— Je ne veux pas abuser de votre hospitalité, *madame*, protesta-t-il sans trop de conviction.

— Abuser ? Sottises ! se récria la comtesse en balayant son objection d'une main souveraine. Vous êtes un ami de Serenity et vous venez de si loin que je serais terriblement offensée par votre refus.

— Vous êtes très aimable, *madame*, je vous remercie.

— Je vous en prie, répondit la comtesse en se levant. Serenity, faites visiter le parc à votre ami pendant je m'occupe de faire préparer sa chambre.

Elle se tourna en même temps vers Tony et lui tendit une nouvelle fois la main.

— Nous prenons l'apéritif à 19 h 30, monsieur Rollins. Je suis impatiente de vous revoir.

8

Serenity, debout face à son miroir, voyait à peine son reflet — celui d'une jeune femme élancée, vêtue d'une robe de crêpe améthyste dont les pans flottaient avec grâce sur ses hanches —, tant son esprit était occupé par tous les événements de l'après-midi. Et ceux-ci dessinaient sur son visage une palette d'émotions allant du plaisir à l'irritation, de la déception à l'amusement.

Après que la comtesse les eut laissés seuls dans le salon, elle avait accompagné Tony pour lui montrer le parc. Il avait vaguement admiré le jardin, s'en tenant à ses beautés superficielles, incapable de discerner au-delà des roses et des géraniums la poésie des couleurs, des textures et des odeurs. L'allure du vieux jardinier l'avait amusé, et il s'était montré légèrement mal à l'aise devant l'immensité de la vue qui s'étendait depuis la terrasse. Il aurait préféré, selon ses propres termes, voir quelques maisons ou au moins un feu de circulation. Elle avait hoché la tête, prise d'une indulgente affection, mais elle avait compris combien elle avait peu en commun avec l'homme avec lequel elle avait passé tant de mois.

Il avait été en revanche conquis et impressionné par la châtelaine. Il n'avait jamais rencontré, avait-il affirmé, plein d'admiration et de respect, quelqu'un qui ressemblait aussi peu à une grand-mère. Elle était incroyable — un point de vue qu'elle partageait, mais pour d'autres raisons qu'elle n'avait pas jugé nécessaire d'énumérer. La comtesse avait, d'après Tony, l'autorité d'une reine accordant ses audiences avec indulgence, et elle s'était montrée si aimable avec lui, si intéressée par tout ce qu'il avait dit!

Oh! oui, avait songé Serenity, essayant sans succès de se sentir irritée par le comportement de sa grand-mère. Oh! oui, la comtesse s'était montrée *très* intéressée par ce cher et naïf Tony. Mais quel était le but du jeu auquel elle s'était livrée? Car sa sollicitude dépassait évidemment le cadre de sa benoîte curiosité.

Décidée à en avoir le cœur net, lorsque Tony s'était installé dans sa chambre — stratégiquement située, avait-elle constaté, à l'extrémité opposée de l'aile où se trouvait la sienne —, Serenity s'était mise à la recherche de sa grand-mère, au prétexte de la remercier de son hospitalité.

Elle l'avait trouvée dans sa chambre, assise devant son élégant secrétaire Régence, occupée à rédiger sa correspondance. Ecartant son papier à lettre armorié, la comtesse l'avait accueillie avec un sourire, dont l'innocence lui avait aussitôt paru suspecte.

— *Alors?* avait-elle dit en posant sa plume pour l'inviter à s'asseoir dans un petit divan de brocart. J'espère que votre ami trouve sa chambre agréable.

— *Oui, grand-mère.* Je vous remercie de l'avoir invité à passer la nuit ici.

— *Il n'y a pas de quoi, ma chérie.* Le château est votre demeure autant que la mienne. Et c'est ainsi que vous devez le considérer.

— *Merci, grand-mère,* s'était-elle contentée de répondre afin de lui laisser l'initiative de la conversation.

— C'est un jeune homme très bien élevé, avait repris la comtesse.

— *Oui, madame.*

— Et séduisant, bien que — elle avait fait une pause — d'une façon somme toute… banale.

— *Oui, madame,* avait-elle encore approuvé.

— J'ai toujours préféré les hommes plus insolites, plus puissants et énergiques. A l'allure, disons peut-être plus — un fin sourire avait dansé sur ses lèvres — flibustière. Si vous voyez ce que je veux dire.

— Ah, *oui, grand-mère*, avait-elle opiné en maintenant son air ingénu. Je vois très bien.

— *Bien*, avait dit la comtesse avant de hausser légèrement les épaules. Certaines préfèrent les hommes plus fades.

— En effet.

— M. Rollins est très intelligent, bien élevé, très méthodique et sérieux.

Et ennuyeux, avait-elle complété en son for intérieur avant de donner voix à l'agacement qui la gagnait :

— Il aide les vieilles dames à traverser la rue deux fois par jour.

— Ah. Je ne doute pas que cela soit à mettre au compte de ses parents, avait répliqué la comtesse en ignorant, ou feignant d'ignorer, la raillerie. Je suis sûre que Christophe va être très heureux de le rencontrer.

Une légère inquiétude s'était infiltrée dans ses pensées.

— J'en suis certaine.

— *Mais oui*, avait affirmé la comtesse dans un sourire. Christophe sera très intéressé de connaître un de vos amis si proche.

Son insistance sur le dernier mot avait été très nette, et Serenity avait senti, en même que son inquiétude, croître sa vigilance.

— Je ne vois pas pourquoi Christophe devrait être si intéressé par Tony, *grand-mère*.

— Ah, *ma chérie*, je suis certaine que votre M. Rollins va fasciner Christophe.

— Tony n'est pas *mon* M. Rollins, avait-elle corrigé en se levant. Et je ne vois vraiment pas ce qu'ils ont en commun.

— Vraiment ? s'était étonnée la comtesse avec une telle innocence qu'elle avait dû réprimer son sourire.

— Vous êtes une coquine, *grand-mère*. Qu'êtes-vous en train de manigancer ?

Les yeux bleus, remplis de toute l'innocence du monde, avaient croisé les siens.

— Serenity, *ma chérie*, je ne vois pas du tout de quoi vous parlez.

Elle avait voulu répliquer, mais sa grand-mère, de nouveau drapée dans sa royale grandeur, lui avait coupé la parole.

— Je dois terminer mon courrier. Je vous verrai tout à l'heure.

Ainsi congédiée, Serenity avait bien été obligée de partir. Ce qu'elle avait fait, n'autorisant qu'une concession à sa frustration : claquer la porte avec une force excessive.

Ses pensées revenant au présent, Serenity vit sa silhouette se dessiner lentement devant ses yeux. Lissant l'améthyste de sa robe d'une main distraite, puis redressant ses boucles dorées, elle chassa résolument le pli contrarié qui lui barrait le front.

Elle n'avait qu'à garder son sang-froid, se dit-elle en fixant une de ses boucles d'oreilles. Car, à moins qu'elle ne se trompe, son aristocratique grand-mère avait décidé de provoquer des étincelles, ce soir. Mais elle n'obtiendrait rien de son côté.

Après un dernier regard à son reflet, elle s'en alla frapper à la porte de Tony.

— C'est moi, Tony. Si tu es prêt, je descends avec toi.

Un grognement l'invita à entrer. Elle ouvrit la porte pour le découvrir aux prises avec un bouton de manchette.

— Tu as des ennuis ? lui demanda-t-elle en souriant.

— Très drôle, fit-il avec un geste impatient. Je ne peux rien faire avec ma main gauche.

— Mon père était comme toi, dit-elle, soudain habitée par d'agréables souvenirs. Mais il jurait admirablement. C'est fou le nombre d'adjectifs qu'il trouvait pour décrire une minuscule paire de boutons de manchette.

Elle avança et lui prit le poignet.

— Laisse-moi faire.

Elle entreprit de glisser l'objet à sa place.

— Je me demande ce que tu aurais fait si je n'étais pas venue.

— J'aurais passé la soirée une main dans la poche, répondit-il tranquillement. L'image même de l'élégance continentale, chic et décontractée.

— Oh! Tony, s'exclama-t-elle en lui souriant. Tu es parfois si adorable.

Un bruit lui fit détourner le regard. Christophe, qui s'était arrêté en passant devant la porte, contemplait l'image qu'ils offraient. Celle d'un couple surpris dans son intimité, se dit-elle brusquement, consciente de leurs sourires détendus et de leurs deux têtes blondes penchées l'une vers l'autre avec la même complicité.

Il les salua, un sourcil à peine levé, et poursuivit son chemin.

— Qui était-ce ? demanda Tony avec une évidente curiosité.

Elle baissa vivement les yeux sur son poignet.

— Le comte de Kergallen, répondit-elle en espérant dissimuler son trouble et sa rougeur.

— Le mari de ta grand-mère ?

L'exclamation incrédule de Tony lui arracha un éclat de rire salutaire.

— Oh! Tony, tu es trop mignon.

Elle lui tapota le poignet, son bouton de manchette récalcitrant en place, et releva sur lui des yeux amusés.

— Christophe est le comte actuel, et le petit-fils de la comtesse.

— Oh.

Il plissa le front.

— Alors, c'est ton cousin.

— Eh bien…, pas tout à fait.

Elle expliqua l'histoire un peu complexe de la famille et la nature des liens qui l'unissaient au comte breton.

— Par conséquent, acheva-t-elle en le prenant par le bras pour l'entraîner hors de la chambre, on peut nous considérer comme cousins.

— Le genre de cousins qu'on embrasse, observa-t-il avec une évidente contrariété.

— Ne sois pas bête, répliqua-t-elle trop vite, troublée par le souvenir des lèvres exigeantes posées sur les siennes.

Si Tony remarqua sa précipitation, et sa rougeur, il ne fit aucun commentaire.

Ils entrèrent au bras l'un de l'autre dans le salon, et Serenity sentit, sous le regard bref, mais appuyé de Christophe, sa rougeur redoubler. L'expression de son cousin restait pourtant hermétique, et elle aurait donné cher pour savoir ce qu'elle dissimulait.

Elle le regarda glisser les yeux sur l'homme à son bras sans se départir de son détachement tranquille et parfaitement correct.

— Ah, Serenity, *monsieur* Rollins !

La comtesse, dans son grand fauteuil de brocart encadré par l'impressionnante cheminée, offrait plus que jamais l'image d'une reine recevant ses sujets. La mise en scène semblait si parfaite que Serenity se demanda un instant si elle était délibérée.

— Christophe, reprit la comtesse d'une voix légère, permets-moi de te présenter *monsieur* Anthony Rollins, venu d'Amérique, l'invité de Serenity.

Elle remarqua, non sans ironie, le choix subtil, mais évident, de la formule. Sa grand-mère faisait clairement de Tony son ami personnel.

— *Monsieur* Rollins, poursuivit la comtesse du même élan, permettez-moi de vous présenter votre hôte, *M. le comte de Kergallen.*

Le titre, marqué d'une légère emphase, établissait la position de Christophe — maître des lieux et du château — sans la moindre ambiguïté. Serenity décocha un regard entendu à sa grand-mère, tandis que les deux hommes échangeaient les salutations d'usage. Du coin de l'œil, elle nota leur légère raideur et leurs regards, teintés de l'ancestrale prudence, sinon de la méfiance, qui anime d'ordinaire deux mâles confrontés l'un à l'autre.

Christophe servit un apéritif à sa grand-mère, demanda à Serenity ce qu'elle voulait, puis se tourna vers Tony. En l'entendant demander comme elle un vermouth, elle retint un sourire. Elle savait qu'il ne prenait que des vodka-martini, parfois un cognac.

La conversation se déroula facilement, nourrie par la comtesse qui puisait fort à propos dans les informations qu'elle avait si commodément soutirées à Tony dans l'après-midi.

— Il est si rassurant de savoir Serenity entre de si bonnes mains en Amérique, avança-t-elle avec un aimable sourire sans tenir compte du regard que lui adressait sa petite-fille. Vous êtes amis depuis quelque temps, *non* ?

Sa légère hésitation sur le terme « amis » ne fit qu'accroître la contrariété de Serenity.

— Oui, reconnut Tony en tapotant sa main avec affection. Nous nous sommes rencontrés il y a à peu près un an, lors d'un dîner. Tu te rappelles, chérie ?

Comme il se tournait vers elle pour lui sourire, elle se dépêcha d'effacer sa grimace de contrariété.

— Bien sûr, c'était chez les Carson.

— Et vous avez traversé l'Atlantique pour une si courte visite, enchaîna la comtesse d'une voix pleine de tendre indulgence. Quelle délicate attention. N'est-ce pas, Christophe ?

— Très délicate, dit-il en levant son verre.

Quelle manipulatrice, songea Serenity, stupéfaite. Sa grand-mère savait parfaitement que Tony était venu en France pour affaires. Que cherchait-elle ?

— Quel dommage que vous ne puissiez rester plus long-temps, *monsieur* Rollins. C'est agréable pour Serenity d'avoir un compatriote auprès d'elle. Montez-vous à cheval ?

— A cheval ? répéta-t-il, l'air décontenancé. Non, j'ai peur que non.

— *Quel dommage.* Serenity non plus ne savait pas. Mais Christophe lui apprend. A ce propos, comment progresse ton élève, Christophe ?

— *Très bien, grand-mère*, répondit-il en posant les yeux sur Serenity. Elle est douée, et maintenant que les premières cour-batures sont passées, poursuivit-il avec un sourire fugace qui lui rappela de troublants souvenirs, nous progressons agréablement. N'est-ce pas, *ma chère* ?

— Oui, admit-elle, perturbée par son étonnante gentillesse après des jours de politesse glaciale. Je suis heureuse que vous m'ayez convaincue d'apprendre.

— Tout le plaisir est pour moi.

Son sourire énigmatique ne fit qu'accroître sa confusion.

— Peut-être aurez-vous le plaisir d'initier M. Rollins à son tour, Serenity, quand vous en aurez l'occasion, avança la comtesse.

Alertée par l'innocence du ton, elle considéra sa grand-mère d'un œil suspicieux.

Quelle intrigante! fulmina-t-elle en comprenant tout à coup ses manigances. Elle ne cherchait qu'à dresser Christophe et Tony l'un contre l'autre, et la mettait entre eux deux. Mais son indignation, devant la lueur de franche espièglerie qui dansait dans les yeux clairs, céda vite à l'amusement.

— Peut-être, *grand-mère*, mais je doute de passer du rôle d'élève à celui de professeur avant un certain temps. Deux brèves leçons ne font pas de moi une experte.

— Oh! mais il y aura d'autres leçons, *n'est-ce pas*?

Sans attendre de réponse, sa grand-mère se leva avec grâce et se tourna vers Tony.

— *Monsieur* Rollins, auriez-vous l'amabilité de me conduire à table?

Tony sourit, grandement flatté, et prit la comtesse par le bras. Serenity les regardait s'éloigner, se demandant lequel des deux conduisait l'autre, lorsque Christophe la fit sursauter.

— Il semblerait, *ma chère*, commença-t-il en lui tendant la main pour l'aider à se lever, que vous deviez faire avec moi.

— Je pense être en mesure de supporter ce désagrément, répliqua-t-elle en ignorant les furieux battements de son cœur lorsque sa main se referma sur la sienne.

— Votre Américain ne doit pas être très malin, reprit-t-il sur le ton de la conversation, en se penchant vers elle de façon déroutante. Il vous connaît depuis près d'un an, et n'est toujours pas votre amant.

Serenity sentit son visage s'enflammer, d'indignation et d'embarras, et elle le fusilla du regard.

— Vraiment, Christophe, vous m'étonnez. Quelle remarque incroyablement grossière!

— Mais pertinente, répliqua-t-il, imperturbable.

— Tous les hommes ne pensent pas qu'au sexe. Tony est tendre et plein d'égards, à la différence de certaines brutes despotiques que je ne nommerai pas.

Il se contenta de sourire, avec une insupportable suffisance.

— Votre Tony vous fait-il battre le pouls comme il bat en ce moment même ?

Son pouce caressait son poignet.

— Ou votre cœur ?

Sa main couvrit le cœur galopant dont il parlait, et ses lèvres vinrent effleurer les siennes d'un baiser si léger, si différent des autres, qu'elle vacilla.

Il laissa sa caresse s'attarder, taquinant le coin de ses lèvres, mais, au lieu d'exaucer la promesse de son baiser, il glissa avec une adresse consommée vers son oreille pour la mordiller délicatement. Une vague de picotements la parcourut, créant une onde de délicieux frissons. Tandis qu'elle soupirait, entraînée par un désir sourd et bouillonnant, elle sentit ses doigts glisser le long de sa nuque, puis se déplacer avec une paresse dévastatrice sur la peau de son dos nu jusqu'à ce qu'elle flanche, malléable, entre ses bras, et cherche l'assouvissement de son baiser. Il ne lui donna qu'une brève satisfaction avant de partir à l'assaut de sa gorge, pendant que ses mains passaient d'une courbe à l'autre, taquinaient le galbe de ses seins, puis descendaient sur ses hanches pour les presser légèrement.

Murmurant son prénom, elle s'abandonna contre lui, implorant le baiser que lui refusait sa bouche, voulant qu'il la possède, désirant ce qu'il était le seul à pouvoir lui donner, et finissant par s'accrocher à son cou, dans une supplique muette.

— Dites-moi, murmura-t-il — et elle perçut, à travers les brumes de son alanguissement, le ton légèrement moqueur de sa voix —, est-ce que Tony vous a entendue soupirer son prénom de cette façon ? A-t-il senti votre corps fondre contre le sien quand il vous tenait ainsi entre ses bras ?

Elle s'arracha à son étreinte, humiliée, frémissante de colère et désir.

— Quelle suffisance, s'étrangla-t-elle. Ce que Tony m'inspire ne vous regarde pas, *monsieur*.

— C'est ce que vous pensez ? s'enquit-il d'un ton courtoisement intéressé. Nous devons en discuter, *ma belle cousine*, mais plus tard. Pour le moment, nous ferions mieux de rejoindre grand-mère et notre invité. Ils risquent de se demander ce que nous faisons, acheva-t-il sur un sourire à l'amabilité détestable.

Ils n'avaient aucune raison de s'inquiéter, constata Serenity en entrant dans la salle à manger au bras de Christophe. La comtesse, penchée sur la collection d'anciennes boîtes de Fabergé exposées dans une vitrine, distrayait admirablement Tony.

Le repas débuta sur une vichyssoise rafraîchissante et, tandis que la conversation se déroulait en anglais, par égard pour Tony, et sur des sujets généraux, elle sentit sa tension s'alléger. Au moment du second service, un homard grillé, elle avait recouvré son calme. Le crustacé était un pur délice. Elle ne savait pas si la cuisinière était un dragon, comme Christophe l'avait dit en plaisantant le jour de son arrivée, mais si c'était le cas, c'était un dragon plein de talent.

— Ta mère a dû s'adapter facilement à votre maison de Georgetown, Serenity, déclara tout à coup Tony.

Elle le dévisagea, un peu déconcertée.

— Je ne suis pas sûre de comprendre ce que tu veux dire, Tony.

— Votre maison a beaucoup de points communs avec le château, observa-t-il.

Comme elle restait perplexe, il poursuivit, l'air un peu surpris de devoir s'expliquer :

— Bien sûr, tout est beaucoup plus grand ici, mais ce sont les mêmes plafonds hauts, il y a une cheminée dans chaque pièce, et le style de mobilier est le même. Enfin, Serenity, même la rampe d'escalier est identique ! Tu l'as certainement remarqué ?

— Heu, oui, je suppose, commença-t-elle lentement, mais je ne m'étais pas vraiment fait la réflexion.

Peut-être que son père avait choisi la maison de Georgetown parce qu'il avait vu ces similitudes, se dit-elle. Et sa mère avait choisi les meubles en pensant à ceux de son enfance. Cette réflexion avait quelque chose de curieusement réconfortant.

— Oui, même la rampe, reprit-elle en souriant. Quand j'étais petite, je passais mon temps à glisser dessus depuis le dernier étage. Je me cognais à chaque palier, et j'étais obligée de poser pied à terre pour remonter, mais je ne descendais jamais l'escalier autrement, ou presque.

Elle rit.

— Maman disait toujours qu'une autre partie de mon anatomie devait être aussi dure que ma tête pour supporter un tel traitement !

— Elle me disait la même chose.

Stupéfaite, Serenity se tourna vers Christophe.

— *Mais oui, petite cousine*, lui offrit-il avec l'un de ses rares sourires radieux. Pourquoi marcher quand on peut glisser ?

L'image d'un petit garçon aux cheveux noirs dévalant la rampe d'escalier sous les éclats de rire de sa mère jeune fille, lui vint à l'esprit, et sa stupéfaction s'effaça devant le sourire qu'elle sentait naître sur ses lèvres, aussi lumineux que celui de Christophe.

Le reste du repas se déroula dans une atmosphère chaleureuse et s'acheva sur un soufflé au raisin, plus léger qu'un nuage et accompagné d'une coupe de champagne.

Lorsqu'ils passèrent dans le salon, Serenity déclina l'offre de cognac ou de liqueur. Elle s'était laissée glisser dans une ambiance heureuse et détendue et ne voulait pas gâcher son plaisir. Elle soupçonnait qu'il était dû, au moins en partie, au vin servi avec chaque plat — et non à l'étreinte troublante qui avait eu lieu avant le dîner. Quoi qu'il en soit, personne ne semblait s'apercevoir de sa douce béatitude, de ses joues rouges, de ses réponses presque mécaniques. Ses sens lui paraissaient incroyablement aiguisés. Elle percevait, avec une étonnante acuité, toutes les nuances de la musique des voix, le bourdonnement grave des hommes, le timbre clair et léger de sa grand-mère. Chaque fois que la fumée âpre du cigare de Christophe dérivait vers elle, elle inspirait avec sensualité ; elle sentait même, mêlée aux effluves discrets des parfums féminins, la douce odeur des roses qui débordaient de chaque vase de porcelaine. Le salon baignait dans une harmonie de formes, de sonorités, de couleurs, dont elle goûtait la fluidité. Les lumières douces, la brise nocturne qui soulevait les rideaux, le léger tintement des verres posés sur la table, tout se mêlait dans un équilibre parfait pour composer une toile impressionniste dont chaque détail s'imprimait dans sa mémoire.

La comtesse, majestueuse sur son trône de brocart, présidait, un délicat verre de crème de menthe, ourlé d'or, à la main. Tony et Christophe, assis l'un en face de l'autre, étaient aussi différents que le jour et la nuit. Comme un ange et un démon. *Ange et démon*, se répéta-t-elle, surprise de la formule qui lui venait à l'esprit. Elle les regarda plus attentivement.

Tony, doux, fiable, prévisible, n'exerçait sur elle que la plus délicate des pressions. Tony à l'insistance discrète, Tony dont la patience était infinie, et les projets soigneusement mûris. Qu'éprouvait-elle pour lui? De l'affection, de la loyauté, de la gratitude pour avoir été là quand elle avait eu besoin de lui. Un amour doux, tranquille et confortable.

Son regard glissa sur Christophe. Tout à la fois arrogant, dominateur, exaspérant, excitant, il exigeait et obtenait ce qu'il voulait. N'accordant ses brusques et stupéfiants sourires qu'avec parcimonie, il s'était emparé de son cœur comme un voleur surgi dans la nuit. Il était d'humeur changeante quand Tony était constant; autoritaire quand Tony était persuasif. Mais si les baisers de Tony avaient été agréables et séduisants, ceux de Christophe étaient terriblement enivrants, ils l'emportaient, enflammée, dans un tourbillon de sensations et de désir inconnus. Et l'amour qu'il lui inspirait n'était ni doux ni confortable, mais fougueux et implacable.

— Quel dommage que vous ne jouiez pas du piano, Serenity.

La remarque de la comtesse la ramena tout à coup à la réalité. Elle sursauta, vaguement coupable.

— Oh! mais elle joue, *madame*, s'exclama Tony avec un grand sourire. Atrocement, mais elle joue.

— Traître, lui lança-t-elle en riant.

— Vous ne jouez pas correctement? s'étonna la comtesse, manifestement incrédule.

— Je suis navrée d'attirer une fois de plus la disgrâce sur la famille, *grand-mère*, s'excusa-t-elle, mais Tony a parfaitement raison. Je ne joue pas seulement mal, je joue de façon lamentable. J'ai même choqué Tony, qui manque pourtant totalement d'oreille.

— Ton jeu offenserait un mort, chérie, répliqua-t-il en se penchant vers elle pour repousser tendrement une mèche de ses cheveux.

— C'est vrai, reconnut-elle en lui souriant avant de revenir à sa grand-mère. Pauvre *grand-mère*, n'ayez pas l'air si désolé.

Son sourire se fana, lorsqu'elle croisa le regard glacial de Christophe.

— Mais Gaelle jouait si bien! répondit sa grand-mère avec un geste navré de la main.

Serenity s'arracha au regard de Christophe.

— Ma mère n'a jamais compris comment je pouvais aussi bien massacrer la musique. D'ailleurs, et malgré son infinie patience, elle a fini par me laisser à ma peinture et mes pinceaux.

— *Extraordinaire!* s'exclama la comtesse.

Serenity haussa les épaules et but une gorgée de café.

— Puisque vous ne pouvez pas jouer pour nous, *ma petite*, reprit sa grand-mère en changeant visiblement d'idée, peut-être que M. Rollins apprécierait que vous lui fassiez faire un tour du parc. Serenity adore le parc au clair de lune, précisa-t-elle, un grand sourire aux lèvres. *N'est-ce pas?*

— C'est tentant, avoua Tony avant qu'elle ne puisse répondre.

Elle se leva, avec un regard à sa grand-mère qui en disait long, et se laissa entraîner dehors.

9

Pour la seconde fois de son séjour, Serenity se promenait dans le parc au clair de lune, au bras d'un homme séduisant. Et, pour la seconde fois, elle regrettait tristement que cet homme ne soit pas Christophe. Le silence était néanmoins agréable, tout comme son compagnon, et elle goûtait l'air de la nuit et le plaisir de leurs mains familièrement enlacées.

— Tu es amoureuse de lui, n'est-ce pas?

La question brisa la tranquillité comme une vitre fracassée par une pierre. Elle s'immobilisa et regarda Tony, les yeux écarquillés.

— Serenity, commença-t-il dans un soupir en effleurant sa joue d'un doigt léger, je te connais si bien. Tu fais de ton mieux pour le cacher, mais tu es folle de lui.

— Tony, bredouilla-t-elle, coupable et malheureuse, je… Je n'ai jamais voulu que ça arrive. Je ne l'apprécie même pas!

— Seigneur, lâcha-t-il dans un rire bas et une grimace. J'aimerais que tu ne m'apprécies pas de cette façon. Mais, ajouta-t-il en lui prenant le menton, ça n'a jamais été le cas.

— Oh! Tony.

— Tu as toujours été honnête, chérie, enchaîna-t-il, apaisant. Tu n'as pas à te sentir coupable. Je pensais, à force d'assiduité, finir par te faire céder.

Il passa un bras autour de ses épaules et reprit leur marche.

— Tu sais, Serenity, ton allure est trompeuse. Tu sembles si fragile, si délicate, qu'un homme a presque peur de te toucher de crainte de te briser, mais en fait tu es d'une force surprenante.

Il lui serra brièvement les épaules.

— Tu ne trébuches jamais, chérie. J'ai attendu un an, mais tu n'as jamais trébuché.

— Mes humeurs et mon emportement auraient fini par t'être insupportables, Tony.

Elle s'appuya contre lui.

— Je ne pourrai jamais t'apporter ce dont tu as besoin, et si j'essayais d'être quelqu'un d'autre ça ne pourrait pas marcher. Nous finirions par nous détester.

— Je le sais. Je le sais depuis longtemps, mais je ne voulais pas l'admettre.

Il lâcha un profond soupir.

— Quand tu es partie pour la Bretagne, je savais que c'était terminé. C'est la raison pour laquelle je suis venu. J'avais besoin de te revoir une dernière fois.

Ses mots semblaient si définitifs qu'elle le regarda avec surprise.

— Mais nous nous reverrons, Tony ! Nous resterons amis. Je vais revenir.

Il s'arrêta de nouveau et chercha son regard.

— Tu en es sûre, Serenity ? lui demanda-t-il après un long silence.

Puis, sans attendre sa réponse, il l'entraîna vers les lumières du château.

Le lendemain matin, sous un soleil caressant, Serenity accompagnait Tony à sa voiture. Il avait fait ses adieux à la comtesse et Christophe, et la petite Renault rouge l'attendait. Elle le regarda ranger sa valise dans le coffre, considérer son geste un instant puis claquer résolument le capot. Il se tourna alors vers elle et lui prit les mains.

— Je te souhaite beaucoup de bonheur, Serenity.

Ses doigts se serrèrent sur les siens.

— Pense à moi quelques fois.

— Bien sûr que je vais penser à toi, Tony. Je t'écrirai pour t'annoncer mon retour.

Il lui sourit et contempla son visage, comme s'il voulait en imprimer chacun des traits dans sa mémoire.

— Je garderai cette image de toi : la belle Serenity Smith aux yeux d'or, dans cette jolie robe jaune, auréolée de soleil, et un château derrière toi.

Il se pencha pour l'embrasser. Submergée par une vive émotion, et la brusque certitude qu'elle ne le reverrait jamais, elle se jeta à son cou et se serra contre le passé qui, avec lui, s'enfuyait. Il déposa un baiser sur ses cheveux, puis l'écarta gentiment.

— Au revoir, chérie, dit-il en prenant son visage entre ses mains.

— Au revoir, Tony. Prends soin de toi, lui répondit-elle en refoulant vaillamment ses larmes pour lui sourire.

Elle le regarda monter au volant et s'éloigner en agitant la main par la fenêtre. La voiture ne fut bientôt plus qu'un petit point rouge entre les arbres, puis disparut tout à fait. Serenity resta immobile, laissant ses larmes couler sur son visage. Un bras glissa alors sur sa taille. Elle se tourna sur le regard plein de compréhension et de tendresse de sa grand-mère, qui était venue la rejoindre.

— Vous êtes triste de le voir partir, *n'est-ce pas, mon enfant* ?

Son étreinte était réconfortante et elle se laissa aller sur son épaule.

— *Oui, grand-mère*, très triste.

— Mais vous n'êtes pas amoureuse de lui.

C'était plus une affirmation qu'une question, aussi soupira-t-elle.

— Il comptait beaucoup pour moi. Il va beaucoup me manquer.

Elle essuya ses larmes.

— Je ferais mieux d'aller dans ma chambre, pleurer un bon coup.

— *En effet*, approuva la comtesse en lui tapotant affectueusement l'épaule. Peu de chose éclaircit aussi bien l'esprit et le cœur qu'une bonne crise de larmes.

Serenity se jeta dans les bras de sa grand-mère qui l'étreignit, avant de l'écarter doucement.

— *Allez, filez vite, mon enfant.* Allez verser vos larmes.

Elle s'élança vers le perron, poussa la lourde porte de chêne et se précipita vers l'escalier, sentant à peine la fraîcheur du château tomber sur ses épaules. Un corps dur l'arrêta. Des mains l'agrippèrent.

— Faites attention où vous allez, *ma chère*, fit la voix moqueuse de Christophe. Ou vous allez vous cogner contre les murs et abîmer votre si joli nez.

Elle tenta de se dégager, mais une main ferme la maintenait, tandis que l'autre glissait sous son menton pour l'obliger à lever la tête.

A travers ses larmes, elle vit la raillerie s'effacer du regard moqueur posé sur elle, pour être remplacée par la surprise, puis l'inquiétude, et enfin un désarroi inattendu.

— Serenity?

L'interrogation de Christophe, prononcée avec une gentillesse qu'elle n'avait jamais entendue, et la tendresse de son regard, tout aussi surprenante, achevèrent de briser le peu d'assurance qui lui restait.

— S'il vous plaît, bredouilla-t-elle dans un sanglot, laissez-moi partir.

Elle se débattit, luttant désespérément contre ses larmes et l'envie déchirante d'être serrée dans les bras de cet homme tout à coup si agréable.

— Je peux faire quelque chose? lui demanda-t-il en ne la retenant plus que par le bras.

Oui, idiot! M'aimer! faillit-elle s'écrier.

— Non, répondit-elle en s'enfuyant dans l'escalier. Non, non, non!

Elle grimpa les marches comme une biche poursuivie par les chasseurs et s'engouffra dans sa chambre pour se jeter, le corps secoué de sanglots, sur son lit.

*
* *

Le flot de ses larmes finalement endigué, Serenity fut de nouveau en mesure d'affronter le monde et ce que l'avenir lui réservait. Elle aperçut alors, en s'asseyant sur son lit, l'enveloppe marron qu'elle avait négligemment laissée sur son bureau.

Il était sans doute temps de savoir ce que le vieux Barkley lui voulait, se dit-elle en se levant à contrecœur.

Elle prit l'enveloppe et retourna sur son lit pour l'ouvrir et étaler son contenu devant elle.

Il s'agissait d'une page à en-tête du cabinet d'avocat — dont le sigle lui rappela aussitôt Tony — et d'une seconde enveloppe, scellée. Elle prit la feuille soigneusement dactylographiée et, résignée à découvrir quel formulaire de plus le vieil avocat de la famille lui avait trouvé à remplir, commença sa lecture. La première phrase, tout à fait inattendue, lui fit l'effet d'un électrochoc.

Chère mademoiselle Smith,

Vous trouverez ci-joint une enveloppe à votre nom, contenant une lettre de votre père. Cette lettre m'a été confiée pour vous être transmise au cas où vous entreriez en contact avec la famille de votre mère en Bretagne. J'ai appris, par l'entremise d'Anthony Rollins, que vous résidiez actuellement au château de Kergallen, auprès de votre grand-mère maternelle. J'ai donc chargé ce même Anthony de vous remettre ce courrier au plus vite.

M'eussiez-vous informé de votre projet, je vous eus transmis les volontés de votre père avant votre départ. Je n'ai, naturellement, aucune connaissance du contenu de son courrier, mais je ne doute pas que le message qu'il vous adresse vous apporte du réconfort.

M. Barkley

Abandonnant la lettre de l'avocat, elle avisa l'enveloppe contenant le message que son père lui destinait. Celle-ci était tombée sur le lit, face contre la couverture. Elle la prit, la retourna et, devant l'écriture familière, sentit ses yeux s'embuer de nouveau. Elle déchira le cachet.

Les lignes, rédigées de la main ferme et claire de son père, s'étendaient sur plusieurs feuillets.

Ma Serenity chérie,

Lorsque tu liras ceci, ta mère et moi ne serons plus de ce monde, et j'espère que ton chagrin n'est pas trop lourd, parce que l'amour que nous éprouvons pour toi reste entier et aussi fort que la vie elle-même.

A l'heure où j'écris ces mots, tu as dix ans et tu es déjà, à l'image de ta mère, d'une telle beauté que je commence à m'inquiéter des garçons que je vais un jour devoir affronter. Je t'observais ce matin, tandis que tu étais tranquillement assise (une tranquillité plutôt exceptionnelle te concernant, puisque je suis plus habitué à te voir patiner sur les trottoirs, à une vitesse horrifiante, ou glisser sur la rampe de l'escalier sans te soucier des bleus ou des bosses). Tu étais donc assise au jardin, avec mon carnet de croquis et un crayon, occupée à dessiner, avec une concentration féroce, les azalées qui fleurissent là. J'ai compris en cet instant, avec fierté et désespoir, que tu grandissais et ne serais pas toujours ma petite fille, protégée par la sécurité que ta mère et moi t'apportons. J'ai alors compris qu'il était nécessaire de mettre par écrit les événements que tu pourrais un jour avoir besoin de connaître et comprendre.

Je vais demander au vieux Barkley [découvrir que l'avocat était affublé de ce qualificatif des années auparavant fit naître un sourire sur les lèvres de Serenity] de conserver cette lettre pour toi jusqu'au jour où ta grand-mère, ou un autre membre de la famille de ta mère, cherchera à te contacter. Si cela ne se produit pas, il n'y aura aucune raison de divulguer le secret que ta mère et moi gardons depuis maintenant plus de dix ans.

Il y a donc un peu plus de dix ans, je peignais dans les rues de Paris. Epris de la glorieuse éclosion du printemps, amoureux de la ville, je n'éprouvais le besoin d'aucune autre maîtresse que mon art. J'étais très jeune et, j'en ai bien peur, très passionné.

Quoi qu'il en soit, j'ai fait la connaissance d'un homme, Jean-Paul Le Goff. Impressionné, comme il me le dit alors, par mon jeune et brut talent, il m'a engagé pour faire le portrait de sa fiancée ; un tableau qu'il voulait lui offrir comme cadeau de mariage. J'ai accepté son offre et il a organisé mon voyage en Bretagne et mon séjour au château de Kergallen. Ma vie a commencé le jour où j'ai franchi le seuil de l'immense entrée et posé pour la première fois les yeux sur ta mère.

Je n'avais pas l'intention d'encourager l'amour que j'ai éprouvé au premier regard pour cet ange délicat, aux cheveux d'or. Je me suis efforcé, de tout mon être, de placer mon art en premier. J'étais là pour faire son portrait ; elle appartenait à mon client ; elle appartenait au château. Elle était un ange, et une aristocrate issue d'une famille au lignage ancestral. Autant de réalités que je me suis répétées des centaines de fois. Jonathan Smith, artiste vagabond, n'avait aucun droit sur elle, même pas celui de la posséder dans ses rêves, et encore moins dans la réalité. Parfois, j'en étais alors à mes premières esquisses, il m'arrivait de penser que j'allais mourir d'amour pour elle. Je me répétais qu'il me fallait partir, inventer une excuse et m'en aller, mais je n'ai pas trouvé le courage de le faire. J'en remercie le ciel aujourd'hui.

Une nuit, tandis que je marchais dans le parc, j'ai aperçu ta mère. J'allais faire demi-tour sans la déranger, mais elle m'a entendu et, quand elle s'est tournée, j'ai vu dans ses yeux ce dont je n'osais pas rêver. Elle m'aimait. J'aurais pu crier de joie tellement j'étais heureux, mais tant d'obstacles se dressaient entre nous. Elle était fiancée, liée par l'honneur à un autre. Nous n'avions pas le droit de nous aimer. A-t-on besoin d'un droit pour s'aimer, Serenity ? Certains nous ont condamnés, j'espère que ce n'est pas ton cas. Après beaucoup de discussions et de larmes, nous avons défié ce que certains appelleraient la morale et l'honneur, et nous nous sommes mariés. Gaelle m'a supplié de garder le secret jusqu'à ce qu'elle trouve la bonne façon d'annoncer notre mariage à Jean-Paul et sa mère. Je voulais que tout le monde soit au courant, mais j'ai accepté.

Elle avait renoncé à tant de choses pour moi que je ne pouvais rien lui refuser.

Durant cet intervalle, un problème beaucoup plus inquiétant est arrivé. La comtesse, ta grand-mère, avait en sa possession une Madone de Raphaël, fièrement accrochée dans le grand salon du château. Cette toile, m'avait-elle dit, était dans sa famille depuis des générations. C'était, à l'exception de Gaelle, son plus cher trésor au monde. Il semblait incarner la perpétuité de sa famille, comme un flambeau dont la lumière n'avait pas faibli malgré l'enfer de la guerre et du deuil. J'avais regardé cette peinture avec attention et je la soupçonnais d'être un faux. Je n'ai rien dit, d'abord parce que j'ai cru que la comtesse l'avait elle-même fait faire. Les Allemands lui avaient pris tant de choses, son mari, sa maison, qu'ils avaient aussi bien pu lui arracher son Raphaël. Lorsqu'elle annonça son intention d'en faire don au musée du Louvre, dans le but d'offrir à tous la grandeur de cette œuvre, une véritable peur m'a saisi. J'aimais beaucoup cette femme, sa fierté, sa détermination, sa grâce et sa dignité. Je n'avais aucune envie de la voir blessée, et j'ai compris qu'elle n'avait aucun doute sur l'authenticité de la toile. Je savais, si la peinture était rejetée comme un faux, que le scandale serait une épreuve pour Gaelle et un choc qui pourrait détruire sa mère. J'ai proposé de la restaurer, dans le but de l'examiner plus attentivement, et je me sentais comme un traître.

J'ai monté la toile dans l'atelier de la tour et, après un examen approfondi, je n'ai plus eu le moindre doute : c'était une copie parfaitement exécutée. Aujourd'hui encore, j'ignore ce que j'aurais fait sans la lettre que j'ai découverte, cachée derrière le cadre. C'était la confession du premier mari de la comtesse, un cri de désespoir devant la trahison qu'il avait commise. Il avouait avoir perdu presque tous ses biens et ceux de son épouse. Criblé de dettes, et considérant que les Allemands allaient vaincre les Alliés, il s'était arrangé pour leur vendre le Raphaël. Il avait fait faire une copie et échangé les toiles sans que la comtesse ne le sache, sûr que l'argent l'aiderait à traverser les épreuves de la guerre et que ce marché avec les Allemands mettrait son domaine à l'abri. Plus tard, trop tard, il avait désespéré de son geste. Après avoir caché sa confession dans le cadre du tableau, il est allé voir ceux avec lesquels il avait traité, dans l'espoir de leur rendre l'argent et retrouver le Raphaël. Sa lettre s'achevait sur cette intention, et demandait le pardon s'il échouait dans sa tentative de redresser ses torts.

Au moment où j'achevais ma lecture, Gaelle est entrée dans la pièce; je n'avais pas eu le réflexe de fermer la porte à clé. Je ne pouvais pas dissimuler mon émotion ni la lettre que je tenais encore à la main. Je fus donc obligé de partager ce fardeau avec celle que je voulais, plus que toute autre, épargner. J'ai alors découvert, dans cette tour reculée, que la femme que j'aimais possédait bien plus de force que la plupart des hommes. Elle refusait, quel qu'en soit le prix, de dire quoi que ce soit à sa mère. Il était impératif de protéger la comtesse de l'humiliation; celle-ci ne devait savoir, sous aucun prétexte, que la peinture qu'elle aimait tant n'était qu'un faux. Nous avons alors imaginé un plan pour cacher la peinture, et qu'on puisse croire qu'elle avait été volée. Peut-être avions-nous tort. Je ne sais toujours pas si nous avons bien fait; mais, pour ta mère, il n'y avait pas d'autre solution. Ainsi avons-nous jeté les dés.

Gaelle fut vite obligée de concrétiser son intention d'annoncer notre mariage à sa mère. Elle avait découvert, à notre plus immense joie, qu'elle portait notre enfant, toi, le fruit de notre amour qui allait devenir le plus cher trésor de notre existence. Lorsqu'elle apprit notre mariage et ta venue, la comtesse s'est mise dans une rage folle. C'était son droit, Serenity, et son animosité à mon égard était, à ses yeux, amplement justifiée. Je lui avais pris sa fille à son insu et, ce faisant, je marquais l'honneur de la famille d'une tache indélébile. Dans sa colère, elle renia Gaelle, exigea que nous quittions le château, sans espoir de retour. Je crois qu'avec le temps, elle serait revenue sur cette décision; elle aimait Gaelle plus que tout. Mais elle découvrit le même jour la disparition du Raphaël. Additionnant deux et deux, elle m'accusa d'avoir volé sa fille et le trésor de la famille. Comment pouvais-je nier ? Ces deux crimes étaient aussi odieux l'un que l'autre, et Gaelle me suppliait du regard de ne rien dire. Alors j'ai pris ta mère et l'ai emportée loin du château, de son pays, de sa famille, en Amérique.

Nous n'avons plus parlé de sa mère, parce que cela n'apportait que de la souffrance et du chagrin, et nous avons construit notre nouvelle vie, avec toi pour resserrer encore nos liens. Tu connais maintenant l'histoire, et avec elle je te donne la responsabilité de conserver ou non le secret. Quand tu liras cette lettre, peut-être sera-t-il possible de dire toute la vérité. Si ce n'est pas le cas, garde-la cachée, comme le faux fut dissimulé, à l'abri des regards, derrière quelque chose d'infiniment plus précieux. Laisse-toi guider par ton cœur.

Ton père affectueux.

Les larmes de Serenity ruisselaient depuis qu'elle avait commencé sa lecture. Elle les essuya et prit une profonde inspiration. Puis elle se dirigea vers la fenêtre et contempla le jardin dans lequel ses parents s'étaient pour la première fois avoué leur amour.

— Que dois-je faire ? murmura-t-elle, désemparée, la lettre de son père à la main.

Un mois plus tôt, elle serait allée voir la comtesse et lui aurait tout raconté. Mais, à présent, elle ne savait pas.

Laver le nom de son père l'obligeait à révéler un terrible secret, découvert vingt-cinq ans plus tôt et de nouveau enfoui depuis. La vérité était-elle souhaitable, ou détruirait-elle les sacrifices — bons ou mauvais — que ses parents avaient faits pour protéger sa grand-mère ? « Laisse-toi guider par ton cœur », lui disait son père. Mais sa lettre laissait son cœur si plein d'amour et de tourment qu'il était complètement déboussolé. Quant à sa raison, elle était dominée par le doute. Elle envisagea, l'espace d'un instant, de se tourner vers Christophe, mais repoussa aussi vite cette idée. Se confier à lui ne ferait que la rendre plus vulnérable, et rendre plus douloureuse la séparation qu'elle devait bien se résoudre à envisager.

Elle devait réfléchir, se dit-elle en inspirant plusieurs fois pour se remettre les idées en place. Elle devait réfléchir, peser les enjeux avec clarté, précaution et, quand elle aurait pris une décision, elle devrait être sûre que ce soit la bonne.

Elle commença à arpenter sa chambre, puis s'arrêta subitement, pour changer précipitamment de vêtements. Elle se souvenait du sentiment de liberté, d'espace, qu'elle avait éprouvé en chevauchant dans la forêt. C'était cette sensation, décida-t-elle en enfilant un jean et une chemise, dont elle avait besoin. Ainsi allégerait-elle son cœur et s'éclaircirait-elle les idées.

10

Lorsque Serenity lui demanda de seller son cheval, le palefrenier hésita puis, bien qu'avec respect, lui répondit que le comte ne lui avait donné aucune instruction dans ce sens. Elle eut donc recours, pour la première fois de son existence, à son statut d'aristocrate et répliqua que, en tant que petite-fille de la comtesse, elle n'avait nul besoin du patronage de son cousin pour profiter des équipements du château. L'homme s'inclina, un bougonnement breton sur les lèvres, et elle fut vite sur le dos de la jument maintenant familière, en route sur le chemin qu'elle avait emprunté avec Christophe lors de sa première leçon.

La tranquillité de la forêt ne tarda pas à la réconforter, et plus elle avançait dans cet environnement paisible, plus elle était certaine que la réponse qu'elle espérait allait surgir d'elle-même. Toutefois, après avoir chevauché quelque temps d'un pas serein, et épuisé le plaisir de guider facilement sa monture, elle dut se rendre à l'évidence : aucune solution ne se présentait à l'horizon. Alors, elle lança Babette au petit galop.

Cheveux au vent, elle se laissa porter par le sentiment de liberté dont elle avait tellement besoin. La lettre de son père était glissée dans sa poche. Elle décida d'aller jusqu'à la colline surplombant le village. Elle s'arrêterait alors pour la relire. Peut-être que, d'ici là, la bonne décision aurait trouvé le moyen de parvenir jusqu'à elle.

Un cri retentissant l'obligea à se retourner sur sa selle.

Voyant Christophe, au grand galop, la poursuivre sur son étalon noir, elle se remit en position. Son talon malheureusement heurta le flanc de sa jument. Babette, prenant ce geste pour un ordre, s'élança aussitôt dans une foulée ample et énergique. Désarçonnée par ce brusque changement d'allure, et tout à l'urgence de ne pas se faire éjecter — son cheval dévalait le chemin à une vitesse maintenant folle —, Serenity ne songea d'abord pas au moyen le plus simple de freiner son cheval. Et, au moment où l'idée lui venait de serrer les rênes, Christophe était à sa hauteur. Sans lui laisser la moindre chance de se débrouiller seule, il se pencha, saisit ses brides et les tira, en proférant une bordée de jurons dans une variété de langues impressionnante.

Babette ralentit docilement, et Serenity ferma les yeux. Mais elle n'eut pas le temps de pousser le soupir de soulagement qui lui gonflait la poitrine. Saisie par la taille, elle se sentit arrachée à son cheval sans le moindre ménagement. Elle ouvrit les yeux sur le regard incendiaire de Christophe posé sur elle.

— Qu'espériez-vous en m'échappant de la sorte ? lui demanda-t-il en la secouant.

— Je ne cherchais pas à vous échapper, protesta-t-elle, la voix hachée par ses secousses. J'ai dû faire peur au cheval quand je me suis retournée. Ce qui ne se serait pas produit, reprit-elle, maintenant gagnée par la colère, si *vous* ne vous étiez pas lancé à *ma* poursuite.

Elle tenta de se dégager, mais il la maintint avec brutalité.

— Vous me faites mal ! ragea-t-elle. Pourquoi devez-vous toujours me brutaliser ?

— Une nuque brisée serait infiniment plus douloureuse, *folle que vous êtes*, répliqua-t-il en l'écartant des chevaux. Voilà ce qui aurait pu vous arriver. Pourquoi êtes-vous partie sans escorte ?

— Sans escorte ? s'exclama-t-elle dans un éclat de rire en se libérant d'un coup sec. Comme c'est charmant. Les femmes ne sont pas autorisées à monter à cheval toutes seules, en Bretagne ?

— Pas celles qui sont dépourvues de cervelle, répliqua-t-il dans une fureur contenue, et qui ne sont montées que deux fois dans leur vie.

— Je me débrouillais parfaitement bien avant votre arrivée. Maintenant, laissez-moi.

Le voyant, les yeux plissés, avancer dans sa direction, elle se raidit légèrement.

— Partez ! s'écria-t-elle en reculant. Je veux rester seule. J'ai besoin de réfléchir.

— Je vais vous donner de quoi réfléchir, répliqua-t-il en la prenant par le cou.

Elle le repoussa, mais ne parvint pas à se libérer et fut assaillie par la violence de son baiser et le vertige qui l'accompagnait. Il l'écarta presque aussitôt, ses mains dures sur ses épaules.

— *Maintenant, ça suffit !*

Il la secoua encore, et elle vit, sidérée, toute son aristocratie le quitter pour ne laisser qu'un homme furieux et tourmenté devant elle.

— Je vous veux, lâcha-t-il d'une voix sourde. Je veux ce qu'aucun homme n'a eu. Et, *croyez-moi*, je vais l'avoir.

Il la souleva entre ses bras. Elle se débattit sauvagement, envahie par la peur violente et primitive d'un animal pris au piège. Mais il avançait, aussi tranquillement que s'il avait porté un enfant récalcitrant et pas une femme terrorisée.

Puis elle se retrouva sur le sol, écrasée par son corps, sa bouche. Les mouvements frénétiques qu'elle faisait pour se libérer étaient aussi inutiles que les battements d'ailes d'un oiseau contre les barreaux de sa cage. Il ouvrit son chemisier, d'un geste vif et violent, et ses mains prirent possession de sa chair nue avec une telle avidité qu'elle renversait toute notion de résistance, toute volonté de lutte.

Prisonnière d'un tourbillon auquel elle ne pouvait échapper, confondue par la violence de son désir — les mots « je vous veux » résonnaient encore à ses oreilles —, elle sentit la frayeur qui l'avait d'abord saisie se transformer en sollicitation. Déjà, sa bouche devenait souple et désireuse ; et ses mains, qui l'avaient tout à l'heure rejeté, se refermaient sur lui. Emportée par le flot de la passion, elle s'émerveillait de la virilité qu'elle sentait pressée contre elle et vers laquelle son corps tout entier se portait, dans un mouvement au rythme instinctif. Les mains pressantes qu'il faisait courir sur sa peau nue laissaient des traînées brûlantes que sa bouche venait enflammer. Chacun de ses baisers était plus affamé, plus insatiable, plus profond, et l'exigence, la force de ses caresses l'entraînaient dans un univers inconnu, à la lisière entre l'enfer et le paradis, là où n'existait plus que le désir.

Consumée de douleur et de plaisir, elle était emportée par une spirale enivrante. Chaque volute, dans un enchaînement puissant, la faisait frémir. Et plus elle allait vers ces sensations nouvelles, plus ce frémissement s'intensifiait. Elle s'accrocha alors aux épaules de Christophe et, dans un gémissement noué de crainte et de désir, s'apprêta à verser dans le précipice qui s'ouvrait sous ses pieds.

Mais il s'écarta brusquement et, le souffle court, posa la joue contre son front avant de se redresser et la regarder dans les yeux.

— Je vous fais de nouveau mal.

Il soupira et roula sur le côté.

— Je vous jette sur le sol, prêt à vous violer comme un barbare. Il semble que j'aie du mal à maîtriser mes plus violents instincts avec vous.

Elle se redressa et s'assit rapidement pour reboutonner, les doigts tremblants, sa chemise.

— Tout va bien, dit-elle d'un ton qu'elle espérait détaché. Je ne suis pas en sucre. Votre technique manque tout de même un peu de finesse, enchaîna-t-elle dans un bavardage destiné à dissimuler l'étendue de sa désolation. Geneviève est plus fragile que moi.

— Geneviève ? répéta-t-il en se redressant sur un coude. Qu'est-ce que Geneviève vient faire ici ?

— Ici ? Oh ! rien du tout. Rassurez-vous, je n'ai aucune intention de lui parler de cet épisode. Je l'aime beaucoup.

— Peut-être devrions-nous parler français, Serenity. J'ai du mal à vous comprendre.

— Elle est amoureuse de vous, espèce d'imbécile ! lâcha-t-elle sans renoncer à l'anglais. Elle me l'a dit ; elle est venue me demander conseil.

Elle s'interrompit, le temps de contrôler le rire amer qui lui échappait.

— Elle est venue, reprit-elle, plus calme, me demander ce qu'elle devait faire pour que vous la considériez comme une femme et non comme une enfant. Je ne lui ai pas dit ce que vous pensez de moi ; elle n'aurait pas compris.

— Geneviève vous a dit qu'elle est amoureuse de moi ? demanda-t-il, les yeux plissés.

— Pas nommément, répliqua-t-elle d'un ton sec, regrettant d'avoir lancé cette discussion. Elle m'a dit qu'elle est amoureuse depuis toujours d'un homme qui la regarde comme une enfant. Je lui ai dit de lui mettre les points sur les *i*, de lui dire qu'elle est une femme, et… Pourquoi riez-vous ?

— Vous croyez qu'elle parlait de moi ?

Il était retombé sur le dos et riait à gorge déployée, comme elle ne l'avait jamais vu faire.

— L'adorable petite Geneviève, amoureuse de moi !

— Comment osez-vous vous moquer d'elle ? s'emporta-t-elle, scandalisée. Comment pouvez-vous manquer de cœur au point de rire de quelqu'un qui vous aime ?

Il attrapa ses poings avant qu'elle ne puisse le frapper.

— Geneviève ne parlait pas de moi, *chérie*, commença-t-il en la tenant facilement à distance, mais de Iann. Mais vous ne le connaissez pas, n'est-ce pas, *mon amour ?*

Ignorant ses débattements furieux, il poursuivit, un grand sourire aux lèvres.

— Nous avons grandi ensemble, Iann, Yves et moi. Geneviève, la plus jeune de nous tous, courait sans arrêt dans nos pattes. Lorsqu'elle est devenue jeune fille, Yves et moi sommes restés ses grands frères, tandis qu'elle aimait Iann. Il a passé tout le mois dernier à Paris, pour affaires, et n'est rentré qu'hier.

Il l'attira, d'une secousse, contre lui.

— Geneviève m'a téléphoné ce matin pour m'annoncer leurs fiançailles. Elle m'a aussi demandé de vous remercier. Je comprends maintenant pourquoi.

Serenity le regardait, sidérée, tandis que le sourire de Christophe s'élargissait.

— Elle est fiancée? parvint-elle à articuler. Elle ne parlait pas de vous?

— Oui, elle est fiancée et, non, elle ne parlait pas de moi, lui répondit-il plein d'obligeance. Dites-moi, *belle cousine*, étiez-vous jalouse d'elle?

— Ne soyez pas stupide, rétorqua-t-elle en s'écartant de sa bouche beaucoup trop proche. Je ne suis pas plus jalouse de Geneviève que vous ne le seriez d'Yves.

— Ah.

D'un mouvement vif, il la fit rouler sur le côté et se plaça au-dessus d'elle.

— Alors c'est comme ça? Vous voulez que je vous dise que votre complicité avec Yves m'a rendu fou de jalousie et que j'ai failli assassiner votre Tony? Eh bien oui, parce que vous leur adressiez des sourires qui auraient dû m'être destinés. A la seconde où je vous ai vue descendre du train, j'étais perdu, ensorcelé, et je me suis débattu comme un diable contre ce qui voulait m'enchaîner. Cet esclavage est peut-être la liberté, après tout.

Il lui caressa les cheveux.

— Ah, Serenity, *je t'aime*.

Elle le regarda, stupéfaite.

— Voudriez-vous répéter? lui demanda-t-elle, la gorge nouée.

Il sourit et lui effleura les lèvres d'un léger baiser.

— En anglais? Je t'aime, Serenity. Je t'ai aimée à la seconde où je t'ai vue, je t'aime infiniment plus aujourd'hui, et je t'aimerai jusqu'à la fin de mes jours.

Il l'embrassa encore, avec une tendresse inattendue, et ne s'écarta qu'en sentant les larmes qui ruisselaient sur son visage.

— Pourquoi pleures-tu? lui demanda-t-il, inquiet et contrarié. Qu'ai-je fait?

— Rien, répondit-elle en secouant la tête, c'est seulement que... Oh! je t'aime tant, Christophe, et je croyais...

Elle hésita et prit une profonde inspiration.

— Christophe, crois-tu en l'innocence de mon père, ou me prends-tu pour la fille d'un voleur?

Il l'observa attentivement.

— Je vais te dire ce que je sais, Serenity, répondit-il enfin. Et puis ce que je crois. Je sais que je t'aime, et je n'aime pas seulement l'ange qui est descendu du train à Lannion, mais la femme que j'ai appris à connaître. Que ton père soit un voleur, un escroc ou un assassin, n'y changerait rien. Je t'ai entendue parler de lui, j'ai vu ton regard quand tu le faisais. Je ne peux pas croire qu'un homme capable d'inspirer autant d'amour et d'admiration ait pu commettre un tel crime. Voilà ce que je crois, mais cela n'a aucune importance. Rien de ce qu'il a pu faire ou non changera l'amour que j'ai pour toi.

— Oh ! Christophe, murmura-t-elle en se serrant contre lui, j'ai attendu toute ma vie quelqu'un comme toi.

Elle s'écarta.

— Je dois te montrer quelque chose, reprit-elle en sortant la lettre de sa poche pour la lui tendre. Mon père me dit de me laisser guider par mon cœur, mais c'est à toi qu'il appartient désormais.

Elle s'assit face à lui, et le regarda commencer sa lecture, tandis qu'un profond sentiment de paix, un bonheur qu'elle n'avait pas ressenti depuis la mort de ses parents, l'envahissait. L'amour qu'elle éprouvait pour Christophe, épanoui par l'aveu qu'il venait de lui faire, la comblait, et avec cet amour elle sentait naître une confiance, une force dans lesquelles elle savait pouvoir puiser pour prendre la décision qui lui incombait. Autour d'eux, la forêt, calme et silencieuse, n'était troublée que par le murmure de la brise dans les feuillages et le chant des oiseaux. Elle avait l'impression d'être hors du temps.

Sa lecture achevée, Christophe leva les yeux sur elle.

— Ton père aimait beaucoup ta mère.

— Oui.

Il plia la lettre, la replaça dans son enveloppe, sans la quitter des yeux.

— J'aurais aimé le connaître. Je n'étais qu'un enfant lorsqu'il est venu au château, et il n'y est pas resté longtemps.

— Que devons-nous faire ? lui demanda-t-elle.

Il prit son visage entre ses mains.

— Nous devons montrer cette lettre à grand-mère, Serenity.

— Mais ils sont morts et elle est en vie. Je l'aime ; je ne veux pas la faire souffrir.

Il se pencha et embrassa ses yeux humides.

— Je t'aime, Serenity, pour de nombreuses raisons, et tu viens juste de m'en donner une autre.

Il s'écarta et planta les yeux dans son regard.

— Ecoute-moi, *mon amour*, et fais-moi confiance. Grand-mère a besoin de lire cette lettre, pour recouvrer la paix. Elle pense que sa fille l'a trahie, et volée. Cette souffrance l'habite depuis vingt-cinq ans. Cette lettre va la libérer. Elle lira, à travers ton père, l'amour que Gaelle avait pour elle et, tout aussi important, elle va comprendre tout l'amour que ton père avait pour sa fille. Quant à lui, il a vécu considéré à tort comme un voleur par la mère de sa femme. Il est temps de les libérer tous de ce fardeau.

— Très bien. Si tu penses que c'est ce que nous devons faire, nous allons le faire.

Il lui sourit, lui embrassa les mains et l'aida à se relever.

— J'ai tout de même une question, *cousine*, reprit-il en affichant son air moqueur habituel, feras-tu toujours ce que je dis ?

— Non, répliqua-t-elle en secouant vigoureusement la tête. Certainement pas.

— Ah, c'est bien ce que je pensais.

Il l'entraîna vers leurs chevaux.

— La vie ne va pas être ennuyeuse.

Il lui tint les rênes, tandis qu'elle montait en selle, et les lui tendit avec un faux air contrarié.

— Tu es fâcheusement indépendante, têtue et impulsive, mais je t'aime.

— Et toi, répliqua-t-elle alors qu'il montait sur son étalon, tu es arrogant, autoritaire et insupportablement sûr de toi, mais je t'aime également.

Parvenus aux écuries, après avoir laissé leurs montures au palefrenier, ils se dirigèrent vers le château main dans la main. Avant d'arriver dans la cour, Christophe s'arrêta et se tourna vers elle.

— C'est à toi de donner cette lettre à grand-mère, dit-il en sortant l'enveloppe de sa poche.

— Oui, je sais.

Elle baissa les yeux sur l'enveloppe et les releva vers lui.

— Mais tu restes avec moi ?

— *Bien sûr,* la rassura-t-il en la prenant dans ses bras. Je reste avec toi.

Il déposa un baiser sur ses lèvres, et elle passa les bras autour de son cou. Ils s'embrassèrent, noyés dans leur amour, oubliant le monde extérieur.

— *Alors, mes enfants.*

La voix de la comtesse, à la lisière du parc, les tira de leur envoûtement.

— Je vois que vous avez décidé de ne plus lutter contre l'inévitable.

— Tu es rusée, *grand-mère,* lui répondit Christophe avec un sourire amusé, mais je pense que nous nous serions débrouillés, même sans ton précieux concours.

La comtesse, pleine d'élégante désinvolture, haussa les épaules.

— Sans doute, mais vous auriez perdu beaucoup trop de temps, et le temps est une ressource précieuse.

— Viens, *grand-mère,* Serenity a quelque chose à te montrer.

Ils se rejoignirent sur le perron et s'en allèrent dans le salon. La comtesse, intriguée, prit place sur son fauteuil.

— De quoi s'agit-il, *ma petite ?*

— *Grand-mère,* commença-t-elle en venant devant elle, Tony m'a apporté des papiers de la part de mon avocat. Je ne les ai regardés que ce matin, après son départ, et, quand je l'ai fait, je me suis aperçue qu'ils étaient beaucoup plus importants que je le croyais.

Elle sortit la lettre.

— Avant que vous ne lisiez ceci, je veux que vous sachiez que je vous aime.

Voyant sa grand-mère ouvrir la bouche, elle se hâta d'ajouter :

— J'aime Christophe, et il m'a dit, avant de lire cette lettre, qu'il m'aimait lui aussi. Vous ne pouvez pas savoir à quel point je suis heureuse qu'il me l'ait dit avant. Quand il l'a lue, nous avons décidé de partager son contenu avec vous, parce que nous vous aimons.

Elle tendit la lettre à sa grand-mère et s'assit sur le canapé. Christophe vint la rejoindre et lui prit la main.

Elle glissa les yeux sur le portrait de sa mère. Son regard débordant de lumière et de bonheur était celui d'une femme aimée. *Moi aussi, j'ai trouvé l'amour, maman,* lui dit-elle silencieusement avant de baisser les yeux sur ses mains jointes à celles de Christophe.

Au cœur de leurs doigts enlacés — ceux de Christophe forts et bronzés, les siens d'albâtre —, brillait le rubis de la bague qui avait autrefois appartenu à sa mère.

Elle releva les yeux sur le bijou du tableau et comprit subitement la nature du détail qui l'avait intriguée la première fois qu'elle avait vu ce portrait. Mais la comtesse, qui se levait, interrompit ses réflexions.

— Pendant vingt-cinq ans, j'ai condamné cet homme et la fille que j'aimais.

Elle parlait d'une voix douce, le regard tourné vers la fenêtre.

— L'orgueil m'a aveuglée et durci le cœur.

— Vous ne saviez rien, *grand-mère,* intervint Serenity, le cœur serré devant la silhouette tendue qui lui tournait le dos. Ils voulaient seulement vous protéger.

— Pour me protéger d'un vol commis par mon mari, reprit sa grand-mère, et me protéger de l'humiliation d'un scandale, votre père s'est laissé accuser et ma fille a renoncé à son héritage.

Elle revint vers son fauteuil et s'assit, accablée.

— Je sens, dans les mots de votre père, un amour très profond. Dites-moi, Serenity, ma fille était-elle heureuse ?

— Regardez ses yeux peints par mon père, répondit-elle en lui désignant le tableau. Ce regard a toujours été le sien.

— Comment pourrais-je me pardonner ?

— Oh! non, *grand-mère,* s'exclama Serenity en se précipitant à ses genoux pour lui prendre la main. Je ne vous ai pas donné cette lettre pour vous accabler, mais pour alléger votre chagrin.

Vous l'avez lue ; ils ne vous ont jamais adressé aucun reproche ; c'est à dessein qu'ils vous ont laissée croire à leur trahison. Ils ont peut-être eu tort, mais c'est fait, et on ne peut pas revenir en arrière.

Serenity serra, avec plus de force, la main fragile dans la sienne.

— Aujourd'hui, c'est à moi de vous dire que je ne vous reproche rien, et je vous supplie, pour mon bonheur, d'oublier la culpabilité.

— Ah, Serenity, *ma chère enfant*, dit la comtesse d'une voix aussi tendre que son regard. *Très bien*, reprit-elle en se redressant. Nous ne nous souviendrons que des moments heureux. Vous allez me parler de la vie de Gaelle avec votre père, dans cette ville de Georgetown, et grâce à vous je vais me sentir proche d'eux, *n'est-ce pas ?*

— *Oui, grand-mère.*

— Peut-être un jour m'amènerez-vous dans cette maison où vous avez grandi.

— Aux Etats-Unis ? s'étonna-t-elle. Vous ne craignez pas de vous rendre dans un pays aussi barbare ?

— Attention, jeune fille, vous vous montrez de nouveau insolente, déclara sa grand-mère en se levant avec majesté. Je commence à croire que je vais très bien connaître votre père à travers vous.

La comtesse secoua la tête.

— Quand je pense à ce que ce Raphaël m'a coûté ! Je suis heureuse d'en être débarrassée.

— Vous avez toujours la copie, *grand-mère*, avança Serenity. Je sais où elle se trouve.

— Tu sais où elle se trouve ? fit Christophe, l'air stupéfié. Comment le sais-tu ?

Elle se tourna et lui sourit.

— Mon père le dit dans sa lettre, mais je ne l'ai pas compris tout de suite. C'est en voyant nos mains enlacées sur le canapé tout à l'heure que ça m'est tout à coup apparu. Regarde, dit-elle en tendant la main pour lui montrer son rubis. Cette bague était à ma mère, elle la porte sur le tableau.

— Je l'avais remarquée, dit la comtesse, pensive, mais Gaelle n'avait pas ce genre de bagues. Je pensais que votre père l'avait ajoutée pour rappeler ses boucles d'oreilles.

— Non, *grand-mère*, cette bague était la sienne ; c'est sa bague de fiançailles. Elle la portait toujours avec son alliance, à la main gauche.

— Mais quel rapport avec le Raphaël ? demanda Christophe, perplexe.

— Sur le portrait, ma mère porte cette bague à la main droite. Mon père n'aurait jamais commis une telle erreur, à moins de le faire exprès.

— C'est possible, murmura la comtesse.

— Ce détail m'a frappée, le premier jour, mais je n'ai pas compris pourquoi. Je sais maintenant ! Je sais que la copie du Raphaël est sous le portrait de ma mère ; mon père le dit dans sa lettre. Il dit que le faux est dissimulé sous quelque chose d'infiniment plus précieux. Or rien n'était plus précieux pour lui que maman. Il a peint son portrait sur la copie du Raphaël !

— *Oui*, opina la comtesse en observant le portrait de sa fille. Il n'aurait pu trouver de meilleure cachette.

— On peut le vérifier, proposa Serenity. Je peux découvrir un coin du tableau ; comme cela, vous seriez sûre.

— *Non*, répliqua aussitôt sa grand-mère. *Non*, c'est inutile. Je ne vous laisserai pas abîmer un centimètre du tableau de votre père, l'original fût-il dessous.

Elle posa la main sur la joue de sa petite-fille.

— Désormais, *mon enfant*, ce portrait, Christophe et vous, êtes mes seuls et uniques trésors. Laissons le passé au passé.

Elle les considéra tous les deux avec affection.

— Bien, je vous laisse, à présent. Les amoureux ont besoin d'intimité.

Elle quitta la pièce d'une démarche de reine, sous le regard admiratif de Serenity.

— Elle est magnifique, n'est-ce pas ?

— *Oui*, approuva Christophe en la prenant dans ses bras.

Elle est impressionnante, magnifique, et aussi sage que rusée. Et cela fait bien une heure que je ne t'ai pas embrassée.

Il remédia à cette lacune, à leur plus grand bonheur à tous les deux, puis la considéra de son air habituellement sûr de lui.

— Une fois que nous serons mariés, *mon amour,* je ferai faire ton portrait, et nous aurons un nouveau trésor au château.

— Mariés? répliqua-t-elle aussitôt. Je n'ai jamais accepté de t'épouser.

Elle le repoussa.

— Si tu crois que je vais t'obéir! Une femme apprécie d'être demandée en mariage.

Il l'attira contre lui et l'embrassa avec fougue.

— Tu disais, *cousine*? reprit-il en s'écartant.

Elle lui passa les bras autour du cou et le regarda très sérieusement.

— Je ne serai jamais une aristocrate, le prévint-elle.

— Je l'espère bien, affirma-t-il avec chaleur.

— Nous risquons de nous disputer souvent, et je ne cesserai de t'exaspérer.

— Pour mon plus grand bonheur.

— Très bien, dit-elle en faisant mine de se résigner. J'accepte de t'épouser... à une condition.

— Laquelle? demanda-t-il, surpris.

— Que tu m'emmènes dans le parc, ce soir.

Avec un sourire, elle l'attira contre elle.

— J'en ai assez de me promener au clair de lune en compagnie d'un homme qui n'est pas toi.

UN ENVOÛTANT RENDEZ-VOUS

1

— Un sportif ? s'exclama Brooke d'un ton ironique. Je me demande vraiment qui a pu avoir une idée aussi stupide !

Elle leva sa tasse en un toast moqueur et avala une gorgée de café brûlant.

— Je ne vois vraiment pas où est le problème, objecta Claire. Le fait que De Marco compte utiliser un athlète pour faire la promotion de ses articles n'a rien d'extraordinaire. Des tas de marques le font déjà. Et puis, la réalisation des spots publicitaires devrait te rapporter une somme assez conséquente…

Brooke jeta à Claire un regard appuyé. C'était l'un des talents qu'elle avait développés très tôt pour dissimuler ses incertitudes et intimider ses interlocuteurs. Elle jouait de ses yeux gris comme d'une arme qui suffisait généralement à impressionner la plupart des gens auxquels elle avait affaire, qu'il s'agisse de cadres d'entreprise hautains, de fournisseurs indélicats ou d'acteurs récalcitrants.

Mais il en fallait bien plus pour déstabiliser Claire Thorton. A quarante-neuf ans, elle se trouvait à la tête de l'une des principales agences de publicité du pays qu'elle avait bâtie de ses propres mains à force de génie, d'audace et de ténacité. Depuis plus de vingt-cinq ans, elle gérait cette entreprise à sa façon et n'entendait pas laisser qui que ce soit lui dicter sa façon de travailler.

Brooke l'avait rencontrée pour la première fois près de dix ans auparavant, lorsqu'elle avait décroché un poste au sein de Thorton Productions. Elle n'avait alors que dix-huit ans et était bien décidée à se frayer un chemin jusqu'aux plus hauts sommets.

De factotum, elle était devenue éclairagiste puis assistante caméra jusqu'à décrocher enfin le poste si envié de réalisatrice.

C'était Claire en personne qui lui avait confié son premier spot publicitaire et elle n'avait jamais regretté sa décision. Elle avait cru sentir chez la jeune femme ce talent si rare qui faisait les grands réalisateurs. Et, une fois de plus, son intuition s'était révélée correcte.

Brooke était douée d'un sens de l'image et du rythme qui conférait à chacune de ses créations cette étincelle de vie qui faisait si souvent défaut à la majorité des publicités. Elle partageait également avec Claire deux traits de caractère qui les rapprochaient : l'ambition et l'attachement à son indépendance.

— Un athlète, soupira Brooke en détachant enfin son regard de celui de Claire.

Elle contempla pensivement le bureau dans lequel elle travaillait. C'était une pièce de petite taille qui contenait, outre sa table de travail, un canapé et une table basse sur laquelle étaient posés plusieurs exemplaires du magazine *American Cinematographer*.

Aux murs étaient accrochés plusieurs clichés tirés de spots publicitaires sur lesquels Brooke avait travaillé. Dans un coin, trônait une imposante machine à espresso dont elle faisait un usage plus que libéral.

Son bureau proprement dit était encombré de dossiers de productions, de photographies de repérage, de scripts et de mémos divers. Une lampe Arts déco était posée sur une pile de livres et un assortiment impressionnant de stylos et de crayons débordait d'un vase ébréché en porcelaine de Sèvres.

Derrière la jeune femme, en équilibre instable sur un guéridon, un ficus se mourait dans un pot de terre décoré de motifs mexicains.

— Mais pourquoi ne prennent-ils pas plutôt un acteur ? demanda Brooke en s'arrachant à la contemplation des lieux. Tu sais combien il est difficile de diriger les sportifs et les chanteurs. La plupart d'entre eux seraient incapables de jouer juste, même si leur vie en dépendait !

D'un geste qui trahissait son agacement, elle remit un semblant d'ordre dans la pile de documents qui était posée à sa droite.

— Tu n'as qu'à leur dire qu'il y a des tas d'acteurs professionnels qui ne demanderaient pas mieux que de jouer dans ce spot et qu'ils feraient un bien meilleur travail que ce type.

Claire lui décocha un sourire patient qui se teintait d'une pointe d'ironie.

— Tu sais parfaitement qu'ils préféreront un visage connu pour promouvoir leurs produits.

— Connu ? répéta Brooke d'un ton méprisant. Je me demande bien qui a entendu parler de ce Parks Jones.

— Tous les amateurs de base-ball du pays, répondit Claire.

— Mais il s'agit de vendre des vêtements, pas des battes ou des gants de base-ball, objecta Brooke.

— Parks a remporté huit Golden Gloves, poursuivit Claire sans se laisser démonter le moins du monde. Cela fait huit saisons qu'il se qualifie pour la compétition All Star et il est considéré comme l'un des meilleurs joueurs de la ligue.

— Comment sais-tu tout ça ? demanda Brooke en fronçant les sourcils.

— J'ai fait quelques recherches. C'est le secret de la réussite pour un producteur. Maintenant, c'est à toi de jouer. Au fait, j'espère que tu es disponible, ce soir, parce que j'ai acheté deux billets pour le match des Kings contre les Valiants.

— Et à quelle équipe appartient Jones ?

— Tu n'as qu'à réviser tes leçons, répondit Claire en se levant.

Sans attendre les protestations de Brooke, elle se dirigea vers la porte et quitta le bureau de la jeune femme. Avec un soupir exaspéré, Brooke fit pivoter sa chaise pour faire face à la baie vitrée qui dominait Los Angeles. Du vingtième étage de la tour Thorton, elle avait une vue imprenable sur la ville.

Au sein de l'entreprise, ce genre d'avantage était réservé aux meilleurs éléments. Mais Brooke n'y attachait que peu d'importance, préférant toujours se projeter dans l'avenir que se réjouir des acquis du passé.

Sans s'en rendre compte, elle jouait avec une mèche de ses

cheveux roux. Elle les portait longs et ne se coiffait que lorsqu'elle y pensait, ce qui lui arrivait très rarement. La plupart du temps, elle se contentait de les attacher en queue-de-cheval.

Le peu de souci qu'elle accordait à son apparence extérieure se retrouvait dans les vêtements qu'elle portait. Pour rien au monde, elle n'aurait troqué son jean contre une jupe ou une robe. Et elle préférait généralement puiser dans l'impressionnante collection de T-shirts qu'elle possédait plutôt que de porter un chemisier.

Elle ne se maquillait quasiment jamais. Mais ses longs cils et ses lèvres très rouges contrastaient avec la couleur très pâle de sa peau. L'impression de fragilité que donnaient ses grands yeux gris et son nez mutin était contredite par son menton volontaire.

La seule touche de coquetterie qu'elle s'autorisait résidait dans son parfum. Il était scandaleusement cher mais elle était tombée amoureuse de cette fragrance fraîche et iodée et ne pouvait plus s'en passer.

Se détournant brusquement de la fenêtre, Brooke récupéra le dossier que Claire avait posé sur son bureau et l'ouvrit. Il présentait la nouvelle collection de De Marco, un couturier italien qui s'était spécialisé dans les jeans élégants et les articles de cuir. Récemment, l'entreprise avait décidé de diversifier ses campagnes publicitaires. Elle avait fait appel à Thorton Productions pour réaliser une série de spots publicitaires.

Il s'agissait d'un contrat de deux ans et l'enveloppe affectée à ce projet était suffisamment généreuse pour que Brooke puisse donner libre cours à son imagination. Théoriquement, c'était le genre de projet qui aurait dû susciter son enthousiasme.

L'annonceur lui laissait quasiment carte blanche, ce qui était une marque de confiance aussi rare que précieuse dans son milieu. Mais Brooke estimait le mériter. Après tout, elle avait déjà remporté trois prix Clio qui récompensaient ses dernières créations. Ce n'était pas si mal pour une femme de vingt-huit ans qui n'avait ni diplôme ni relations.

La seule exigence de De Marco était qu'elle emploie ce fameux Parks Jones. Et Claire lui avait parfaitement fait comprendre qu'ils n'étaient pas décidés à transiger sur ce point. Il lui faudrait donc s'en accommoder.

Réprimant un nouveau soupir, Brooke décrocha son téléphone et composa le numéro de son assistante.

— Trouve-moi tout ce que tu peux sur un certain Parks Jones, lui dit-elle. Apparemment, c'est un joueur de base-ball assez célèbre. Et demande à Mlle Thorton à quelle heure je dois passer la chercher, ce soir.

A moins de six pâtés de maisons de là, Parks Jones était assis dans le bureau de son agent et contemplait ce dernier d'un air réprobateur.

— Comment ai-je pu te laisser me convaincre d'accepter? grommela-t-il.

— Tu l'as fait parce que tu as confiance en moi, déclara-t-il avec une assurance tranquille.

— J'ai peut-être tort, répliqua Parks.

Lee Dutton lui décocha l'un de ses sourires qui avaient le don de le rendre instantanément sympathique à ses interlocuteurs. Il savait jouer à merveille de la physionomie engageante dont l'avait doté la nature. Mais Parks le connaissait suffisamment pour ne pas s'y tromper : sous son apparence bienveillante se dissimulaient un esprit acéré et un talent redoutable de négociateur.

Lee était l'un des meilleurs agents sportifs du circuit et c'était pour cette raison que Parks l'avait engagé. Malgré les différends qui les opposaient parfois, il existait entre les deux hommes un mélange de confiance et de respect.

— Je suis joueur de base-ball, pas mannequin, reprit Parks.

— J'en ai parfaitement conscience, rétorqua Lee. Et c'est bien pour cela que De Marco fait appel à toi. D'ailleurs, ce n'est pas la première fois que tu as un sponsor.

— Sauf qu'il ne s'agit pas d'un fabricant de matériel sportif ou d'une marque de rasoirs mais d'un couturier, objecta Parks. Et je ne tiens vraiment pas à me rendre ridicule...

Lee tira une profonde bouffée de havane et observa la fumée

qui montait lentement en direction du plafond. Il était convaincu que Parks ne serait pas ridicule. En fait, sa silhouette athlétique, ses cheveux blonds et son visage aux traits volontaires feraient de lui l'ambassadeur idéal pour les vêtements De Marco.

Il était déjà la coqueluche de toutes les femmes qui s'intéressaient au base-ball. Et son caractère affable et décontracté lui attirait la sympathie des hommes. Il était séduisant, talentueux et intelligent. C'était le rêve de tous les annonceurs.

— Je suis persuadé qu'il s'agit d'une occasion en or, déclara Lee avec une assurance tranquille. D'autant que tu as déjà trente-trois ans. Combien de temps encore penses-tu pouvoir rester dans le circuit ?

Parks le foudroya du regard. Ce n'était pas la première fois que tous deux s'entretenaient de sa reconversion future et Lee savait pertinemment qu'il s'agissait pour l'athlète d'un sujet très sensible. Mais il avait vu trop de sportifs sombrer après avoir pris leur retraite et considérait qu'il était de son devoir d'y préparer ses poulains.

— Je ne vois pas le rapport, déclara Parks avec une parfaite mauvaise foi.

— Il faut que tu penses à ton avenir.

— C'est déjà fait. A trente-cinq ans, je suis bien décidé à me trouver une maison sur une petite île du Pacifique. Là, je passerai mon temps à pêcher, à dormir au soleil et à regarder les filles se promener sur la plage.

Lee estima qu'il tiendrait peut-être six semaines avant de sombrer dans l'ennui et la dépression. Mais il jugea préférable de garder cette opinion pour lui.

— J'ai déjà plus d'argent que je ne peux en dépenser, poursuivit Parks. Alors pourquoi passerais-je l'hiver à travailler alors que je pourrais m'offrir des vacances ?

— Parce que c'est bon pour ton image. Et ce qui est bon pour toi est bon pour le club et pour le base-ball en général. Cette campagne donnera à ton sport un surcroît de visibilité. De toute façon, il est trop tard pour faire marche arrière. Tu as déjà signé un contrat qui te lie à De Marco.

Parks se leva en soupirant.

— Je crois que je vais aller m'entraîner un peu. Mais je te préviens : si jamais je me ridiculise à cause de toi, je change d'agent !

Pas plus que Parks, Lee ne prit cette menace au sérieux.

Brooke remontait à vive allure l'allée bordée de rhododendrons qui conduisait à la villa de Claire. Celle-ci était une bâtisse de style indéterminé. Immense, construite sur plusieurs niveaux et ornée d'une multitude de colonnes, elle était d'un blanc resplendissant.

Elle avait appartenu jadis à un célèbre acteur du cinéma muet. Puis elle avait été rachetée par un riche magnat du parfum qui se piquait d'orientalisme et avait décoré la plupart des pièces à la mode chinoise ou japonaise. Quinze ans plus tôt, Claire était tombée amoureuse de cette improbable demeure et l'avait rachetée pour une somme colossale.

Comme à son habitude, Brooke freina violemment et son coupé sport s'arrêta dans un crissement de pneus au pied de l'escalier de marbre qui conduisait à la porte d'entrée. Elle sortit de son véhicule et inspira une profonde bouffée d'air frais. Il était saturé du parfum des fleurs exotiques que Claire avait fait planter dans l'immense jardin.

D'un pas décidé, Brooke gravit les marches pour frapper vigoureusement quelques coups au battant décoré de moulures élaborées. Sans attendre qu'on vienne lui ouvrir, elle pénétra dans le hall aux murs vert menthe.

— Claire ! appela-t-elle. Tu es prête ? Je meurs de faim !

Une petite femme vêtue d'une robe grise émergea de la pièce qui se trouvait sur sa droite.

— Bonjour, Edna, dit Brooke en lui décochant un sourire cordial. Savez-vous où se trouve Claire ? Je ne me sens pas le courage de parcourir toute la maison à sa recherche.

— Elle s'habille, mademoiselle Gordon, répondit la gouvernante.

Son accent anglais avait quelque chose de précieux et de légèrement démodé qui s'accordait bien avec cette maison étrange.

— Elle ne devrait pas tarder à descendre. Puis-je vous offrir quelque chose à boire ?

— Je veux bien un Perrier, s'il vous plaît, déclara Brooke en suivant Edna dans le salon.

Elle se laissa tomber sur le canapé.

— Vous a-t-elle dit où nous allions ?

— Oui, mademoiselle, répondit la gouvernante en se dirigeant vers le bar.

Elle sortit une bouteille de Perrier du petit réfrigérateur et en versa le contenu dans un grand verre de cristal.

— Voulez-vous une tranche de citron ?

— Volontiers, acquiesça Brooke.

Edna découpa prestement un citron et fit tomber l'un des quartiers dans le verre de la jeune femme. Ses gestes étaient précis et mesurés, témoignant du soin qu'elle apportait à toute chose. C'était l'une des qualités qui lui avait valu d'être embauchée par lord Westbrook dans le Devon.

Puis Claire Thorton l'avait débauchée. Edna Billings avait accepté cette nouvelle position tout en se jurant de ne jamais se laisser américaniser. Elle conservait un détachement et un humour très britanniques que Brooke appréciait beaucoup. De son côté, Edna éprouvait une forme d'affection amusée à l'égard de la jeune femme au caractère si affirmé.

— Franchement, je ne vois pas pourquoi les Américains ont cru bon de dénaturer le cricket de cette façon, déclara Edna en tendant à Brooke son verre de Perrier.

— Je ne suis même pas sûre de connaître la différence entre les deux. Mais j'avoue que l'idée de voir Claire dans les tribunes d'un stade au milieu de milliers de spectateurs en furie me paraît très réjouissante.

— Mlle Thorton a le chic pour s'adapter à toutes les situations, répondit Edna en haussant les épaules. Je suis certaine que cela lui plaira beaucoup.

— C'est bien possible, soupira Brooke.

Elle avala une gorgée d'eau pétillante avant de poursuivre.

— Claire s'est mis en tête qu'en voyant jouer ce Parks Jones, je trouverai peut-être l'inspiration. A mon avis, c'est une perte de temps. Je préférerais aller dîner tranquillement quelque part.

— Tu n'auras qu'à acheter un hot dog et un verre de bière au stade, déclara Claire qui venait tout juste de les rejoindre.

Brooke observa d'un air incrédule le pantalon de couturier, le chemiser de soie sauvage et les chaussures en cuir que portait son amie.

— Tu sais que nous allons à un match de base-ball, pas à un vernissage, observa-t-elle d'un ton ironique. En plus, tu devrais savoir que je déteste la bière.

— C'est bien dommage pour toi, rétorqua Claire.

Elle ouvrit son sac à main en crocodile et en inspecta le contenu avant de le refermer.

— Bien, je suis prête, déclara-t-elle. Nous ferions mieux d'y aller si nous ne voulons pas rater le début. Bonne soirée, Edna.

— A vous de même.

Brooke vida son verre d'une traite et suivit Claire jusqu'à la porte.

— Nous pourrions quand même nous arrêter en route, histoire de manger un morceau, suggéra-t-elle. Après tout, ce n'est pas très grave si nous manquons une manche ou deux. Rien ne me met de plus mauvaise humeur que de sauter un repas.

Claire savait que l'importance que Brooke accordait à ses repas s'expliquait par les privations dont elle avait souffert durant son adolescence.

— Tu n'auras qu'à commander deux hot dogs, suggéra-t-elle tandis que toutes deux prenaient place dans le coupé de Brooke. Le stade se trouve à quarante-cinq minutes en voiture, ajouta-t-elle en consultant sa montre. Ce qui signifie que nous devrions y être dans vingt-cinq minutes.

— Ne t'avise pas de critiquer ma façon de conduire !

— Je ne me le permettrais pas, ironisa Claire en bouclant soigneusement sa ceinture.

Mais son estimation s'avéra étonnamment précise : moins

d'une demi-heure plus tard, Brooke débouchait en trombe sur le parking du stade. Elle parvint à trouver une place et immobilisa son véhicule d'un coup de freins bien senti. Claire manqua s'assommer contre le pare-brise mais Brooke ne s'en aperçut pas, trop absorbée par le compte rendu qu'elle était en train de faire.

— Les deux adultes n'étaient pas terribles et la table s'est effondrée à plusieurs reprises mais le gamin jouait juste chaque fois ! Franchement, tu devrais passer à la salle de montage...

— Tu sais que je te fais entièrement confiance pour ce genre de chose, objecta Claire en massant son front douloureux.

Les deux femmes durent se contorsionner pour sortir du coupé qui était bloqué entre deux imposants 4x4.

— Ce que je veux dire, c'est que cet enfant serait idéal pour le rôle de Buddy dans *Familles en déclin*, le téléfilm sur lequel tu travailles. C'est un acteur-né. Franchement, il m'a sidérée.

— Très bien, acquiesça Claire. Je jetterai un coup d'œil à cette publicité.

Les deux femmes se frayèrent un chemin dans la foule en direction de l'une des portes du stade. L'atmosphère était brûlante et une senteur lourde d'asphalte et de sueur mêlés flottait dans l'air. Le soleil était en train de se coucher et la lueur des projecteurs déchirait la nuit tombante.

Brooke percevait le mélange indéfinissable de tension et d'impatience qui habitait les spectateurs. Alors qu'elles approchaient de l'entrée, elle fut assaillie par l'odeur du pop-corn, des hot dogs et de la bière qui émanait des stands. Son estomac grogna de frustration.

— Est-ce que tu sais par quelle porte nous sommes censées passer ? demanda-t-elle.

— Ne t'en fais pas pour ça, répondit Claire.

De fait, elle les guida avec assurance jusqu'à l'une des entrées. Après avoir donné leurs billets, elles gravirent l'un des escaliers qui menaient aux tribunes. Là, la tension devenait plus palpable. Le murmure de milliers de voix couvrait la musique qui sortait des haut-parleurs.

La lumière des spots était si vive qu'on aurait pu se croire en plein jour. Des dizaines de vendeurs circulaient parmi les rangées, proposant toutes sortes de boissons gazeuses et de friandises. Brooke sentit l'excitation ambiante l'envahir. Sa peau était parcourue d'un irrépressible frisson d'anticipation.

Instantanément, son agacement disparut pour laisser place à de la curiosité. En tant que réalisatrice, elle se passionnait pour les réactions humaines. Et voilà qu'elle se trouvait brusquement confrontée à des milliers de personnes qui étaient rassemblées par la même passion, la même attente. Il y avait là quelque chose d'électrique.

L'espace d'un instant, elle se demanda comment une simple pelouse pouvait éveiller une réaction aussi primaire. Il y avait quelque chose de magique dans cette version moderne des jeux du cirque, cet exutoire à grande échelle qui permettait à chacun d'exorciser ses angoisses et ses préoccupations quotidiennes.

— Regarde-les, Claire, murmura-t-elle, fascinée. Tu crois que c'est toujours comme ça que ça se passe?

— Les Kings ont fait une excellente saison, répondit son amie. Ils sont en tête du championnat et ont trois points d'avance sur les seconds. Et Jones est en train de devenir un véritable héros...

Brooke hocha la tête, incapable de détacher son regard de la foule. Qui étaient tous ces gens? D'où venaient-ils? Où iraient-ils, une fois que le match serait terminé?

Le public semblait constituer un échantillon représentatif de la population, une coupe transversale du corps social. Il y avait des vieillards qui débattaient à mi-voix, évoquant sans doute les scores et les statistiques d'équipes depuis longtemps disparues.

On voyait des familles : le mari bouillant d'impatience, la femme veillant sur les enfants surexcités. Il y avait autant de néophytes que de fanatiques arborant fièrement T-shirt, casquette et écharpe aux couleurs de leur équipe. Des dizaines de caméras immortalisaient ces instants et Brooke se surprenait déjà à imaginer les plans qu'elle aurait choisis, les angles qu'elle aurait privilégiés.

Tout en suivant Claire jusqu'à leurs sièges, elle s'imprégnait de cette ferveur collective, appréciant la moiteur, le bruit, le choc des couleurs. Il y avait ici quelque chose de terriblement réel, comme si tout avait soudain gagné en intensité.

Brusquement, Brooke s'immobilisa et posa la main sur l'avant-bras de sa compagne.

— Est-ce que ce n'est pas Brighton Boyd? murmura-t-elle en désignant discrètement l'un des spectateurs.

L'acteur qui venait de décrocher un oscar était assis sur l'un des bancs, un sac de cacahuètes sur les genoux.

— Si, confirma Claire. Et apparemment, nous sommes assises juste à côté de lui.

Elle salua cordialement Brighton qu'elle paraissait connaître personnellement et lui présenta Brooke. Intimidée malgré elle, celle-ci serra la main de l'acteur et se coula jusqu'à la place qui lui était réservée.

— Excellent! s'exclama Claire. D'ici, nous avons une vue imprenable sur la troisième base!

Brooke hocha la tête et se perdit de nouveau dans la contemplation de la foule. Si elle avait dû filmer une publicité pour le base-ball, ce n'est pas tant vers le terrain qu'elle aurait tourné sa caméra mais plutôt vers le public.

Un panoramique très lent sur les visages tournés vers la pelouse. Le son qui monte graduellement comme une vague. Coupez! Plan plus serré sur les visages.

— Tiens, Brooke, voilà de quoi calmer ta faim, lui dit Claire, l'arrachant à ses pensées.

La jeune femme s'empara du hot dog que lui tendait son amie. Lorsqu'elle croqua dedans, elle ne put retenir un sourire. Il était dégoulinant de graisse et de ketchup et avait le goût de l'enfance.

— Qui se charge de faire la publicité de l'équipe? demanda-t-elle, curieuse.

Avant que Claire puisse lui répondre, une clameur monta dans le stade. Des milliers de voix se mêlaient, des milliers de pieds frappaient le sol en rythme, faisant trembler les rangées de sièges.

L'équipe locale venait d'entrer sur le terrain.

Brooke observa les hommes qui se mettaient en position. Ils

étaient vêtus de tenues blanches qui semblaient étinceler sous la lueur des projecteurs. Leurs casquettes et leurs chaussettes bleu marine contrastaient avec leurs maillots immaculés. Ils avaient vraiment fière allure.

Brooke se concentra sur l'homme qui s'était posté près de la troisième base. Il lui tournait le dos et elle ne pouvait apercevoir son visage. Par contre, elle put apprécier sa stature. Il était moins grand qu'elle ne l'aurait pensé, et devait mesurer un mètre quatre-vingts. Au jugé, il pesait quatre-vingts kilos, tout en muscles.

Il était plutôt fin, ce qui faisait de lui un mannequin idéal. Elle le vit s'agenouiller brusquement pour assouplir ses jambes. Il se releva avec une vitesse et une agilité presque félines. Au moins, songea-t-elle, il bougeait bien. Mais ce n'était peut-être pas si surprenant que cela pour un sportif professionnel.

Tandis qu'il poursuivait ses assouplissements, elle sentit naître en elle une pointe d'admiration qui n'était pas seulement d'ordre professionnel. Les gestes de Parks avaient une grâce naturelle, une fluidité déconcertante qui trahissaient un parfait contrôle de soi. Il se dégageait de lui une impression de force maîtrisée qui évoquait celle d'un danseur.

Si elle parvenait à la fixer sur la pellicule, elle n'aurait peut-être pas à se soucier de ses talents d'acteur. Elle utiliserait au maximum la sensualité instinctive qui émanait de lui, ce magnétisme presque animal qu'elle percevait alors qu'elle se trouvait à plusieurs dizaines de mètres de lui.

Brusquement, il se retourna et Brooke aperçut enfin son visage. Son intérêt laissa alors place à une franche admiration. Parks était très beau. Mais cette beauté n'était pas celle d'un mannequin, lisse et vaguement androgyne. Il y avait dans ses traits une certaine dureté.

Elle repensa aux gladiateurs et décida que c'était exactement à cela qu'ils devaient ressembler. Sa bouche était dure, ses yeux bleus brillaient d'une lueur décidée. On aurait dit un guerrier attendant résolument la charge de ses ennemis, prêt à se battre et à mourir s'il le fallait.

La volonté implacable qui l'habitait se lisait dans son regard et dans sa démarche. Rien ni personne ne semblait pouvoir l'arrêter. Puis un spectateur cria son nom et il leva les yeux vers les tribunes. Instantanément, son expression se modifia. Un sourire amène et sympathique adoucit son visage, révélant un charme et une gentillesse inattendus.

— Alors? Qu'est-ce que tu en penses? demanda Claire.

Arrachée à sa contemplation, Brooke prit le temps d'avaler une bouchée de hot dog avant de répondre.

— Je crois qu'il fera l'affaire, déclara-t-elle. Il bouge bien.

— S'il faut en croire ce que j'ai entendu dire, tu n'as encore rien vu!

Quelques minutes plus tard, le match commença et Brooke ne tarda pas à comprendre ce que voulait dire Claire. Parks se déplaçait à la vitesse de l'éclair, ne s'accordant pas un seul instant de repos. Il y avait dans sa façon de jouer un déroutant mélange d'enthousiasme enfantin et de maîtrise professionnelle. Brooke ne connaissait pas grand-chose aux règles du base-ball mais il était évident que cette combinaison faisait de lui un adversaire redoutable.

En fait, elle éprouvait un réel plaisir à le regarder. Chaque fois qu'il rattrapait une balle ou la relançait, ses gestes donnaient une déconcertante illusion de facilité. A voir la façon dont il courait et se replaçait, on aurait pu croire que rien n'était plus évident, plus naturel. Pourtant, Brooke savait qu'il n'en était rien : la plupart des gens auraient été parfaitement incapables de soutenir un rythme aussi intense.

Puis l'équipe de Parks passa en attaque et elle découvrit qu'il était un batteur tout aussi compétent. La balle qu'il propulsa au fond du terrain permit à son équipe de marquer deux points de plus.

Au début de la cinquième manche, les Kings menaient par trois manches à une et la foule était au comble de l'enthousiasme.

*
**

La chaleur qui régnait dans le stade était étouffante. Les tribunes bloquaient le vent qui aurait pu rafraîchir un peu les joueurs et Parks suait à grosses gouttes. Essuyant la transpiration qui coulait sur son front, il se positionna derrière sa base et observa Hernandez, le lanceur.

Il était sur le point de servir Rathers. Ce dernier était un excellent batteur qui frappait très fort. Ses balles avaient tendance à partir sur la gauche et Parks se décala légèrement pour en tenir compte.

Hernandez lança à hauteur de taille. La batte de Rathers heurta la balle avec un claquement aussi sec qu'un coup de feu. En une fraction de seconde, Parks réalisa qu'elle volait droit sur lui et que, s'il ne la rattrapait pas, il risquait fort de finir le match sur une civière.

Sans même réfléchir, il leva son gant et parvint à la cueillir au vol. Le choc se répercuta en lui tandis qu'une clameur montait des tribunes. Parks se massa le bras en grimaçant, secoué par la puissance de l'impact.

— Ça va ? lui demanda le short-stop qui se trouvait sur sa gauche.

Il hocha la tête et renvoya la balle à Hernandez.

— Ça, c'est ce que j'appelle un boulet de canon, ajouta le short-stop.

Parks leva les yeux vers le public qui manifestait toujours bruyamment son enthousiasme. C'est alors qu'il repéra une spectatrice qui l'observait attentivement. Contrairement aux autres, elle n'exprimait aucune émotion. Lorsque leurs regards se croisèrent, elle ne détourna pas timidement les yeux et ne lui sourit pas comme l'aurait fait n'importe quelle fan de base-ball.

Elle se contentait de garder les yeux fixés sur lui, comme si elle cherchait à lire en lui, à deviner ce qu'il pouvait bien penser ou ressentir en cet instant. Cette impression était d'autant plus embarrassante que cette fille était très belle. Elle lui faisait un peu penser à une aristocrate anglaise du XVIIIe siècle, avec ses longs cheveux roux et son teint clair et lumineux.

Son détachement et sa froideur avaient quelque chose de très troublant. Elle avait une façon particulière de se refuser, de garder pour elle ses émotions. Et cela ne l'en rendait que plus attirante.

Mais Parks n'eut guère l'occasion de s'attarder sur ce visage anonyme. Avec son équipe, il regagna le banc pour attendre son tour de batte. L'équipe était tendue. Tous les joueurs savaient que, désormais, chaque match était important. S'ils voulaient maintenir leur avance et remporter le championnat, ils n'avaient pas le droit à l'erreur.

Parks n'échappait pas à cette pression, bien au contraire. Il avait effectué une excellente saison et cristallisait donc les attentes de ses coéquipiers et de leur entraîneur. Il s'efforçait généralement de ne pas y penser et de se concentrer uniquement sur le jeu.

Mais, cette fois, il était distrait par le souvenir de la mystérieuse inconnue. Pourquoi l'avait-elle regardé de cette façon ? On aurait presque dit un chasseur étudiant sa proie. A quoi pensait-elle, exactement ?

Tandis qu'il réfléchissait à cette question, Hernandez fut éliminé avant même d'avoir pu gagner la première base. Le second batteur eut plus de chance et parvint à l'atteindre. C'était donc au tour de Parks de frapper. Il ajusta son casque et s'avança vers le marbre.

Ajustant sa prise sur la batte, il la balança à plusieurs reprises pour assouplir les muscles de ses épaules. Puis, presque malgré lui, son regard dériva sur la gauche à la recherche de la fille.

De l'endroit où il se trouvait, il la distinguait à peine mais il vit qu'elle gardait les yeux braqués sur lui. Et son visage était toujours aussi inexpressif. Que lui voulait-elle donc ? se demandat-il avec une pointe d'exaspération.

Peut-être n'aurait-il pas été si tourmenté par cette question s'il s'était agi d'une spectatrice comme les autres. Mais il y avait quelque chose de différent en elle, une forme d'intensité presque palpable qui lui faisait penser à celle qui se lisait dans les yeux des joueurs, lorsqu'ils étaient sur le point de lancer ou de frapper.

Parks se mit en position et attendit le lanceur. Celui-ci projeta vers lui une magnifique première balle qu'il préféra laisser passer. La deuxième n'était pas ajustée et l'arbitre la signala hors cadre.

La tension monta d'un cran et le silence qui régnait dans le stade était impressionnant.

Mais Parks était un homme patient. Et il ne cédait pas facilement à la pression. Il laissa donc passer la balle suivante, au grand désespoir de la foule. Parks se repositionna, gardant les yeux braqués sur le lanceur.

Celui-ci projeta sa quatrième balle plein cadre. Elle arriva droit sur Parks à une vitesse impressionnante. Mais il avait parfaitement estimé sa trajectoire et savait comment la frapper. Sa batte la cueillit précisément où il l'avait souhaité. Un claquement sec se fit entendre tandis que les spectateurs retenaient leur souffle.

La balle partit comme une flèche et survola les champs intérieurs et extérieurs avant de se perdre hors du stade. Une clameur gigantesque monta du public tandis que Parks jetait sa batte et faisait tranquillement le tour des bases. Il venait d'accorder deux points de plus à son équipe et se sentait d'excellente humeur.

Levant les yeux vers la fille, il s'attendait à la voir debout, comme tous les spectateurs qui manifestaient bruyamment leur approbation. Aussi fut-il très déçu de constater qu'elle n'avait pas bougé d'un pouce. Penchée en avant, le menton posé sur la rambarde, elle ne trahissait ni enthousiasme ni admiration.

Frustré, Parks planta son regard dans le sien et tenta de lui faire baisser les yeux. Mais elle le soutint avec une assurance tranquille, ce qui ne fit qu'accroître son irritation. Furieux, il regagna sa place sur le banc.

— N'est-il pas merveilleux ? s'exclama Claire.

Elle fit signe à l'un des vendeurs qui lui tendit un nouveau verre de bière.

— J'ai eu l'impression qu'il te regardait, ajouta-t-elle.

Brooke hocha la tête mais ne dit mot, craignant de trahir le trouble qu'elle avait senti monter en elle chaque fois que Parks avait levé les yeux vers elle.

Elle connaissait pourtant les hommes dans son genre. Combien d'acteurs et de rock stars avait-elle déjà rencontrés ? Ils étaient beaux, riches et adulés, estimaient que tout leur était dû et s'attendaient à ce que toutes les femmes tombent à leurs pieds. Lorsqu'elles le faisaient, ils les abandonnaient aussi soudainement qu'ils les avaient conquises et les laissaient ramasser les débris de leur cœur en miettes.

— Il passera très bien à la caméra, déclara-t-elle enfin.

Claire éclata de rire.

— C'est ce que j'appelle un euphémisme, répondit-elle. Ce garçon est beau comme un dieu grec !

Brooke s'abstint de répondre.

La septième manche commença et l'équipe de Parks se trouvait de nouveau en défense. Elle continua à l'observer attentivement sans vraiment prêter attention au score. Il y avait en lui quelque chose de très spécial qui ne tenait pas seulement à son incontestable pouvoir de séduction.

Peut-être était-ce l'étrange alliance de décontraction et de discipline qui émanait de chacun de ses gestes. Si Parks devenait l'emblème de De Marco, cette image se communiquerait à la marque, lui conférant un surcroît d'élégance.

Tout ce qu'elle aurait à faire pour cela, ce serait de mettre en valeur cette qualité unique. Pour cela, elle devrait montrer aussi bien l'athlète que l'homme. Il ne suffirait pas de le présenter une batte à la main. Il fallait le mettre en scène en relation avec d'autres gens. Une femme, peut-être.

Elle ne jouerait pas la carte du regard ténébreux et séducteur. L'idéal, si Parks était doté d'un sens de l'humour, ce serait de prendre cette image à revers, de faire preuve d'humour et de légèreté. Si le scénario était suffisamment solide, l'effet serait garanti. D'ici un an, toutes les femmes seraient folles de Parks et tous les hommes l'envieraient.

Comme elle se faisait cette réflexion, Brooke entendit un cri admiratif monter des tribunes. Le batteur venait de propulser la balle droit dans le public. Parks, qui s'était lancé à sa poursuite, ne se laissa pas décourager pour autant et sauta la barrière qui séparait le stade des spectateurs.

Il ne se trouvait qu'à quelques mètres d'elle et elle remarqua que son regard était braqué dans sa direction. Elle pouvait distinctement apercevoir les gouttes de sueur qui coulaient le long de ses joues. Paralysée, elle le regarda approcher. Visiblement, il avait cessé de se soucier de la balle.

— Comment vous appelez-vous ? lui demanda-t-il.

Ses yeux trahissaient une colère qu'elle ne parvenait pas vraiment à s'expliquer.

— Brooke, répondit-elle en s'efforçant d'adopter un ton décontracté.

— Brooke comment ?

— Brooke Gordon... Est-ce que le match est fini ?

Parks la contempla longuement avant de répondre à sa question.

— Non, lui dit-il enfin. Il ne fait que commencer.

Sur ce, il se détourna et se fraya un chemin jusqu'au champ extérieur.

2

Brooke s'était attendue à ce que Parks l'appelle. Après tout, il connaissait son nom et elle n'était pas sur liste rouge. Mais jamais elle n'aurait pensé qu'il lui téléphonerait le lendemain matin, à 6 h 15. Elle émergea difficilement d'un profond sommeil et tendit la main pour décrocher le combiné, renversant au passage le téléphone.

— Allô, articula-t-elle d'une voix endormie.

— Brooke Gordon ?

— Oui, répondit-elle. Qui est à l'appareil ?

— Parks Jones.

Ce nom suffit à la réveiller complètement et elle se redressa sur son lit, le cœur battant. Une lueur diffuse filtrait déjà à travers les rideaux de sa chambre et elle entendait des oiseaux chanter. Se tournant vers son réveil, elle avisa l'heure avec étonnement.

— Qui ça ? demanda-t-elle en prenant soin de dissimuler la colère qu'elle sentait monter en elle.

De quel droit se permettait-il de l'appeler à une heure pareille ?

— Parks Jones. Je joue en troisième base pour l'équipe des Kings. Nous nous sommes rencontrés hier au stade.

Brooke se força à bâiller bien distinctement et prit le temps de s'adosser confortablement à son oreiller.

— Ah, oui, fit-elle d'un ton volontairement indifférent. Je me rappelle…

— Il faut que je vous voie, déclara Parks qui n'était apparemment pas le genre d'homme à s'embarrasser de fioritures. Que diriez-vous de dîner avec moi, ce soir ?

Cette fois, Brooke n'eut pas à se forcer pour rester muette. Elle était sidérée par cette proposition aussi brutale qu'inattendue.

— Ce soir ? répéta-t-elle pour gagner du temps.

Elle réfléchit à sa proposition. Visiblement, il n'imaginait pas un seul instant qu'elle puisse avoir mieux à faire. Elle fut tentée de lui répondre qu'elle était déjà prise mais la curiosité l'emporta. Jamais encore elle n'avait déclenché une telle réaction chez un homme et, même s'il était hors de question de céder à ses avances, elle se sentait flattée qu'il s'intéresse à elle de cette façon.

— Pourquoi pas ? répondit-elle. A quelle heure ?

— Je passerai vous prendre à 9 heures, répondit Parks avec assurance. Je connais l'adresse.

— Très bien, Sparks. 9 heures.

— Parks, corrigea-t-il, un peu sèchement.

Puis il raccrocha sans ajouter un mot.

Stupéfaite par cet échange, Brooke resta quelques instants immobile, le combiné toujours pressé contre son oreille. Puis, brusquement, elle éclata de rire. Jamais encore il ne lui avait été donné de rencontrer quelqu'un d'aussi présomptueux que Parks Jones. Et, s'il était toujours aussi direct, la soirée s'annonçait vraiment des plus divertissante !

Ce soir-là, Brooke se sentait toujours d'excellente humeur. Elle regrettait simplement que le dossier de Parks n'ait pas contenu plus de détails personnels. Son assistante avait surtout concentré ses recherches sur sa carrière sportive. Qui sait quelles anecdotes piquantes elle aurait pu découvrir sur cet homme qui invitait à dîner des spectatrices qu'il ne connaissait ni d'Eve ni d'Adam ?

Brooke se demanda ce qu'il penserait en apprenant qu'elle était la réalisatrice en charge de la campagne de publicité à laquelle il devait participer. Elle était certaine que cela ne lui plairait pas. Peut-être aurait-elle dû l'en avertir avant d'accepter son invitation. Mais elle était bien trop tentée de savoir ce qu'il avait en tête exactement.

D'ailleurs, l'attitude cavalière de Parks la rassurait un peu.

La veille, elle s'était surprise à l'observer avec un peu plus d'insistance peut-être que ne l'exigeait son métier. Elle n'avait pas été aussi indifférente qu'elle l'aurait voulu au charme qui se dégageait de lui.

Il lui serait beaucoup plus facile d'y résister, à présent qu'elle avait découvert son manque de tact et de subtilité. Cela devrait suffire à la guérir définitivement de toute tentation malvenue. Ainsi, rien ne viendrait gâcher le détachement professionnel qu'elle se devait d'adopter à son égard.

Car Brooke se méfiait comme de la peste de ce genre de séducteurs. Très jeune, elle avait appris la leçon. Elle n'avait alors que dix-sept ans lorsqu'elle avait rencontré Clark. Il avait cinq ans de plus qu'elle et était aussi beau que charmant.

Il était venu dîner dans le restaurant où elle travaillait comme serveuse. Il avait plaisanté avec elle et lui avait laissé un généreux pourboire. Lorsqu'il était revenu, la fois suivante, il l'avait invitée au cinéma.

Brooke avait accepté sans hésiter et ils avaient commencé à sortir ensemble une fois ou deux par semaine.

Elle avait appris que Clark était originaire de Boston et issu d'une très bonne famille. Avec une pointe d'ironie, il lui avait expliqué que cela signifiait que ses parents possédaient un patrimoine conséquent mais peu d'argent liquide. Il évoquait parfois les autres membres de sa famille : ses sœurs et ses grands-parents auxquels il semblait très attaché.

Apparemment, tous avaient pour lui des projets grandioses mais il ne paraissait pas y accorder une grande importance et était resté très vague quant à leur nature exacte. Il entendait profiter de l'été pour prendre un peu de distance et jouir de ses vacances. Il se mettrait ensuite à la recherche d'un travail.

En moins d'une semaine, Brooke était sous le charme. Elle était fascinée par la culture et l'éducation de Clark qu'elle-même aurait tant voulu posséder. Il ne cessait de la complimenter, lui répétant combien elle était belle, combien il la trouvait attirante.

Ils échangeaient de longs baisers passionnés et passaient des heures à discuter ensemble ou à se promener main dans la main. Lorsqu'ils avaient passé leur première nuit ensemble, il avait semblé ému de découvrir qu'il était le premier homme avec lequel elle avait fait l'amour.

Il s'était montré très tendre et très prévenant, la traitant avec beaucoup de délicatesse. Jamais elle ne s'était sentie aussi heureuse. Lorsqu'il lui avait suggéré d'emménager avec elle, elle avait accepté avec enthousiasme.

Elle aimait s'occuper de lui, lui prouver par mille petites attentions combien il comptait pour elle. Elle prenait plaisir à cuisiner pour lui, à repasser ses chemises. Pas une seule fois, elle n'avait trouvé étrange le fait que Clark la laisse l'entretenir et repousse sans cesse la recherche d'un emploi.

Il lui parlait parfois de mariage mais se gardait bien de suggérer la moindre échéance, répétant souvent que tout ce qui comptait, c'était l'amour qui les unissait. Brooke s'en souciait peu, heureuse de profiter de chaque instant qu'ils passaient ensemble.

Elle aimait faire l'amour avec lui, se réveiller dans ses bras, le retrouver lorsqu'elle rentrait de son travail. Elle commençait déjà à imaginer à quoi pourraient ressembler leurs enfants. Les garçons seraient aussi beaux que leur père et les filles hériteraient de ses grands yeux bruns. Elle saurait leur offrir l'affection dont elle-même avait si cruellement manqué, étant jeune.

Durant les mois qui avaient suivi, Brooke avait travaillé d'arrache-pied et commencé à économiser en prévision de cet avenir radieux. Clark, quant à lui, passait en revue les petites annonces, rejetant systématiquement les emplois qui étaient proposés et qu'il jugeait indignes de lui.

Brooke ne protestait pas : à ses yeux, il était bien trop intelligent pour se contenter d'un poste médiocre. Elle était convaincue qu'il finirait par trouver précisément ce qu'il cherchait et qu'il aurait alors l'occasion de prouver rapidement sa valeur.

D'ailleurs, Clark n'était pas du tout attentiste. Il débordait toujours d'énergie et de vitalité et échafaudait sans cesse de nouveaux projets. Combien de fois avait-il décidé sur un coup de tête de partir en excursion avec elle ? Evidemment, c'était toujours elle qui payait mais cela ne la dérangeait pas.

Clark savait lui faire savourer l'instant présent et, pour la première fois de sa vie, elle avait l'impression d'avoir trouvé sa place, d'être avec quelqu'un aux yeux de qui elle comptait vraiment…

Mais, un soir, en rentrant du travail, elle avait trouvé l'appartement désert. Clark avait disparu, emportant avec lui son petit poste de télévision, sa chaîne hi-fi et sa collection de disques. Sur la table de la cuisine, elle avait trouvé un mot d'explication.

Brooke,

J'ai reçu un coup de téléphone de mes parents. Ils ont menacé de me déshériter si je refusais d'épouser Shelley. Nous sommes plus ou moins fiancés depuis quelques années mais elle était à l'université et nous ne nous voyions pas beaucoup. J'en étais donc venu à croire que le mariage n'aurait jamais lieu.

Mais je me trompais. Le père de Shelley est l'un des associés du mien et ils sont apparemment très attachés à cette union. En plus, cela devrait me permettre de rejoindre l'entreprise familiale. Ils m'ont offert un poste de cadre et envisagent de me nommer vice-président d'ici un an ou deux si tout se passe bien.

J'étais tenté de refuser et de leur expliquer que je vivais avec toi mais je n'ai pas eu le courage de le faire. Après tout, je suis l'héritier d'une longue tradition et je ne peux pas continuer à fuir éternellement mes responsabilités. J'espère que tu le comprendras.

En tout cas, ces quelques mois de liberté m'ont fait beaucoup de bien. Je suppose que je ne suis pas près de me sentir aussi libre et détendu que je l'ai été avec toi. Je suis désolé pour la télé et la chaîne mais j'avais besoin d'argent pour payer mon billet de retour.

Je ne pouvais quand même pas commencer ma nouvelle vie en expliquant à mes parents que j'avais dilapidé tout mon argent de poche en quelques semaines. Je te promets de te rembourser dès que j'en aurai les moyens.

Franchement, j'espérais que cette histoire se terminerait

différemment mais j'ai compris qu'il était illusoire de continuer
à le croire. Je ne t'oublierai jamais, Brooke. Sois heureuse,
Clark.

Brooke avait dû relire cette lettre deux fois pour comprendre ce qu'elle signifiait exactement. Il était parti définitivement sans même oser lui expliquer en face les raisons de son retour à Boston.

Une fois de plus, elle se retrouvait seule. Parce qu'elle n'avait pas étudié à l'université. Parce qu'elle n'était pas issue d'une famille prestigieuse et fortunée. Parce qu'elle n'avait pas un père qui pouvait offrir à Clark le poste dont il rêvait.

Pendant des heures, Brooke avait sangloté, incapable de croire vraiment qu'en un instant, Clark avait pu détruire sa confiance, ses espoirs et ses rêves d'avenir.

Lorsqu'elle avait fini par émerger de cet état de prostration, quelque chose en elle était mort.

Son idéalisme passé lui apparaissait comme une forme de naïveté impardonnable. Elle s'était juré solennellement que plus jamais elle ne laisserait quelqu'un se servir d'elle de cette façon. Plus jamais elle ne compterait sur qui que ce soit en dehors d'elle. Plus jamais elle ne se contenterait de prendre la vie comme elle était.

Elle avait alors déchiré la lettre de Clark et s'était passé le visage sous l'eau glacée pour faire disparaître toute trace de ses larmes.

Quelques jours plus tard, elle s'était présentée au siège de Thorton Productions. Ignorant la réceptionniste, elle s'était rendue directement chez le directeur des ressources humaines.

Lorsqu'elle était ressortie, elle avait décroché un nouvel emploi. Certes, il n'était pas mieux rémunéré que celui qu'elle s'apprêtait à abandonner mais, au moins, il lui offrait des perspectives d'avenir. Et elle était bien décidée à saisir chaque opportunité, à se hisser jusqu'aux plus hautes responsabilités à force de volonté et de travail.

Depuis ce jour, elle n'avait plus jamais pleuré. Et elle s'était bien gardée de devenir trop proche de qui que ce soit. Et ce n'était pas la beauté de Parks Jones ni ses manières cavalières qui auraient raison de cette politique.

Tout en suivant la route en lacet qui serpentait à flanc de colline et dominait la ville de Los Angeles, Parks réfléchissait à l'étrange situation dans laquelle il se trouvait. C'était la première fois de sa vie qu'il se laissait distraire par une femme durant un match de base-ball. Et le pire, c'était que Brooke n'avait absolument rien fait pour attirer son attention.

C'était aussi la première fois qu'il invitait à dîner une femme qu'il ne connaissait pas du tout et avec laquelle il n'avait pas échangé plus de vingt mots. Une femme qui, sans même lui adresser la parole, avait successivement éveillé en lui de la colère, de la frustration et une insatiable curiosité. Une femme qui assistait à l'un de ses matchs et ne connaissait même pas son nom !

Sans doute aurait-il mieux fait de l'ignorer. Après tout, qu'espérait-il de cette soirée ? Il aurait été bien en peine de le dire. Pourtant, en rentrant chez lui, la veille, il avait immédiatement recherché son nom dans l'annuaire. Et, à son réveil, il n'avait qu'une idée en tête : l'appeler.

Il ne savait pas vraiment pourquoi, d'ailleurs. Bien sûr, elle était belle. Mais c'était loin d'être une raison suffisante. Après tout, il croisait chaque jour des dizaines de jolies femmes qui n'auraient pas demandé mieux que de sortir avec une star du base-ball. Et il ne les appelait pas pour autant le lendemain à la première heure...

Mais Brooke avait quelque chose de très spécial qui exerçait sur lui une irrésistible fascination. C'était peut-être son visage. Ou sa voix grave et légèrement voilée dont le simple souvenir éveillait sur sa peau un léger frisson. Il était persuadé qu'elle devait être actrice ou mannequin. Avec des traits comme les siens, c'était presque une évidence.

Evidemment, rien ne disait que sa compagnie serait aussi enthousiasmante que son physique. Peut-être même était-elle complètement stupide. A vrai dire, le bref échange qu'ils avaient eu ce matin-là ne lui avait guère permis de se faire une idée à ce sujet. Mais il était intimement convaincu que Brooke était loin d'être une imbécile. L'expression de son regard était bien trop envoûtante pour cela...

Un lapin surgit brusquement du bord de la route et s'immobilisa en plein milieu de la chaussée, hypnotisé par la lueur de ses phares. Parks jura et fit une violente embardée pour l'éviter. Dans son rétroviseur, il le vit disparaître dans les taillis.

Soulagé, il ralentit et s'efforça de maîtriser les battements précipités de son cœur. L'idée de tuer un animal sans défense lui répugnait. C'était une chose que son père n'avait jamais comprise, d'ailleurs. Mais son père n'avait jamais compris grand-chose à son sujet. Surtout pas le fait qu'il renonce à assumer un poste très lucratif au sein de Parkinson Chemicals pour aller courir après une balle...

Parks réalisa qu'il était à présent tout proche de sa destination. Il repéra la petite route de gravier qui menait à la maison de Brooke et s'y engagea. Immédiatement, il fut séduit par l'aspect des lieux.

L'allée bordée d'arbres débouchait sur un jardin peu entretenu qui avait quelque chose de sauvage et de bucolique. On aurait dit un petit écrin de verdure niché au creux des collines de Californie. Des sauterelles faisaient entendre leurs crissements obsédants, ajoutant encore à l'illusion.

Parks se gara derrière le coupé de Brooke et descendit de voiture. Il observa attentivement la petite maison qui se dressait devant lui. Elle possédait un curieux porche circulaire et était percée de nombreuses portes-fenêtres qui devaient laisser entrer une grande quantité de lumière.

Parks entendait le glouglou apaisant d'un ruisseau qui devait couler derrière la villa. Une odeur de fleurs, lourde et entêtante, flottait dans l'air, évoquant le printemps à la campagne. Au loin, un chien aboyait et ce son se répercutait, accentuant l'impression qu'il avait de se trouver au beau milieu de nulle part.

Jamais il n'aurait pensé qu'il puisse exister un endroit si paisible à quelques kilomètres seulement de Los Angeles. Et il en venait presque à regretter de devoir quitter ces lieux pour se rendre dans un restaurant bondé du centre-ville. Une chose était certaine : le choix d'un tel environnement n'était pas neutre et ajoutait encore au mystère qui émanait de Brooke.

Parks gagna la porte d'entrée et souleva le heurtoir en forme de tête de sanglier. Il fit entendre un son métallique très sourd. Quelques instants plus tard, le battant s'ouvrit, révélant la silhouette élancée de Brooke.

En se retrouvant face à elle, Parks oublia brusquement tous les doutes qui l'avaient assailli le long du trajet. Elle était encore plus belle que dans son souvenir. Le contraste entre la robe noire très simple qu'elle portait et ses magnifiques cheveux roux qui retombaient librement sur ses épaules avait quelque chose d'envoûtant.

Il aurait pu se croire face à une enchanteresse tout droit sortie d'une légende de la Table Ronde. Ses yeux gris étaient lumineux et paraissaient déchiffrer les secrets enfouis au plus profond de lui-même. Ses lèvres n'avaient nul besoin de maquillage pour paraître sensuelles et appétissantes. Et l'odeur subtile qui se dégageait d'elle avait quelque chose de terriblement troublant. Elle évoquait dans son esprit des images fragmentaires d'une sensualité torride.

— Bonjour, fit-elle en lui tendant la main.

Pour effectuer ce simple geste, elle avait dû faire appel à toute la force de sa volonté. Jamais elle ne s'était sentie aussi troublée par la présence d'un homme. Curieusement, les vêtements qu'il portait soulignaient mieux encore que sa tenue de base-ball sa silhouette athlétique. Et son visage, vu de près, paraissait plus séduisant encore. Brooke avait envisagé de lui offrir un verre avant qu'ils ne sortent dîner mais elle comprit que le fait de se retrouver en tête à tête avec lui pouvait s'avérer bien trop dangereux.

— Je suis affamée, déclara-t-elle en s'avançant vers lui.

Elle referma sa porte et suivit Parks en direction de sa voiture décapotable.

— Si vous voulez, suggéra-t-il tandis que tous deux y prenaient place, je peux remonter le toit.

— Ce n'est pas la peine. Un peu d'air frais me fera le plus grand bien.

Elle s'installa confortablement contre son siège et ferma les yeux, laissant le vent caresser son visage et jouer dans ses cheveux. Parks prit la direction de la ville. Il conduisait à vive allure mais exerçait un parfait contrôle sur son véhicule. Cela ne surprenait d'ailleurs pas Brooke qui avait déjà remarqué à plusieurs reprises l'extraordinaire maîtrise de soi dont il était capable.

— Pourquoi êtes-vous venue à ce match, hier soir ? lui demanda Parks.

Apparemment, Parks avait remarqué qu'elle n'avait rien d'une fanatique de base-ball.

— Une de mes amies avait deux billets et je me suis dit que cela pourrait être une expérience intéressante.

— Est-ce que tel a été le cas ?

— Curieusement, oui.

— Curieusement ? répéta Parks en lui jetant un coup d'œil étonné.

— A vrai dire, je pensais m'ennuyer ferme.

— Très franchement, c'est l'impression que vous donniez, chaque fois que je vous regardais. Vous n'avez quasiment pas bougé de votre siège en neuf manches.

— Vous bougiez bien assez pour deux, répliqua-t-elle malicieusement.

— Pourquoi me regardiez-vous aussi fixement ?

Brooke hésita un instant avant d'opter pour la franchise.

— J'admirais votre façon de vous déplacer, expliqua-t-elle en souriant.

— Merci. Est-ce pour cela que vous avez accepté mon invitation à dîner ?

— Non. J'aime manger, c'est tout. Par contre, j'avoue que je me suis demandé pourquoi vous m'aviez invitée.

— Parce que quelque chose en vous a éveillé ma curiosité. Parce que vous avez un très beau visage. Et parce que ce n'est pas tous les jours qu'une jolie femme passe deux heures à me regarder comme vous l'avez fait.

— Je croyais que c'était le lot de tous les sportifs, objecta Brooke.

— Peut-être, acquiesça Parks. Mais vous n'avez vraiment rien d'une fan de base-ball.

Il lui jeta un nouveau coup d'œil. Son expression était pensive, comme s'il cherchait en elle la réponse à une énigme. Brooke fut tentée de lui révéler qui elle était vraiment et pourquoi elle était venue voir le match. Finalement, elle garda le silence, bien décidée à en apprendre plus sur son compte avant de tout lui raconter.

Parks avait réservé une table dans un restaurant grec. Tous deux s'y installèrent et commandèrent des verres d'ouzo. Un groupe enchaînait des morceaux entraînants tandis que le serveur qui s'occupait d'eux chantonnait à l'unisson. L'atmosphère était chaleureuse et la cuisine succulente, ce qui mit Brooke d'excellente humeur.

— Cela vous plaît? demanda Parks lorsque tous deux se furent attaqués aux entrées variées qu'ils avaient commandées.

— Beaucoup, reconnut-elle. Cet endroit est vraiment très convivial. On dirait un restaurant familial. J'imagine les parents mitonnant de délicieux petits plats dans la cuisine tandis que leurs enfants font le service et que l'oncle Stephos s'occupe du bar…

L'image arracha à Parks un sourire amusé.

— Est-ce que vous venez d'une famille nombreuse? demanda-t-il.

Immédiatement, la jeune femme se rembrunit et Parks comprit qu'il avait touché un point sensible. Il évita de s'attarder sur ce sujet délicat.

— Vous êtes mariée? demanda-t-il.

— Il est un peu tard pour poser la question, remarqua-t-elle avec une pointe d'ironie.

— Pourquoi ? Nous n'avons rien fait de mal. Alors ? Vous l'êtes ?

Elle leva sa main gauche et il réalisa qu'elle ne portait ni alliance ni aucun autre bijou.

— Je travaille beaucoup trop pour me marier, déclara-t-elle.

— Et ce travail porte ses fruits ?

— Je n'ai pas à me plaindre. Et vous ?

Parks la contempla attentivement, admirant les reflets que faisait naître la flamme des bougies sur ses beaux cheveux roux.

— Pour le moment, j'ai le vent en poupe, répondit-il. Mais au base-ball, on ne sait jamais de quoi le lendemain sera fait. Il suffit d'une mauvaise blessure ou d'un accès de malchance pour passer du statut de héros à celui de brebis galeuse !

— Cela vous est déjà arrivé ?

— Plusieurs fois.

Curieuse, Broke se pencha vers lui et le regarda droit dans les yeux.

— Comment fait-on pour s'en sortir, dans ces cas-là ? demanda-t-elle.

— Certains changent de batte, d'autres de position sur le marbre, d'autres de numéro de maillot… On peut aussi se mettre au régime, prier ou opter pour l'abstinence et le célibat.

— Et qu'est-ce qui marche le mieux ? demanda-t-elle en riant.

— Un mélange de tout ça, je suppose, répondit-il en haussant les épaules.

Il posa doucement sa main sur celle de la jeune femme et la retourna, comme pour étudier les lignes qui s'y dessinaient. Du doigt, il suivit l'une d'elles. A ce contact, Brooke ne put retenir un frisson de désir aussi brutal qu'inattendu.

— D'où êtes-vous, exactement ? lui demanda-t-il.

— De nulle part en particulier, dit-elle.

— Tout le monde vient de quelque part.

— Non, fit-elle. Pas tout le monde.

Une fois de plus, Parks comprit qu'il s'aventurait en terrain miné. La dureté qu'il avait perçue dans la voix de Brooke alimenta encore la curiosité qu'il éprouvait à son égard. Du pouce, il effleura son poignet et perçut son pouls rapide.

— Parlez-moi de vous, l'encouragea-t-il.

— Que voulez-vous savoir ?

— Tout.

Brooke lui décocha un sourire amusé.

— Je ne raconte jamais à personne tout ce qui me concerne, lui dit-elle.

— Vous avez bien un métier ?

— Oui, acquiesça-t-elle. Je travaille dans la publicité.

Elle ne précisa pas ce qu'elle faisait exactement, certaine que Parks la prendrait pour une actrice.

— C'est amusant, déclara-t-il. Je dois justement tourner dans une série de spots.

Il fit une petite grimace qui prouvait que cette perspective ne le réjouissait guère.

— Est-ce que cela vous plaît ? demanda-t-il.

— Si ce n'était pas le cas, je ferais autre chose.

Il la contempla attentivement puis hocha la tête.

— J'aurais dû m'en douter.

— On dirait que vous êtes beaucoup moins enthousiaste, remarqua-t-elle en retirant doucement sa main.

Le contact de celle de Parks l'empêchait de se concentrer et elle ne pouvait se permettre de s'abandonner au pouvoir de séduction qu'il exerçait sur elle.

— A vrai dire, l'idée de débiter des âneries en portant les vêtements de quelqu'un d'autre ne me plaît pas plus que cela…

Il tendit la main vers le visage de Brooke et attrapa une boucle de cheveux qu'il enroula autour de son doigt sans la quitter des yeux.

— Vous avez vraiment un visage fascinant, vous savez. Lorsque je vous ai vue dans les tribunes, j'ai pensé que vous ressembliez à l'un de ces portraits du xviiie siècle.

— Est-ce que vous seriez en train de me faire du charme, monsieur Jones ? demanda-t-elle malicieusement.

— Non, répondit-il avec un sourire assuré. Lorsque ce sera le cas, vous n'aurez pas à poser la question.

— Me voilà prévenue, répondit-elle en se dégageant doucement.

Elle commençait à se demander avec une pointe d'angoisse si elle était vraiment à la hauteur du petit jeu de séduction qui venait de s'engager entre eux. Une chose était certaine : Parks était un homme très charismatique et il serait parfaitement capable de s'exprimer devant une caméra.

En fait, elle commençait à comprendre pourquoi De Marco et Claire avaient vu en lui un porte-parole idéal. Le charme qui émanait de lui ferait certainement merveille sur un écran de télévision.

— Dites-moi, est-ce que vous montez à cheval ?

— Pardon ? dit Parks, un peu surpris par cette question inattendue.

— Est-ce que vous faites de l'équitation ?

— Euh, oui… Pourquoi ?

— Je me posais juste la question. Et du Deltaplane ?

Parks ouvrit de grands yeux. C'était bien la première fois qu'on lui posait de telles questions à un premier rendez-vous.

— Cela m'est interdit par le contrat que j'ai signé avec l'équipe. Tout comme le ski ou la course automobile. Puis-je savoir pourquoi vous me demandez cela ?

— Non, répondit-elle sans se démonter. Que diriez-vous d'un dessert ?

— Pourquoi pas ? fit-il, un peu interdit.

Il héla le serveur.

Une demi-heure plus tard, ils quittèrent le restaurant et regagnèrent la voiture de Parks.

— Est-ce que vous mangez toujours autant ? demanda-t-il, curieux.

— Chaque fois que j'en ai l'occasion, acquiesça Brooke.

Elle prit place sur le siège passager et s'étira en un mouvement qu'il trouva terriblement sensuel.

Brooke se sentait bien. Elle avait autant apprécié le repas qu'ils venaient de faire que la compagnie de Parks. Peut-être était-ce parce que, durant les trois heures qu'ils avaient passées ensemble, ils n'avaient quasiment rien appris l'un sur l'autre. Cette aura de mystère pimentait leur relation, excitant sa curiosité.

Bien sûr, cela ne durerait pas. Un réalisateur se devait de percer à jour les mécanismes les plus secrets de ses acteurs. Et c'était bien ce qu'était Parks, que cela lui plaise ou non. Mais elle n'était pas pressée de dissiper le malentendu qui existait entre eux et entendait bien profiter tant que possible de cette délicieuse ambiguïté.

Lorsque Parks s'installa au volant, il la regarda longuement avant de secouer la tête avec une pointe d'agacement.

— Quand me direz-vous qui vous êtes vraiment ? lui demanda-t-il enfin.

Brooke sourit, heureuse de découvrir que l'étrangeté de la soirée ne lui avait pas échappé, à lui non plus.

— Je n'ai pas encore décidé, répondit-elle posément.

— Dans ce cas, il faudra que nous nous revoyions, déclara-t-il.

— Ne vous en faites pas pour ça.

Parks soupira et fit démarrer sa voiture. Il avait la sensation très distincte que Brooke se jouait de lui et cette idée ne lui plaisait guère. Mais il savait aussi qu'il serait parfaitement incapable de garder ses distances comme il aurait certainement dû le faire.

Il avait connu des tas de femmes, des plus distantes aux plus enthousiastes, des plus sophistiquées aux plus simples. Mais Brooke semblait échapper à toute tentative de classification. Elle ne ressemblait à aucune autre. Il y avait en elle un mélange d'assurance qui confinait à l'agressivité et de fragilité. Elle exerçait sur lui une attirance incontestable. Mais il y avait plus que cela.

En fait, il avait envie de découvrir qui elle était, d'effacer la distance qu'elle maintenait entre eux pour connaître chacune de ses pensées, pour comprendre quelles étaient ses motivations profondes.

Ils roulèrent en silence tandis que la radio susurrait une vieille ballade démodée. Brooke avait la tête renversée en arrière et contemplait le ciel étoilé. C'était la première fois depuis de longs mois qu'elle se sentait aussi détendue face à un homme.

Elle ne tenait pas vraiment à savoir pourquoi il en était ainsi et se contentait de jouir de cette impression déconcertante. Leur silence, loin de la mettre mal à l'aise, créait entre eux une agréable impression de complicité.

Parks n'avait laissé filtrer aucune indication sur la façon dont il comptait conclure cette soirée. Mais elle sentait instinctivement qu'il ne chercherait pas à brusquer les choses et qu'elle n'aurait aucun besoin de repousser des avances trop pressantes.

Brooke ferma les yeux et ses pensées dérivèrent sur la journée de travail qui l'attendait le lendemain.

Ce fut l'arrêt de la voiture qui la réveilla. Elle constata qu'ils étaient arrivés chez elle et que Parks s'était garé derrière son propre coupé. Elle se tourna vers lui et lui sourit.

— Vous conduisez vraiment très bien, lui dit-elle. Il est rare que je me sente assez en confiance pour m'endormir de cette façon.

Parks hocha la tête. Il l'avait regardée dormir, admirant l'éclat diaphane de sa peau à la lueur de la lune. Elle lui avait paru plus éthérée que jamais, aussi pâle qu'une statue d'albâtre. Le vent avait emmêlé ses cheveux et il savait désormais à quoi ils ressembleraient lorsqu'il s'éveillerait à son côté après une nuit d'amour passionnée.

Car cela ne faisait plus l'ombre d'un doute à ses yeux : tôt ou tard, il parviendrait à la convaincre d'explorer l'étrange alchimie qui existait entre eux. Mais il sentait confusément que le moment n'était pas encore venu et qu'il devait agir avec prudence.

— Cette fois, c'est vous qui me regardez fixement, observa Brooke.

Il sourit. Mais ce n'était pas le sourire décontracté et facétieux qu'elle commençait à connaître si bien. Celui-ci était plus mystérieux, plus troublant, et contrastait avec l'expression décidée de son regard.

— Je crois que nous allons devoir nous y habituer l'un et l'autre, déclara-t-il.

Se penchant vers la portière de la jeune femme, il l'ouvrit.

Elle ne chercha pas à échapper au contact de son corps, se contentant de l'observer en s'efforçant de conserver un certain détachement. Mais il recula sans amorcer le moindre geste déplacé et descendit du véhicule.

— J'adore cet endroit, déclara-t-il lorsqu'elle sortit à son tour.

Elle s'attendait à ce qu'il lui prenne le bras ou la main pour la raccompagner jusqu'à sa porte. Mais il n'en fit rien et, curieusement, elle en éprouva un léger sentiment de frustration.

— J'avais une maison du même genre à Malibu, autrefois.

— Vous avez déménagé ?

— Oui. Il commençait à y avoir beaucoup trop de monde à mon goût. Quitte à vivre en dehors du centre-ville, j'aimerais autant trouver un endroit où je ne passerais pas mon temps à croiser des gens...

— Cela ne risque pas de m'arriver ici, remarqua Brooke. Mes voisins les plus proches habitent à un kilomètre dans cette direction. Ce sont de jeunes mariés qui n'aspirent qu'à la tranquillité. Je crois qu'ils se sont rencontrés sur le plateau d'une série télévisée dans laquelle ils jouaient tous les deux.

Brooke s'interrompit et quelques instants s'écoulèrent. On n'entendait pas d'autres bruits que le chant des grillons et le bruit du vent dans les arbres. Le temps paraissait comme suspendu.

— Merci pour ce dîner, dit-elle enfin en tendant la main à Parks.

Elle se demanda s'il la prendrait ou s'il essaierait de l'embrasser. La seconde hypothèse paraissait la plus probable et elle était curieuse de découvrir quel effet lui ferait ce baiser.

Parks savait pertinemment ce à quoi elle s'attendait et il était terriblement tenté de goûter à ces lèvres délicieuses. Mais il savait aussi qu'elle ne ferait preuve d'aucune passion, se contentant de se laisser faire avec cet agaçant détachement dont elle avait fait preuve tout au long de cette soirée.

Il était temps de la surprendre et de lui offrir quelque chose d'inattendu. Car tant qu'il ne parviendrait pas à la prendre au dépourvu, elle prolongerait ce jeu de masques et il n'apprendrait rien de plus à son sujet.

Brooke sentit les doigts de Parks se refermer sur les siens et il se pencha vers elle. Mais il se contenta d'effleurer sa joue de ses lèvres. Curieusement, ce geste lui parut infiniment plus érotique qu'un baiser. D'ordinaire, lorsqu'un homme l'embrassait, elle réussissait à maintenir une certaine distance, à se détacher de l'instant pour observer la scène comme elle l'aurait fait à travers l'œilleton d'une caméra.

Cette fois, elle en fut incapable. La douceur et la sensualité de ce moment la prirent de court et elle ne put réprimer un long et délicieux frisson qui se communiqua au plus profond de son être.

Parks sentit ce frémissement et s'écarta pour contempler ses yeux qui s'étaient légèrement voilés. Il se pencha de nouveau vers elle et effleura son autre joue, aussi délicatement qu'il le put.

Brooke exhala un léger soupir dont elle n'eut pas même conscience. Le désir qui s'éveillait en elle était aussi impérieux qu'inexplicable. Il la submergeait tout entière, enflammant ses sens et faisant naître au creux de son ventre une étrange chaleur.

Elle essaya de l'embrasser mais Parks évita sa bouche et posa un baiser sur chacune de ses paupières. Elle sentait son haleine brûlante effleurer sa peau, glisser le long de ses tempes et de son cou qu'il effleura du bout de la langue, lui arrachant un nouveau frisson. Le désir se mêlait à présent à une incoercible frustration et ces deux sensations s'alimentaient l'une l'autre.

Parks mordilla délicatement le lobe d'une de ses oreilles. Il sentait son corps trembler doucement et savait qu'en cet instant, il aurait pu tout exiger d'elle. Il brûlait de sentir les lèvres de Brooke contre les siennes, de plonger les mains dans ses cheveux soyeux, de caresser sa peau nue.

Mais il savait qu'il était trop tôt. S'ils faisaient l'amour aujourd'hui, elle redeviendrait distante dès le lendemain et lui signifierait sans doute qu'elle ne voulait plus le revoir. Or il n'entendait pas se contenter d'une nuit de passion débridée. Il voulait plus, beaucoup plus…

Luttant de toute la force de sa volonté contre son propre désir, il continua donc à couvrir son visage de petits baisers, n'épargnant que sa bouche qui frémissait pourtant d'impatience. Il prenait son temps, laissait croître l'envie qu'elle avait de lui, la confrontait à la réalité de ce besoin qu'elle ne pouvait maîtriser.

Son cœur battait la chamade, son sang lui paraissait s'être changé en lave et il craignait à chaque instant de succomber. Mais il tint bon, redoublant de douceur alors qu'il ne désirait qu'une chose : l'entraîner à l'intérieur pour laisser libre cours à sa passion.

Jamais aucune femme n'avait éveillé en lui un écho si puissant, une résonance si parfaite qui laissait deviner l'intensité de sensations plus délicieuses encore.

— Parks, murmura-t-elle d'une voix très rauque qui le fit frémir. Embrasse-moi…

— C'est ce que je fais, articula-t-il.

Brooke serra les dents, luttant vainement contre la frustration qui grandissait à chaque instant et menaçait de lui faire perdre toute raison, toute retenue. Des images d'un érotisme insoutenable se succédaient dans son esprit enfiévré.

Elle se voyait rouler sur son lit défait, nue contre le corps puissant de Parks. Elle pouvait presque le sentir entrer en elle. Elle se voyait onduler contre lui, les jambes nouées autour de ses hanches tandis que tous deux découvraient ensemble l'horizon d'un plaisir qu'elle n'avait fait qu'entrevoir jusqu'alors.

— Embrasse-moi vraiment, supplia-t-elle, trop troublée pour pouvoir préserver la moindre once de fierté.

Jamais elle n'avait éprouvé un tel besoin. Il était si impérieux, si primitif qu'elle était incapable de lutter, qu'elle n'avait pas même envie de le faire. Tout ce qu'elle désirait, c'était s'abandonner sans rémission, se laisser aller à cette magie inexplicable.

Mais Parks recula d'un pas et la regarda droit dans les yeux. Son regard, si clair en temps normal, était devenu étrangement opaque. Elle y devinait une envie semblable à la sienne. Mais il y avait autre chose : une volonté farouche, indomptable, qui trahissait la parfaite maîtrise qu'il exerçait sur ses propres sens.

Il se pencha vers elle comme s'il s'apprêtait à l'embrasser mais se contenta de murmurer contre ses lèvres :

— La prochaine fois.

Sur ce, il se détourna et se dirigea vers sa voiture, laissant Brooke dans un état de frustration presque intolérable.

3

— É coute, Linda, j'aimerais au moins que tu fasses semblant d'apprécier, soupira Brooke.

Elle se tourna vers son chef opérateur.

— E.J., on recommence. Travelling le long des jambes en partant des pieds. Et prends ton temps, d'accord?

Un sourire se dessina sur son visage d'ébène et il hocha la tête.

— Avec plaisir, répondit-il malicieusement avant de faire basculer la caméra vers sa position initiale.

Il refit le point sur les orteils vernis de l'actrice.

— Il fait beaucoup trop chaud, protesta celle-ci.

Elle était allongée sur une serviette de plage et paraissait tout droit sortie de l'imagination enfiévrée d'un adolescent. Ses longs cheveux blonds, ses jambes interminables et sa silhouette de mannequin devaient mettre en valeur les mérites d'une lotion solaire modestement appelée *Eden*.

Ce tournage aurait dû n'être qu'une simple formalité, l'affaire de quelques plans tournés en deux heures. Mais cela faisait déjà trois heures qu'ils travaillaient et Linda paraissait avoir beaucoup de mal à se concentrer.

— Mary, remets-lui un peu de poudre, demanda Brooke à sa maquilleuse. Elle n'est pas censée transpirer comme ça. Linda, quand nous commencerons à tourner, compte lentement jusqu'à six avant de relever ta jambe. A douze, tu passes langoureusement ta main dans tes cheveux. Et lorsque tu dis ton texte, regarde bien la caméra et pense « sexe ».

— Je voudrais bien t'y voir! s'exclama l'actrice. Je suis en train de frire sous ces maudits projecteurs.

— Raison de plus pour en finir rapidement! On y va. Silence! Moteur!

— Ça tourne, confirma E.J.

— Action!

Brooke se tourna vers le moniteur et observa attentivement la scène. La caméra remonta lentement le long des jambes splendides de Linda, dévoila une hanche arrondie, un ventre plat d'une délicieuse couleur miel, une poitrine qui gonflait généreusement le soutien-gorge de son maillot de bain. Puis elle s'arrêta sur le visage mutin de la jeune femme, révélant l'éclat de ses jolis yeux bleus, la sensualité de ses lèvres d'un rouge carmin et la perfection de son sourire.

— Mon bronzage, c'est *Eden*, déclara Linda.

— Coupez! s'exclama Brooke après quelques secondes.

Elle s'essuya le front. Il était encore tôt dans la journée mais un soleil de plomb rayonnait déjà dans le ciel d'azur. A travers les semelles de ses baskets, elle sentait la chaleur du sable.

— Pas mal, dit-elle à Linda pour l'encourager. J'aimerais juste un tout petit peu plus d'enthousiasme. Je sais que la phrase d'accroche des publicitaires n'est pas brillante. Tu es donc la seule qui puisse rattraper le coup…

— Si tu veux, je te laisse ma place, répliqua Linda d'un ton déprimé.

— Je ne suis pas sûre de posséder les mêmes atouts, déclara Brooke. Et puis, c'est toi que l'annonceur paie une fortune pour vendre cette lotion.

Elle se détourna et s'efforça de dominer l'accès de colère qui montait en elle. Elle avait suffisamment d'expérience pour savoir qu'en s'emportant contre un acteur, on ne faisait que compliquer les choses. Mais depuis la soirée qu'elle avait passée avec Parks, elle avait les nerfs à fleur de peau.

Prenant une profonde inspiration, elle s'admonesta intérieurement : en aucun cas, elle ne pouvait laisser un problème personnel influer sur sa façon de travailler.

— Linda, reprit-elle d'une voix plus douce, je comprends parfaitement que tu en aies assez mais tu es une professionnelle.

Tu sais aussi bien que moi que nous devons tourner cette publicité aujourd'hui, quoi qu'il arrive.

— Je sais, soupira Linda. Mais si cela dure encore longtemps, j'attraperai de tels coups de soleil que cela risque de desservir le produit.

Brooke sourit.

— Dans ce cas, faisons en sorte que la prochaine prise soit la bonne.

En réalité, ce ne fut que vers midi qu'ils tournèrent les derniers plans d'ensemble et purent ranger leur matériel. Brooke et E.J. s'accordèrent alors une pause à l'arrière de la camionnette du chef opérateur. Il sortit deux boissons fraîches d'une glacière et en tendit une à la jeune femme.

— Je ne comprends pas pourquoi Linda a mis si longtemps, soupira-t-elle en passant la cannette glacée sur son front brûlant. D'habitude, elle ne cause pas tant de problèmes.

— Elle a rompu avec son petit ami, la semaine dernière, expliqua E.J.

— Décidément, rien ne t'échappe, fit Brooke en souriant.

— J'aime me tenir informé, acquiesça-t-il. Je sais par exemple que tu dois assister à la soirée organisée par De Marco, ce soir.

— C'est vrai.

En fait, Brooke attendait ce moment avec une certaine impatience. Ce serait l'occasion pour elle de donner à Parks Jones une petite leçon de modestie. Car elle ne lui avait toujours pas pardonné l'état de frustration dans lequel il l'avait abandonnée après leur dîner au restaurant.

— J'ai hâte de rencontrer Parks, déclara E.J. après avoir avalé une longue gorgée de soda. C'est le meilleur troisième base qu'aient eu les Kings depuis longtemps. Et c'est un batteur redoutable.

— Cela n'en fait pas forcément un bon acteur, remarqua Brooke.

— Toi, tu n'as pas l'air d'être une inconditionnelle du baseball, commenta E.J. avec un sourire amusé.

— Pas vraiment.

— Tu devrais quand même t'y intéresser. Parce que plus

Parks marquera de points cette année et plus la campagne de publicité sera efficace. Et si son équipe se qualifie pour les séries mondiales…

— Alors il nous faudra attendre la fin du mois d'octobre pour tourner.

— Cela fait partie des aléas du métier, répondit E.J., philosophe.

— Je suppose, soupira Brooke. Bon, nous ferions mieux de rentrer. Nous devons tourner en studio dans moins d'une heure. Tu veux que je prenne le volant ?

— Sûrement pas ! s'exclama son chef opérateur d'un ton horrifié. Je tiens à rester en vie.

— Tu n'es qu'un lâche ! s'exclama Brooke en riant.

— Je sais. Mais, très honnêtement, l'idée de franchir le mur du son avec cette vieille guimbarde ne me dit vraiment rien.

Ils s'installèrent à l'avant de la camionnette qui émit force grognements et toussotements avant de condescendre à démarrer.

— Pourquoi ne t'achètes-tu pas une nouvelle voiture ? demanda Brooke. Tu gagnes assez bien ta vie pour t'offrir quelque chose de plus luxueux.

— Peut-être. Mais je suis attaché à celle-ci. Elle m'a servi fidèlement pendant sept longues années et elle sera probablement toujours en état de rouler quand tu auras détruit ton petit bolide en tôle ondulée.

Brooke se garda bien de répondre. E.J. ne cessait de lui reprocher sa façon de conduire. Cette insistance trahissait d'ailleurs l'amitié qui les unissait. Le chef opérateur de Brooke était l'une des rares personnes avec lesquelles elle travaillait à avoir noué avec elle des rapports personnels.

La plupart des autres respectaient son professionnalisme mais la trouvaient trop froide et trop ambitieuse. E.J., lui, ne s'était jamais laissé intimider par cette apparence trompeuse. Elle en était d'autant plus heureuse qu'il était à ses yeux l'un des meilleurs directeurs de la photographie de la côte Ouest.

Il était né à San Francisco où son père était directeur d'un lycée et où sa mère tenait un salon de beauté renommé. Elle les avait rencontrés une fois, alors qu'ils étaient venus rendre visite à leur fils à Los Angeles, et se demandait toujours comment deux personnes aussi sérieuses avaient pu engendrer un bon vivant comme E.J. qui ne se passionnait que pour les jolies femmes et les films de série B les plus improbables.

Peut-être était-il justement devenu l'homme qu'il était par réaction au conservatisme de ses parents. Brooke aurait été incapable de le dire. Elle ignorait tout des rapports si particuliers que pouvaient nouer entre eux les membres d'une même famille. La plupart du temps, elle se contentait d'observer ce type d'interactions avec un mélange de recul et d'envie, sans vraiment les comprendre.

— J'ai appris que tu avais assisté au match des Kings, l'autre soir ? demanda brusquement E.J. en lui jetant un regard perçant.

— Vraiment ?

— Oui. J'ai croisé Brighton Boyd à une fête, hier soir. Nous avons travaillé ensemble sur un pilote de série télévisée, l'année dernière. C'est un type bien.

Brooke se rappela brusquement l'acteur qui avait assisté au match en leur compagnie.

— C'est un grand fan des Kings, reprit E.J. en allumant la radio qui se mit à déverser un flot assourdissant de hard rock. Il m'a parlé du jeu de Jones. Il était aux anges.

Brooke garda le silence, se demandant où son ami voulait en venir.

— Il m'a dit aussi que Jones n'arrêtait pas de te regarder et qu'il avait l'air d'être complètement sous le charme. Il paraît même qu'il est venu te parler en plein milieu du match sous prétexte de récupérer une balle…

— Je suppose que tu comptes sur moi pour te répéter ce qu'il m'a dit ?

— On ne peut rien te cacher, déclara E.J. en riant.

Brooke pesta intérieurement. Elle savait pertinemment qu'elle était prise au piège : si elle se contentait d'éluder la question, cela ne ferait que renforcer les soupçons d'E.J. Et elle ne tenait pas à ce qu'il aille répéter à tout le monde que Jones et elle avaient une liaison.

— Il voulait juste connaître mon nom, répondit-elle.

— Alors, il t'a invitée à dîner ?

— Je n'ai jamais dit ça.

— C'est inutile. Je ne pense pas qu'il t'ait demandé ton nom par pure curiosité.

Brooke lui jeta un regard noir qui aurait probablement découragé la plupart des gens. Mais E.J. se contenta d'en rire.

— Tu es une incorrigible commère, lui dit-elle.

— Oui. Alors ? Vous avez dîné ensemble ?

— Oui, soupira-t-elle. Mais il ne s'est rien passé, si tu tiens à le savoir.

— Tiens donc ! Parks ne serait pas aussi malin qu'il en a l'air. A moins qu'il n'ait pas voulu mêler sa vie personnelle et sa vie professionnelle en sortant avec celle qui doit le diriger...

— Il ne sait pas que c'est moi qui suis chargée de réaliser ces publicités.

— Vraiment ? Et tu ne lui en as rien dit ?

— Non.

— Je vois, murmura E.J.

— Je n'ai pas jugé cela nécessaire, tenta de se justifier Brooke. Je me suis dit que j'aurais ainsi l'occasion de voir à quoi il ressemblait au naturel.

Rétrospectivement, cette explication pourtant authentique lui paraissait bien peu convaincante. C'était d'ailleurs ce que semblait penser E.J. qui lui jeta un regard empreint d'une certaine ironie.

— Tais-toi et contente-toi de conduire, gronda-t-elle, embarrassée.

— Oui, chef. A vos ordres, chef !

Brooke resta quelques instants silencieuse. Mais elle sentait les coups d'œil amusés que lui jetait régulièrement E.J.

— Ne te fais aucune illusion, déclara-t-elle enfin. Il ne s'est rien passé entre nous et il ne se passera jamais rien. Ce type est un monstre de suffisance et d'arrogance.

— Ça n'a pas dû être une soirée très amusante, alors, feignit-il de compatir.

— Je préfère ne pas en parler.

— Pas de problème...

— Parks est le genre d'homme qui pense que toutes les femmes devraient tomber à ses pieds simplement parce qu'il est célèbre, riche et beau garçon. Mais je le soupçonne d'être complètement idiot.

— C'est étrange, remarqua E.J. Il est pourtant entré à Oxford en décrochant une bourse Rhodes. C'est l'une des plus difficiles à obtenir, paraît-il.

— Tu dois te tromper, protesta Brooke.

— Je ne crois pas. J'ai lu ça dans *Sports View*. Ils expliquaient que c'était pour cela que Parks n'avait fait son entrée dans une équipe professionnelle qu'à l'âge de vingt-deux ans.

— Je suis sûre qu'il doit s'agir d'une anecdote montée de toutes pièces pour faire rêver ses fans, déclara Brooke.

Mais, au fond d'elle-même, elle était loin d'en être convaincue. Et si l'information s'avérait exacte, cela signifiait qu'en plus d'être l'un des hommes les plus séduisants qu'il lui ait jamais été donné de rencontrer, Parks était également l'un des plus brillants.

Et cela ne l'aiderait certainement pas à se débarrasser de l'attirance qu'elle éprouvait à son égard...

La villa californienne de De Marco était un endroit exceptionnel. Par comparaison, même celle de Claire faisait l'effet d'une bicoque sans prétention. Il s'agissait d'un immense bâtiment en forme de E majuscule qui abritait deux superbes cours intérieures.

L'une d'elles comportait une piscine en marbre décorée de sculptures et de chutes d'eau artificielles. L'autre était décorée d'un jardin exotique méticuleusement entretenu où poussaient des centaines de fleurs d'espèces les plus diverses.

Un orchestre avait été engagé pour animer la soirée et Brooke fut accueillie par un trio constitué d'un pianiste, d'une harpiste et d'un violoniste. Elle réalisa que la plupart des invités devaient déjà être arrivés. Des dizaines de petits groupes s'étaient formés et discutaient en grignotant de délicieux canapés accompagnés de champagne.

En traversant le grand hall, elle fut assaillie par l'odeur subtile des parfums de prix qui se mêlait aux senteurs épicées des amuse-gueules indiens. La magnificence des robes et des bijoux arborés par les femmes présentes prouvait s'il en était besoin que De Marco n'avait convié à cette réception que le gratin du tout-Hollywood.

Les bribes de conversations qu'elle surprit lui confirmèrent rapidement cette impression.

— Mais je ne pense pas qu'il soit capable d'assurer une saison de plus, déclarait un producteur bien connu. Tu as vu à quel point il est marqué ?

— Oh, il signera, assura un agent qu'elle connaissait de vue. Après le fiasco de cette pièce en Angleterre, il n'aura pas le choix…

— Si Warner veut bien de lui. George m'a dit qu'il était incapable de se rappeler plus de cinq lignes de texte.

— Mais le public l'adore ! C'est tout ce qui compte.

— Est-ce vrai qu'il a quitté sa femme pour une habilleuse ? intervint une jeune actrice montante.

— C'est parfaitement exact, lui assura le producteur d'un ton de conspirateur. Cela ne fera jamais que la quatrième pension alimentaire qu'il devra verser…

Brooke leva les yeux au ciel, se demandant comment ce genre de ragots pouvait encore intéresser ces gens qui en avaient vu se succéder des centaines au cours de leur carrière.

— Ah, te voilà ! s'exclama une voix familière. Je pensais que tu n'arriverais jamais.

Brooke se tourna vers Claire qui, malgré son âge, paraissait irrésistible dans l'extravagante robe bleue qu'elle portait ce soir-là.

— C'est une soirée très réussie, déclara son amie avant de croquer dans un petit four.

Claire observa attentivement Brooke, remarquant avec étonnement qu'elle semblait avoir particulièrement soigné son apparence, ce soir-là. La robe verte qu'elle portait soulignait l'éclat de ses cheveux roux qu'elle avait attachés, contrairement à son habitude.

Elle s'était également maquillée et portait un fin collier d'argent et des boucles d'oreilles assorties, ce qui ne lui ressemblait pas du tout. Mais cette coquetterie inattendue faisait ressortir de façon flagrante la beauté naturelle de la jeune femme.

— Que dirais-tu d'une coupe de champagne ? suggéra Brooke.

Elle héla l'un des serveurs et prit deux flûtes sur son plateau avant d'en tendre une à Claire.

— Tâche de ne pas en abuser, la prévint celle-ci. Les De Marco sont très à cheval sur le savoir-vivre.

— Ne t'en fais pas, je serai sage, lui promit Brooke en riant.

— Bien. Puisque tu sembles avoir pris de bonnes résolutions, je vais te présenter l'agent de Parks Jones.

— Je déteste parler à un agent lorsque j'ai le ventre vide, objecta Brooke. Oh, zut, ajouta-t-elle en fronçant les sourcils. Véra est ici. Si j'avais su…

Le jeune mannequin lui adressa un sourire aussi charmant qu'artificiel auquel elle s'efforça de répondre. Elles se croisaient souvent au cours de réceptions de ce genre et avaient même été amenées à travailler ensemble, de temps en temps. Mais l'animosité qui existait entre elles était de notoriété publique.

— Pas de dispute ce soir, lui souffla Claire. De Marco compte faire appel à elle pour sa campagne.

— Ne compte pas sur moi pour la diriger ! répondit vivement Brooke. Je ne veux plus jamais avoir affaire à elle.

— Nous en rediscuterons, éluda Claire. Ah, Lee ! Nous vous cherchions justement. Lee Dutton, je vous présente Brooke Gordon. C'est elle qui réalisera les spots dans lesquels tournera Parks. C'est ma meilleure réalisatrice.

Brooke retint un sourire ironique. Sa productrice se montrait aussi généreuse en compliments lorsqu'elles étaient en public qu'elle en était avare en privé.

— Enchantée de faire votre connaissance, monsieur Dutton, déclara-t-elle en tendant la main à l'agent de Parks.

Il la serra avec cordialité. C'était un homme de petite taille au crâne dégarni et au regard perçant. Il parut aussitôt très sympathique à la jeune femme qui avait pourtant pour habitude de se méfier des agents.

— Je lève mon verre à cette association, déclara-t-il en joignant le geste à la parole. Puisse-t-elle nous réussir à tous ! Je sais que Parks a hâte de commencer.

— Vraiment ? fit Brooke qui se rappelait le peu d'enthousiasme dont il avait fait montre en évoquant cette campagne de publicité.

Claire lui décocha un regard de mise en garde et passa son bras sous celui de Lee.

— A ce propos, où est-il ? lui demanda-t-elle en souriant. Nous brûlons toutes deux de faire enfin sa connaissance.

— Il s'est fait aborder par une horde de charmantes jeunes femmes dont il a le plus grand mal à se débarrasser, expliqua Lee avec le sourire indulgent d'un vieil oncle.

Mais Brooke n'était pas dupe : l'ironie dont elle venait de faire preuve ne lui avait pas échappé et il ne la quittait pas des yeux.

— Le pauvre, renchérit-elle, sardonique. J'espère qu'il parviendra à leur échapper. Mais parlez-moi un peu de lui, monsieur Dutton. Je suis très fan du joueur mais je ne connais pas l'homme qui se cache derrière.

— Ainsi, vous vous intéressez au base-ball, fit Lee, surpris.

— Tout à fait. Claire et moi sommes même allées le voir jouer, il y a quelques jours.

— C'est exact, acquiesça celle-ci en lui jetant un regard interrogateur. Avez-vous souvent l'occasion d'assister aux matchs, monsieur Dutton ?

— Appelez-moi Lee, je vous en prie. Et pour répondre à votre question, j'avoue que je n'y vais pas aussi souvent que je le voudrais. Mais je comptais aller voir celui de samedi prochain. J'ai quelques billets en plus et je serais ravi de m'y rendre en votre compagnie, si cela vous tente.

Avant même que Brooke ait pu répondre, Claire opina avec enthousiasme.

— Volontiers, s'exclama-t-elle. Nous serions ravies de vous accompagner.

— Tant mieux, déclara Lee. Tenez, voilà justement Parks !

Il appela ce dernier d'une voix retentissante et plusieurs personnes lui jetèrent un coup d'œil étonné ou réprobateur avant de reprendre leurs conversations.

Parks entendit Lee le héler et se dirigea vers lui. C'est alors qu'il aperçut Brooke qui se tenait aux côtés de son agent et de la directrice de Thorton Productions. Tout en se demandant ce qu'elle pouvait bien faire en leur compagnie, il sentit renaître en lui le désir qu'elle lui avait insufflé au cours de la soirée qu'ils avaient passée ensemble.

Il avait laissé s'écouler quelques jours depuis ce fameux dîner, espérant que le temps l'aiderait à dominer cette attirance irré-pressible. Mais il lui suffisait de la regarder pour comprendre que cela n'avait servi à rien.

Il commença à se frayer un chemin parmi les invités. Cela prit plus de temps que prévu car il dut s'arrêter à plusieurs reprises pour saluer des personnes de sa connaissance et désamorcer les tentatives que firent plusieurs jeunes femmes pour attirer son attention. C'était un art qu'il avait développé dès que sa répu-tation avait commencé à croître et qu'il pratiquait désormais avec une habileté consommée.

Brooke le regardait faire avec admiration. Il parvenait à repousser les assauts de ses fans avec un mélange de gentillesse et de fermeté qui faisait merveille. Mais, à mesure qu'il se rapprochait, elle commençait à se demander avec inquiétude comment il réagirait en apprenant qui elle était vraiment.

Elle s'efforça cependant de minimiser ses angoisses, se rappelant qu'après tout, c'était lui qui l'avait appelée à l'aube pour l'inviter à dîner.

— Parks ! s'exclama Lee. Je voulais te présenter Claire Thorton. C'est elle qui produira les publicités dans lesquelles tu dois apparaître.

— Je suis ravi de faire votre connaissance, mademoiselle Thorton, déclara Parks en serrant la main de la productrice.

En réalité, il était plus surpris que ravi. Claire avait la réputation d'être une redoutable femme d'affaires et il n'aurait jamais imaginé qu'elle puisse être aussi séduisante. Il remarqua également que Lee ne paraissait pas indifférent à son charme.

— Je suis ravie que nous ayons l'occasion de travailler ensemble, monsieur Jones, déclara Claire. Je disais justement à Lee que Brooke et moi avions beaucoup admiré votre prestation au cours du match qui vous opposait aux Valiants, l'autre jour.

Parks se rappela alors pourquoi le visage de Claire lui paraissait vaguement familier. C'était effectivement elle qui se trouvait assise auprès de Brooke, ce jour-là. Il en déduisit que la jeune femme avait dû jouer dans des spots produits par Claire, ce qui expliquait sa présence à son côté.

— Enchanté de vous revoir, lui dit-il en s'inclinant légèrement vers elle.

— Moi de même, répondit Brooke, soulagée qu'il n'ait pas cherché à lui serrer la main.

La simple idée de le toucher de nouveau faisait naître en elle une peur panique. Pour se donner bonne contenance, elle avala une gorgée de champagne.

— Claire m'expliquait que Mlle Gordon était la meilleure, reprit Lee. Comme vous serez amenés à travailler ensemble, je pense que vous pourriez profiter de cette soirée pour faire connaissance.

— Travailler ensemble ? répéta Parks, étonné.

— Oui, renchérit Claire. C'est Brooke qui dirigera les publicités dans lesquelles vous jouerez. Pour un projet de cette magnitude, je préférais faire appel à mon meilleur élément !

Brooke observait attentivement Parks et elle fut sidérée par la maîtrise de soi dont il fit preuve une fois de plus. Seul son sourire un peu figé trahissait la surprise qu'il avait dû ressentir.

— Ainsi, vous êtes réalisatrice, dit-il d'une voix tout à fait cordiale.

— En effet, articula-t-elle.

— C'est fascinant…, murmura Parks. Voulez-vous bien nous excuser un instant ? ajouta-t-il à l'intention des deux autres.

Il prit Brooke par le bras et l'entraîna à l'écart. Elle essaya de se dégager mais il raffermit sa prise, ne lui laissant aucune chance de lui échapper. Comprenant qu'il était vain d'essayer de lutter, elle le suivit en s'efforçant d'avoir l'air naturelle.

— Lâche-moi, souffla-t-elle. Tu me fais mal.

— Considère que ce n'est qu'un avant-goût de ce qui t'attend, répliqua Parks en l'entraînant jusqu'aux portes-fenêtres.

Ils débouchèrent dans le jardin où était installé l'orchestre et Parks se dirigea vers un bosquet d'arbres qui les dissimule-raient aux yeux des autres invités. C'est alors que l'une de ses connaissances l'aperçut et le héla. Comprenant qu'il ne pouvait se contenter de l'ignorer, il obliqua vers la piste de danse impro-visée où évoluaient déjà plusieurs couples.

Là, il la prit dans ses bras et la serra contre lui pour l'empê-cher de fuir. Ignorant le son étranglé que fit entendre la jeune femme, il adressa un petit signe de la main à son ami qui sourit et hocha la tête avant de s'éloigner.

Parks la serrait si fort que Brooke avait presque du mal à respirer. La façon dont il venait de la traiter éveillait en elle une colère glacée. Lorsqu'il desserra enfin légèrement son étreinte, elle le fusilla du regard.

— Espèce de brute! s'exclama-t-elle. Pour qui est-ce que tu te prends? Je ne vais pas me laisser traiter de cette façon juste parce que tu es l'une de ces stars habituées à ce que les gens fassent leurs quatre volontés! Ne t'avise plus jamais de poser les mains sur moi!

Pour lui montrer combien elle était sérieuse, elle lui écrasa vicieusement le pied. Mais Parks ne se laissa pas intimider le moins du monde. Au lieu de la laisser partir, il raffermit sa prise, l'étouffant de nouveau.

— Tu danses merveilleusement bien, lui souffla-t-il d'un ton sardonique.

Discrètement, il lui mordit l'oreille. Brooke ne put réprimer un brusque accès de désir qui se mêla à la rage impuissante qui l'habitait en cet instant. Comment pouvait-elle réagir de cette façon après ce qu'il venait de lui faire? se demanda-t-elle avec une pointe d'angoisse.

— Tu risques d'avoir du mal à t'expliquer lorsque je me serai évanouie par manque d'oxygène, articula-t-elle.

— Tu ne t'évanouiras pas, lui assura-t-il en l'entraînant vers le bord de la piste de danse. Et je crois que c'est toi qui me dois quelques explications.

Il relâcha alors sa taille mais continua à lui agripper la main pour l'entraîner à l'abri d'un massif d'azalées. Elle essaya de nouveau de lui échapper mais il la bloqua contre le tronc d'un arbre. Elle sentit son corps musclé se presser contre le sien, ce qui ne l'aida guère à retrouver la maîtrise de soi dont elle avait tant besoin en cet instant.

— Alors, comme ça, tu aimes jouer avec les gens, déclara-t-il.

Son visage n'était qu'à quelques centimètres du sien et elle sentait son haleine brûlante effleurer sa joue.

— Je ne vois pas de quoi tu parles.

— Vraiment ? ironisa-t-il.

Brooke fronça les sourcils. Elle avait bien pensé que Parks lui en voudrait de lui avoir caché sa véritable identité mais elle n'avait pas imaginé qu'il pourrait être aussi furieux. Pourtant, l'éclat dangereux qui brillait dans ses yeux et la tension qu'elle percevait dans chacun de ses muscles prouvaient qu'il luttait pour conserver son sang-froid. Malgré elle, elle sentit monter en elle une irrépressible angoisse.

— Je te rappelle que c'est toi qui m'as demandé mon nom. C'est également toi qui m'as appelée à 6 heures du matin pour m'inviter à dîner. Tout ce que j'ai fait, c'est accompagner Claire à ce match de base-ball…

— Ne me prends pas pour un imbécile. Tu as accepté parce que tu étais curieuse, parce que tu voulais m'évaluer. Alors ? Quel est votre verdict, chère réalisatrice ?

Brooke hésita un instant avant de répondre.

— Si tu tiens à le savoir, voici mes conclusions. Tu bouges comme un danseur, plus que comme un athlète. C'est un atout pour un film. Tu as une carrure impressionnante sans être trop musclé, ce qui fait que les vêtements de De Marco devraient t'aller parfaitement. Tu as un visage séduisant et pas dépourvu de personnalité, ce qui est essentiel. Tu dégages un certain charme, une sensualité qui plaira aux femmes. C'est une bonne chose car ce sont souvent elles qui achètent des vêtements pour leurs maris ou leurs petits amis.

Brooke s'était exprimée d'une voix neutre et détachée, convaincue que cela ne ferait qu'ajouter à l'agacement de Parks. Et son attente ne fut pas déçue.

— Est-ce que j'ai le droit à une note ? demanda-t-il, furieux.

— Bien sûr, répondit-elle d'un ton léger, ravie d'avoir enfin l'occasion de lui faire payer la façon dont il l'avait ridiculisée l'autre soir. Disons sept sur dix. Evidemment, ta popularité ne cessera de grandir dès que les premières publicités seront diffusées. Claire pense aussi que le fait de qualifier ton équipe pour les séries mondiales aiderait énormément. Tu pourrais facilement atteindre les huit ou neuf sur dix…

— Je verrai ce que je peux faire, répliqua sèchement Parks. En attendant, explique-moi pourquoi tu ne m'as pas dit qui tu étais, l'autre jour.

— Je l'ai fait.

— C'est faux.

— Tu m'as demandé ce que je faisais dans la vie et je t'ai répondu que je travaillais dans la publicité, lui rappela-t-elle.

— Mais tu savais pertinemment que j'en conclurais que tu étais actrice.

— Je n'ai jamais dit une telle chose. Et tu ne peux pas me faire des reproches simplement parce que tu as tiré des conclusions hâtives et erronées.

— Je n'aime pas ce genre de petits jeux, déclara Parks.

— Je ne joue pas, répliqua Brooke. En fait, lorsque nous travaillerons ensemble, ce sera à toi de le faire. Moi, je me contenterai de te dire comment procéder.

— Seulement sur le plateau, lui rappela-t-il en posant la main sur sa joue. Et en dehors, que ferons-nous ?

— Rien du tout, répliqua-t-elle en s'efforçant d'adopter un ton sans appel.

Mais sa propre voix lui parut un peu forcée et elle espéra que Parks ne le remarquerait pas.

— Je n'aime pas ces règles-là, répondit-il posément. Nous devrions plutôt essayer les miennes.

Cette fois, Brooke était prête à résister à ses baisers. Elle était bien décidée à ne pas se laisser séduire aussi facilement que lorsque Parks l'avait raccompagnée chez elle. Aussi lui décocha-t-elle un regard glacé, le mettant au défi de tenter de nouveau sa chance.

Loin de détourner les yeux, il se contenta de la fixer en souriant, lui démontrant qu'il n'entendait pas non plus se laisser impressionner. Peu de gens étaient capables de soutenir le regard de Brooke aussi longtemps. A mesure que les secondes s'écoulaient, elle comprit qu'il venait de percer ses défenses.

Parks réalisa qu'il avait remporté une première victoire. Poussant son avantage, il laissa sa main glisser de la joue de la jeune femme à ses beaux cheveux roux. Ses doigts plongèrent au sein de ses mèches luxuriantes qui avaient la douceur de la soie. Il prit le temps de savourer quelques instants cette sensation délicieuse avant d'attirer Brooke contre lui pour l'embrasser.

Lorsque la bouche de Parks se posa sur la sienne, Brooke sentit les battements de son cœur s'accélérer brusquement. Elle s'efforça de dominer son trouble et de ne pas lui rendre son baiser. Mais il commença à mordiller doucement sa lèvre inférieure qu'il effleurait de sa langue, lui arrachant d'irrépressibles frissons de volupté.

Elle ne put retenir un petit gémissement de plaisir et il en profita pour se presser plus intimement contre elle. Elle essaya de lutter mais Parks n'entendait pas la laisser s'échapper aussi facilement. Et il était très difficile de lutter à la fois contre lui et contre le désir qu'elle sentait s'éveiller au creux de son ventre.

A mesure que la résistance de Brooke défaillait, l'empressement de Parks laissait place à une plus grande délicatesse. De conquérant, il se fit séducteur et ses baisers gagnèrent en douceur. La jeune femme ne tarda pas à perdre pied, sentant le peu de contrôle qu'elle exerçait encore sur elle-même lui échapper complètement.

Parks la sentit capituler et cela ne fit qu'ajouter à l'envie qu'il avait d'elle. Il savait que Brooke n'était pas le genre de femme à s'abandonner facilement. Pourtant, chaque fois qu'il l'avait tenue dans ses bras, elle avait cédé à ses avances.

Ce n'était jamais la colère et l'instinct de domination qui avaient raison de sa résistance. Ils ne faisaient qu'accroître sa méfiance. Par contre, elle était incapable de lutter contre la douceur et la tendresse. Peut-être en avait-elle été trop longtemps privée, songea Parks.

Puis il cessa de réfléchir à la question, se laissant emporter par les sensations délicieuses qui l'envahissaient. Jamais un simple baiser n'avait éveillé en lui un tel écho. Ses lèvres plus douces que la soie, sa langue brûlante, les frissons qui la parcouraient paraissaient lui promettre des trésors de sensualité. Et la simple idée de faire un jour l'amour avec elle lui donnait le vertige.

Brooke se sentait complètement dépassée par la tournure que prenaient les événements. Elle avait été bien décidée à faire preuve d'autorité et à marquer son territoire face à Parks. Mais il avait suffi qu'il l'embrasse pour que tout bascule.

A présent, elle ne parvenait même plus à conserver le contrôle de ses sens. Son corps tout entier était parcouru de frémissements qui semblaient se communiquer à tous ses membres. Son sang s'était changé en lave, éveillant au creux de son ventre une fournaise qu'alimentait son désir sans cesse croissant.

Lorsque les mains de Parks se posèrent sur son corps, elle ne put retenir un gémissement si rauque qu'elle eut peine à reconnaître sa propre voix. Comment pouvait-elle renoncer de cette façon à tout semblant de dignité ? Comment pouvait-elle laisser un homme qu'elle connaissait à peine exercer sur elle une telle emprise ?

Lorsqu'elle sentit les doigts de Parks glisser sous sa robe, un dernier sursaut de fierté la fit reculer.

— Non, protesta-t-elle d'une voix bien moins assurée qu'elle ne l'aurait voulu.

Parks la regarda droit dans les yeux et, dans son regard, elle perçut un désir aussi brûlant que le sien.

— Il faut que je te touche, Brooke, articula-t-il.

Il se contenta d'effleurer ses seins gorgés de désir mais ce simple contact suffit à faire monter en elle un besoin fulgurant qui se teintait d'une pointe de culpabilité.

— Un jour, je toucherai ton corps tout entier, murmura-t-il. Et puis, nous ferons l'amour. Lentement. Très lentement. Jusqu'à ce que nous n'en puissions plus. Jusqu'à ce que plus rien n'existe que cette envie que nous avons l'un de l'autre…

Sa voix avait quelque chose d'hypnotique et Brooke était incapable de lutter contre la fascination qu'il exerçait sur elle. En cet instant, s'il avait cherché à pousser son avantage, elle aurait été incapable de lui résister. Plus rien n'avait de sens en dehors de ce besoin insatiable qu'elle avait de lui.

Mais après avoir déposé un petit baiser sur ses lèvres, il posa ses paumes sur le dos de la jeune femme et s'immobilisa.

— C'est à toi de m'embrasser, maintenant, l'encouragea-t-il d'une voix rauque.

Brooke réalisa qu'elle aurait dû s'écarter de lui. Elle savait que, si elle l'avait fait, Parks n'aurait pas cherché à la retenir. Mais il était bien trop tard pour que l'orgueil l'emporte sur le désir.

Plongeant les mains dans ses cheveux, elle attira son visage vers elle et posa ses lèvres sur les siennes. Son baiser ne mentait pas. Il disait mieux que des mots cette envie qu'elle avait de lui.

Parks la laissa prendre l'initiative, répondant à chacun de ses assauts, à chacune de ses audaces. Le plaisir qu'elle lui offrait était si intense, si impérieux, qu'il craignit d'en perdre la raison.

Mais, au fond de lui, il savait que le moment n'était pas encore venu. Il avait appris beaucoup de choses au sujet de Brooke mais devinait qu'il ne s'agissait que d'une infime partie de ce qui lui restait à découvrir.

Et il ne voulait pas que leur étreinte se limite à la simple satisfaction du désir physique qu'ils éprouvaient en cet instant. Son instinct lui soufflait qu'une telle victoire ne se solderait que par une amère déception.

A contrecœur, il mit donc fin à leur baiser et s'écarta de Brooke. Pendant quelques instants, tous deux restèrent immobiles, se dévorant des yeux, tentant de recouvrer un semblant de sérénité et de contrôle.

— Que les choses soient bien claires entre nous, déclara-t-il enfin d'une voix légèrement haletante. Lorsque la caméra tournera, nous jouerons selon tes règles.

Il prit doucement le menton de la jeune femme au creux de sa main, se demandant combien de fois il devrait encore s'éloigner d'elle alors qu'il avait tellement envie de lui faire l'amour.

— Mais lorsque nous ne serons plus sur le plateau, nous respecterons mes propres règles, ajouta-t-il.

— Je te l'ai dit : je n'ai pas envie de jouer, articula-t-elle.

Parks sourit et effleura ses lèvres légèrement tuméfiées du bout de son pouce.

— Je suis sûr du contraire, répondit-il avec assurance.

Il laissa retomber sa main et fit un pas en arrière.

— Nous avons un travail à faire ensemble. Je sais que cette perspective ne doit pas te réjouir, en cet instant, mais je suis persuadé que cela ne changera rien à la qualité de ces spots publicitaires.

— C'est vrai, reconnut-elle. Même si je te déteste, je ferai en sorte que tu passes bien à l'écran.

— J'en étais sûr. Tu es une professionnelle consciencieuse et perfectionniste, Brooke. J'en suis convaincu depuis que nous avons dîné ensemble. Et tu ne laisserais jamais l'affectif influer sur ton travail.

— Ce sera d'autant plus facile que nous n'aurons aucun rapport de ce genre, déclara-t-elle posément.

— Je n'en suis pas aussi sûr que toi. Mais je suppose que nous avons tout le temps de le découvrir.

Parks lui décocha un sourire enjôleur.

— Dis-moi, reprit-il. Est-ce que tu as eu le temps de manger quelque chose ?

— Non.

— Dans ce cas, je vais aller te chercher une assiette. Ces petits canapés m'ont semblé vraiment délicieux.

4

Brooke avait beaucoup de mal à croire qu'elle était en train de perdre un merveilleux samedi après-midi dans les tribunes d'un stade de base-ball. Mais ce qui lui paraissait encore plus improbable, c'était le fait qu'elle finissait par se prendre au jeu.

La perspective de revoir Parks l'avait pourtant mise très mal à l'aise. Certes, il s'était montré tout à fait charmant après leur tête-à-tête dans le jardin de la villa De Marco. Il n'avait plus essayé de l'embrasser et s'était gardé de tout geste déplacé à son égard.

Mais elle savait que cela ne durerait pas. Parks lui avait clairement fait comprendre qu'il la désirait et qu'il finirait par obtenir sa reddition. Or elle n'était pas certaine de pouvoir lui résister très longtemps s'il décidait de se montrer plus pressant.

C'est donc avec une certaine anxiété qu'elle avait rejoint Claire et Lee au stade. Mais il avait suffi de quelques manches pour qu'elle oublie ses angoisses et commence à s'intéresser au match proprement dit.

La première fois, elle s'était surtout concentrée sur la façon dont jouait Parks et n'avait pas vraiment prêté attention au reste de l'équipe. Mais elle découvrait à présent toutes les subtilités qui lui avaient échappé.

Le base-ball était un sport beaucoup plus riche et plus tactique qu'elle ne l'avait initialement pensé. Il pouvait se révéler nécessaire de sacrifier une balle pour le bien de l'équipe. Les joueurs qui se trouvaient en défense devaient choisir quel opposant éliminer. Et ils n'avaient que quelques instants pour prendre cette décision et agir.

Mais il y avait aussi une part de chance qui pimentait les choses. Ainsi, le moindre coup de vent, le moindre rebond pouvait s'avérer décisif. Cela rendait chaque phase de jeu encore plus palpitante.

D'ailleurs, les spectateurs ne s'y trompaient pas et manifestaient bruyamment leur enthousiasme. L'ambiance qui régnait dans les tribunes était électrique et le public réagissait avec passion aux actions d'éclat comme aux coups du sort.

Des chansons résonnaient parfois dans l'enceinte du stade, reprises en chœur par des milliers de voix. Les tribunes retentissaient de clameurs, d'applaudissements et de trépignement de pieds. Des olas s'organisaient pour soutenir les joueurs qui se battaient comme des lions pour arracher la victoire.

Lee commentait chaque phase du jeu, démontrant une connaissance approfondie de ce sport. En l'observant, Brooke s'était aperçue que la première impression qu'elle s'était faite de lui ne couvrait qu'une partie de sa personnalité.

Sous des dehors affables et décontractés, Lee Dutton cachait une forte personnalité et un caractère bien trempé. Ce n'était pas évident au premier abord. Avec son début de calvitie, son accent de Brooklyn, sa chemise de golf et son pantalon à carreaux, il paraissait inoffensif.

C'étaient ses yeux qui le trahissaient. Ils étaient toujours en éveil et paraissaient transpercer ses interlocuteurs de part en part, comme s'il lisait en eux à livre ouvert. Brooke remarqua aussi qu'il les gardait souvent fixés sur Claire.

Il se montrait excessivement empressé à son égard et paraissait saisir chaque opportunité qui se présentait pour la toucher. Il lui prenait la main, lui tapotait l'épaule et finit même par poser sa paume sur son genou alors que tous deux s'étaient lancés dans une discussion passionnée sur l'art oriental.

Mais le plus étrange, c'était que Claire ne cherchait pas à le repousser. Brooke l'avait pourtant vue remettre bien des hommes à leur place d'un sourire glacial ou d'une phrase aussi ferme que polie. Ce jour-là, pourtant, elle ne semblait pas se formaliser le moins du monde de ces familiarités.

Peut-être craignait-elle de perdre les faveurs de l'agent de Parks Jones à la veille d'une campagne publicitaire qui devait lui rapporter plusieurs centaines de milliers de dollars. Peut-être faisait-elle preuve de naïveté, comme cela arrivait si souvent aux femmes qui approchaient la cinquantaine.

Quoi qu'il en soit, Brooke se promit de veiller sur elle et de tenir Lee à l'œil. En attendant, elle se concentra sur le match. Force était de reconnaître, songea-t-elle, que Parks offrait un spectacle très agréable à regarder. Sur le terrain, il paraissait parfaitement à son aise et elle songea qu'il était probablement un joueur de base-ball-né.

D'un autre côté, il n'avait pas non plus semblé déplacé lors de la réception à la villa De Marco. Il avait même fait preuve d'un savant mélange d'élégance et de décontraction qui prouvait qu'il était rompu à ce genre d'exercice mondain.

Sur le coup, cela avait beaucoup étonné Brooke. Puis elle avait effectué quelques recherches et avait découvert que Parks était originaire d'un milieu très fortuné. Sa famille possédait Parkinson Chemicals, un gigantesque conglomérat qui pesait plusieurs milliards de dollars et fabriquait toutes sortes de produits chimiques, de l'aspirine au carburant pour fusées.

Ses deux sœurs avaient fait d'excellents mariages. La première avait épousé un célèbre restaurateur qui avait été son associé avant de devenir son époux, la seconde un vice-président de Parkinson Chemicals qui résidait à Dallas. Mais Parks, l'héritier en titre de cette immense fortune, l'homme qui devait gérer l'entreprise lorsque son père prendrait sa retraite, était tombé amoureux du base-ball.

Cela ne l'avait pas empêché de faire de brillantes études à Oxford où il s'était distingué par ses excellents résultats. Son diplôme lui ouvrait toutes les portes. Mais au lieu d'entrer chez Parkinson Chemicals, de se lancer dans la politique ou de devenir avocat, Parks s'était présenté au camp de formation des Kings.

Après avoir brillamment réussi les tests de sélection, il était entré dans l'équipe réserve où il s'était rapidement illustré. Un an plus tard, il rejoignait l'équipe officielle dans laquelle il devait passer dix ans de sa vie.

Ainsi, Parks ne jouait pas au base-ball pour gagner de l'argent ni parce que c'était la seule chose qu'il savait faire. C'était chez lui une véritable vocation et c'est sans doute pour cela qu'il jouait avec tant de talent et de régularité.

Cela l'impressionnait beaucoup plus qu'elle n'aurait voulu se l'avouer. Car elle savait que peu de gens avaient le courage de poursuivre ainsi leurs rêves, de renoncer à la facilité pour faire ce dont ils avaient vraiment envie.

Le respect et l'admiration qu'elle éprouvait pour Parks s'étaient accrus et elle en venait à penser que tous deux se ressemblaient plus qu'elle ne l'avait initialement pensé. Ne s'était-elle pas elle aussi frayé un chemin à force de volonté et de travail ? N'avait-elle pas lutté pour pouvoir exercer un métier qu'elle aimait plus que tout ?

Elle en était même venue à croire que leur association pouvait se révéler plus productive encore que Claire ne l'avait imaginé.

En attendant, elle l'observait avec attention tandis qu'il se tenait sur la seconde base, attendant patiemment que le batteur de son équipe vienne se mettre en place. La tension des spectateurs était presque palpable. Une fois de plus, Lee posa sa main sur celle de Claire. Une lueur d'enthousiasme brillait dans ses yeux noirs.

— Si le batteur parvient à envoyer la balle suffisamment loin, expliqua-t-il, les deux coureurs peuvent atteindre le marbre et marquer deux points. Cela suffirait aux Kings pour remporter la manche et passer en tête du championnat.

— Mais pourquoi leurs adversaires changent-ils brusquement de lanceur ? demanda Brooke, curieuse.

— Parce que Mitchell est en train de faiblir. Il n'a pas réussi à éliminer les premiers batteurs et, maintenant, il y a deux coureurs sur le terrain. Je suis sûr que les Kings effectueront bientôt des changements, eux aussi.

— C'est étrange, remarqua Brooke. Il me semble que changer

les joueurs au beau milieu d'une manche risque de déconcentrer l'équipe.

— Est-ce que vous ne changeriez pas votre assistant caméra s'il était momentanément incapable de faire le point ? rétorqua Lee.

— Je suppose que si, admit la jeune femme en souriant.

De fait, la stratégie s'avéra payante. Le nouveau lanceur parvint à éliminer les trois batteurs suivants. Mais Parks et son équipier restaient sur leurs bases. La foule se mit à huer les batteurs malheureux.

— Ce n'est pas très sportif, remarqua Brooke, ironique.

— Ce n'est rien ! s'exclama Lee en riant. Vous devriez les entendre lorsque l'équipe perd vraiment.

Tout en parlant, il avait affectueusement passé le bras autour des épaules de Claire. Brooke jeta à celle-ci un regard étonné mais elle ne parut pas s'en apercevoir. Au lieu de se soustraire à l'étreinte de Lee, elle se nicha même contre lui pour suivre la fin de la manche.

Brooke était un peu interloquée. Le couple que formaient ses deux compagnons lui paraissait vraiment étrange. Mais, après tout, ils étaient sans doute assez grands pour se passer de sa bénédiction. Elle s'accouda donc à la rambarde et observa Parks.

Depuis le début de la rencontre, ce dernier n'avait tourné les yeux vers elle qu'une seule fois, lorsqu'il avait pénétré dans le stade. Depuis, il l'avait ostensiblement ignorée, ce qui la vexait un peu sans qu'elle sache vraiment pourquoi. Elle aurait bien voulu retrouver l'étrange complicité qui les avait unis lors du premier match.

Peut-être était-ce simplement parce qu'elle appréciait la petite guerre psychologique qu'ils menaient l'un contre l'autre, parce qu'elle avait trouvé en Parks un adversaire qu'elle pouvait admirer et respecter. Mais ce jour-là, il paraissait être exclusivement concentré sur ce qu'il avait à faire. Et, en bonne professionnelle, elle ne pouvait l'en blâmer.

*
* *

En réalité, Parks n'était pas aussi concentré qu'il l'aurait voulu. En cet instant, il aurait même donné tout ce qu'il avait pour une douche froide et une pinte de bière bien fraîche. Mais il allait encore devoir endurer pendant deux manches le soleil impitoyable qui brillait ce jour-là dans un ciel sans nuages.

La septième manche s'était terminée par l'élimination du dernier batteur et la huitième venait de commencer. Le premier batteur de l'équipe adverse avait réussi à gagner la seconde base et le second venait de se mettre en position.

L'entraîneur avait remplacé le lanceur des Kings et c'était Ripley qui avait été désigné. Il lançait généralement des balles dénuées d'effet mais très rapides, ce qui, à ce moment du match, pouvait suffire à déstabiliser les batteurs.

Par contre, le coureur qui se trouvait sur la deuxième base risquait de poser des problèmes à Parks. Ce dernier connaissait par cœur les statistiques de chacun des joueurs présents sur le terrain. Il était doué d'une mémoire prodigieuse et retenait sans peine tout ce qu'il décidait d'apprendre. Ces informations étaient stockées quelque part dans son cerveau, attendant le moment où elles pourraient s'avérer utiles.

Ce talent avait le don d'agacer la plupart des gens et Parks évitait généralement d'en faire étalage. Mais il lui servait souvent à prendre les bonnes décisions en cours de partie. Ainsi, il passa en revue les résultats du nouveau batteur, les compara à ceux de Ripley et tenta d'estimer les probabilités qu'il avait de l'emporter.

Ce petit exercice mental l'aidait aussi à faire abstraction de la présence de Brooke qui se trouvait dans les tribunes. Il ne pouvait se permettre de se laisser déconcentrer par la jeune femme ou par les sentiments troublants qu'elle lui inspirait.

Le batteur se mit en position et Parks fit le vide dans son esprit. Ripley prit une profonde inspiration et lança. Le batteur manqua la balle. La deuxième fut déclarée hors cadre par l'arbitre. Le batteur parvint à frapper la troisième qui vola vers la troisième base, rebondit et s'éleva dans les airs.

Sans réfléchir, Parks bondit et la cueillit au vol au moment où le coureur se jetait en avant pour toucher la base. Il se précipita et parvint à l'atteindre une demi-seconde avant lui, disqualifiant ainsi le coureur adverse. Sans même attendre le cri de l'arbitre qui le confirmait, il lança la balle à son coéquipier qui surveillait la première base, éliminant ainsi le batteur juste avant qu'il n'y parvienne.

La foule salua ce geste avec un enthousiasme prodigieux et Lee, fou de joie, embrassa Claire qui se laissa faire sans protester. Mais Brooke était bien trop fascinée par la maestria dont Parks venait de faire preuve pour leur prêter la moindre attention.

La double élimination n'avait pris que quelques secondes et elle sentait son cœur battre à cent à l'heure. Jamais elle n'avait vu personne bouger comme Parks venait de le faire. En un instant, il avait jaugé la situation et rattrapé la balle avant de toucher sa base et de la renvoyer.

Et il avait effectué cette improbable série de gestes avec une facilité déconcertante. Combien de temps avait-il dû s'entraîner pour acquérir une maîtrise si parfaite, pour allier tant d'agilité à tant de grâce? C'était tout simplement prodigieux.

Brooke se promit que, la prochaine fois qu'elle assisterait à un match, elle prendrait soin de se munir d'une caméra. Car, quoi qu'il arrive, elle savait déjà qu'elle ne raterait pour rien au monde la prochaine rencontre.

— Il est vraiment impressionnant, n'est-ce pas? s'exclama joyeusement Lee.

— C'est le moins qu'on puisse dire, articula-t-elle. Est-ce que cela arrive souvent?

— Avec Parks, régulièrement. Mais il possède un sang-froid à toute épreuve. Je me dis parfois que ce n'est pas du sang mais de l'eau glacée qui lui coule dans les veines.

— Vraiment? fit Brooke.

Lee la considéra gravement durant quelques instants puis sourit.

— Seulement sur le terrain, répondit-il. En réalité, je connais peu d'hommes qui possèdent une telle autodiscipline. Remarquez, ce n'est pas si étonnant que cela, ajouta-t-il avec une pointe d'ironie. La plupart des gens que je fréquente sont des acteurs, pas des sportifs de haut niveau…

— Espérons que Parks soit également capable de jouer la comédie, intervint Claire.

— Je crois qu'il vous surprendra, déclara Lee. C'est un garçon plein de ressource.

— Malheureusement, je ne suis pas sûre qu'il accepte de bon cœur d'être dirigé par quelqu'un d'autre, commenta Brooke.

Ils se tournèrent de nouveau vers le terrain pour suivre la fin de la huitième manche. Lorsqu'elle se termina, le score était toujours de un partout et aucune des deux équipes ne parvenait réellement à briser la défense de l'autre.

Cela aurait pu s'avérer ennuyeux, songea Brooke. Pourtant, le public était à cran, guettant la moindre erreur, la moindre ouverture. Et elle vibrait en parfaite harmonie avec ces milliers de spectateurs, désirant de tout son cœur voir les Kings l'emporter.

C'était la première fois qu'elle se passionnait à ce point pour un sport. Elle essaya de se convaincre que c'était simplement parce que l'atmosphère électrique qui régnait dans le stade était contagieuse mais, au fond, elle savait bien que cela n'expliquait pas tout.

— J'ai l'impression que nous allons avoir droit à des prolongations, remarqua Lee.

— Il leur reste encore plusieurs batteurs, protesta vivement Brooke.

Elle ne vit pas le sourire amusé qu'échangeaient Claire et Lee.

La foule était à présent en délire et ne cessait de crier des encouragements à son équipe. L'écho de ces hurlements se répercutait dans le stade, formant une clameur sourde et continue qui faisait vibrer l'air surchauffé.

Brooke vit Parks s'avancer jusqu'au marbre. La pression qui pesait sur lui en cet instant devait être insoutenable, songea-t-elle. Pourtant, il n'exprimait pas la moindre hésitation, ne trahissait pas le moindre doute. Par contre, elle lisait sur son visage et dans ses yeux une concentration totale.

Le cœur battant à tout rompre, elle pria pour qu'il reproduise le home run qu'il avait réussi la fois précédente. Le premier lancer était hors cadre et il se contenta de le laisser filer. Il laissa également passer le deuxième qui était arrivé tel un boulet de canon.

Puis il adressa un petit signe au lanceur pour lui demander quelques instants. Il s'agenouilla alors pour attacher son lacet. Le public se mit à scander son nom mais il prenait tout son temps comme s'il n'entendait rien. Enfin, il se remit en position.

Cette fois, il frappa la balle, lui imprimant un mouvement de bas en haut qui la fit monter vers le ciel. Brooke crut un instant qu'il venait de réussir un nouveau home run mais lorsque la balle commença à redescendre, elle se trouvait toujours dans le champ. L'un des joueurs adverses parvint à la rattraper au vol, éliminant ainsi Parks.

Avant même que Brooke ait pu prononcer le juron qui lui montait aux lèvres, les spectateurs se mirent à applaudir à tout rompre. Elle réalisa alors que les deux coureurs venaient d'atteindre le marbre, marquant deux points d'un coup.

— Excellent! s'exclama Lee, ravi.

— Mais Parks a été éliminé, objecta Brooke.

— Il l'a fait exprès. Il savait parfaitement qu'en lançant la balle très haut de cette façon, il laisserait aux deux autres le temps de finir leur course. Au base-ball, c'est ce que l'on appelle un sacrifice.

— Tout de même, cela paraît injuste.

— Pourquoi? demanda Lee. Ce qui compte, c'est que l'équipe gagne. Si Parks avait opté pour un renvoi classique, il courait le risque de faire éliminer un ou deux de ses équipiers. En jouant comme il l'a fait, il était sûr que les Kings remporteraient le match.

— Il fait baisser ses propres statistiques, objecta Brooke.

— Mais il est considéré par le public comme un héros. Regardez-les!

De fait, la plupart des spectateurs étaient à présent debout et scandaient le nom de Parks. Emue malgré elle, la jeune femme résista difficilement à l'envie qu'elle avait de se joindre à eux.

— Parks a toujours joué pour son équipe plus que pour lui-même, reprit Lee. C'est pour cela qu'il continue de jouer pour les

Kings alors que plusieurs autres clubs lui ont offert des sommes exorbitantes pour rejoindre leurs rangs.

L'admiration de Lee étonna Brooke. En tant qu'agent, ce genre d'attitude aurait dû l'agacer. Mais il semblait vouer à Parks une telle admiration qu'il en venait à faire passer ses propres intérêts au second plan. C'était bien la première fois de sa vie qu'elle voyait un manager agir de la sorte.

— Venez! s'exclama-t-il en prenant le bras de Claire et de Brooke. Allons aux vestiaires pour le féliciter!

Les deux femmes le suivirent à travers la foule qui continuait à manifester bruyamment sa joie. Lorsqu'ils atteignirent enfin la zone réservée aux joueurs, Lee exhiba son passe et ils se retrouvèrent entourés d'une meute de journalistes qui recueillaient les premières impressions des Kings victorieux.

Les joueurs eux-mêmes étaient aux anges. Ils se congratulaient les uns les autres et s'assenaient de vigoureuses claques dans le dos en échangeant toutes sortes de plaisanteries oiseuses. Après la tension formidable à laquelle ils avaient dû faire face, ils paraissaient bien décidés à célébrer leur triomphe.

Snyder, le première base, commentait le match devant les reporters sportifs avec un humour pince-sans-rire.

— Vous comprenez, disait-il, si je n'avais pas réparé l'erreur de Biggs lors de la septième manche, la partie se serait peut-être terminée de façon très différente…

Biggs, le short-stop, assena à son camarade un coup de serviette mouillée qu'il encaissa sans broncher.

— Tout le monde sait que Snyder est incapable d'attraper une balle si on ne la lui dépose pas dans le gant, déclara-t-il. Nous faisons tous l'impossible pour lui faciliter la vie mais c'est un ingrat…

— J'ai aussi sauvé la mise à Parks à cinquante-cinq reprises, cette saison, poursuivit Snyder sans se démonter le moins du monde. J'ai peur qu'il ne soit en train de perdre ses moyens. Heureusement, certains batteurs de l'équipe adverse visent si bien qu'ils parviennent à déposer la balle directement dans son gant. Vous vous en apercevrez si vous repassez le match d'aujourd'hui au ralenti.

Quelqu'un déversa un seau d'eau sur la tête de Snyder qui poursuivit son commentaire comme si de rien n'était.

— Vous remarquerez aussi que, lorsque je suis à la batte, je vise pour ma part le gant du joueur de champ droit, ce qui demande beaucoup plus de pratique.

Les journalistes éclatèrent de rire. C'est alors que Brooke repéra Parks qui était en train de se faire interviewer un peu plus loin. Tout comme sa tenue de base-ball, son visage était couvert de poussière et la transpiration y avait dessiné de profonds sillons. Il avait ôté sa casquette, révélant des cheveux moites et emmêlés.

Malgré cela, il souriait et paraissait parfaitement détendu. L'intensité effrayante qu'elle avait lue dans son regard tandis qu'il s'apprêtait à frapper avait cédé place à sa décontraction et sa cordialité habituelles. Cela impressionna beaucoup Brooke et elle se demanda une fois de plus si elle était de taille à lutter contre un homme aussi sûr de lui.

— Il nous reste quatre matchs à jouer cette saison si nous ne sommes pas qualifiés pour les séries mondiales. Franchement, je m'estimerais satisfait si je termine avec une moyenne annuelle de trois cent quatre-vingt-sept à la batte.

— Mais si votre moyenne monte à cinq cents lors de ces dernières parties…

Parks interrompit le reporter d'un geste de la main.

— Nous verrons, dit-il en riant. Vous allez me porter la poisse.

— En tout cas, il aurait suffi d'un petit coup de vent pour changer ce dernier renvoi en home run.

— Malheureusement, il n'y a pas eu de vent, répondit Parks, philosophe.

— Quel type de balle vous a lancé Ripley ?

— Une balle courbe assez haute.

— Et vous cherchiez le home run ?

— Non. Il y avait deux coureurs sur le terrain et tout ce que je voulais, c'était envoyer suffisamment haut et loin pour leur laisser le temps d'atteindre le marbre. De cette façon, j'étais certain de voir Kinjinsky marquer s'il ne voulait pas hériter du Pied de plomb.

— Le Pied de plomb? répéta le journaliste, étonné.

— C'est une petite récompense que nous avons inventée. Parlez-en à Snyder, c'est lui qui la détient pour le moment.

Parks conclut l'interview par un sourire et se tourna vers son agent.

— Salut, Lee! s'exclama-t-il.

Il se rapprocha du petit groupe qui l'attendait et effleura le bras de Brooke d'un geste à la fois tendre et possessif. Malgré elle, elle se sentit frémir de part en part.

— Mademoiselle Thorton, ajouta-t-il en s'inclinant légèrement, je suis ravi de vous revoir.

— Tu as fait un sacré match! le félicita Lee. C'était vraiment plaisant à regarder.

— C'est pour cela qu'on nous paie, répondit Parks en haussant les épaules.

— Dis-moi, Claire et moi pensions aller dîner quelque part. Cela vous dit de venir avec nous?

Brooke ouvrit de grands yeux, stupéfaite. Mais avant qu'elle ait pu décliner l'invitation pour laisser le couple tranquille, Parks répondit en leur nom.

— Désolé, mais Brooke et moi avons déjà des projets, dit-il.

Se tournant vers lui, elle fronça les sourcils.

— Je ne me souviens pas en avoir fait.

— Il faut absolument que tu commences à tenir un agenda, déclara Parks en souriant malicieusement. Bien, je vais aller prendre une douche et me changer. Tu m'attends?

Sans lui laisser la moindre chance de protester, Parks tourna les talons et se dirigea vers les vestiaires.

— Quel toupet! fulmina la jeune femme.

Lee et Claire échangèrent un nouveau regard amusé.

— Nous n'allons pas tarder, déclara son amie. Lee doit me montrer sa collection avant le dîner.

— Sa collection? répéta Brooke, passablement dépassée par la situation.

— Oui, nous nous sommes découvert une passion commune pour l'art oriental, expliqua Claire en décochant à Lee un sourire complice. Tu veux que nous attendions avec toi que Parks revienne ?

— Ce n'est pas la peine, répondit Brooke.

Claire n'insista pas.

— Dans ce cas, nous nous verrons lundi, dit-elle avant de prendre la main de Lee.

— Amusez-vous bien, tous les deux, fit ce dernier avec un sourire légèrement narquois.

Visiblement, les rapports conflictuels de Brooke et de Parks ne lui avaient pas échappé. La jeune femme regarda l'étrange couple s'éloigner. Finalement, elle se détourna et alla s'installer sur le banc de touche.

Le public avait quitté le stade et les équipes d'entretien s'activaient déjà dans les tribunes. La pelouse, quant à elle, était vide et Brooke la contempla longuement, pensant au nombre de gens qui avaient gardé les yeux résolument fixés sur ce rectangle herbeux, vibrant à l'unisson de leur équipe fétiche.

Dans le silence retrouvé, l'arène paraissait étonnamment paisible et silencieuse. Seule l'odeur de transpiration qui flottait dans l'air témoignait de la présence récente d'une horde de supporters. Brooke posa les bras sur la barrière qui séparait le box des joueurs de la pelouse.

Elle se demanda brusquement quand le stade avait été construit. Combien de générations s'étaient-elles succédé ici ? Combien de milliers de litres de bière avaient-ils été engloutis ? Les anciens joueurs de l'équipe revenaient-ils régulièrement assister aux matchs ?

Elle était certaine que Parks le ferait. Il avait ce sport dans le sang, c'était évident. D'ailleurs, elle commençait à comprendre pourquoi. Elle-même s'était prise au jeu, découvrant un univers fascinant qui alliait talent, travail, chance et sens du spectacle.

Brooke imagina comment elle représenterait le stade si elle voulait partager sa vision du base-ball. Fermant les yeux, elle visualisa les tribunes désertes avec comme bande-son le bruit très sec de la balle entrant en collision avec une batte et les clameurs de la foule.

Le plan suivant était un fanion abandonné qui frémissait dans le vent. Puis les employés de la maintenance ramassant les gobelets en plastique et les papiers gras abandonnés par les spectateurs. Il était impossible de dire quelle équipe l'avait emporté. Tout ce qui comptait, dans un premier temps, c'était la ferveur populaire qui se cristallisait autour de ce sport…

Un bruit de pas la tira brusquement de ses réflexions et elle rouvrit les yeux. La vue de Parks suffit à dissiper les images très nettes qui s'étaient gravées dans son imagination. C'était la première fois qu'un homme exerçait sur elle un effet si profond, si immédiat.

Le fait qu'il ait une telle influence sur elle la rendait furieuse. Jusqu'alors, son travail de réalisatrice avait monopolisé la majeure partie de ses pensées. Et elle ne pouvait accepter le fait qu'il empiète sur cette partie de sa vie avec tant de facilité.

D'un œil peu amène, elle le regarda approcher. Elle s'était attendue à ce qu'il lui décoche l'une de ces remarques narquoises et provocatrices dont il avait le secret. Elle s'y était préparée et était bien décidée à lui répondre sur le même ton, lui faisant comprendre qu'elle n'appréciait pas du tout la façon dont il entendait régenter sa vie.

Mais, une fois de plus, il la prit par surprise. S'étant approché d'elle, il s'agenouilla et plongea les mains dans ses cheveux avant de l'attirer vers lui pour l'embrasser. Ce baiser passionné fit voler en éclats les certitudes de Brooke et elle sentit s'éveiller en elle un désir incoercible qui la balaya telle une lame de fond.

Il y avait presque quelque chose de désespéré dans cette étreinte, comme si Parks n'entendait lui laisser aucune chance de lui échapper, comme s'il avait peur qu'elle ne le repousse. Mais elle en aurait été bien incapable.

Sans même s'en rendre compte, ses lèvres et sa langue répondirent à ses avances, comme mues par leur propre volonté. L'intensité des sensations qui déferlaient sur elle ne lui laissait aucune chance de résister à l'envie impérieuse qu'elle avait de lui. Malgré elle, elle agrippa son visage et se pressa contre lui.

Leur baiser parut se prolonger à l'infini, jusqu'à ce que Parks se dégage doucement, presque à contrecœur. Dans ses yeux, elle lut le besoin qu'il avait d'elle en cet instant et cela ne fit que décupler son propre trouble.

— J'ai envie de toi, articula-t-il d'une voix un peu rauque.

— Je sais, répondit-elle simplement.

Ce n'était pas de la vantardise mais une conviction profonde qui habitait chaque fibre de son être. Parks caressa doucement ses cheveux.

— Je veux faire l'amour avec toi, reprit-il.

Brooke s'écarta légèrement, le cœur battant.

— Cela n'arrivera pas, déclara-t-elle avec beaucoup plus d'assurance qu'elle n'en éprouvait réellement.

— En es-tu sûre ?

— Certaine, affirma-t-elle.

— Dans ce cas, je suppose que je vais devoir te convaincre du contraire. Je pense que ce sera une expérience fascinante.

Brooke écarta sa main et le fusilla du regard.

— Pourquoi as-tu dit à Lee que nous avions des projets pour ce soir ?

— Parce que j'ai passé neuf manches à penser à la façon dont nous ferions l'amour.

Le sourire qui se dessinait sur ses lèvres ne trompa nullement Brooke. Elle savait qu'il était parfaitement sérieux. Et cela la terrifiait bien plus qu'elle n'aurait voulu l'admettre.

— Voilà qui a au moins le mérite d'être direct, commenta-t-elle.

— Je sais que tu préfères les gens qui ne mâchent pas leurs mots.

— C'est vrai. Et je vais donc te répondre franchement. Nous allons devoir travailler ensemble pendant plusieurs semaines, plusieurs mois, peut-être. Et ce projet implique beaucoup de gens qui comptent sur nous. Je suis donc bien décidée à ne pas les décevoir.

— Je ne vois pas le rapport, objecta Parks.

— Il y en a pourtant un. Toute forme d'implication personnelle risquerait d'interférer avec mon jugement professionnel. En tant que réalisatrice, je ne peux me permettre de coucher avec l'un de mes acteurs, ne serait-ce qu'une fois.

— Une fois ? répéta Parks en riant. Est-ce que tu cherches toujours à déterminer la durée de tes relations à l'avance ? Je te voyais bien plus romantique que cela.

— Peu importe ce que tu penses de moi. La seule chose qui compte, c'est que tu comprennes ce que je viens de te dire.

— Je le comprends. Mais je considère que ce n'est qu'une piètre excuse de ta part.

— Pas du tout ! protesta Brooke que sa légèreté rendait passablement furieuse. Je te l'ai dit : je ne suis pas intéressée. Et je suis désolée si cela froisse ton ego de star.

— C'est incroyable, commenta Parks comme s'il se parlait à lui-même. Tu as le don de me mettre hors de moi. Jusqu'à aujourd'hui, je n'avais jamais rencontré une femme qui en soit capable.

— Cela ne m'étonne pas, railla Brooke. Tu dois être habitué à ce qu'elles te tombent toutes dans les bras.

— Je pense surtout qu'aucune de celles que j'ai croisées n'avait aussi peur que toi de s'engager dans une relation.

Brooke se raidit. Elle avait l'impression d'avoir reçu une gifle en pleine figure. Parks avait frappé juste et elle lui en voulait énormément d'avoir mis le doigt sur l'une de ses faiblesses. Très pâle, elle se leva brusquement et s'éloigna de lui.

Mais il n'était apparemment pas décidé à la laisser s'échapper aussi facilement. L'ayant rattrapée, il la prit par les épaules et la força à le regarder droit dans les yeux.

— Je suis désolé, lui dit-il.

De fait, il n'avait pas l'habitude de se conduire de cette façon. Mais l'entêtement de la jeune femme avait eu raison de sa patience. Comment pouvait-elle refuser de voir l'évidence ? Ne réalisait-elle pas qu'il y avait quelque chose de magique dans l'attirance qu'ils exerçaient l'un sur l'autre ?

— Lâche-moi ! s'exclama-t-elle.

Il voulut la serrer contre lui mais elle résista.

— Je suis désolé, répéta-t-il. Je te promets que je ne voulais pas te faire de mal.

Ce ne fut pas le charme de Parks mais son évidente sincérité qui désarma Brooke.

— Je n'aurais pas dû réagir de cette façon, soupira-t-elle. D'ordinaire, je suis plus résistante que cela...

— Pourrions-nous arrêter de nous battre ? suggéra Parks. Au moins pour le reste de la journée...

— Peut-être, répondit-elle prudemment.

— Que dirais-tu d'un dîner de réconciliation ?

— Si tu me prends par les sentiments...

— Très bien ! s'exclama-t-il, soulagé. Que dirais-tu d'un repas tex-mex ?

— Seulement si c'est toi qui invites, répondit-elle d'un air de défi. Tu as beaucoup à te faire pardonner.

Mais, lorsqu'il tendit la main vers elle, elle la prit sans hésiter.

Brooke et Parks étaient assis à la terrasse d'un petit restaurant sans prétention et contemplaient les passants qui déambulaient le long de l'avenue. La jeune femme paraissait plus détendue et Parks se demanda si elle avait décidé de baisser la garde. C'était peu probable.

En réalité, elle paraissait attacher une grande importance à ses repas. Il se demanda si cela pouvait avoir un rapport avec sa jeunesse dont elle évitait toujours soigneusement de parler.

— Est-ce que tu as grandi à Los Angeles ? lui demanda-t-il soudain.

— Non, répondit-elle. Mais toi, oui.

Une fois de plus, elle essayait de faire diversion. Mais cette fois, il était bien décidé à en apprendre un peu plus sur son compte.

— Pourquoi t'es-tu installée ici ? demanda-t-il.

— Parce qu'il fait chaud et qu'il y a beaucoup de monde.

— Voilà une remarque curieuse, venant de quelqu'un qui a choisi une maison si isolée.

— J'aime préserver mon intimité, expliqua-t-elle. Dis-moi, je me demandais ce que ta famille avait bien pu penser lorsque tu as décidé de jouer au base-ball au lieu de reprendre Parkinson Chemicals.

Parks sourit, amusé par la façon dont elle résistait à son interrogatoire.

— Mes parents ont été stupéfaits, répondit-il. Pourtant, je leur avais dit depuis longtemps ce que je comptais faire. Mais mon père pensait que je finirais par entendre raison. Je crois d'ailleurs qu'il le pense toujours. Et toi ? Comment a réagi ta famille lorsque tu as décidé de devenir réalisatrice ?

— Je n'ai pas de famille, répondit Brooke.

Elle s'était exprimée très calmement mais Parks comprit qu'il venait d'aborder un terrain miné.

— Où as-tu grandi ?

— Un peu partout, éluda-t-elle.

— Dans des familles d'accueil ? insista-t-il d'une voix très douce.

— Pourquoi est-ce que tu me harcèles de cette façon ? protesta Brooke.

— Parce que je veux te connaître mieux. Je pense que nous pourrions être amis avant de devenir amants.

— Nous ne serons pas amants !

Parks la contempla attentivement.

— Est-ce que, par hasard, je te rendrais nerveuse ? demanda-t-il enfin.

— Furieuse serait un terme plus approprié ! Je ne peux pas passer plus de dix minutes en ta compagnie sans que tu me mettes en colère.

— J'ai la même impression. Mais j'avoue que je trouve cela assez stimulant.

— Je n'ai pas besoin de stimulation ! s'exclama Brooke. Tout ce que je veux, c'est qu'on me fiche la paix.

Parks éclata de rire avant d'effleurer sa main d'un baiser.

— Je n'en crois pas un mot, déclara-t-il. Tu es bien trop vivante pour te contenter de cela.

— Comment peux-tu dire une chose pareille ? Tu ne me connais même pas !

— C'est bien ce à quoi j'essaie de remédier. Dis-moi qui tu es vraiment, Brooke.

— Ce que j'ai fait de moi-même.

— Je vais te dire ce que je vois, moi. Tu es une femme indépendante, ambitieuse et forte. Tu as choisi une maison isolée. Tu aimes rire. Tu te mets facilement en colère mais tu n'es pas rancunière.

Tandis qu'il parlait, l'expression de Brooke s'était insensiblement modifiée, passant de la colère à la méfiance. Parks avait l'impression qu'il était en train d'apprivoiser un oiseau qui pouvait s'envoler à tout instant.

— Tu es quelqu'un que j'admire et que je respecte, conclut-il. Et je voudrais en apprendre plus sur toi. Cela ne me semble pas complètement déraisonnable, tu ne crois pas ?

Brooke poussa un long soupir. Peut-être finirait-il par la laisser tranquille si elle lui livrait une ébauche de biographie, songea-t-elle.

— Si tu tiens tant à le savoir, ma mère n'était pas mariée, commença-t-elle d'un ton faussement détaché. Apparemment, au bout de six mois, elle en a eu assez de s'occuper de moi et m'a laissée chez sa sœur. Je ne me souviens pas très bien de cette époque. Je sais juste que j'avais souvent faim et froid. Lorsque j'ai eu six ans, ma tante m'a confiée aux services sociaux. Quelques semaines plus tard, j'ai été envoyée dans une première famille d'accueil. C'étaient des gens plutôt gentils mais je ne suis restée qu'un an. Ensuite, j'ai été transférée dans une autre maison. Entre six ans et quinze ans, j'ai vécu dans cinq endroits différents. Je ne me sentais jamais à ma place mais, rétrospectivement, je me dis que c'était en partie ma faute.

Brooke s'interrompit un instant et ses yeux se perdirent à l'horizon.

— Toutes les familles d'accueil ne font pas cela pour de l'argent, tu sais. Certaines aiment vraiment les enfants qu'elles hébergent. Mais je savais toujours que ce ne serait que temporaire, que je finirais par perdre de vue ces gens et les amis que je me faisais. Du coup, je suis devenue une enfant difficile. Je crois que je voulais simplement me faire remarquer, convaincre les gens qui m'entouraient que j'étais spéciale, que je méritais d'être adoptée. Je ne voulais pas qu'ils me voient comme une simple source de revenus complémentaires…

Brooke soupira et Parks posa doucement sa main sur la sienne, lui offrant un réconfort muet qui l'aida à poursuivre son récit.

— Durant les deux dernières années de lycée, je me trouvais dans une ferme de l'Ohio chez des gens adorables. Mais leur fils faisait tout son possible pour me rendre la vie infernale. Du coup, je suis partie dès que j'ai décroché mon diplôme. J'ai gagné ma vie en travaillant comme serveuse dans plusieurs Etats. Il m'a fallu quatre mois pour rallier la Californie…

Parks serra ses doigts dans les siens et elle lui décocha un regard réprobateur.

— Je ne veux pas que tu te sentes désolé pour moi, lui dit-elle.

— Ce n'est pas le cas, lui assura-t-il. En fait, j'étais en train de me dire que peu de personnes auraient eu le courage de prendre leur existence en main dès l'âge de dix-sept ans. A l'époque, je rêvais déjà de devenir joueur de base-ball professionnel mais, au lieu de cela, j'ai sagement pris l'avion pour aller étudier en Angleterre.

— Et tu as eu raison de le faire, déclara Brooke. Si je l'avais pu, moi aussi je serais entrée à l'université. Mais je n'avais pas précisément le choix.

— Cela ne t'a pas empêchée de faire ce que tu voulais de ta vie, remarqua Parks.

— Toi non plus.

— C'est vrai, acquiesça-t-il. Mais tu pourras continuer pendant des années alors qu'il ne me reste plus qu'une seule saison.

— Pourquoi ? demanda-t-elle, surprise. Tu n'es pas si vieux que cela.

— J'ai trente-trois ans, indiqua-t-il. Il y a dix ans, je me suis promis que j'arrêterais à trente-cinq. Je ne tiens pas à vivre une lente descente aux enfers en essayant de repousser l'inévitable.

— Je comprends, ironisa Brooke. Il suffit de te regarder jouer pour comprendre que l'on a affaire à un vieillard.

— C'est justement pour éviter cela que je compte mettre fin à ma carrière.

— Et arrêter pendant que tu es encore au sommet ?

— Exact.

— Mais tu ne crois pas que le base-ball te manquera ?

— Bien sûr que si. Mais j'ai bien l'intention de trouver quelque chose qui me passionne autant durant les années à venir. Et puis, j'aurai plus de temps pour profiter de la vie… Dis-moi, est-ce que tu aimes la mer ?

— Oui. Même si je n'ai que rarement l'occasion d'y aller.

— Voilà bien une réflexion de Californienne, ironisa Parks. En tout cas, j'ai une maison à Maui. Il faudra que je t'y emmène, un de ces jours.

Brooke était sur le point de protester mais il posa doucement ses doigts sur ses lèvres pour la faire taire.

— Nous avons promis de ne pas nous disputer, lui rappela-t-il. Allons plutôt nous promener.

— Parks, je pensais vraiment ce que je t'ai dit tout à l'heure…

— Je sais, répondit-il.

Et il se pencha vers elle pour l'embrasser tendrement.

5

Il s'écoula trois jours avant que Brooke ne reçoive des nouvelles de Parks. Elle savait que les matchs du championnat qu'il lui restait à jouer se déroulaient tous en dehors de la ville.

Elle-même avait été très occupée par le projet De Marco. Une première série de story-boards avait été dessinée et elle les avait passés en revue, effectuant toutes les corrections qu'elle jugeait nécessaires.

Claire avait décidé que le premier spot devrait être réalisé avant la fin de la saison de base-ball pour capitaliser sur l'exposition médiatique dont Parks faisait l'objet ces derniers temps. Cela ne laissait à Brooke que peu de temps pour le préparer.

Elle avait donc commencé les repérages et lancé les réunions de préproduction. Il s'agissait pour elle d'un nouveau défi qu'elle entendait bien relever avec brio. Enfermée dans son bureau, elle passait désormais la majeure partie de son temps à peaufiner le scénario de la publicité.

Elle ne comportait que très peu de dialogues et l'on y voyait surtout Parks en train de s'entraîner. Il serait vêtu d'une élégante tenue De Marco. La scène se finirait par un fondu enchaîné qui s'ouvrirait sur un autre plan dans lequel la star, habillée de la même façon, émergeait d'une Rolls Royce au bras d'une irrésistible brunette.

— En toute occasion, soyez De Marco, conclurait Parks en voix off.

C'était simple, efficace et élégant. Tout avait été minuté de façon précise et Brooke avait même pris soin d'enregistrer tous les sons dont elle aurait besoin en salle de montage. Il ne lui restait plus qu'à tourner les deux scènes et à prier pour que Parks se montre aussi naturel à l'écran qu'il l'était dans la réalité.

Comme elle passait en revue la liste du matériel dont elle aurait besoin pour ce tournage, Brooke entendit frapper à la porte de son bureau.

— Entrez! cria-t-elle sans lever les yeux de la liste.

— Brooke? fit la voix de sa secrétaire. Il y a un bouquet pour toi.

Surprise, la jeune femme considéra le magnifique bouquet de fleurs qu'elle venait de déposer sur son bureau.

— Jenkins m'a également demandé de te dire que Lardner avait fini le montage. Il attend ton coup de téléphone pour que vous puissiez le regarder ensemble.

— Merci, répondit Brooke.

Elle n'avait guère l'habitude de recevoir des fleurs. Il arrivait que l'un de ses clients lui envoie une caisse de vin lorsqu'il était particulièrement satisfait de son travail. Mais la plupart d'entre eux n'auraient pas pensé à offrir des fleurs à celle que l'on surnommait parfois par ironie la Vierge de fer.

Le seul qui avait osé le faire était un acteur qu'elle avait dirigé. Le fait qu'il soit marié ne l'avait pas empêché de faire la cour à Brooke et il lui avait envoyé chaque semaine un bouquet de roses rouges. Mais elle avait fini par le convaincre qu'il n'avait aucune chance et il avait renoncé, comprenant qu'il perdait son temps et son argent.

Cette fois, il ne s'agissait pas de roses mais de magnifiques lis qui exhalaient une fragrance subtile. Cette odeur entêtante ne tarda pas à se répandre dans son bureau. Effleurant les pétales du bout des doigts, Brooke réalisa qu'ils étaient plus doux que de la soie. Quelques-uns se détachèrent et tombèrent sur son bureau. C'est alors qu'elle aperçut la petite enveloppe qui était accrochée au bouquet.

Elle la décacheta et trouva un petit carton immaculé sur lequel était simplement écrit :

« Elles m'ont fait penser à ta peau. »

Il n'y avait aucune signature mais Brooke comprit aussitôt qui était le mystérieux envoyeur. Elle ne put s'empêcher de frémir tout en se reprochant cette attitude d'adolescente enamourée. Pourtant, elle ne put s'empêcher de relire trois fois la petite carte.

Personne ne l'avait jamais affectée à ce point. Les mots de Parks, à la fois simples et directs, avaient suffi à rallumer le feu qui couvait en elle chaque fois qu'elle se retrouvait en face de lui. Elle comprit alors combien ses illusions étaient dérisoires. Comment pouvait-elle espérer résister à une si douce insistance?

Parks se trouvait à mille kilomètres de là mais il lui suffisait de fermer les yeux pour sentir ses doigts caresser délicatement sa joue. Et cette simple pensée éveillait en elle un désir fulgurant, incoercible. Elle réalisa brusquement qu'elle n'avait jamais eu la moindre chance et qu'elle n'avait jamais vraiment voulu lutter.

Immédiatement, elle décrocha son téléphone.

— Tâche de contacter Parks Jones, dit-elle à sa secrétaire. Lee Dutton, son agent, devrait avoir son numéro.

Sur ce, elle raccrocha avant d'avoir pu changer d'avis. Elle enfouit son visage dans le bouquet et se gorgea de cette délicieuse senteur. Comment avait-il deviné combien elle aimerait cette odeur? Comment faisait-il pour toujours trouver les mots justes?

Au fond, cela importait peu. Tout ce qui comptait, c'était qu'il existe et qu'il ait envie d'elle. Ramassant l'un des pétales qui étaient tombés sur son bureau, elle le fit glisser contre sa joue. Il était aussi doux que les premiers baisers de Parks.

La sonnerie du téléphone l'arracha alors à sa rêverie.

— Oui, fit-elle, le cœur battant.

— Parks Jones est sur la ligne deux. Tu as dix minutes avant de rejoindre le studio.

— Très bien. Essaie de trouver un vase pour les fleurs, d'accord?

— Pas de problème, lui assura la jeune femme d'un ton entendu.

Brooke se demanda combien de temps s'écoulerait avant que les gens ne commencent à spéculer sur son compte. Ecartant cette pensée, elle pressa la touche qui la mit en contact avec Parks.

— Salut, Brooke.

— Merci, Parks, lui dit-elle d'une voix mal assurée.

— Il n'y a pas de quoi. Je me suis dit que j'aimerais beaucoup te voir avec ces fleurs dans les cheveux.

Brooke en glissa une derrière son oreille puis jugea que ce n'était pas très professionnel. Mieux valait se contenter de leur odeur.

— Je dois tourner dans quelques minutes, lui dit-elle. Elles risqueraient de se dessécher sous la chaleur des projecteurs.

— Je vois que tu gardes toujours l'esprit pratique, observa Parks en riant.

— Je suis bien obligée. Mais j'avoue que, lorsque j'ai reçu le bouquet, je me sentais aussi émue qu'une collégienne. Dis, où es-tu ?

— Dans ma chambre d'hôtel. Le match s'est terminé il y a une demi-heure. Cette fois, nous avons perdu. En partie à cause de moi, d'ailleurs.

— Je suis désolée.

— Je n'étais pas du tout dans le rythme, soupira-t-il. J'espère que cela me passera. Mais je pense beaucoup trop à toi, ces temps-ci.

Brooke sentit monter en elle un mélange de plaisir et de culpabilité.

— J'espère qu'il ne s'agit pas de l'une de ces mauvaises passes dont tu parlais l'autre jour. Je ne voudrais pas que tu sois forcé d'adopter l'un de ces remèdes miracles que tu évoquais.

Elle hésita.

— Un en particulier…, ajouta-t-elle d'une voix un peu tremblante.

Un long silence suivit ce demi-aveu.

— Tu n'es pas trop fatigué ? demanda-t-elle pour faire diversion.

— Epuisé serait plus juste. Le match d'hier a duré onze manches.

— Je sais, avoua-t-elle. J'ai regardé le journal, ce matin. Je vais te laisser te reposer. Je voulais juste te remercier pour les fleurs.

— Tout le plaisir est pour moi. Est-ce que je te reverrai à mon retour ?

— Bien sûr ! Nous devons tourner le premier spot vendredi et…

— Brooke, l'interrompit-il, est-ce que je te reverrai vraiment ?

Le cœur battant, elle resta un instant silencieuse.

— Oui, murmura-t-elle enfin. Même si je pense que je suis sur le point de commettre une énorme erreur.

— Tant mieux, répondit Parks. A vendredi, mon ange.

Sur ce, il raccrocha.

Le secret d'une bonne direction d'acteur était de se montrer précis sans jamais entrer dans les considérations techniques. Telle était du moins la conviction que s'était forgée Brooke depuis très longtemps. Il fallait aussi savoir scinder son esprit en plusieurs compartiments étanches pour pouvoir communiquer simultanément avec les comédiens et les techniciens selon des modes très différents.

C'était un art qu'elle maîtrisait à la perfection, peut-être parce qu'elle avait exercé la plupart des métiers qui étaient représentés sur un tournage. Tour à tour, elle avait été éclairagiste, scripte, assistante caméra, preneuse de son. Cela lui permettait de parler le langage de chacun, de connaître les petites habitudes de chacune de ces professions et de s'y adapter.

Rien ne lui échappait.

Mais ce qui monopolisait le plus son attention, c'étaient les états d'âme des acteurs. Elle savait que ceux-ci étaient en position de faiblesse, que, pour jouer, ils devaient s'exposer sans fard devant la caméra. Aussi se montrait-elle toujours très respectueuse de leur travail, prenant le temps de les encourager et de les guider chaque fois qu'ils en avaient besoin.

Tous ceux qui avaient tourné avec elle s'accordaient à dire qu'elle maîtrisait parfaitement son plateau. La confiance en soi dont elle faisait preuve était communicative et personne n'aurait osé remettre en cause ses instructions. Elle était respectée par les techniciens qui savaient qu'elle les comprenait parfaitement.

Ce jour-là, elle supervisa personnellement le réglage des lumières en compagnie d'E.J. En arrivant au stade, elle avait constaté que le terrain présentait un aspect très différent vu du marbre. On avait l'impression de se trouver dans une vallée étroite, au milieu des montagnes formées par les tribunes.

La distance qui séparait la zone qu'occupait le batteur de la clôture était impressionnante et l'on se rendait beaucoup mieux compte de l'exploit que constituait un home run. Peu de gens auraient été capables de propulser la balle en dehors des limites du terrain.

L'herbe avait été tondue récemment et une odeur agréable flottait dans l'air. Levant les yeux au ciel, Brooke constata que de lourds nuages y dérivaient et elle fronça les sourcils.

— Il me faut un après-midi ensoleillé, indiqua-t-elle à E.J.

Ce dernier hocha la tête et donna quelques instructions supplémentaires à son éclairagiste. Quelques instants plus tard, une belle et chaude lumière se répandait sur le marbre. E.J. entreprit alors de vérifier qu'aucune ombre intempestive ne viendrait dissiper l'illusion.

Parks, quant à lui, se tenait un peu à l'écart, près de l'entrée des vestiaires. Il observait attentivement Brooke tandis qu'elle s'activait sur le plateau. La femme qu'il découvrait aujourd'hui était très différente de celle qu'il avait emmenée au restaurant ou de celle qui lui avait raconté sa jeunesse difficile.

Ses cheveux étaient tirés en arrière et attachés en queue-de-cheval. Elle portait un jean délavé et un T-shirt arborant le logo d'un groupe de rock. Cela la faisait paraître plus jeune qu'elle ne l'était. Mais cette impression était contredite par l'aura d'autorité qui se dégageait d'elle.

L'assurance dont elle ne se départait jamais vraiment paraissait encore renforcée. Elle délivrait chacune de ses instructions sans la moindre hésitation et son équipe obéissait sans discuter. Personne ne remettait jamais ses ordres en question. Et il était évident qu'elle ne l'aurait pas toléré. Cela ne faisait que renforcer l'admiration qu'il éprouvait à son égard.

Par contre, lui-même se sentait vaguement ridicule. Qui aurait eu l'idée de s'entraîner dans une telle tenue ? Cela lui paraissait complètement absurde. Mais il n'était pas là pour donner son avis sur la question. Si Brooke estimait que ces vêtements convenaient, il se fierait à son intuition.

— Bigelow ! l'entendit-il s'exclamer tandis qu'il se mettait en marche vers le marbre. Cache-moi ces fils avant que quelqu'un ne se prenne les pieds dedans ! Libby, tâche de me trouver quelques bouteilles d'eau glacée. Nous allons en avoir besoin. Où est passé... ?

Elle s'interrompit brusquement en voyant Parks approcher.

— Ah, te voilà ! fit-elle.

Si elle éprouvait le moindre plaisir à le voir, elle se gardait bien de le montrer, songea Parks, un peu vexé.

— Pourrais-tu te placer sur le marbre pour que nous puissions finir de régler les lumières ? lui demanda-t-elle.

Sans un mot, Parks s'exécuta. L'idée de tourner cette publicité ne lui plaisait toujours pas beaucoup mais il avait décidé de faire contre mauvaise fortune bon cœur. Si Lee estimait que cela pouvait servir sa carrière, il devait savoir ce dont il parlait.

E.J. s'approcha de Parks en souriant et entreprit d'effectuer quelques relevés à l'aide de son photomètre.

— Alors ? fit-il. Est-ce que vous êtes prêt à réduire les Valiants en bouillie ?

— Telle est bien notre intention en tout cas, répondit Parks.

— Tant mieux. Parce que j'ai parié cinquante dollars sur votre victoire.

— Je ferai ce que je pourrai, promit Parks en riant.

— Génial, déclara E.J. avant de se tourner vers son chef éclairagiste pour lui donner de nouvelles instructions.

Brooke s'était approchée et elle observa attentivement Parks avant de hocher la tête d'un air satisfait.

— Tu es parfait, déclara-t-elle. La première partie ne devrait pas te poser trop de problèmes. Tu n'auras qu'à faire ce que tu fais le mieux.

— A savoir ? demanda Parks d'un ton lourd de sous-entendus.

— Renvoyer la balle, répondit Brooke sans se laisser déconcentrer le moins du monde. Ton entraîneur a accepté de lancer.

— Et je suppose que je n'ai pas le droit à un casque.

— Cela n'irait pas vraiment avec ta tenue, répondit Brooke. Et il serait dommage de gâcher un tel ensemble.

— J'aime beaucoup le tien, moi aussi, déclara-t-il. J'ai hâte de pouvoir détacher tes cheveux moi-même.

— Maquilleuse ! appela Brooke sans relever ses provocations. Parks a besoin d'un peu de fond de teint.

— Pas question ! protesta-t-il.

— Je ne tiens pas à ce que tu sois tout luisant à l'écran, expliqua-t-elle. Mais ne t'en fais pas, cela ne se verra pas. La poudre devrait juste absorber la transpiration.

Parks se soumit à contrecœur à une rapide séance de maquillage. Brooke en profita pour lui donner ses directives.

— Tout ce que je veux, c'est que tu te mettes en position. Là, tu effectues quelques mouvements de batte, comme pendant un match. Puis l'entraîneur te lance la balle et tu frappes. Ensuite, tu me fais l'un de ces sourires dont tu as le secret et tu lances la batte.

— De quel genre de sourire parles-tu ? demanda Parks.

Brooke lui décocha un regard enjôleur qui n'augurait jamais rien de bon.

— Tu vois très bien ce dont je parle. Ce sourire de play-boy décontracté dont tu abuses sans vergogne. Celui qui te donne de petites fossettes et d'adorables petites rides au coin des yeux.

Parks la fusilla du regard.

— Tu me le paieras très cher, le moment venu, lui souffla-t-il.

— Lorsque tu frappes, il est inutile d'envoyer la balle hors du stade. Tu dois juste réagir comme si tu l'avais fait. Compris ?

— Compris, soupira Parks, réalisant qu'elle ne se départirait pas de son professionnalisme pointilleux tant qu'ils seraient sur le plateau.

— Tu es vraiment mignon, tu sais, Jones, s'exclama alors l'entraîneur qui venait de les rejoindre.

— Garde tes sarcasmes pour toi, Friedman. Et tâche de viser le marbre, pour une fois. Est-ce que j'ai le droit à une batte ? ajouta-t-il à l'intention de Brooke. Ou est-ce que je suis censé renvoyer à la main ?

Brooke héla son accessoiriste qui apporta aussitôt l'objet demandé. Parks observa la batte avec horreur.

— Qu'est-ce qui ne va pas ? demanda Brooke.

— Elle est en aluminium ! protesta-t-il.

— Oui, et alors ?

— Les professionnels n'utilisent jamais de batte en alu ! s'exclama-t-il, choqué.

— Est-ce que nous avons une batte de bois ? soupira Brooke.

— Bien sûr, s'exclama l'accessoiriste en rougissant.

Il courut chercher un nouveau modèle qu'il tendit timidement à Parks.

— Désolé, s'excusa-t-il.

— Te faudra-t-il autre chose ? demanda Brooke.

— J'avais juste une question.

— Je t'écoute…

— Est-ce que tout le monde a l'habitude de t'obéir au doigt et à l'œil ?

— Bien sûr, répliqua-t-elle sur le ton de l'évidence. Et tu ferais bien de t'en souvenir durant les deux heures qui viennent. De cette façon, nous n'aurons aucun problème.

— D'accord, acquiesça-t-il d'un air légèrement menaçant. Tant que nous tournons, je suis à tes ordres.

— Bien, approuva Brooke avant de se détourner.

Elle se dirigea vers la caméra et E.J. s'écarta pour la laisser vérifier le cadrage.

— Parfait, conclut-elle. Nous restons en plan séquence. Pas de travelling, pas de pano, pas de gros plan. Ce qui nous intéresse, ce sont les vêtements. Parks, tu es prêt ?

Parks se plaça en position sur le marbre, les pieds bien plantés au sol et les genoux légèrement fléchis.

— Prêt ! s'exclama-t-il.

— Je te parie dix dollars qu'il tire sur le centre gauche, fit E.J. en reprenant sa place derrière la caméra.

— Tenu, répondit-elle. Parks, lorsque je crierai « action », je veux que tu fasses quelques mouvements de batte. Garde les yeux bien fixés sur le lanceur et quoi qu'il arrive, ne regarde pas la caméra. Tâche d'oublier que nous sommes là.

Brooke se tourna vers Friedman et lui sourit.

— Vous êtes prêt? lui demanda-t-elle.

— Paré à tirer, mon cœur.

— Tâche de ne pas viser la tête! s'exclama Parks. L'annonceur m'en voudrait si je me faisais défigurer maintenant.

— Ce n'est pas comme si tu avais grand-chose à perdre, ironisa son entraîneur.

Brooke prit une profonde inspiration et s'assura que tout le monde était bien en place.

— Silence! s'exclama-t-elle. Moteur!

— Ça tourne, confirma E.J.

— Et… action!

Elle observa Parks qui effectuait quelques mouvements de batte avant de se remettre en position. La chemise qu'il portait soulignait sa silhouette élancée et révélait les muscles puissants de ses bras. Il était magnifique, songea-t-elle tout en comptant dans sa tête la durée du plan.

Brusquement, elle le vit se raidir tandis que la balle volait vers lui. Mais, au dernier moment, il retint sa batte et la laissa s'écraser derrière lui. Brooke retint à grand-peine un juron.

— Coupez! s'écria-t-elle.

Elle se dirigea vers lui.

— Quel est le problème? demanda-t-elle.

— La balle était hors cadre, répondit-il.

— Sûrement pas! protesta vivement Friedman.

Aussitôt, une discussion passionnée s'engagea entre les membres de l'équipe de tournage. S'efforçant d'ignorer l'agacement qui montait en elle, elle se tourna de nouveau vers Parks.

— Qu'est-ce que ça peut faire? demanda-t-elle. Au cas où tu n'aurais pas remarqué, il n'y a ni arbitres, ni fans, ni membres de la presse.

Parks posa l'extrémité de sa batte sur le sol et prit appui dessus.

— Il n'est pas question que je renvoie une balle hors cadre, déclara-t-il. Les connaisseurs trouveraient cela parfaitement ridicule.

Brooke faillit protester mais jugea préférable de s'abstenir. Parks était un acteur et elle devait le traiter avec les mêmes égards que ceux auxquels elle avait affaire en temps normal.

— Très bien, soupira-t-elle. Espérons que la prochaine te convienne mieux.

Elle retourna se placer près d'E.J.

— Deuxième prise ! annonça-t-elle. Moteur !

— Ça tourne.

— Action !

Cette fois, la balle était bonne et Parks la propulsa droit vers la troisième base.

— Coupez ! s'exclama Brooke. Combien de temps ? ajouta-t-elle à l'intention de la scripte.

— Douze secondes et demie, précisa celle-ci.

E.J. tendit à Brooke un billet de dix dollars froissé qu'elle glissa dans sa poche.

— C'était parfait, dit-elle à Parks. On recommence.

— Cette fois, je parie qu'elle sort du stade, déclara E.J.

— Tenu. Prise trois ! Moteur… Action !

Parks recommença et elle hocha la tête avec satisfaction. Il se prenait au jeu et paraissait à la fois plus décontracté et plus concentré. C'était exactement ce qu'elle voulait. Elle retrouvait l'intensité qu'elle avait pu observer dans ses yeux lors des deux matchs auxquels elle avait assisté et regrettait presque de ne pouvoir faire de gros plan.

Puis il frappa et elle sentit son admiration grandir encore. Il se dégageait de lui une impression de puissance étonnante. On aurait dit un félin bondissant sur sa proie. Tous ses muscles étaient tendus par l'effort et les vêtements de De Marco souli-gnaient admirablement ce mélange de tension et de contrôle.

Elle n'eut pas besoin de suivre la balle des yeux pour savoir qu'elle avait franchi la clôture. Le sourire presque carnassier qui se dessina sur les lèvres de Parks ne l'indiquait que trop clairement.

Cette expression ne devait rien à sa direction d'acteur. C'était l'image même de la satisfaction qu'il éprouvait en cet instant.

Brooke laissa la caméra tourner tandis qu'il suivait des yeux la trajectoire de la balle. Puis il se tourna vers elle et eut un petit haussement d'épaules qui exprimait autant de fierté que de modestie. C'était tout simplement parfait.

— Coupez! s'écria-t-elle, ravie.

Elle ressortit le billet d'E.J. et le lui tendit tandis qu'une vague d'applaudissements résonnait dans le stade.

— Beau lancer, Friedman, commenta Parks.

— J'essaie juste de te mettre en valeur, Jones. Mais le lanceur des Valiants ne sera pas aussi amical que moi.

— C'était génial, déclara Brooke. Combien de temps?

— Quatorze secondes, annonça la scripte.

— Parfait. J'aimerais faire une ou deux autres prises avant que la lumière ne commence à changer. De cette façon, nous serons couverts. Parks, quoi qu'il arrive, cette fois, refais exactement ce que tu viens de faire. Le sourire et le haussement d'épaules… C'était parfait!

— A votre service, m'dame, répondit-il.

Ils effectuèrent trois nouvelles prises avant que Brooke ne se déclare parfaitement satisfaite.

— On remballe! s'exclama-t-elle enfin. Merci à tous et félicitations! Nous avons rendez-vous devant le restaurant dans deux heures pour tourner la suite. Fred, ajouta-t-elle à l'intention de son assistant, vérifie que la Rolls est bien sur place et appelle l'actrice.

Brooke se dirigea vers l'entraîneur auquel elle serra cordialement la main.

— Merci pour votre aide, lui dit-elle.

— Tout le plaisir était pour moi, répondit-il gentiment. Vous savez, de mon temps, les joueurs de base-ball se contentaient de promouvoir des marques de rasoirs ou de bière.

Il jeta un coup d'œil à Parks qui dédicaçait ses balles aux techniciens de l'équipe.

— Jamais un créateur ne nous aurait demandé de porter

ses vêtements, ajouta-t-il. Mais je suppose que c'est bon pour l'image de notre sport.

— Surtout quand c'est un homme comme Parks qui le représente, acquiesça Brooke. Ne lui dites surtout pas que je vous l'ai dit mais c'est un acteur-né.

Friedman éclata de rire et lui tapota affectueusement l'épaule.

— Ne vous en faites pas pour ça, je serai muet comme une tombe. Je n'ai pas envie que mon troisième base attrape la grosse tête. Il serait capable de demander une augmentation ! Au fait, je voulais vous dire quelque chose. J'ai vu la façon dont vous dirigiez votre équipe et je pense que vous feriez un sacré entraîneur.

— Merci, répondit Brooke en riant. Mais je pense que je manque encore un peu de technique.

Elle se dirigea ensuite vers Parks.

— Tu t'en es très bien tiré, lui dit-elle.

— Pour un bleu, compléta-t-il avec un sourire amusé.

Facétieusement, il lui tendit la main et elle la serra. Mais lorsqu'elle essaya de la retirer, il la retint et laissa courir son pouce sur son poignet. Il sentit son pouls s'accélérer à ce contact.

— J'étais certaine que tu serais parfait, lui dit-elle d'une voix légèrement rauque.

Autour d'eux, les techniciens commençaient déjà à démonter le matériel. Elle entendait vaguement E.J. parler d'une femme qu'il venait de rencontrer et avec laquelle il avait bien l'intention de tenter sa chance. Brooke s'efforça de se concentrer sur cette discussion pour faire abstraction de la sensation délicieusement troublante que faisaient monter en elle les caresses de Parks.

— La scène suivante ne devrait pas non plus poser trop de problèmes, ajouta-t-elle. As-tu des questions ?

— Juste une, répondit Parks. Suis-moi.

Il ne lui laissa pas le temps de protester et l'entraîna vers les vestiaires.

— Y a-t-il un problème ? demanda-t-elle, inquiète.

— Je voulais savoir si nous avions fini de tourner.

— Cela me paraît évident, répondit-elle en haussant les épaules.

— Tant mieux, déclara-t-il.

Refermant la porte d'un coup de talon, il la prit dans ses bras et l'embrassa. Il y avait dans ce baiser une certaine violence, comme s'il cherchait à effacer toute la frustration qui s'était accumulée en lui au cours des deux heures qui venaient de s'écouler.

Depuis plusieurs jours, il ne pensait qu'au moment où il lui serait enfin donné de sentir les lèvres de Brooke sous les siennes. L'envie qu'il avait d'elle n'avait cessé de croître, prenant des proportions qu'il commençait à trouver alarmantes.

Elle occupait chacune de ses pensées et figurait au générique de la plupart de ses rêves. Ceux-ci prenaient parfois une connotation si érotique qu'il se réveillait en sursaut, le corps brûlant et l'esprit enfiévré. Il avait donc attendu leurs retrouvailles avec impatience, ce qui n'avait rendu que plus douloureuse l'apparente indifférence de la jeune femme.

Respectant l'accord qu'ils avaient passé, il s'était pourtant forcé à lui obéir en tout point, se promettant qu'il l'embrasserait à la première occasion. Mais loin de l'aider à se défaire de sa frustration, ce baiser ne faisait qu'accroître le besoin incoercible qu'il avait d'elle.

Son odeur le rendait fou. Le contact de son corps souple et musclé faisait naître en lui des images torrides qui déclenchaient une réaction physique aussi violente qu'irrépressible. Plus il se faisait passionné et entreprenant et plus il réalisait qu'il ne trouverait jamais la paix tant qu'il n'aurait pas fait l'amour avec elle.

Il voulait la posséder corps et âme. Il voulait se fondre en elle et perdre tout contrôle. Il voulait qu'elle s'abandonne à lui sans retenue. Il voulait que tous deux ne fassent qu'un.

— Dis, Brooke, est-ce que tu veux que je t'emmène… ?

E.J. s'interrompit brusquement, réalisant ce qu'ils étaient en train de faire.

— Euh… Désolé, s'excusa-t-il en refermant la porte.

Brooke l'entendit s'éloigner en sifflotant et la passion qu'elle venait d'éprouver disparut brusquement pour faire place à de la colère. Furieuse contre elle-même autant que contre Parks, elle essaya vainement de s'écarter de lui. Mais il ne la laissa pas faire.

— Lâche-moi ! s'exclama-t-elle.

— Pourquoi ?

Elle lui décocha un regard noir mais cela parut plus l'amuser que l'inquiéter.

— Ne refais jamais une chose pareille alors que je suis en train de travailler ! s'écria-t-elle, hors d'elle.

— Je t'ai expressément demandé si nous avions terminé, lui rappela Parks.

— La journée n'est pas finie, protesta-t-elle. Et tant que nous sommes en tournage, je suis la réalisatrice et tu es un acteur ! Alors tu feras exactement ce que je te dis de faire !

— Je ne vois pas de caméra, objecta calmement Parks.

— Ce n'est pas la question ! Je ne tiens pas à ce que mon équipe fasse courir des rumeurs sur notre compte. Cela minerait ma crédibilité et mon autorité !

Parks réalisa avec stupeur que plus elle se mettait en colère et plus il avait envie d'elle.

— De quoi as-tu vraiment peur ? répliqua-t-il. Ne serait-ce pas plutôt de perdre ton sacro-saint self-control ? De savoir que, lorsque je t'embrasse, tu n'es plus maîtresse de la situation ?

Il se pencha vers elle et la regarda droit dans les yeux. Sa bouche n'était qu'à quelques centimètres de la sienne et Brooke sentait son souffle effleurer sa joue.

— J'ai obéi à tes ordres durant tout le tournage, lui dit-il. Maintenant, c'est à toi de le faire.

Du bout de sa langue, il effleura les lèvres de Brooke. Celle-ci parvint à grand-peine à réprimer un frisson de désir. Mais ni l'un ni l'autre n'étaient dupes : l'envie qu'ils avaient l'un de l'autre était si impérieuse qu'elle paraissait faire vibrer l'air confiné des vestiaires.

Ils persistaient néanmoins à se mesurer du regard, s'efforçant de se donner l'illusion qu'ils étaient parfaitement capables de maîtriser cette passion qui habitait chaque fibre de leur corps. Parks effleura de nouveau ses lèvres, comme pour la mettre au défi de l'arrêter.

— Nous avons une autre scène à tourner cet après-midi, articula Brooke en luttant contre elle-même de toutes ses forces.

— Et je te promets que je serai sage comme une image, lui assura Parks.

Il planta un petit baiser sur la bouche tremblante de la jeune femme.

— Mais je ne te promets pas qu'il en ira de même ce soir, ajouta-t-il gravement.

6

Brooke avait décidé de filmer la scène de la Rolls en fin d'après-midi. Il s'agissait seulement de quelques images mais elles devaient évoquer une ambiance terriblement glamour.

La voiture se garait devant un restaurant et Parks en sortait, vêtu des mêmes habits que ceux qu'il portait sur le terrain de base-ball et auxquels venait juste s'ajouter une veste assortie.

Galamment, il tendait la main à une brune aux jambes interminables qu'il aidait à sortir de la Rolls. Ils échangeaient un regard enamouré avant de se prendre par le bras et de disparaître à l'intérieur du restaurant. La porte se refermait alors sur eux et c'est à ce moment qu'on entendrait la voix off de Parks.

L'ensemble devait durer douze secondes, ce qui, ajouté à la scène du stade et au logo de la marque, devait représenter une longueur totale de trente secondes.

— Je veux un plan large de la Rolls de trois quarts, indiqua Brooke à E.J. Puis tu resserres pour révéler Parks qui en sort en légère contre-plongée. Ensuite, il se penche vers la portière et la jambe de la fille sort de la voiture. On coupera alors pour les retrouver en large.

— Pas de problème, répondit son chef opérateur. Au fait, ajouta-t-il avec un sourire malicieux, je t'ai acheté un petit cadeau.

De son blouson, il tira une casquette frappée du logo des Kings et la tendit à Brooke. Celle-ci lui décocha un regard assassin et il éclata de rire.

— Très bien, déclara-t-il. Si tu n'en veux pas, je la garde.

Il enfila le couvre-chef et entreprit de positionner la caméra à l'endroit indiqué par la jeune femme. Celle-ci vérifia l'angle pendant qu'E.J. donnait ses instructions au chef éclairagiste. Quelques minutes plus tard, tout était prêt.

Brooke donna le signal et la Rolls se rapprocha lentement. Tout en observant la scène dans le moniteur, la jeune femme imaginait la musique qui serait ajoutée en cours de postproduction. Elle observa Parks qui descendait de voiture et tendait la main à la brunette et les regarda tous deux sortir du champ.

Quelque chose n'allait pas, c'était évident.

— Coupez! s'exclama-t-elle.

Elle alla trouver Parks pendant que le chauffeur de la Rolls ramenait la voiture à sa position initiale. Le prenant par le bras, elle l'entraîna un peu à l'écart.

— Il faut que tu te détendes, lui dit-elle gentiment.

Elle avait l'habitude de s'occuper d'acteurs amateurs et savait qu'ils avaient besoin d'être rassurés.

— Je ne vois pas ce que tu veux dire, objecta Parks.

— Tu es nerveux, expliqua-t-elle. C'est parfaitement compréhensible. Tâche simplement de te convaincre que tu vends un bon produit...

— Si je n'en étais pas persuadé, je n'aurais jamais accepté de participer à cette campagne, répondit-il.

— Tant mieux. Mais je persiste à croire que tu ne te sens pas du tout décontracté. Pourtant, ce matin, tu étais parfaitement à l'aise. Essaie de retrouver cette sensation.

— Ecoute, Brooke, je ne suis pas un acteur...

— Mais qui te demande de jouer? répliqua-t-elle en souriant. Ne me dis pas que tu ne t'es jamais retrouvé dans une telle situation : tu viens de remporter un match et tu t'offres une petite virée en ville avec une charmante jeune femme. Tout ce que j'attends de toi, c'est que tu donnes l'impression de t'amuser. Je sais que tu en es capable, Parks. Tâche de te détendre.

— Je n'ai pas l'habitude d'être observé par des dizaines de personnes lorsque je sors avec une fille, objecta-t-il d'un ton ironique.

— Ne me dis pas que c'est ce qui t'inquiète ! Tu joues chaque jour devant des milliers de spectateurs.

— Mais ce n'est pas la même chose, protesta Parks.

— C'est juste une question de point de vue. Essaie de retrouver la sensation que tu éprouves en marquant un home run.

— Malheureusement, sortir avec Nina est beaucoup moins motivant, soupira Parks. Elle doit avoir approximativement le même QI qu'un œuf à la coque.

— Tout ce qu'on te demande, c'est de jouer avec elle, pas de l'épouser. Ne sois pas si caractériel !

Parks fronça les sourcils. C'était la première fois qu'on l'accusait d'une telle chose. Il se faisait d'ordinaire un devoir d'obéir scrupuleusement aux instructions de son entraîneur. En entrant chez les Kings, il avait signé un contrat moral et il estimait qu'il était de son devoir de faire passer l'efficacité de son équipe avant ses petits problèmes d'ego.

Cette fois, il ne s'agissait pas de base-ball. Et les relations qu'il avait nouées avec Brooke étaient bien plus ambiguës que celles qu'il entretenait avec l'encadrement technique des Kings. Mais il s'était engagé à jouer dans ce spot publicitaire et devait donc s'efforcer de suivre ses indications. C'était une question de professionnalisme.

— Très bien, soupira-t-il. Je vais essayer de faire mieux.

Brooke lui sourit et le regarda rejoindre la Rolls qui stationnait non loin de là. Lors des prises suivantes, il tint parole et joua parfaitement son rôle. Paradoxalement, elle eut beaucoup plus de problèmes pour diriger l'actrice.

Il lui fallut expliquer trois fois que Nina n'était pas censée être en adoration devant Parks mais qu'elle devait se montrer sexy et légèrement distante. Cette attitude donnerait au spot publicitaire une atmosphère chic et glamour à laquelle Brooke tenait beaucoup.

La quatrième prise fut bien meilleure mais deux fans de Parks l'interrompirent en sautant la barrière qui protégeait le set du tournage pour venir lui demander un autographe. Brooke faillit prévenir le personnel de sécurité mais Parks lui fit signe de le laisser faire. Il signa l'autographe demandé avant de congédier ses admirateurs avec le charme et l'efficacité d'un diplomate expérimenté.

Enfin, ils purent filmer la scène sans être interrompus et Brooke s'estima parfaitement satisfaite du résultat. Elle félicita ses techniciens avant d'aller trouver E.J.

— Excellent travail ! lui dit-elle. Je commencerai à monter dès demain. Si tu veux, tu pourras passer jeter un coup d'œil.

— Demain, c'est samedi, lui rappela E.J.

— Exact, acquiesça-t-elle. Et je commencerai dès 10 heures.

E.J. poussa un soupir résigné et la regarda s'éloigner en direction de ses acteurs.

— Nina, tu as été parfaite, dit-elle à la jeune actrice. Fred, ajouta-t-elle à l'intention du chauffeur de la Rolls, tâche de ramener cette voiture au loueur en un seul morceau. Bigelow, comment s'appelle ton nouvel électricien ?

— Silbey.

— Il est très doué, déclara Brooke en en prenant mentalement note.

Elle se tourna enfin vers Parks qui se tenait un peu à l'écart, les mains plongées dans ses poches.

— Félicitations, lui dit-elle. Tu as survécu à ton premier jour de tournage. Il ne nous reste plus qu'à enregistrer la voix off demain.

— Tu m'en vois ravi.

— Je ne devrais peut-être pas te dire que ce spot était le plus facile de tous.

— Peut-être pas, en effet, répondit Parks en riant.

— Où est ta voiture ?

— Au stade.

Brooke jeta un coup d'œil à sa montre. Elle était tentée de rentrer directement au bureau pour commencer le dérushage des images qu'ils avaient filmées durant la journée. Mais elle estima préférable d'attendre le lendemain matin. Elle aurait l'esprit beaucoup plus dispos.

— Je vais te ramener là-bas, déclara-t-elle. Personne n'a de question ? ajouta-t-elle à la cantonade.

— Demain, c'est samedi ! répéta E.J. d'un air de reproche.

— Tu n'es pas obligé de venir si tu n'en as pas envie, répondit-elle en sachant pertinemment qu'il serait là quoi qu'il arrive. Bonne nuit à tous !

Brooke et Parks se dirigèrent vers la voiture de la jeune femme qui était garée à quelques centaines de mètres de là.

— Dis-moi, est-ce que tu travailles tous les week-ends ? lui demanda-t-il, étonné.

Après une journée épuisante, elle paraissait toujours déborder d'énergie.

— Lorsque c'est nécessaire, acquiesça-t-elle. Je te l'ai dit, De Marco voudrait diffuser les premiers spots avant la fin de la saison sportive. Evidemment, l'idéal, ce serait que vous restiez en lice le plus longtemps possible.

— Je ferai ce que je peux, répondit Parks en riant. Est-ce que tu veux que je prenne le volant ?

Brooke l'observa d'un air suspicieux.

— Est-ce qu'E.J. t'a parlé de ma façon de conduire ?

— Non. Pourquoi ?

— Pour rien, éluda Brooke.

— Je me disais juste que tu avais travaillé plus de huit heures d'affilée et que tu avais peut-être besoin d'un peu de repos. Franchement, je n'imaginais pas que le métier de réalisateur puisse être si prenant.

— Ne t'en fais pas pour moi, je suis plus coriace que je n'en ai l'air.

— Je n'en doute pas, répondit Parks en souriant.

Tendant la main vers son visage, il effleura doucement la joue de la jeune femme. Celle-ci s'efforça de réprimer le frisson qu'éveillait en elle cette caresse et s'installa au volant.

— On dirait qu'il y a pas mal d'embouteillages, ce soir, remarqua-t-elle lorsque Parks se fut assis à son côté. Nous risquons de mettre pas mal de temps à rejoindre le stade.

— Je ne suis pas pressé. Dis-moi, est-ce que tu sais cuisiner ?

— Bien sûr, répondit Brooke en démarrant sur les chapeaux de roues.

La voiture bondit en avant, fit une embardée puis zigzagua à toute allure entre plusieurs véhicules. Parks s'abstint prudemment de tout commentaire désobligeant mais comprit les réserves d'E.J. à l'égard de sa conduite.

— Dans ce cas, nous pourrions passer chez toi avant d'aller récupérer ma voiture, déclara-t-il. J'ai une faim de loup!

— Et tu espères que je vais te préparer quelque chose à manger?

— Pourquoi pas? Après tout, je t'ai déjà invitée deux fois. Et puis, pour faire l'amour, nous serons bien mieux chez toi que dans un restaurant.

— Tu me parais bien sûr de toi.

— Je te l'ai dit : en dehors du tournage, c'est moi qui fixe les règles du jeu.

— Et si je ne suis pas d'accord?

— Je ne compte pas te forcer la main, tu sais. Tout ce que je veux, pour le moment, c'est un bon dîner.

— Jamais je n'ai rencontré quelqu'un d'aussi arrogant.

— Voyons, Brooke, ne me dis pas que je te fais peur.

— Très bien! Si tu y tiens tellement, tu n'as qu'à venir manger à la maison. Mais ne t'étonne pas si je te ramène ensuite directement à ta voiture.

Parks hocha la tête. C'était un risque qu'il était prêt à courir. Mais il était bien décidé à faire tout ce qui serait en son pouvoir pour la faire changer d'avis.

— Tu sais que tu conduis comme une vraie psychopathe? remarqua-t-il tandis que la jeune femme débouchait à fond de train sur une bretelle d'autoroute.

— On me l'a déjà dit, répliqua Brooke sans décélérer le moins du monde.

Malgré la colère presque palpable qui habitait Brooke, Parks fut frappé par le calme et la sérénité qui caractérisaient l'endroit qu'elle avait choisi pour vivre. Cette sensation lui paraissait presque plus aiguë que lorsqu'il était venu la fois précédente.

Peut-être était-ce à cause de l'odeur qui flottait dans l'air. Elle évoquait la mousse et les sous-bois en automne et éveillait en lui une vague nostalgie. Il était rare de sentir une telle fragrance à Los Angeles qui était plus connue pour ses palmiers, ses plages et son climat presque toujours estival.

Les arbres qui poussaient autour de la maison s'étaient parés de robes brunes, orange et rouges. Ces couleurs accentuaient encore l'impression que Parks avait de pénétrer dans un autre monde. Il remarqua alors que les plantes et les fleurs qui poussaient aux alentours paraissaient avoir été plantées au hasard. Les arbustes n'étaient pas taillés et poussaient librement sans qu'il puisse déterminer si c'était un choix conscient de la part de Brooke ou bien la preuve qu'elle n'accordait guère de temps au jardinage.

Quelles qu'en soient les raisons, ce manque d'entretien donnait l'illusion de se trouver en pleine nature, loin du monde civilisé. Et cette impression conférait à la maison l'aspect d'un refuge secret, d'un havre de paix niché au beau milieu des montagnes.

Sans un mot, Brooke immobilisa sa voiture devant le porche et descendit. Parks la suivit et lui emboîta le pas. Elle était toujours furieuse de la façon dont il lui avait imposé sa présence mais cela ne le dérangeait pas le moins du monde. Depuis qu'il la connaissait, il savait qu'il lui faudrait lutter pour la conquérir.

Brooke n'était pas une fille facile. Elle se battrait pied à pied pour ne pas perdre le contrôle qu'elle entendait exercer sur son existence. Mais la lutte qui les opposait ne faisait qu'ajouter au désir que Parks avait d'elle. Jamais il n'avait eu autant envie d'une femme.

Et il était parfaitement conscient du caractère réciproque de cette fascination. L'alchimie qui existait entre eux était incontestable. Il la lisait dans ses yeux, dans chacun de ses gestes et même dans la façon dont elle combattait cette attirance croissante.

Sans dire un mot, Brooke pénétra dans la maison. Elle n'invita pas Parks à entrer mais il la suivit à l'intérieur sans hésiter. La première chose qui attira son attention, ce fut la cheminée qui ornait le mur de la grande salle de séjour dans laquelle ils venaient de pénétrer.

Elle était construite en pierres massives et ornée de lourds chenets en fonte. Elle renforçait l'atmosphère intime et accueillante de la pièce et contrastait avec la vaste baie vitrée qui s'ouvrait sur la gauche.

Les meubles qu'avait choisis la jeune femme témoignaient d'un souci de confort plus que de style. On trouvait un profond canapé garni de coussins moelleux, une table basse couverte de numéros de l'*American Cinematographer*, et des chaises de formes diverses.

Les couleurs qui prédominaient étaient sobres mais quelques notes plus gaies offraient un habile contrepoint. Parks remarqua ainsi une urne de cuivre qui contenait des plumes de paon, un tapis afghan écarlate et un bouquet de fleurs jaunes qui dégageaient un parfum capiteux.

D'immenses étagères se dressaient face à la baie vitrée. Lorsqu'il s'en approcha, Parks découvrit au milieu des livres une série de bibelots qui représentaient divers animaux. Il y avait un petit papillon en cristal, une tasse en porcelaine qui avait la forme d'une tête d'ours, un singe mécanique, équipé de cymbales, et des dizaines d'autres babioles qui formaient une collection hétéroclite.

Au-dessus de l'étagère, on apercevait le palier du premier étage auquel on accédait par l'escalier qui se trouvait dans l'entrée.

Tout ceci en apprit long à Parks sur les goûts de Brooke. Elle affectionnait les espaces ouverts et les couleurs contrastées et choisissait les objets dont elle s'entourait au gré de ses coups de cœur, sans se soucier vraiment de la façon dont ils s'accorderaient entre eux. Comme la plupart des gens qui n'avaient pas de racines, elle avait l'âme d'une collectionneuse.

— Tu peux visiter à ta guise, déclara la jeune femme. Moi, je vais me servir un verre.

— Je prendrai la même chose que toi, si tu n'y vois pas d'inconvénient, répondit-il avec une amabilité qui ne fit qu'accroître la colère qui bouillonnait en elle.

Pourquoi l'avait-elle laissé venir ici ? se demanda-t-elle. Et pourquoi se sentait-elle si nerveuse en le voyant passer en revue ses affaires ? Incapable de répondre à ces questions, elle se dirigea vers le bar.

Parks alla s'asseoir sur le canapé et observa la cheminée que tapissait une épaisse couche de cendres.

— Que dirais-tu d'un bon feu ? suggéra-t-il.

Elle lui tendit un verre d'un geste un peu brusque.

— Le bois est empilé derrière la maison, déclara-t-elle vivement.

— Merci, fit Parks en lui prenant le verre des mains. Tu devrais t'asseoir, tu sais. Tu es restée debout toute la journée...

— Ne t'en fais pas pour moi, répliqua-t-elle sèchement.

Mais Parks ne l'entendait visiblement pas de cette oreille. La prenant par la taille, il l'attira vers lui. Surprise, Brooke perdit l'équilibre et se retrouva assise à son côté.

— Mais pour qui te prends-tu ? s'exclama-t-elle, furieuse. Crois-tu vraiment que tu peux venir chez moi, te faire servir un bon dîner et m'entraîner au lit sans que je n'y trouve rien à redire ?

— Est-ce que tu as faim ? l'interrompit Parks.

— Non.

— Bizarre... D'habitude, c'est toujours lorsque tu es affamée que tu es d'aussi mauvaise humeur.

— Je n'étais pas de mauvaise humeur jusqu'à ce que tu décides de te montrer insupportable !

— Que dirais-tu d'un peu de musique ? Il paraît que cela adoucit les mœurs ?

Brooke prit une profonde inspiration, luttant désespérément contre l'envie qu'elle avait de le gifler. Parks se conduisait comme s'il était chez lui et qu'elle était une invitée difficile et cela la mettait hors d'elle.

— Je ne veux pas de musique, déclara-t-elle d'une voix sourde.

— Un petit massage, alors ? suggéra Parks en posant la main sur son cou. Cela t'aidera à te détendre...

— Je suis parfaitement détendue, mentit-elle en repoussant violemment son bras.

— Brooke, soupira Parks en posant son verre sur la table basse, lorsque je t'ai appelée, il y a quelques jours, tu paraissais avoir envie de me voir...

— De te *voir*, répéta-t-elle en insistant sur le dernier mot.

Elle fit mine de se lever mais Parks passa un bras autour de ses épaules.

— Tu savais très bien ce qui se passerait, murmura-t-il en

la regardant droit dans les yeux. D'ailleurs, tu aurais très bien pu m'empêcher de venir ici, ce soir. Mais tu n'en as rien fait. Si tu me dis que tu n'as pas envie de moi, je te laisserai tranquille.

Brooke tenta vainement de lutter contre la fascination que faisait naître en elle le désir qu'elle lisait dans les yeux de Parks.

— Je n'ai pas à me justifier, déclara-t-elle d'une voix mal assurée. Je te rappelle que ceci est ma maison et que...

— De quoi as-tu donc si peur ? l'interrompit Parks d'une voix très douce.

— Je n'ai pas peur, protesta-t-elle.

— L'idée de faire l'amour avec moi te terrifie donc à ce point ? insista-t-il.

Cette fois, Brooke s'arracha à lui et se leva brusquement. Elle sentait bouillonner en elle un flot de sensations contradictoires : de la colère, du désir et une angoisse incoercible. Elle en voulait surtout à Parks de réveiller des doutes qu'elle avait cru dompter depuis de longues années. Mais il n'était pas dans sa nature de reculer devant un défi, quel qu'il soit.

— Tu veux vraiment que nous fassions l'amour ? lui dit-elle. Très bien. Dans ce cas, suis-moi.

Elle quitta la pièce et se dirigea vers l'escalier qui menait au premier étage. Sans prendre la peine de vérifier si Parks lui emboîtait le pas, elle traversa le palier et ouvrit la porte de sa chambre. Instantanément, son regard tomba sur le lit.

Puisque c'était la seule solution, ils feraient l'amour, décida-t-elle. Cela les aiderait peut-être à se débarrasser une fois pour toutes de cette ambiguïté qui entachait leurs rapports. Ensuite, ils pourraient repartir sur de nouvelles bases et établir une relation plus saine.

Lorsque Parks pénétra à son tour dans la chambre à coucher, il réalisa que Brooke était déjà en train de se déshabiller. Il faillit lui demander d'arrêter mais comprit que cela ne ferait que retarder l'inévitable. Pour le moment, mieux valait lui laisser l'impression que c'était elle qui conservait le contrôle de la situation. Il commença donc également à se débarrasser de ses vêtements.

Une fois nue, Brooke écarta le dessus-de-lit et le drap. Puis elle se tourna vers Parks, les bras croisés sur sa poitrine.

— Tu es prêt ? demanda-t-elle.

Il leva les yeux vers elle et sentit un brusque accès de désir s'emparer de lui. Elle était plus belle encore qu'il ne l'avait imaginé. Son corps constituait un mélange irrésistible de force et de fragilité. Sa silhouette mince et svelte et sa peau très pâle suggéraient une douceur que démentait l'éclat assassin de son regard.

La gorge serrée par une émotion inconnue, Parks se promit de faire preuve de patience et de tendresse. Il ne prendrait rien qu'elle ne soit prête à donner. Lentement, il traversa la pièce et vint se placer devant elle. Brooke ne cilla pas mais il la vit avaler nerveusement sa salive. Il la prit par les épaules et la fit pivoter sur elle-même.

— Cette fois, c'est moi qui mets en scène, lui dit-il.

Brooke se raidit mais ne protesta pas tandis qu'il commençait à détacher ses cheveux. Il prit tout son temps pour démêler les mèches lorsqu'il les eut enfin libérées.

— Ils sont magnifiques, murmura-t-il en les caressant.

Il y plongea alors son visage, se gorgeant de leur parfum. Malgré elle, Brooke sentit ses genoux vaciller. Il s'écarta et lui fit de nouveau faire demi-tour. Elle garda les yeux rivés sur son visage, craignant que la vue de son corps n'accroisse l'irrésistible fascination qu'elle sentait monter en elle.

Pourtant, elle ne put s'empêcher de remarquer la médaille que Parks portait autour du cou. La considérant plus attentivement, elle vit qu'il s'agissait d'une pièce de cinq dollars en or que l'on avait percée pour pouvoir y enfiler une chaîne.

Avant qu'elle ait eu le temps de l'interroger à ce sujet, Parks se pencha vers elle et déposa un petit baiser au creux de son épaule. Ce simple contact la fit tressaillir de part en part et elle se raidit pour résister à cette sensation.

— Détends-toi, murmura Parks contre sa peau. Je ne ferai rien sans ton accord…

Lentement, il laissa ses lèvres remonter le long de son omoplate et de son cou pour se poser juste sous son oreille, lui arrachant un nouveau frisson. Ses mains s'étaient posées sur ses hanches et remontaient le long de ses flancs avant de redescendre. Craignant de perdre pied, Brooke posa ses mains sur sa poitrine et le repoussa.

Il se laissa faire et l'observa attentivement. Dans ses prunelles, elle devinait une pointe d'humour qui l'agaça prodigieusement.

— Est-ce que tu veux que nous arrêtions ? demanda-t-il d'un air de défi.

Elle réalisa que, quelle que soit sa réponse, elle ne pouvait que perdre.

— Le ferais-tu ? répliqua-t-elle.

Il lui décocha un sourire amusé.

— Tu n'as qu'à me le demander.

Brooke ouvrit la bouche pour le faire mais Parks posa ses lèvres sur les siennes. Son baiser était tendre et langoureux et elle sentit sa résistance vaciller. Sans même qu'elle s'en aperçoive, ses mains remontèrent de la poitrine de Parks à ses épaules sur lesquelles elles se posèrent.

Il l'allongea alors sur le lit sans cesser de l'embrasser et elle réalisa que c'était probablement sa dernière chance de le repousser. Mais elle fut incapable de lutter contre le désir irrésistible qu'elle sentait naître au creux de son ventre.

Son corps paraissait ne plus lui répondre, s'arquant de lui-même pour mieux s'offrir aux caresses de Parks. Il prenait tout son temps, évitant soigneusement les parties les plus sensibles de son anatomie. Mais ses lèvres et ses doigts éveillaient sur sa peau de délicieux frissons qui se répandaient en elle, alimentant l'envie sans cesse croissante qu'elle avait de lui.

Brooke réalisa alors qu'il était trop tard pour espérer lutter. Elle se détendit et s'abandonna à ces sensations extraordinaires. Il dut le sentir car sa bouche quitta sa gorge pour descendre jusqu'à l'un de ses seins. Du bout de sa langue, il entreprit d'agacer son téton qui se dressait déjà vers lui.

Brooke frémit, parcourue par un fulgurant éclair de plaisir qui lui arracha un petit gémissement de bonheur. Encouragé par cette réaction, Parks se fit plus audacieux. Délicatement, il mordilla son autre téton tandis que sa main effleurait l'intérieur de sa cuisse. Brooke gémit de nouveau, écartelée par le besoin qu'elle avait de le sentir en elle.

— Fais-moi l'amour, murmura-t-elle d'une voix si rauque qu'elle eut peine à la reconnaître.

— C'est exactement ce que je suis en train de faire, répondit-il avec un sourire.

Mais ses yeux ne riaient pas. Il avait le même regard que lorsqu'il se trouvait sur un terrain de base-ball, songea-t-elle. Il trahissait une concentration extrême et elle comprit brusquement combien il luttait pour résister à son propre désir.

— Viens en moi, supplia-t-elle.

— Pas encore. Nous ne faisons que commencer.

Il était bien décidé à prendre son temps, à rendre ce moment mémorable, tant pour elle que pour lui. Lorsque Brooke fit mine de protester, il la fit taire d'un baiser qui exprimait mieux que des mots la promesse de leur plaisir à venir.

Capturant ses poignets, il redescendit ensuite le long de son corps. Ses baisers étaient incandescents et Brooke avait l'impression qu'il la marquait au fer rouge. Lorsqu'il se remit de nouveau à caresser ses seins, elle dut se mordre les lèvres pour ne pas crier.

La chaleur qui se répandait en elle était intolérable. Elle se communiquait au plus profond de son être, envahissant les replis les plus secrets de son corps. Elle avait l'impression de se liquéfier, de se disloquer entièrement.

Mais Parks ne lui laissait aucun répit. Abandonnant sa poitrine, il descendit le long de son ventre parcouru de spasmes incoercibles. Il le couvrit de baisers et elle craignit un instant de perdre la raison. Jamais elle n'avait désiré un homme à ce point. Jamais elle n'avait éprouvé une frustration aussi intense.

Parks descendit plus bas encore. Lorsque sa bouche se posa entre ses cuisses et qu'elle sentit sa langue entrer en elle, elle fut terrassée par un accès de plaisir si brutal, si intense, qu'elle ne put ravaler le cri de joie qui lui échappa.

Il entreprit alors d'explorer le cœur palpitant de sa féminité, découvrant les arcanes les plus secrets de son corps, se gorgeant de cette odeur qui le rendait fou.

Brooke n'était plus que gémissements et frissons. Elle perdit rapidement le compte des extases que Parks éveillait en elle. Elle ne vivait plus que pour la montée irrésistible de ce plaisir qui l'entraînait chaque fois un peu plus loin. La chambre dans laquelle ils se trouvaient avait depuis longtemps disparu, laissant place à des images d'un érotisme insoutenable qui se pressaient en elle.

Incapable de les supporter plus longtemps, elle laissa libre cours à sa passion et entreprit de répondre à chacune des caresses de Parks avec une audace dont elle ne se serait jamais crue capable. De ses lèvres et de sa langue, elle lui rendit chacun de ses hommages tandis que ses mains étreignaient ses hanches.

Sentant qu'il ne pourrait résister plus longtemps à ce délicieux supplice, Parks se dégagea doucement et embrassa Brooke avec une ardeur qui confinait au désespoir. Ils roulèrent sur le lit, enlacés, jusqu'à ce qu'il se retrouve de nouveau sur elle.

Elle le sentit alors entrer en elle et son corps se creusa pour venir à sa rencontre. Elle l'attira au plus profond d'elle-même, nouant ses jambes autour de lui et labourant ses épaules de ses ongles. Il commença à bouger de plus en plus vite alors que tous deux perdaient le contrôle de leurs corps qui se fondaient l'un en l'autre.

Brooke sentit monter en elle une dernière vague de plaisir, plus grande encore que toutes celles qui l'avaient précédée. Elle tenta vainement d'y résister, s'accrochant aux derniers lambeaux de sa raison. Puis elle fut balayée sans pitié par une extase qui dépassait tout ce qu'elle aurait cru pouvoir éprouver.

7

Brooke s'abandonna à la délicieuse sensation de satiété qui l'avait envahie. A mi-chemin entre le sommeil et l'éveil, elle avait l'impression de flotter entre deux eaux et laissait son esprit dériver librement. Elle aurait pu rester éternellement ainsi à ne rien faire, jouissant de la paix et de la sérénité qui l'habitaient.

Luttant pour rester éveillée, elle se remémora les heures qui avaient précédé. Elle avait peine à croire que tout soit arrivé aussi vite. Sa résistance initiale avait été littéralement balayée par l'intensité de son propre désir. Elle avait cédé le pas à un besoin impérieux de prendre et de donner, à une quête du plaisir dont la violence les avait tous deux pris par surprise.

Combien de fois avaient-ils fait l'amour, emportés par une passion si dévorante qu'elle ne leur laissait pas de répit, avant que, brisés, ils ne finissent par succomber au sommeil? Jamais elle ne se serait crue capable d'une telle fougue. Jamais elle n'aurait pensé pouvoir inspirer une telle envie.

Elle se rappelait précisément chacun de leur geste et s'émerveillait rétrospectivement de la patience avec laquelle Parks avait su éveiller ses sens et faire naître en elle cette faim indomptable. Elle s'étonnait aussi de l'ardeur avec laquelle elle avait répondu à chacune de ses caresses et de l'audace dont elle avait fait preuve.

Mais ce qui la déroutait le plus, c'était ce besoin impérieux qu'elle avait éprouvé. Pendant des années, elle s'était convaincue qu'elle était parfaitement autosuffisante, que toute forme de dépendance ne conduisait qu'à une dangereuse vulnérabilité et que jamais elle ne tomberait dans un tel piège.

La nuit touchait à sa fin et l'aube laissait déjà entrevoir ses premières lueurs à travers les rideaux entrouverts. Dans cette douce pénombre, Brooke parvenait à distinguer le visage de Parks. Ses traits étaient détendus et un léger sourire flottait sur ses lèvres. Elle sentait son bras sur ses hanches, comme s'il avait craint qu'elle ne cherche à s'enfuir. Et son autre main était perdue au creux de sa chevelure.

Deux amants repus par une nuit d'amour, songea-t-elle. Mais cette pensée se doublait d'une légère inquiétude. Car si elle s'abandonnait à ce qu'elle ressentait en cet instant, elle risquait rapidement de perdre le contrôle de la situation. C'était son indépendance qui était en jeu et il était grand temps de réfléchir aux implications de ce qui venait de se passer entre eux.

Brooke s'efforça d'échapper à l'étreinte de Parks mais il raffermit son emprise.

— Non, murmura-t-il sans ouvrir les yeux.

Il laissa glisser sa main le long du dos de Brooke, lui arrachant un léger frisson de volupté.

— Il est trop tôt pour se lever, ajouta-t-il en se serrant un peu plus contre elle.

Elle sentit ses seins se redresser à ce contact tandis qu'une douce chaleur se répandait au creux de son ventre. Luttant contre le désir qu'elle sentait monter en elle, Brooke se répéta que la sécurité qu'elle éprouvait entre ses bras n'était qu'illusoire. Une fois de plus, elle tenta de s'arracher à lui mais il l'en empêcha.

— Parks…, protesta-t-elle faiblement.

Ses objections furent étouffées par un baiser auquel elle s'efforça vainement de résister. Mais le mouvement des doigts de Parks le long de sa colonne vertébrale se faisait plus insistant, démultipliant l'envie qu'elle avait de lui.

La lumière grise de l'aube avait pris une teinte rosée et l'air semblait avoir gagné en densité. Déjà, son corps semblait se mouvoir de sa propre volonté pour mieux s'offrir aux caresses de Parks. Son esprit lui cria qu'il était en train de commettre une folie, qu'elle regretterait amèrement ce qui était sur le point d'arriver. Mais il était déjà trop tard.

Ses protestations se muèrent en un gémissement de plaisir et Parks la fit rouler en arrière. Il laissa glisser sa main le long de son corps qui s'arquait pour l'accueillir en elle, admirant sa silhouette magnifique et savourant l'intensité du désir qu'il avait d'elle. Puis, lentement, il pénétra en elle, lui arrachant un cri d'extase.

Ils firent l'amour avec passion et leur plaisir se trouva décuplé par la connaissance intime qu'ils avaient à présent l'un de l'autre. Elle leur permettait d'anticiper chacune de leurs attentes et de les devancer, conférant à leur étreinte une harmonie si parfaite que, lorsqu'elle retomba pantelante sur le lit aux draps froissés, Brooke sentit une angoisse incoercible se mêler à sa joie.

— Que se passe-t-il ? lui demanda Parks auquel ce brusque changement d'humeur n'avait pas échappé. Tu as des regrets ?

Il la vit hésiter avant de répondre et comprit qu'elle luttait autant contre elle-même que contre lui.

— Nous n'aurions pas dû faire ça, soupira-t-elle enfin.

— Pourquoi ? lui demanda Parks en s'efforçant de museler la déception qu'il sentait monter en lui.

— Parce que ce n'est pas ce que je veux.

— Disons que ce n'est pas ce que tu voudrais, précisa Parks.

— C'est vrai, reconnut-elle avec honnêteté. Nous allons être amenés à travailler ensemble pendant un certain temps. Et je doute fort que nous puissions à la fois être collaborateurs et amants.

— Il est un peu tard pour se poser la question, remarqua Parks.

— Non, répondit-elle. Nous pouvons très bien nous contenter de cette nuit et faire comme si rien ne s'était passé.

— Vraiment ?

Brooke hésita. La veille, elle était certaine qu'une fois qu'ils auraient apaisé le désir qu'ils avaient l'un de l'autre, ils pourraient repartir sur de nouvelles bases et nouer une relation amicale dénuée de toute ambiguïté. Mais Parks venait de lui prouver que leur envie, loin d'être satisfaite, avait pris une dimension nouvelle.

— Dis-moi une chose, Brooke, reprit Parks. Est-ce que tu t'accordes souvent du bon temps?

— Eh bien… Comme tout le monde, j'imagine…

— Vraiment? J'ai plutôt l'impression que tu travailles dix ou douze heures par jour. Je sais que tu adores ton métier et que tu es très douée mais la vie ne se limite pas à ça. Il faut savoir prendre le temps de jouer au Frisbee de temps à autre.

— Au Frisbee? répéta-t-elle en riant.

— Bien sûr! A ça ou à n'importe quelle autre activité dénuée de sens comme le bilboquet, les jeux vidéo ou la grande roue.

— Je ne vois pas très bien ce que la grande roue ou les jeux vidéo ont à voir avec notre relation, objecta Brooke.

— Eh bien, j'imagine que ce que j'essaie de te dire, c'est que notre relation n'est pas quelque chose de grave et de décisif. Nous pouvons passer du temps ensemble, profiter l'un de l'autre, nous laisser vivre sans que cela ne vienne bouleverser le cours de notre existence.

Tout en prononçant ces mots, Parks savait pertinemment qu'il ne s'agissait là que d'une demi-vérité. Tôt ou tard, leur liaison finirait par prendre un tour beaucoup plus sérieux. Il le sentait au plus profond de lui-même. Mais il comprenait aussi qu'il devrait se battre pour que Brooke l'accepte à son tour et ne tenait pas à lui faire peur.

— Contentons-nous de jouer au Frisbee ensemble et nous verrons bien où cela nous mènera, conclut-il.

Brooke sentit sa résistance vaciller.

— A t'entendre, cela a l'air si simple, soupira-t-elle.

— Ce n'est pas le terme que j'emploierais. Même les choses légères ne sont pas toujours simples. Mais je sais que j'ai envie de toi et que tu as envie de moi. Je sais que je ne veux pas renoncer à ce qui s'est passé entre nous cette nuit. Je sais que je veux passer du temps avec toi, apprendre à mieux te connaître, partager des bons moments et être là quand tu auras besoin de quelqu'un pour te soutenir.

Brooke sentit sa gorge se nouer. Les mots de Parks la touchaient bien plus profondément qu'elle ne l'aurait voulu. Ils éveillaient en elle un besoin dont elle n'avait pas eu conscience jusqu'alors. Avec une pointe d'angoisse, elle se demanda si elle serait vraiment assez forte pour vivre une telle relation sans perdre le contrôle.

Cela avait l'air si facile... Tout ce que Parks lui demandait, c'était de profiter de ce qu'il lui offrait. Il n'exigeait ni engagement, ni promesse, ni serments.

— Je ne peux pas me permettre de tomber amoureuse de toi, lui dit-elle gravement.

Parks réprima la frustration qui montait en lui, se répétant que Brooke avait besoin de temps. Pour une raison qu'il ignorait, la simple idée de se retrouver liée à quelqu'un la terrifiait et il ne servirait à rien de brusquer les choses.

— Règle numéro un, dit-il malicieusement, le contractant A ne tombera pas amoureux du contractant B.

— Tu te moques de moi, protesta-t-elle.

— C'est plus fort que moi, plaida-t-il d'un air faussement innocent.

— Je suppose que cela fait partie de ta définition du bon temps.

— Entre autres choses.

— Très bien, déclara-t-elle. Je te promets d'acheter un Frisbee.

Il éclata de rire et elle déposa sur ses lèvres un petit baiser qui avait un léger goût de victoire. Lorsqu'elle fit mine de se lever, il la retint contre lui.

— Il est trop tôt pour se lever.

— Je ne suis pas fatiguée, objecta-t-elle.

— C'est parce que tu n'es pas actrice, toi. C'est un métier épuisant!

Elle sourit et lui caressa doucement la joue.

— Je compatis, lui dit-elle. Dis-moi, je peux te poser une question?

— Je t'écoute.

— Que représente la chaîne que tu portes autour du cou?

Parks souleva la pièce d'or qui y était attachée.

— C'est un porte-bonheur, expliqua-t-il. Ma tante me l'a offert lorsque je suis parti pour le centre de formation en Floride. Elle a dit à mon père qu'il ne comprendrait jamais rien à son fils tant qu'il continuerait à ne penser qu'à ses courbes de résultat et de profit. Puis elle m'a donné cette pièce.

— Je ne te savais pas superstitieux, remarqua Brooke.

— La chance n'a rien à voir avec la superstition, déclara-t-il sentencieusement.

— Je vois, acquiesça-t-elle en caressant doucement sa poitrine. Est-ce que tu la portes tout le temps ?

— Je ne la quitte jamais.

Laissant ses doigts glisser jusqu'à son ventre, Brooke couvrit sa poitrine d'une pluie de petits baisers aussi légers que des papillons. Instantanément, Parks sentit s'éveiller l'envie qu'il avait d'elle.

— Tu vois, murmura-t-il d'une voix un peu rauque. On dirait bien que mon porte-bonheur a encore fait effet...

Brooke ne répondit pas, trop occupée à explorer le corps de son amant de ses lèvres et de sa langue. Et tandis qu'elle sentait monter en elle un nouvel accès de désir, elle décida que le moment était peut-être venu de ne plus se poser de questions et de profiter sans états d'âme de ce que la vie lui offrait.

A 10 heures précises, Claire pénétra dans la salle de montage. Ni E.J. ni les monteurs ne s'étonnèrent de la voir là. Tous les employés de Thorton Productions savaient qu'elle suivait de près chacun des projets de l'entreprise et venait très souvent s'assurer personnellement de leur bon déroulement.

Pas plus que Brooke, elle ne se souciait de savoir si c'était le week-end ou la semaine, le jour ou la nuit. Elle était là chaque fois qu'elle estimait sa présence nécessaire. Et, comme à son habitude, elle était d'une élégance irréprochable. Le tailleur couleur de jade qu'elle portait était parfaitement assorti à son chemisier perle et il émanait d'elle un parfum aussi subtil que délicat.

— Dave, Lila, E.J., les salua-t-elle d'un ton cordial avant de se diriger vers la cafetière qui trônait dans un coin de la pièce.

Personne ne se risqua à lui servir son café. Claire détestait ce genre d'actes de soumission qu'elle trouvait aussi embarrassants que déplacés. Tout ce qui comptait, à ses yeux, c'était que les gens qu'elle employait fassent preuve de professionnalisme et d'efficacité.

— Ne vous en faites pas, mademoiselle Thorton, c'est moi qui l'ai préparé, indiqua E.J. tandis que Claire remplissait sa tasse. Cela vous évitera d'avoir à supporter le jus de chaussette que boivent ces deux-là, ajouta-t-il en désignant les monteurs.

Claire sourit et avala une gorgée de liquide brûlant. Il était si fort qu'il la maintiendrait certainement éveillée jusqu'au beau milieu de la nuit si elle ne veillait pas à modérer sa consommation. Mais force était de reconnaître qu'E.J. n'avait pas son pareil pour préparer un bon café.

— J'ai entendu dire que le tournage s'était bien passé, remarqua-t-elle. Vous n'avez pas eu de problèmes particuliers ?

— Tout a marché comme sur des roulettes, répondit E.J. Et Parks nous a offert une série de coups de batte prodigieux. Son home run m'a même rapporté dix dollars.

E.J. s'abstint de préciser qu'en les gagnant, il n'avait fait que recouvrer ses pertes.

— Est-ce que Brooke est arrivée ?

— Je ne l'ai pas encore vue, répondit E.J.

Son sourire n'échappa pas à Claire. Visiblement, il soupçonnait la raison de ce retard inhabituel. Mais elle le connaissait suffisamment pour savoir qu'il était inutile de le presser de questions.

— Tout est prêt, Dave ? demanda-t-elle au chef monteur.

— Oui, mademoiselle. Vous voulez que je vous fasse voir les rushes ?

— Nous ferions sans doute mieux d'attendre Brooke.

Comme elle prononçait ces mots, elle entendit résonner la voix de la jeune femme dans le couloir qui menait à la salle de montage.

— Tant que tu acceptes le fait de n'avoir pas ton mot à dire sur ce que nous choisirons de garder ou de couper, cela ne me dérange pas, disait-elle.

— Qui sait ? Je pourrais faire une ou deux remarques inté-ressantes, répondit Parks.

— Je suis sérieuse !

Parks éclata de rire au moment où tous deux pénétraient dans la salle de montage.

— Bonjour, fit Brooke à la cantonade. Est-ce qu'il y a du café ?

— Oui, répondit Claire. Et c'est E.J. qui l'a préparé.

Elle observa attentivement Brooke tandis qu'elle allait s'en servir une tasse. Il y avait en elle quelque chose de différent, constata-t-elle. Se tournant vers Parks, elle réalisa brusquement ce dont il s'agissait.

— Bonjour, Parks, fit-elle en lui décochant son plus char-mant sourire.

— Bonjour, Claire, répondit-il d'un ton plus mesuré.

L'expression de son regard indiquait clairement qu'il avait deviné ce qu'elle pensait et n'entendait pas confirmer ses doutes. Mais cette sobriété qui ne lui ressemblait pas suffit à convaincre Claire qu'elle avait vu juste.

— J'espère que ma présence ici ne vous ennuie pas, ajouta-t-il en se servant à son tour une tasse de café. Brooke ne paraissait pas très enthousiaste à l'idée que j'assiste au montage.

— J'ai souvent remarqué que les amateurs causaient plus de problèmes qu'autre chose, répondit la jeune réalisatrice avec une dureté qui parut à Claire un peu forcée.

— Moi, je suis ravie que Parks soit des nôtres, déclara Claire qui avait très envie d'en apprendre plus sur ce qui s'était passé entre eux et comptait bien profiter de cette occasion pour les observer tous deux très attentivement.

Se tournant vers E.J., elle constata que celui-ci retenait à grand-peine son hilarité.

— Vas-y, Dave, ajouta-t-elle. Montre-moi ces fameuses images.

Le chef monteur pressa une série de touches et Parks se vit apparaître simultanément sur trois grands moniteurs de contrôle. Il entendit la voix de Brooke hors champ puis vit apparaître le technicien qui présenta le clap et annonça la scène et la prise.

— Je crois que la troisième est la meilleure, déclara Brooke en s'asseyant sur l'accoudoir de la chaise dans laquelle Claire venait de prendre place. Notre star considérait que la première balle ne valait pas la peine d'être renvoyée.

Parks avisa le regard complice que lui lança Claire et comprit qu'elle les avait percés à jour.

— La lumière est très réussie, déclara-t-elle d'un ton parfaitement neutre.

— Merci, fit E.J. Je tiens à signaler que Silbey, notre nouvelle recrue, est un excellent éclairagiste.

Ils observèrent attentivement les deux premières prises.

— C'est celle-ci, précisa Brooke lorsque la troisième commença. Regardez la façon dont il bouge. C'est parfait ! Il a l'air sûr de lui, complètement à l'aise et très sexy...

Parks comprit qu'elle était redevenue la réalisatrice compétente et professionnelle qu'il avait appris à connaître la veille et qu'elle n'avait pas eu conscience que ce dernier commentaire pouvait paraître ambigu aux oreilles d'E.J. et de Claire.

— C'est celle-là que je compte utiliser, conclut-elle tandis que Dave la repassait. Et, surtout, ne coupe pas le petit sourire de la fin. Il a l'air de dire : « ce n'est pas si compliqué que cela » et il a quelque chose de modeste et d'orgueilleux à la fois... Pour moi, cette séquence, c'est du tourné monté. La suivante, par contre, est un peu plus complexe.

Parks alla s'installer au fond de la pièce. Pendant les deux heures qui suivirent, il revit des dizaines de fois les gestes qu'il avait effectués la veille. Chacun d'eux était consciencieusement commenté, comparé, jaugé, analysé.

Au départ, il se sentit un peu gêné de faire l'objet d'une telle attention. Puis il commença à comprendre ce que cherchaient les publicitaires. Leurs critères étaient très différents de ceux des sélectionneurs nationaux de base-ball mais, à leur façon, ils étaient aussi exigeants.

Il réalisa bientôt comment il pourrait améliorer ses prochaines prestations et finit par penser que cette première expérience médiatique d'envergure ne serait peut-être pas aussi désagréable qu'il l'avait imaginé initialement.

Par contre, la froideur dont Brooke faisait preuve à son égard le mettait vaguement mal à l'aise. Il comprenait le besoin qu'elle avait de se distancier de leur expérience de cette nuit mais il trouvait tout de même qu'elle en faisait trop.

Souvent, elle se montrait bien plus critique que les autres. Ses attentes dépassaient probablement celles de son propre entraîneur. Et il y avait quelque chose de très désagréable à l'entendre évoquer son corps, son visage ou son sourire comme s'il s'agissait de simples produits commerciaux. Après tout, ce n'était pas lui mais les habits qu'il portait qu'ils étaient censés vendre…

Claire écoutait attentivement les discussions de ses subordonnées, se contentant de quelques remarques dont tous prenaient bonne note. Elle suggéra notamment d'utiliser plus de plans rapprochés lors des tournages suivants, de capitaliser sur la façon dont Parks se déplaçait pour mettre en valeur la résistance de ses vêtements ainsi que leur polyvalence. Elle conseilla également de l'habiller en short si ses jambes étaient bien faites.

Brooke se tourna alors vers Parks et lui adressa un sourire complice auquel il répondit par une grimace dégoûtée. Il commençait réellement à plaindre tous les mannequins du monde qui devaient endurer ce genre de commentaires. Avisant son expression, la jeune femme réprima un fou rire qu'elle dissimula derrière une quinte de toux.

Puis elle lui décocha un clin d'œil terriblement sexy qui le prit complètement au dépourvu et éveilla en lui un irrésistible élan de désir. Même au milieu de cette réunion de travail, alors qu'elle parlait de lui comme elle aurait évoqué un animal de foire, il continuait à la trouver terriblement attirante.

— Nous avons enregistré la voix off ce matin même, précisa-t-elle. Parks a une très jolie voix. J'espère qu'il sera capable de jouer car nous pourrons alors inclure quelques dialogues au sein des publicités. Est-ce que tu as reçu le logo de De Marco, Lila ?

— Oui, le voici, répondit la jeune femme en pressant une série de touches.

Sur le moniteur, un magnifique lion noir apparut, se découpant sur un ciel nocturne piqueté d'étoiles. Au-dessous, une signature se forma progressivement. Elle demeura quelques instants à l'écran avant de disparaître.

— Ça ne manque pas d'une certaine classe, approuva Brooke. Bon, nous sommes tous d'accord sur les prises à retenir ?

Tout le monde hocha la tête.

— Nous vous avons fait gagner pas mal de temps, remarqua E.J. Vous ne devriez pas avoir trop de mal à monter tout ça.

— Faites-moi savoir quand ce sera terminé, intervint Claire. Félicitations à toute l'équipe pour le film et surtout à toi, E.J., pour ces lumières splendides.

— C'est mon métier, mademoiselle Thorton, répondit modestement le chef opérateur.

— Parks, reprit Claire, j'espère que vous n'avez pas trouvé tout ceci trop ennuyeux.

— Au contraire, répondit Parks avec ironie, toute cette discussion au sujet de mon anatomie a été des plus instructive.

Claire éclata de rire.

— Brooke, conclut-elle, j'aimerais que tu passes dans mon bureau dans une dizaine de minutes.

Elle jeta un coup d'œil à sa montre.

— A moins que vous ne vouliez aller déjeuner avec nous, Parks.

— C'est gentil mais j'ai des choses à faire.

— J'imagine. Tous mes vœux pour le championnat !

Sur ce, elle sortit, bientôt suivie par les deux monteurs et E.J.

— A cause de toi, je vais probablement me retrouver privée de déjeuner, remarqua Brooke. Si tu avais accepté son invitation, nous serions confortablement attablés chez Ma Maison.

— Désolé, répondit Parks en souriant. Dis-moi, est-ce que ce clin d'œil était une façon de me dire que tu appréciais mes jambes ?

— Un clin d'œil ? répéta Brooke d'un ton faussement scandalisé. Jamais je ne me permettrais une telle marque de familiarité au beau milieu d'une session de montage. Ce ne serait pas très professionnel de ma part.

— Oui, j'ai remarqué que lorsque tu parlais en professionnelle, tu parlais de moi comme si je n'étais qu'un produit.

— Mais tu es un produit ! s'exclama Brooke en riant.

— Non, répliqua Parks, vexé. Le produit, ce sont les vête-ments que je porte.

La jeune femme perçut la colère qui l'habitait et recouvra son sérieux.

— C'est vraiment une question de point de vue, tu sais, lui dit-elle gravement. Pour De Marco, pour le consommateur ou pour toi, le produit, ce sont effectivement les habits. Pour le producteur, le réalisateur et le directeur de la photo, tu comptes autant que les vêtements. Nous ne pouvons vendre l'un sans vendre l'autre. Et si je ne parviens pas à te mettre en valeur, les spectateurs se soucieront comme d'une guigne de ce que tu portes.

— Peut-être. Mais je refuse d'être réduit à l'état de simple accessoire.

— C'est pourtant ce que tu es chaque fois que tu pénètres sur un stade. Tu es le rouage de cette machine qu'est l'équipe. Lorsque tu joues, tu n'existes plus comme individu. Et, que tu le veuilles ou non, tu fais vendre des billets pour les matchs, des casquettes et des T-shirts. Ce que nous faisons ici n'est pas si différent. Franchement, je crois que tu es mal placé pour jouer les moralisateurs.

— D'abord, tu me traites de caractériel et, maintenant, de moralisateur… Mais je suppose que je ne peux pas t'en vouloir : nous considérons probablement cette petite… aventure sous des angles très différents, toi et moi.

Brooke poussa un soupir désolé.

— Je t'avais dit que les choses seraient parfois difficiles, lui rappela-t-elle. Et je t'avais prévenu que le fait de nouer des relations plus personnelles envenimerait encore les choses.

Au ton de Brooke, Parks comprit qu'elle était prête à reprendre de la distance, à rétablir entre eux des rapports purement profes-sionnels. Et, curieusement, cette idée lui fit peur. Tendant la main vers son visage, il lui caressa doucement la joue et se força à sourire.

— Et moi, je t'ai promis que tout se passerait bien, lui dit-il avec bien plus d'assurance qu'il n'en éprouvait réellement.

Il effleura ses lèvres d'un baiser.

— Il semble que nous ayons tous les deux raison, ajouta-t-il. Est-ce que je peux repasser te chercher un peu plus tard ?

— Si tu veux, répondit Brooke en se détendant légèrement. Mais je serai probablement coincée jusqu'à 5 heures.

— C'est parfait. Cela te laissera le temps de cuisiner ce dîner que tu m'as promis hier.

— Je n'ai rien promis du tout ! protesta-t-elle.

Elle sourit alors et hocha la tête.

— Mais je cuisinerai peut-être, ajouta-t-elle.

— Génial ! Je m'occupe du vin.

Parks planta un dernier baiser sur ses lèvres et fit mine de s'éloigner.

— Attends ! s'exclama Brooke. Tu n'as pas ta voiture.

— Je pensais appeler un taxi.

Il la vit hésiter quelques instants.

— Tu n'as qu'à utiliser la mienne, déclara-t-elle enfin en tirant son trousseau de clés de son sac à main.

Parks le prit et le glissa dans sa poche. Il connaissait suffisamment Brooke pour savoir que ce geste n'avait rien d'anodin. Le fait qu'elle lui prête son véhicule était déjà une marque de confiance de sa part.

— Merci, lui dit-il gravement.

Elle rougit légèrement, ce qui la rendait irrésistiblement touchante.

— Il n'y a pas de quoi, lui dit-elle. On se voit à 5 heures.

Sur ce, elle se dirigea vers la porte et sortit.

En quittant la salle de montage, Brooke se sentait légèrement embarrassée. Pourquoi avait-elle rougi de cette façon lorsque Parks l'avait remerciée ? « Parce qu'il te connaît mieux que tu ne le voudrais, lui répondit une petite voix moqueuse. Parce qu'il sait que tu as dû te faire violence pour lui prêter ta voiture. Parce qu'il sait combien tu as peur de toute forme d'engagement… »

Alors même qu'elle formulait cette pensée, Brooke sentait une étrange angoisse l'assaillir. N'était-elle pas en train de se laisser prendre au piège ? Ne paierait-elle pas chèrement l'abandon avec lequel elle s'était offerte à lui ?

Elle essaya de se rassurer. Parks ne savait pas tout d'elle. Il ignorait le fait qu'elle conservait précieusement l'exemplaire des *Quatre Filles du Docteur March* que lui avait offert la mère de la deuxième famille d'accueil qui l'avait accueillie. Il ne savait pas qu'elle avait été accablée par le divorce de ce couple pour qui elle s'était prise d'affection et par qui elle rêvait d'être adoptée.

Il ne connaissait pas la fillette détestable dont elle avait partagé la chambre durant ce qui avait été l'une des pires années de son existence. Ni les Richardson qui l'avaient traitée plus comme une servante taillable et corvéable à merci. Ni Clark, bien sûr...

Brooke poussa un profond soupir et se massa les tempes. Elle ne voulait plus se souvenir de cette période de sa vie. Mais sa liaison avec Parks lui rappelait douloureusement ses erreurs passées et le danger que lui faisaient courir ses propres sentiments.

Pourtant, elle ne pouvait se permettre de se complaire dans cet état d'esprit. Elle avait un travail à accomplir et des responsabilités à assumer. D'un pas décidé, elle se dirigea donc vers le bureau de Claire. Lorsqu'elle parvint en vue du bureau de la standardiste, celle-ci lui décocha un sourire chaleureux.

— Bonjour, mademoiselle Gordon.

— Bonjour, Sheila. Je crois que Claire m'attend.

— Allez-y, répondit la jeune femme qui vouait à Brooke une véritable adoration.

Celle-ci pénétra dans un couloir qui desservait une série de portes de verre dépoli. L'une d'elles était entrouverte. A l'intérieur, les deux secrétaires de Claire que tout le monde appelait « les jumelles » babillaient joyeusement.

— Bonjour ! s'exclama l'une d'elles d'une voix cordiale.

Brooke lui adressa un petit signe de la main et poursuivit son chemin jusqu'à la porte du fond. Elle entra et s'immobilisa sur le seuil, amusée. Claire était assise dans son grand fauteuil, les pieds posés sur son bureau, et dormait à poings fermés.

Incertaine, elle hésita quelques instants, se demandant si elle était censée la réveiller ou repasser ultérieurement. C'était bien la première fois qu'elle voyait son amie s'accorder une sieste de ce genre au beau milieu de la journée. Finalement, Brooke s'avança et toussota doucement pour signaler sa présence. Instantanément, Claire ouvrit les yeux.

— Salut, lui dit Brooke. Tu sais que tu ferais mieux d'utiliser ton divan.

— Je me reposais juste les yeux.

— Bien sûr...

Ignorant le ton sarcastique de la jeune femme, Claire se redressa et récupéra le dossier qu'elle lisait avant de succomber au sommeil et qui avait glissé à terre.

— Je voulais que tu jettes un coup d'œil au scénario du nouveau spot de De Marco.

Brooke tendit la main et récupéra le document.

— Tu es sûre que ça va bien? demanda-t-elle.

— Pourquoi? Je n'en ai pas l'air?

Brooke l'étudia attentivement. Malgré la fatigue qui se lisait sur son visage, Claire paraissait plus radieuse que jamais.

— A vrai dire, tu as vraiment bonne mine.

— Tant mieux.

— Mais tu as l'air de manquer de sommeil.

— Je suis sortie tard, hier soir. En ce qui concerne le script...

— Tu es sortie avec Lee Dutton?

Claire l'observa longuement avant de répondre et Brooke se demanda si elle n'était pas allée trop loin.

— Effectivement, répondit-elle enfin. Nous sommes sortis ensemble.

Quelqu'un frappa alors à la porte.

— Entrez! s'exclama Claire.

Sheila pénétra dans la pièce en poussant devant elle une table roulante chargée de plusieurs plats.

— Votre déjeuner, mademoiselle Thorton, annonça-t-elle.

Une délicieuse odeur de rosbif se fit sentir.

— Claire, je t'avais mal jugée, s'exclama Brooke. Je pensais que tu allais me laisser mourir de faim.

— Je te connais trop pour te laisser travailler sans manger, répondit son amie en riant.

Elle quitta sa chaise pour aller prendre place sur le canapé.

— Il doit y avoir une salade et un café pour moi.

Brooke hocha la tête et les lui apporta.

— Claire, j'aimerais vraiment te parler de Lee Dutton...

— Pourquoi pas ? répondit son amie avec un sourire amusé.

Brooke se rassit et avala quelques bouchées de sandwich au rosbif.

— Est-ce que tu sors vraiment avec lui ? demanda-t-elle enfin.

— Je ne sais pas si le terme est très approprié pour des gens de notre âge.

— Ne sois pas ridicule ! Tu es encore assez jeune pour sortir avec qui tu veux. Mais j'avoue que je ne comprends pas très bien pourquoi tu as choisi Lee Dutton.

— Pourquoi cela ?

Brooke hésita sur la meilleure façon de formuler ce qu'elle pensait.

— Eh bien, reprit-elle, il est très gentil et c'est quelqu'un d'intelligent mais il est... très différent de toi. Ce que je veux dire, c'est que je l'imagine très bien jouant au bowling. Et pas toi...

— Je reconnais que nous n'avons pas encore essayé.

— Claire ! protesta Brooke. Tu sais très bien ce que je veux dire. Je ne veux pas me mêler de ta vie, mais...

Cette fois, Claire éclata de rire.

— Vraiment ? fit-elle.

— Tu comptes beaucoup pour moi, tu sais, insista Brooke.

— Je sais. Cela me touche, crois-moi. Mais je suis grande. Et j'ai déjà connu pas mal d'hommes, dans ma vie.

— Mais est-ce que c'est vraiment sérieux entre vous ?

— Je ne sais pas, avoua Claire. Nous n'avons pas encore couché ensemble.

Brooke ouvrit de grands yeux.

— A vrai dire, il ne me l'a pas proposé. C'est une chose que j'admire chez lui. Il est si poli, si prévenant, un peu vieux jeu, même. Cela lui donne un charme fou. Et il me fait me sentir si féminine. C'est une impression agréable pour quelqu'un qui passe sa vie à faire oublier qu'elle n'est pas un homme.

— J'imagine… Mais est-ce que tu es amoureuse de lui ?

— Je crois que oui, répondit Claire. Je n'ai été amoureuse qu'une seule fois dans ma vie. J'avais ton âge.

Elle sourit, les yeux perdus au loin, se replongeant dans cette époque regrettée.

— Depuis, je n'ai jamais rencontré personne qui m'ait suffisamment attirée, avec qui je me sois sentie suffisamment bien ou en qui j'aie eu suffisamment confiance pour imaginer l'épouser.

Brooke avala une longue gorgée d'eau gazeuse, comprenant où Claire voulait en venir.

— Tu penses vraiment au mariage ? demanda-t-elle enfin.

— Eh bien… J'ai presque cinquante ans. J'ai bâti cette compagnie de mes mains. J'ai une maison confortable, des amis que j'aime, et assez d'objectifs à réaliser encore pour être certaine de ne jamais m'ennuyer… Mais Lee me donne envie de me nicher contre lui devant un bon feu de cheminée. C'est une sensation que je n'aurais jamais pensé éprouver. Mais c'est loin d'être désagréable…

Elle regarda Brooke droit dans les yeux.

— J'espère que tu n'attendras pas vingt ans pour éprouver cela. Peut-être pas, d'ailleurs. Parks a vraiment l'air de ne pas être indifférent.

— Nous nous connaissons à peine ! protesta Brooke.

— Parfois, cela suffit.

— Cela peut suffire à se sentir séduite, acquiesça la jeune femme. Mais cela ne suffit pas à savoir si l'on peut faire confiance à quelqu'un. Que se passera-t-il si je me laisse aller à ce que je ressens et s'il se lasse ? S'il décide qu'il ne s'agit que d'une simple aventure ?

— Ne le compare pas avec d'autres, Brooke, objecta Claire. Ne l'accuse pas de crimes qu'il n'a pas commis, au nom de souffrances dont il n'est pas responsable.

— Ce n'est pas ce que je veux, soupira la jeune femme en se levant pour se diriger vers la fenêtre.

— Que veux-tu, alors?

— Je ne sais pas. Je crois que, jusqu'à présent, je me suis toujours efforcée de n'avoir besoin de personne. Je ne voulais rien devoir à qui que ce soit. C'est un héritage de ma jeunesse, je suppose. Et c'est sans doute un peu absurde.

— Pas du tout, protesta Claire. C'est ce que nous voulons toutes. Mais cela ne suffit pas. Et dans certaines circonstances, il faut savoir prendre des risques.

— Peut-être. Mais j'ai terriblement peur d'être en train de tomber amoureuse de lui, soupira Brooke. Et plus je me sens proche de lui, plus j'ai peur. J'ai l'impression de devoir me protéger, de devoir garder le contrôle. Je me dis que si je baisse la garde, je risque de me retrouver au tapis. Mais j'imagine que je dois te sembler un peu paranoïaque…

— Mais non. Simplement, tu n'es pas le genre de femme à te donner sans demander quelque chose en retour. Tu l'as fait une fois, alors que tu n'étais encore qu'une enfant. Mais tu es une adulte, à présent. Il te faut un homme fort. Assez pour savoir prendre, mais capable de donner également. Prends ton temps. Souvent, il suffit de faire preuve de patience pour que tout se mette en place…

— Tu en es vraiment sûre? demanda Brooke d'un ton dubitatif.

Claire lui décocha un sourire étincelant.

— Convaincue. Seulement, dans mon cas, cela a pris plus de vingt ans. Mais rien ne dit que ce sera ton cas.

Brooke éclata de rire.

— Espérons-le, répondit-elle. Parce que je ne suis pas certaine d'avoir ta patience.

8

Brooke était assise en tailleur sur le tapis oriental qui ornait le salon de Claire. Au beau milieu de la troisième manche, elle avait renoncé à son fauteuil pour se rapprocher du poste de télévision. A sa droite, Lee et Claire étaient installés sur le canapé. Ils venaient de finir le bœuf Wellington qu'avait préparé Billings.

Brooke n'avait fait que chipoter dans son assiette, trop nerveuse pour apprécier ce repas à sa juste valeur. C'était ridicule, bien sûr, mais elle savait que le match que les Kings disputaient contre les Valiants était capital.

Elle avait écouté la retransmission de la première partie à la radio tandis qu'elle se rendait sur le tournage de son dernier spot publicitaire. Sur place, l'un des techniciens avait apporté un poste sur lequel elle avait pu suivre l'évolution du score entre chaque prise.

Les Kings avaient remporté la première manche mais perdu la deuxième. Le temps qu'elle arrive chez Claire, la troisième avait déjà commencé.

— Bon sang ! s'exclama-t-elle, furieuse. Cet arbitre est aveugle ! Le joueur n'avait pas touché la base. N'importe qui pouvait s'en rendre compte !

— On dirait que Brooke est vraiment devenue accro, remarqua Claire à mi-voix.

— C'est bien ce qui me semblait, confirma Lee avant de déposer un petit baiser affectueux sur la joue de sa compagne. Tu sais que tu sens délicieusement bon.

Claire se sentit rougir. Ce n'était pas la première fois qu'elle était ainsi courtisée mais jamais aucun homme ne l'avait fait se sentir aussi femme. S'ils s'étaient trouvés seuls, elle se serait certainement nichée contre lui mais Brooke était là et elle se contenta de lui serrer affectueusement la main.

— Reprends un peu de vin, suggéra-t-elle à la jeune femme. C'est excellent pour les nerfs.

— J'aimerais bien revoir le ralenti, remarqua Brooke.

— Ne t'en fais pas ! Tu le reverras au moins cinq fois avant la fin de la partie, lui promit Lee. Et sans doute dans tous les journaux télévisés de la soirée. Regardez ! Voilà ce que j'appelle un minutage des plus heureux !

De fait, le match venait d'être interrompu par une page de publicité. Et la première était celle que Brooke avait tournée avec Parks. Elle l'avait déjà vue des centaines de fois en salle de montage et à plusieurs reprises à la télévision. Comme à chaque occasion, elle ne put s'empêcher de chercher d'éventuels défauts. Mais elle n'en trouva aucun.

— C'est parfait, déclara-t-elle d'un ton réjoui. Cela ne pouvait pas mieux tomber.

— A ce propos, comment se présente la prochaine ? demanda Claire, curieuse.

— Eh bien, j'attends juste que Parks soit disponible. Si tout se passe bien, nous commencerons à tourner la semaine prochaine.

Lee passa un bras autour des épaules de Claire.

— Qui sait ? s'exclama-t-il. Nous les verrons peut-être passer le jour de la finale…

— Ils ont encore deux matchs à remporter pour se qualifier dans leur poule, lui rappela Claire. Et ils sont menés pour le moment…

— Il leur reste encore le temps de remonter au score, protesta Lee.

Brooke les observa attentivement. Claire était nichée contre Lee, son verre de vin à la main. Il lui caressait tendrement l'épaule, dessinant sur son chemisier de fantasques arabesques. Brusquement, elle songea qu'ils paraissaient réellement faits l'un pour l'autre.

— Tu sais, Lee, déclara-t-elle brusquement, je t'aime vraiment beaucoup. Beaucoup, répéta-t-elle en souriant.

Il la regarda avec étonnement puis sourit à son tour.

— Merci, Brooke, répondit-il, un peu désarçonné par cet aveu inattendu.

Claire lui serra doucement la main. Elle savait parfaitement qu'à sa façon, Brooke venait de leur donner sa bénédiction.

Avec détermination, Brooke se fraya un chemin à travers la foule qui se pressait dans l'immense hall de l'aéroport. En plus des voyageurs et des personnes venues les accueillir ou leur dire au revoir, un nombre impressionnant de supporters des Kings se trouvaient rassemblés là. Certains portaient des bannières peintes à la main, d'autres des fanions aux couleurs de l'équipe.

Brooke remarqua avec amusement que nombre d'entre eux étaient encore jeunes et avaient dû sécher les cours pour venir saluer leurs héros. Les adultes s'étaient sans doute fait porter pâle. Mais, de l'avis de la jeune femme, les Kings méritaient bien l'adulation dont ils faisaient l'objet. La victoire qu'ils avaient remportée était d'autant plus éclatante qu'elle avait été arrachée de haute lutte à leurs adversaires.

Par contre, elle commençait à se demander avec une pointe d'angoisse si elle parviendrait à attirer l'attention de Parks au sein de cette masse de fans en délire. En venant ici, elle avait cédé à une brusque impulsion sans vraiment se soucier de l'aspect pratique des choses. Mais elle ne parvenait pas à regretter d'avoir laissé parler son cœur. Cela faisait bien trop longtemps qu'elle ne l'avait pas fait.

Repoussant ses lunettes de soleil au sommet de son crâne, Brooke plissa les yeux pour lutter contre l'éblouissement. Comme des centaines d'autres personnes, elle attendit patiemment que l'avion des Kings atterrisse.

Un brouhaha se fit entendre et quelques fans commencèrent à pousser des hourras. Brooke vit un jet descendre lentement vers la piste et elle reconnut le logo de l'équipe qui était frappé sur la queue. Elle sentit alors grandir en elle une irrépressible nervosité.

Peut-être aurait-elle mieux fait de ne pas venir. Parks était probablement épuisé. Il ne devait aspirer qu'à rentrer tranquillement chez lui pour s'accorder vingt-quatre heures de sommeil d'affilée. La jeune femme passa une main dans ses longs cheveux roux. Elle aurait dû l'appeler et le prévenir qu'elle serait là. Mais il était trop tard pour le faire, à présent, et il ne lui restait plus qu'à espérer que sa présence lui ferait plaisir.

L'appareil glissa majestueusement le long du tarmac et s'immobilisa en bout de piste. Dès que la porte s'ouvrit, de vives acclamations retentirent. Elles prirent encore de l'ampleur lorsque les premiers joueurs apparurent et adressèrent des signes amicaux à la foule avant de descendre le long de l'échelle qui avait été positionnée contre l'avion.

Brooke les reconnut tous et trouva qu'ils paraissaient fatigués et étrangement vulnérables sans leurs tenues habituelles. Ce n'étaient que des hommes, songea-t-elle. Des hommes qui devaient souffrir du décalage horaire, du match éprouvant qu'ils avaient livré et de la fête qu'ils avaient dû faire pour célébrer leur victoire.

Mais, d'une certaine façon, cette marque touchante d'humanité ne rendait que plus admirable l'exploit qu'ils venaient d'accomplir. Brooke vit alors Parks sortir de l'avion. Il fut salué par une clameur plus assourdissante encore. Au côté de la jeune femme, une adolescente serra le bras de sa compagne.

— C'est Parks Jones ! s'exclama-t-elle. Regarde comme il est beau !

Brooke ne put s'empêcher de sourire. Elle partageait tout à fait cette opinion.

— Chaque fois que je le regarde, j'ai les genoux qui faiblissent, reprit la jeune fille en se pressant contre la barrière de sécurité. Tu l'as vu dans cette pub ? Chaque fois que je la regarde et que je vois ce sourire, je retombe amoureuse !

Brooke ne put que se féliciter de ce commentaire : c'était exactement ce qu'elle avait voulu réaliser en tournant la scène et il semblait bien que ses attentes avaient été comblées au-delà de ses espoirs.

La foule redoublait à présent d'enthousiasme. Elle acclamait ses héros. Et lorsqu'ils s'approchèrent enfin de leurs fans, ceux-ci tendirent le bras pour les toucher ou avoir la chance de leur serrer la main. Certains joueurs se contentèrent de leur adresser quelques signes mais d'autres s'arrêtèrent pour échanger quelques plaisanteries et signer des autographes. Lorsque Parks arriva à son tour, il était en pleine conversation avec Snyder, le première base. Brooke se demanda s'ils discutaient de leur stratégie à venir mais, lorsqu'ils furent à portée de voix, elle ne put s'empêcher de sourire.

— Il suffirait de vingt-cinq ou trente bombes de mousse à raser pour remplir son vestiaire, disait Snyder avec conviction.

— Cela prendrait trop longtemps, répondit Parks. Et la mousse s'évaporerait bien trop vite. Tu n'as pas l'esprit pratique, George.

Snyder poussa un juron tout en adressant un petit signe de la main aux supporters.

— Alors ? Puis-je connaître ton idée ? demanda-t-il.

— Du dioxyde de carbone, répondit Parks. C'est rapide et efficace.

— Excellent ! s'exclama Snyder en lui décochant une bourrade dans l'épaule. Je savais que ton cerveau finirait par nous servir à quelque chose, Einstein !

— J'avoue que mon idée n'est pas tout à fait désintéressée, reconnut Parks en riant. Tant que tu t'occuperas de son vestiaire, tu laisseras le mien tranquille.

— C'est promis, répliqua Snyder. Regarde-moi ce monde ! Tu ne trouves pas ça fantastique ?

Parks s'apprêtait à lui répondre lorsqu'il aperçut un visage familier dans la foule. Instantanément, il sentit refluer la fatigue qui l'habitait.

— Fantastique, murmura-t-il avant de se diriger droit vers Brooke.

La jeune fille qui se trouvait au côté de celle-ci émit un petit gémissement d'émotion et serra convulsivement le bras de son amie.

— Il vient par ici, lui dit-elle. Je crois que je vais m'évanouir…

Brooke ne le quitta pas des yeux tandis qu'il se rapprochait.

— Salut, lui dit-il en posant doucement sa main sur la sienne.

Ce simple contact la fit frissonner des pieds à la tête.

— Salut, répondit-elle sans même chercher à réprimer ce brusque accès de désir. Est-ce que je peux te déposer quelque part ?

— Avec plaisir, lui dit-il.

Il souleva sa main et la porta brièvement à ses lèvres.

— Retrouve-moi à l'intérieur, je dois encore récupérer mes bagages.

Du coin de l'œil, Brooke voyait les deux adolescentes les contempler avec des yeux stupéfaits.

— Au fait, dit-elle, bravo pour cette réception.

— Merci.

Snyder lui agrippa alors le bras et Brooke disparut dans la foule.

— Moi, je trouve que tu es encore plus doué pour dégoter les jolies filles que pour rattraper les balles. Tu me la présenteras ?

— Désolé, cette fille est hors limites, répondit Parks.

— Voyons, nous sommes partenaires. Un pour tous et tous pour un, non ?

— Laisse tomber, Snyder.

— Le problème avec lui, déclara ce dernier à l'un de leurs fans, c'est qu'il est égoïste. Je fais en sorte que ses lancers paraissent moins ridicules qu'ils ne le sont réellement. A l'entraînement, je rattrape des balles dont un enfant de quatre ans ne voudrait pas. Et voilà comment il me remercie ! Franchement, Parks, tu pourrais au moins me présenter !

— Pas question ! insista Parks en s'emparant d'un morceau de papier que lui tendait un fan.

Il inscrivit une dédicace qu'il signa avant d'accepter une balle, un T-shirt et même l'épaule d'une jeune femme qu'il marqua de son paraphe. Il lui fallut une bonne demi-heure pour parvenir à s'arracher à la foule des supporters. Son impatience ne cessait de croître : le contact des doigts de Brooke avait éveillé en lui une faim qu'il brûlait de satisfaire.

Jamais il ne s'était senti seul lorsqu'il était en déplacement. Même lorsqu'il passait plusieurs jours loin de chez lui, il était entouré par son équipe. Il connaissait et appréciait chacun des joueurs. Certains étaient devenus des amis, d'autres faisaient pratiquement partie de sa famille. Ils passaient des dizaines de soirées ensemble, partageaient leurs joies et leurs déceptions et se soutenaient en toutes circonstances.

Mais, cette fois, les choses avaient été différentes. Il n'avait cessé de penser à Brooke, de regretter qu'elle ne soit pas là lorsqu'il rentrait à son hôtel après une dure journée d'entraînement ou après un match. Il aurait voulu lui parler de ses angoisses, de ses satisfactions et de ses attentes. Il rêvait qu'il faisait l'amour avec elle et se réveillait terriblement frustré.

Heureusement, il allait enfin pouvoir réaliser ce fantasme.

Lorsqu'il sortit enfin de la zone de transit, il la repéra aussitôt. Brooke était adossée contre un pilier de béton, non loin de la porte par laquelle sortaient les voyageurs. En l'apercevant, elle sourit mais resta immobile, attendant qu'il la rejoigne.

Le pouls de la jeune femme battait à tout rompre et elle brûlait d'envie de se retrouver dans ses bras.

— Tu voyages léger, remarqua-t-elle en désignant le sac à dos qu'il portait à l'épaule.

Sans répondre, il prit son visage entre ses mains et l'embrassa avec passion.

— Tu m'as manqué, murmura-t-il contre sa bouche avant de lui dédier un nouveau baiser.

Un petit groupe formé de plusieurs de ses coéquipiers fit entendre un concert de sifflements et de cris approbateurs.

— Excuse-moi, fit Snyder en tapotant l'épaule de Parks. Mademoiselle, ajouta-t-il à l'intention de Brooke, je crois que vous avez commis une légère erreur. C'est moi, George Snyder. Ce garçon n'est que notre ramasseur de balles, ajouta-t-il en tapotant l'épaule de Parks.

— Ravie de faire votre connaissance, répondit Brooke en

serrant la main que lui tendait Snyder. Je suis désolée que vous
vous soyez fait sortir deux fois au cours de la partie d'hier...

Snyder tiqua tandis que plusieurs de ses coéquipiers ricanaient
ironiquement.

— En fait, c'était un choix tactique, répondit-il. J'essayais de
rassurer les Valiants pour que nous puissions mieux les prendre
par surprise.

— Vraiment ? répliqua Brooke, sardonique. On peut dire
que vous étiez diablement convaincant !

Deux équipiers de Snyder le prirent par les bras pour l'entraîner
à l'écart.

— Eh ! Attendez, les gars, j'essayais juste de donner un cours
de stratégie à cette charmante jeune femme...

— Au revoir, George ! lui dit celle-ci avec un sourire désarmant.

— Nous ferions mieux d'y aller avant qu'ils ne se jettent tous
sur toi les uns après les autres, soupira Parks.

Il lui prit la main et l'entraîna vers la porte vitrée la plus proche.

— Tu aurais quand même pu me présenter tes amis ! protesta-
t-elle en riant.

— Je ne suis pas sûr que ce soit une bonne idée, répondit-il.

— Pourquoi ? Tu as peur de la concurrence ?

— Oh, oui ! Ces types sont de véritables prédateurs.

— Même celui qui avait un nouveau-né dans chaque bras ?

— Il y a des exceptions.

— Est-ce que tu en fais partie ?

— J'ai bien peur que non, répondit Parks en la prenant par
la taille.

— Tant mieux. Que dirais-tu de venir à la maison pour me
parler un peu de stratégie ?

— Je crois que c'est la meilleure proposition que l'on m'ait
faite jusqu'à présent, répondit-il avec un grand sourire.

Ils avaient atteint la voiture de Brooke et Parks mit son sac
dans le coffre avant de prendre place sur le siège passager. Il
était habitué à la conduite de Brooke et ne s'étonna pas de la
façon dont elle démarra en trombe ni de la vitesse déconcertante
à laquelle elle s'engagea sur l'autoroute à la sortie du parking.

Il entreprit donc de lui raconter la façon dont il avait vécu le match de la veille et Brooke l'écouta attentivement, heureuse d'avoir cédé à son intuition et d'être venue l'accueillir à son arrivée. Elle avait pris sa journée et se délectait à l'avance des heures qu'ils s'apprêtaient à passer ensemble.

— Tu sais qu'ils ont passé notre publicité trois fois, lors de la diffusion du match, remarqua-t-elle comme ils approchaient du centre-ville.

— Et alors ? Ça donnait quoi ? demanda-t-il en reposant sa tête contre le dossier de son fauteuil, heureux de pouvoir enfin se détendre en compagnie de cette femme dont il avait tant rêvé au cours de ces derniers jours.

— C'était fantastique ! s'exclama Brooke, retrouvant un enthousiasme presque enfantin. Et je sais de source sûre qu'elle a atteint son objectif.

— Vraiment ?

— Oui. Je me trouvais près d'une adolescente dans la foule qui vous attendait à l'aéroport.

Brooke entreprit d'imiter la jeune fille, prenant un malin plaisir à parodier son admiration enthousiaste.

— Je suis heureux de constater que j'ai la cote auprès des adolescentes de seize ans, déclara Parks avec une pointe d'ironie.

— Il ne faut pas mésestimer le pouvoir d'achat de cette tranche d'âge, remarqua Brooke en négociant avec une habileté diabolique une série de virages en épingle à cheveux. Peut-être pas directement, d'ailleurs. Mais je suis sûre qu'elles voudront toutes que leurs petits amis soient aussi sexy que toi. Elles les pousseront à acheter des jeans, des T-shirts, des pulls et toutes sortes d'accessoires estampillés De Marco. Et puis, je dois reconnaître que cette fille ne s'y est pas trompée : tu as vraiment un sourire irrésistible !

— Je sais, répliqua Parks avec un sourire faussement résigné.

Brooke venait de s'engager sur le chemin qui conduisait à sa maison. En arrivant devant la terrasse, elle freina violemment et Parks dut se retenir au tableau de bord pour ne pas heurter le pare-brise. Avant même qu'il ait pu protester, la jeune femme avait quitté la voiture.

Il descendit à son tour et alla chercher son sac dans le coffre.

— Franchement, déclara-t-il, tu ne mérites pas le cadeau que je t'ai rapporté !

Parvenue devant sa porte, Brooke se retourna. Son sourire malicieux avait laissé place à une expression étonnée.

— Tu m'as vraiment acheté un cadeau ? demanda-t-elle.

Parks songea qu'elle ressemblait à une enfant devant un sapin de Noël. Cela fit naître en lui une émotion si profonde qu'il préféra répondre avec légèreté, de peur de trahir ce qu'il ressentait vraiment.

— Oui, je t'ai acheté quelque chose, acquiesça-t-il. Mais j'envisage sérieusement de le garder pour moi.

— Qu'est-ce que c'est ?

— Est-ce que tu comptes ouvrir la porte ou rester éternellement sur le seuil ?

Brooke haussa les épaules, feignant une indifférence qu'elle était de toute évidence loin de ressentir. Elle ouvrit et s'écarta pour le laisser entrer.

— J'ai préparé la cheminée. Tu n'as qu'à allumer le feu pendant que je nous prépare du café.

— Pas de problème, répondit Parks en étirant ses muscles endoloris par les heures qu'il avait passées dans l'avion.

En pénétrant dans la maison de la jeune femme, il remarqua qu'elle avait disposé des bouquets de fleurs un peu partout à l'intérieur.

Il se dirigea vers la cheminée du salon. S'emparant de la boîte d'allumettes qui était posée sur le manteau, il en craqua une et enflamma le morceau de papier journal qui était posé sous la petite pyramide de bois sec. Une flamme brillante s'éleva et ne tarda pas à crépiter joyeusement au cœur du foyer.

Cette image évoqua mille souvenirs dans l'esprit de Parks. Les flambées qui brûlaient dans la grande cheminée familiale. Les feux de camp qu'il allumait avec son oncle lorsqu'ils allaient camper dans les montagnes. Ceux qu'il construisait avec ses amis lorsqu'ils partaient ensemble à la découverte de l'Angleterre.

Il se prit à rêver qu'il ajouterait à cette collection d'images tous les souvenirs qu'il se forgerait aux côtés de Brooke. Il l'imagina étendue à son côté, nue et exposée à ses regards, la lueur des flammes se reflétant dans ses magnifiques cheveux roux.

Lorsqu'elle revint dans le salon, elle portait un plateau sur lequel étaient disposés deux verres et une bouteille.

— Je me suis dit que tu préférerais peut-être du vin, expliqua-t-elle.

— Volontiers, acquiesça Parks.

Il lui prit le plateau des mains et le posa sur la table basse. Soulevant la bouteille, il observa l'étiquette d'un œil appréciatif.

— Est-ce que nous célébrons quelque chose ?

— Disons qu'il s'agit plutôt d'une précélébration. J'espère bien que vous gagnerez demain. Et si tel n'est pas le cas, nous aurons au moins profité du vin.

— Excellente philosophie, approuva Parks en remplissant leurs verres.

Il en tendit un à la jeune femme et trinqua avec elle.

— Au match ! déclara-t-il.

— Au match, répéta-t-elle en s'efforçant de dominer la nervosité qui montait en elle.

Il effleura tendrement ses cheveux et sourit.

— C'est grâce à eux que je t'ai repérée dans la foule, lui dit-il. Heureusement que nous étions séparés par une barrière. Sinon, je crois bien que je t'aurais sauté dessus, ce qui aurait sans doute fait la joie de tous les journalistes présents. Tu m'as manqué, tu sais.

Brooke hocha la tête et lui prit la main pour l'entraîner vers le canapé. Ils s'y assirent, serrés l'un contre l'autre.

— Tu as l'air tendue, remarqua-t-elle.

— Je crois que la pression du championnat commence à me rattraper, expliqua-t-il. Parfois, je regrette de ne pas avoir un jardin dont je pourrais m'occuper pour me détendre entre les matchs.

— Je ne t'imagine pas vraiment en jardinier, remarqua Brooke, amusée.

— Tu as sans doute raison, reconnut Parks.

L'essentiel, songea-t-il, était de ne pas penser au chemin qui restait à parcourir. Sur leur poule, seules trois équipes sur cinq seraient qualifiées. Pour le moment, c'était tout ce qui importait. Ensuite, il leur faudrait prendre les matchs les uns après les autres et faire de leur mieux.

En attendant, il était libre de se laisser aller et de profiter de la compagnie de Brooke. L'observant attentivement, il s'efforça de fixer dans sa mémoire le souvenir de cet instant. Elle était assise, un peu pensive, les yeux perdus au loin. L'odeur du feu de cheminée se mêlait à celle des fleurs coupées et à celle de son parfum.

— Est-ce que tu as été très occupée ? demanda-t-il enfin.

Brooke hocha la tête. Pas plus que Parks, elle n'avait envie de penser à son travail.

— Comme d'habitude, répondit-elle. E.J. m'a aussi emmenée voir l'un de ses films Z préférés. Une histoire ridicule de superhéros déguisés en dieux grecs et romains et qui lançaient des boules de feu.

— Tu parles de *Revanche sur l'Olympe* ?

— Je ne me rappelle plus le titre. Il y avait aussi un dragon à trois têtes qui parlait.

— C'est bien ça. Je l'ai vu à Philadelphie, le mois dernier. Il pleuvait des cordes et nous avions quartier libre pour la journée.

— C'était vraiment très mauvais. J'ai dû voir au moins trois perches rentrer dans le champ !

— Je pense que tu as été la seule. La moitié des spectateurs de la salle où je me trouvais dormaient à poings fermés.

— Je n'y peux rien. L'incompétence du réalisateur m'empêchait de faire la même chose.

Brooke posa sa tête sur l'épaule de Parks. Elle réalisa alors combien elle s'était sentie seule au cours des jours précédents. Rien ne lui paraissait plus naturel que de se retrouver à ses côtés. C'était une sensation troublante pour quelqu'un qui s'était toujours efforcé de n'avoir besoin de personne.

Le plus étrange, c'était que Parks lui semblait parfaitement à sa place dans cette maison. D'ordinaire, elle la considérait comme un refuge qui n'appartenait qu'à elle, un endroit où elle venait se ressourcer loin de la vie en société. Mais Parks avait su y trouver sa place comme il s'était déjà frayé un chemin jusqu'à son cœur.

— Toi aussi, tu m'as manqué, lui avoua-t-elle.

Il se tourna vers elle et leurs lèvres ne se trouvaient plus qu'à quelques centimètres. Elle sentait son souffle effleurer son visage.

— J'espérais que ce serait le cas, lui dit-il.

Se penchant vers elle, il déposa un petit baiser sur sa joue. Il la sentit frissonner mais ne chercha pas à pousser son avantage. Il voulait prendre son temps et savourer chaque minute de ces retrouvailles tant espérées.

— Peut-être vais-je te donner ce cadeau, en fin de compte, ajouta-t-il.

— Tu m'as vraiment acheté quelque chose ? demanda-t-elle d'un air dubitatif.

Parks se leva et prit un air offensé.

— Quel manque de confiance ! s'exclama-t-il en se dirigeant vers son sac à dos.

Il l'ouvrit et le fouilla à la recherche du paquet qui s'y trouvait. Il tendit alors une boîte blanche à la jeune femme qui s'en empara avec un mélange de curiosité et de méfiance.

— Qu'est-ce que c'est ? demanda-t-elle.

— Le meilleur moyen de le savoir est sans doute de l'ouvrir, déclara Parks, sentencieux.

Brooke examina attentivement le paquet. Elle le soupesa et le retourna à plusieurs reprises. Elle n'était pas habituée à ce qu'on lui offre des cadeaux et Parks lui en avait déjà acheté deux.

— Tu sais, tu n'étais pas obligé.

— Bien sûr que non. C'est tout l'intérêt, d'ailleurs.

— Je ne suis pas certaine de comprendre le raisonnement, remarqua la jeune femme.

Elle ouvrit la boîte et enleva les mouchoirs en papier que

Parks avait disposés pour protéger son cadeau. Elle découvrit alors un superbe hippopotame en porcelaine.

— Il est magnifique ! s'exclama-t-elle.

— J'ai trouvé qu'il te ressemblait, remarqua Parks.

Brooke éclata de rire.

— C'est vrai, confirma-t-elle. Il a de très beaux yeux.

Elle caressa doucement l'animal.

— Il est vraiment adorable, lui dit-elle. Qu'est-ce qui t'a donné cette idée ?

— Je me suis dit qu'il compléterait ta ménagerie, répondit-il.

Brooke lui jeta un regard étonné et Parks désigna l'étagère sur laquelle trônaient déjà un singe en bois et un ours en bronze.

— Il y a aussi un cochon dans l'entrée, un lièvre sur ta table de nuit et un hibou en porcelaine dans la cuisine.

Brooke ouvrit de grands yeux. Sans même s'en rendre compte, elle avait effectivement accumulé un certain nombre d'animaux de toutes tailles qu'elle avait disposés dans la maison. Elle ne concevait pas vraiment cela comme une collection et était stupéfaite de découvrir que cette marotte n'avait pas échappé à Parks.

Celui-ci avisa avec stupeur les larmes qui roulaient le long des joues de la jeune femme. Sans réfléchir, il la prit dans ses bras pour la réconforter. Il ne savait pas vraiment ce qui avait causé une telle réaction mais avait suffisamment consolé ses sœurs pour savoir qu'il ne fallait pas toujours en chercher les raisons.

Vaguement honteuse, Brooke se dégagea doucement de ses bras.

— Laisse-moi juste une minute, s'excusa-t-elle. Je suis désolée.

Parks hésita puis se dirigea vers elle. Malgré sa résistance, il l'attira contre lui.

— Je ne supporte pas de te voir comme ça, murmura-t-il. Qu'est-ce qui t'arrive ?

— Je suis désolée, répéta-t-elle. C'est stupide…

— Brooke, protesta-t-il faiblement.

Il prit son menton au creux de sa main et le souleva. Elle pleurait toujours et il se sentit un peu dépassé. Finalement, il opta pour le seul remède qui lui venait à l'esprit et l'embrassa.

Sa bouche avait le goût des larmes et il sentit son cœur se serrer dans sa poitrine. Tendrement, il caressa ses longs cheveux roux, la sentant trembler contre lui comme un animal apeuré. Elle commença à répondre à son baiser avec passion, s'abandonnant à lui comme elle ne l'avait jamais fait auparavant.

Parks comprit que, sans le vouloir, il avait percé les dernières défenses qu'elle érigeait encore autour d'elle. Il se contraignit donc à maîtriser le désir impétueux qui montait en lui.

Brooke savait combien elle était vulnérable en cet instant. Pourtant, elle ne chercha pas à résister au besoin qu'elle avait de Parks. Elle l'accepta sans réserve, puisant en lui ce réconfort qu'il lui offrait. Curieusement, cela ne fit qu'alimenter l'envie qu'elle avait de lui.

Précautionneusement, Parks l'étendit sur le tapis qui se trouvait devant la cheminée. Brooke sentait la douce chaleur des flammes sur sa peau et elle entendait le crépitement rassurant du feu. Mais ces impressions lui paraissaient très lointaines, presque abstraites.

Seul comptait ce baiser interminable dans lequel elle se noyait sans rémission. Elle avait l'impression de flotter quelque part entre rêve et réalité, dans un endroit qui n'appartenait qu'à eux et où elle était en sécurité.

Parks entreprit alors de la déshabiller. Il prenait tout son temps, comme s'ils avaient l'éternité devant eux, comme si plus rien n'avait d'importance en dehors de l'instant présent. Brooke glissa ses mains sous sa chemise et laissa ses doigts glisser sur sa peau, savourant la force et la chaleur qui émanaient de lui.

Elle se redressa ensuite légèrement pour lui ôter ses vêtements et tous deux se retrouvèrent nus l'un contre l'autre. Ils continuèrent à s'embrasser tout en se caressant l'un l'autre. La peau de Brooke était parcourue de frissons irrépressibles qui se communiquaient au plus profond de son âme et l'emplissaient d'une joie immense qui dépassait le simple plaisir physique.

Il y avait de la magie dans cet instant. Jamais elle ne s'était sentie si proche de Parks. Par moments, elle avait l'impression troublante que tous deux ne faisaient qu'un, qu'ils étaient deux moitiés d'un même être que leur étreinte réunissait en une même entité.

En d'autres circonstances, cela l'aurait probablement terrifiée. Mais cette fois, elle se sentait étrangement en confiance. Elle était intimement convaincue que Parks ne lui ferait jamais de mal, qu'il la comprenait mieux que personne avant lui.

Elle se laissa complètement aller entre ses bras, goûtant chacune de ses caresses, chacun de ses baisers, le laissant alimenter le désir qui pulsait au creux de son ventre et grandissait à chaque instant.

L'abandon de Brooke faisait naître en Parks une merveilleuse exaltation. Bien décidé à profiter de cet instant de grâce, il redoublait de douceur, bridait sa propre passion pour mieux servir celle de la jeune femme. Ses doigts couraient sur son corps, effleurant sa peau soyeuse, repoussant sans cesse le moment de la rejoindre.

Brooke sentait sa raison vaciller. Ses pensées se disloquaient avant même de prendre forme, emportées par le torrent de sensations qui déferlait sur elle. Elle avait l'impression que ses sens étaient décuplés, que chaque effleurement se répercutait en elle à l'infini. Ses propres gémissements semblaient lui parvenir de très loin.

Craignant de ne pouvoir endurer cette délicieuse torture sans perdre l'esprit, elle noua ses jambes autour de la taille de Parks et le fit entrer en elle. Lorsqu'elle le sentit pénétrer entre ses cuisses, elle fut terrassée par un brusque accès de plaisir qui arqua son corps et lui arracha un cri inarticulé.

Mais Parks ne lui laissa pas le temps de recouvrer ses esprits. Déjà, il commençait à bouger en elle. La lenteur calculée de ses mouvements confinait au supplice, entraînant Brooke toujours plus haut, vers des sommets de désir qu'elle n'avait fait jusqu'alors qu'entrevoir.

Jamais elle n'aurait cru pouvoir éprouver un tel besoin. Il envahissait chaque parcelle de son corps et de son esprit et elle avait l'impression de se disloquer. Le tressaillement continu qui l'agitait se communiquait à chacun de ses membres.

Mais Parks exerçait sur lui-même un contrôle presque parfait.

Chaque fois qu'il sentait Brooke approcher du point de non-retour, il ralentissait le rythme de leur étreinte, lui laissant un peu de temps avant de l'entraîner plus loin encore.

Brooke avait depuis longtemps renoncé à comprendre ce qui était en train de lui arriver. Elle ne pouvait que se laisser porter en espérant que sa raison ne sombrerait pas sous l'effet de la joie sauvage et primitive qui s'était emparée d'elle.

A chaque instant, elle sentait son être se dissoudre et se reconstituer. Elle ne vivait plus qu'au rythme de ce plaisir qui montait encore et encore, faisant céder un à un tous les murs qu'elle avait bâtis pour se protéger, toutes les digues qui la séparaient encore de la folie.

Puis elle sentit les mouvements de Parks s'accélérer à mesure que lui-même succombait à la pression de cette extase. Elle se perdit alors corps et âme et, l'espace d'un instant, elle sut qu'elle ne s'appartenait plus.

Parks se réveilla en sursaut. Il n'avait même pas conscience de s'être endormi mais la lumière du soleil avait changé. Brooke était étendue à son côté et ses cheveux se répandaient sur sa poitrine. Les yeux grands ouverts, elle le regardait attentivement. Il lui sourit et posa un petit baiser sur son épaule dénudée.

— Désolé, lui dit-il. J'ai dormi longtemps ?

— Une petite heure.

Elle nicha son visage au creux de son cou. Elle se sentait étrangement exposée, comme si l'emprise que Parks avait exercée sur elle tandis qu'ils faisaient l'amour s'étendait tant à son esprit qu'à son corps. C'était une impression à la fois effrayante et terriblement excitante.

— Tu devais être épuisé, dit-elle.

— Ça va beaucoup mieux, répondit Parks.

De fait, il se sentait ressourcé et plein d'énergie. Tendrement, il caressa le bras de la jeune femme.

— Il y a quelque chose que je voulais te demander avant que nous ne… changions de sujet.

Se redressant sur un coude, il la contempla gravement.

— Pourquoi pleurais-tu, tout à l'heure ? demanda-t-il.

Brooke haussa les épaules et fit mine de s'écarter de lui. Mais Parks la retint. Il réalisait qu'elle faisait un effort pour prendre de la distance mais n'entendait pas la laisser s'éloigner aussi facilement. Qu'elle le veuille ou non, il voulait qu'elle s'abandonne pleinement à lui.

— Brooke ne me repousse pas, lui dit-il. Je ne te laisserai pas faire.

Elle faillit protester mais le regard de Parks l'en dissuada. Il était trop tard pour jouer l'indifférence ou rétablir entre eux un éloignement aussi artificiel qu'illusoire.

— Je ne sais pas, soupira-t-elle. Je crois que je n'ai pas l'habitude que l'on soit aussi gentil avec moi.

— Je sais, acquiesça Parks. Mais ce n'est qu'un aspect du problème. Il y a autre chose, n'est-ce pas ?

Brooke se redressa et croisa les bras comme pour se protéger.

— Je n'avais jamais réalisé que je collectionnais les animaux, avoua-t-elle enfin.

Nerveusement, elle passa une main dans ses longs cheveux.

— Je crois que j'ai mal réagi quand tu me l'as fait remarquer. Lorsque j'étais plus jeune, je rêvais d'avoir un chien, un chat, un oiseau ou n'importe quel animal avec lequel j'aurais pu grandir.

Elle se massa doucement la nuque.

— Je ne pensais pas que je continuais à compenser ce manque.

Parks sentit son cœur se serrer dans sa poitrine mais se garda bien de trahir la compassion qu'elle lui inspirait. Il savait que Brooke était trop fière pour se faire plaindre.

— Tu as ta propre maison et ta propre vie, déclara-t-il. Tu pourrais obtenir tout ce que tu veux. Il ne sert à rien de compenser, à présent.

— Tu as raison, soupira Brooke. Je t'ai dit que c'était ridicule.

Parks leur resservit du vin et lui tendit un verre.

— Quel genre de chien voudrais-tu avoir ? demanda-t-il.

Brooke avala une gorgée de vin avant de répondre.

— Un chien sympathique. Avec des yeux doux et un tempé-rament affectueux.

Elle tendit la main vers Parks et lui caressa doucement la joue.

— Je ne t'ai même pas remercié, remarqua-t-elle.

Parks la contempla gravement avant de lui retirer son verre des mains.

— C'est vrai, dit-il.

D'un geste, il la fit basculer au-dessus de lui.

— Mais il n'est pas trop tard pour me prouver ta reconnais-sance, ajouta-t-il en souriant.

9

Claire descendit de son bureau pour inspecter le décor de la nouvelle publicité. Dans le studio était installée une salle à manger confortable et d'allure très masculine. Un profond canapé en cuir brun trônait près d'une table basse sur laquelle était posée une lampe Tiffany qui était censée diffuser une lumière intime et tamisée. Les techniciens s'activaient justement pour créer cette ambiance et Claire dut slalomer entre les projecteurs pour atteindre la scène.

L'ensemble donnait une impression de sobriété et de bon goût qu'elle ne pouvait qu'approuver. De Marco s'était dit très satisfait des photographies qui lui avaient été envoyées. Par contre, il avait insisté pour que sa maîtresse en titre joue un rôle dans le spot. Brooke avait protesté pour la forme mais toutes deux savaient pertinemment que le client était roi et qu'il leur faudrait sacrifier à cette lubie.

Au moins, la belle n'aurait aucune ligne de dialogue à prononcer, ce qui éviterait probablement de perdre un temps précieux.

La séquence de l'appartement devait apparaître en fin de publicité mais Brooke avait préféré la filmer en premier parce qu'elle serait probablement la plus difficile à jouer. Si les délais étaient respectés, le montage final serait prêt à temps pour la deuxième phase de la compétition. Et, si les Kings passaient le cap de la poule qualificative, l'impact n'en serait que plus grand.

A l'extérieur du studio, une grande table avait été installée pour accueillir le buffet réservé à l'équipe de tournage. E.J., le chef décorateur et le premier assistant caméra en profitaient pleinement tandis que Brooke se trouvait à l'intérieur, supervisant les derniers préparatifs techniques.

— Bon sang, Bigelow! Ce spot est encore en train de clignoter! Change l'ampoule ou répare le fil mais ne le laisse pas ruiner ma lumière! Silbey, montre-moi ce que donnerait la nouvelle gélatine dont tu m'as parlé.

Silbey s'exécuta et plaça une fine couche de papier transparent devant l'un des projecteurs. Instantanément, la lumière qui baignait le set se fit plus douce et plus tamisée.

— Ce n'est pas mal, approuva Brooke. Tout va bien au niveau du son?

Le perchiste se mit en place tandis que l'assistant de l'ingénieur son se plaçait près du canapé. Il commença à débiter une poésie enfantine bien connue dont il avait modifié les paroles pour en faire un sonnet très grivois. Une vague d'applaudissements salua sa performance tandis que l'ingénieur du son faisait signe que, de son côté, tout était parfaitement réglé.

— Tout le monde est arrivé? demanda alors Brooke à sa deuxième assistante.

— Oui. Parks est en train de se changer. Et j'ai fait la connaissance de la petite amie de De Marco. Elle est vraiment superbe.

— Dieu merci. Est-ce que De Marco sera là?

— Non, répondit Claire. Il m'a appelée pour me dire qu'il ne viendrait pas.

Brooke hocha la tête d'un air satisfait. Claire savait pertinemment qu'elle n'aimait pas voir les proches des acteurs assister aux tournages, estimant à juste titre que cela avait tendance à les déconcentrer.

— Gina lui a dit que sa présence la rendrait nerveuse. Mais il m'a fait promettre que nous la traiterions avec tact et gentillesse.

— Je ne la mordrai pas, promit Brooke. J'ai fait répéter à Parks son dialogue. Il le connaît sur le bout des doigts. J'espère juste qu'il ne sera pas trop impressionné par la caméra.

— Cela n'a pas l'air d'être son genre, opina Claire.

— Non. D'ailleurs je crois qu'il commence à trouver ce nouveau travail amusant, malgré tout le mal qu'il peut bien en dire.

— Tant mieux parce qu'il y a un script que j'aimerais lui faire lire. Il s'agit d'un tout petit rôle pour lequel il serait vraiment parfait.

— Dans un long métrage ? s'exclama Brooke avec étonnement.

Jamais elle n'avait imaginé que Parks puisse devenir acteur à part entière. Mais plus elle y réfléchissait, moins l'idée lui paraissait absurde. Au cours des derniers jours, il avait fait preuve d'un certain talent qui ne demandait sans doute qu'à se développer.

— Oui. Il s'agit d'un téléfilm destiné au câble. Le casting ne commencera pas avant un mois ou deux et il a encore tout le temps d'y réfléchir. J'aimerais aussi que tu y jettes un coup d'œil. J'aurai besoin d'un réalisateur de confiance sur ce projet.

— Tu es sérieuse ? fit Brooke, de plus en plus surprise.

— Pourquoi pas ? Je sais que tu aimes diriger des publicités. Tu m'as souvent dit que tu aimais les projets rapides et efficaces. Mais il est peut-être temps de t'essayer à d'autres techniques.

— Mais je n'ai jamais dirigé quoi que ce soit de plus élaboré que des spots de soixante secondes.

— Et alors ? Même Scorsese et Coppola ont commencé quelque part, non ? Tu es une réalisatrice brillante, Brooke. Le nombre de prix que tu as remportés le prouve. Cela fait un certain temps que je veux te mettre à l'épreuve sur quelque chose de plus ambitieux. Je ne voulais pas te pousser tant que tu ne t'y sentirais pas prête mais je crois que le moment est venu. Tu n'as pas à me donner une réponse immédiate. Lis simplement le scénario et dis-moi ce que tu en penses. D'accord ?

— Bien sûr, répondit Brooke, troublée. Je le lirai.

— Bien ! Mais voici Parks. On peut dire qu'il a fière allure ! On pourrait croire que ces vêtements ont été dessinés pour lui.

De fait, le pull-over en cachemire bleu pâle et le jean gris qu'il portait lui allaient à la perfection. Ils révélaient sa silhouette athlétique et soulignaient l'éclat de ses yeux bleus malicieux. Et ils lui conféraient un mélange de chic et de décontraction du meilleur effet.

C'était peut-être dû à l'élégance naturelle qui émanait du modèle, songea Brooke, admirative. C'était quelque chose qui ne pouvait être appris ou enseigné et qu'il possédait probablement depuis l'enfance. Où qu'il se trouve, il paraissait parfaitement à sa place, comme si son environnement s'adaptait instantanément à lui.

Il tenait à la main un verre de bière et aurait aussi bien pu se trouver dans la salle d'un country-club au milieu de ses amis.

En réalité, Parks commençait à distinguer un certain ordre dans le chaos apparent qui régnait dans le petit studio. Il se sentait beaucoup plus à l'aise que lors du premier tournage, comprenant le rôle et la fonction de chacun des techniciens qui s'activaient autour du canapé et de la table basse où se déroulerait l'action.

Brooke paraissait parfaitement dans son élément, ici. A travers la pièce, il percevait la concentration qui émanait d'elle. Déjà, elle devait répéter dans sa tête le déroulement de la scène. Une fois de plus, il s'étonna du mélange de force et de douceur qui la caractérisait. Elle était à la fois cette enfant mal aimée qui collectionnait les animaux pour conjurer sa solitude et cette femme fière et décidée qui régnait d'une main de fer sur son plateau de tournage.

C'était peut-être pour cela qu'il était en train de tomber amoureux d'elle, songea-t-il. Car la nature réelle de ses propres sentiments ne faisait plus aucun doute à ses yeux. Mais il savait que, s'il ne voulait pas courir le risque de la perdre, il lui faudrait garder quelque temps encore cette information pour lui.

Car si elle l'apprenait, Brooke ne manquerait certainement pas de céder à la panique. Elle avait passé des années à se protéger, à cuirasser son cœur contre les sentiments qui risquaient de lui faire perdre son libre arbitre. Et elle n'était pas encore prête à s'y laisser aller.

Comme il se faisait ces réflexions, il la vit se diriger vers lui. Une fois de plus, elle fronçait les sourcils, lui donnant l'impression désagréable d'être un petit garçon pris en faute. Mais il savait que c'était son regard de réalisatrice, celui qui cherchait ses angles, construisait ses plans et cherchait le moindre défaut susceptible d'être corrigé.

— Alors ? demanda-t-il lorsqu'elle le rejoignit.

— Tu es superbe, lui dit-elle.

Tendant la main vers lui, elle lui ébouriffa légèrement les cheveux.

— Là, conclut-elle. C'est parfait. Nerveux ?

— Pas particulièrement.

Elle sourit.

— Alors ne fais pas la tête. Ce n'est pas l'état d'esprit de ton personnage.

Elle lui prit le bras et l'entraîna vers le décor.

— Tu connais tes répliques mais nous placerons un prompteur au cas où tu aurais un trou. Tu n'as donc aucun souci à te faire. Contente-toi de te détendre et de jouer les séducteurs. Rappelle-toi que cette séquence est la troisième, chronologiquement. Il y a d'abord celle qui se déroule au stade, puis celle des vestiaires et, enfin, celle-ci. Lumières tamisées, cognac et une jolie femme…

— Et dire que je dois tout ça à De Marco…

— Il te prête même sa petite amie ! C'est une marque de confiance, j'imagine. Il est vraiment convaincu que ton image est parfaite pour défendre ses créations. Et je suis certaine que les consommateurs seront du même avis.

Brooke le fit asseoir sur le canapé.

— Vas-y, relaxe-toi.

— Tu sais que cela ne se commande pas ? ironisa Parks.

— Tu en es tout à fait capable, lui assura la jeune femme. Là… C'est parfait… Accoude-toi au coussin, comme ça. Très bien ! C'est exactement ce que je veux. Tu commences à devenir un véritable professionnel, tu sais.

— Merci.

— Cette fois, je veux que tu t'adresses directement à la caméra.

Elle désigna celle-ci qui trônait sur un chariot de travelling.

— La fille s'approchera de toi par-derrière et se penchera pour te tendre un verre de cognac. Ne la regarde pas. Contente-toi de toucher sa main et continue à parler comme si de rien n'était. Et n'oublie pas de sourire. Au fait, où est ta partenaire ?

A cet instant précis, Gina fit son entrée, suivie par une

jeune femme blonde à l'apparence sévère et deux hommes en costume. Elle était tout simplement magnifique, réalisa Brooke, admirative. Même les photographies qu'elle avait envoyées à la production ne rendaient pas justice à la sensualité presque animale qui émanait d'elle. Elle devait avoir environ vingt-cinq ans et possédait un corps à la plastique parfaite que mettait en valeur la robe moulante qu'elle portait.

Brooke décida aussitôt que, cette fois, elle jouerait la carte de la sexualité. Il fallait tirer pleinement avantage de la grâce presque torride qui émanait de chacun de ses gestes pendant les cinq secondes et demie où elle serait présente à l'écran. Gina deviendrait l'icône par excellence de la femme De Marco.

Ignorant les commentaires appréciatifs de son équipe, Brooke se dirigea vers la jeune femme et lui tendit la main en souriant.

— Bonjour, lui dit-elle, je suis Brooke Gordon. C'est moi qui vous dirigerai.

— Gina Minianti, répondit la belle d'une voix rauque et terriblement sensuelle.

Brooke regretta aussitôt qu'elle n'ait pas la moindre ligne de dialogue à prononcer.

— Je suis ravie de faire votre connaissance, mademoiselle Minianti. Avez-vous des questions à me poser avant que nous ne commencions ?

— *Come ?* demanda Gina en italien.

— La *signorina* Minianti ne parle pas anglais, précisa la blonde qui l'accompagnait. Vous n'étiez pas au courant ?

Brooke la contempla avec stupeur.

— Voilà qui va être pratique, murmura-t-elle, ironique.

— Je suis la secrétaire personnelle de M. De Marco, précisa la jeune femme. C'est moi qui assurerai la traduction.

— D'accord, acquiesça Brooke, résignée. Tout le monde en place ! cria-t-elle à son équipe. La journée va être longue.

— Je suis sûr que tu t'en sortiras merveilleusement bien, lui souffla Parks.

— Tais-toi et va t'asseoir !

Il lui décocha un sourire malicieux et s'approcha de Gina

pour lui serrer la main. Stupéfaite, Brooke l'entendit se lancer dans une tirade en italien, langue qu'il paraissait maîtriser à la perfection. Ravie, Gina lui répondit avec force mouvements de bras.

— Elle est très excitée par ce tournage, expliqua Parks.

— C'est ce que j'avais cru comprendre.

— Elle a toujours rêvé de tourner dans un film américain, ajouta-t-il.

Il adressa quelques mots de plus à Gina qui éclata de rire, renversant la tête en arrière, avant de faire signe à la secrétaire de De Marco qu'elle n'aurait pas besoin de ses services. Elle passa alors son bras sous celui de Parks et Brooke observa la belle Italienne aux cheveux et aux yeux de jais et son partenaire américain aux cheveux blonds et aux yeux d'azur.

Ils formaient indéniablement un couple magnifique. Le contraste qu'ils offraient ajouterait encore au caractère saisissant de cette publicité. Et les ventes de De Marco ne manqueraient certainement pas de décoller.

— On dirait que tu te débrouilles bien en italien, remarqua-t-elle à l'intention de Parks.

— J'ai quelques restes qui remontent à mon séjour à Oxford, répondit-il modestement. Elle a accepté que je joue les interprètes.

— Tant mieux. Ce sera plus pratique. Dis-lui que nous allons répéter la scène une fois pour qu'elle visualise ce qu'elle est censée faire.

Parks transmit ces instructions à Gina qui hocha la tête.

— Assieds-toi, Parks, demanda Brooke. Et demande à Gina d'observer attentivement ce que je fais. Elle devra imiter chacun de mes gestes.

Parks traduisit de nouveau.

— Bien, vas-y, lui dit alors Brooke. Fais comme si nous étions en train de filmer.

Il s'exécuta aussitôt, parlant avec autant d'aisance que s'il s'adressait à de vieux amis. Une fois de plus, elle put admirer la facilité avec laquelle il s'adaptait à toutes les situations. Elle s'empara alors du verre de cognac qui était posé sur une petite table et passa derrière le canapé.

Là, elle se pencha vers Parks pour le lui tendre, effleurant sa joue de la sienne. Il prit le verre sans détourner les yeux de la caméra et sans interrompre sa réplique. Puis il laissa sa paume glisser doucement le long du bras de Brooke qui avait posé sa main sur son épaule.

Elle se redressa alors et sortit du champ de la caméra tandis que Parks finissait de dire son texte.

— Parfait, commenta Brooke. Demande-lui si elle a compris.

Une fois de plus, Gina hocha la tête d'un air assuré.

— Dans ce cas, c'est parti, déclara Brooke. Tout le monde en place !

Elle-même alla se placer près d'E.J.

— Silence ! cria-t-elle. Moteur !

— Ça tourne, confirma E.J.

L'un des assistants caméra vint présenter le clap. Brooke laissa quelques secondes s'écouler avant de lancer l'action. Parks commença sa diatribe avec l'art consommé d'un comédien professionnel. Gina suivit à la lettre les instructions de Brooke et tendit le verre de cognac avec toute la sensualité que la réalisatrice avait espérée. Malheureusement, le mouvement de la caméra sur le rail de travelling la surprit et elle regarda l'objectif.

— Coupez ! ordonna Brooke. Parks, explique à Gina qu'elle ne doit jamais regarder la caméra, s'il te plaît.

Gina fit signe qu'elle comprenait et ils recommencèrent. Malheureusement, plus ils multipliaient les prises et plus Gina paraissait nerveuse, ce qui était parfaitement perceptible à l'image.

— On fait une pause ! annonça Brooke à la fin de la cinquième prise.

Les techniciens coupèrent les spots les plus aveuglants et se dirigèrent vers le buffet en discutant. Brooke alla s'asseoir près de Parks sur le canapé et fit signe à Gina de les rejoindre.

— Dis-lui que tout ce qu'elle a à faire, c'est de se montrer naturelle. Elle est magnifique et les quelques secondes où elle apparaîtra à l'écran feront un effet détonant.

Gina écouta la traduction puis sourit à Brooke.

— *Grazie*, fit-elle avant de prendre la main de Parks entre les siennes pour se lancer dans une longue diatribe.

Lorsque ce dernier traduisit, Brooke comprit que la jeune femme s'excusait platement pour sa maladresse et demandait quelque chose à boire pour se calmer les nerfs.

— Apportez un verre de jus d'orange à la *signorina*, demanda Brooke à son deuxième assistant. Dis-lui qu'elle n'est pas maladroite du tout, ajouta-t-elle à l'intention de Parks. Il est parfaitement normal de se sentir nerveux lors d'un premier tournage. Dis-lui qu'elle n'a qu'à faire abstraction de la caméra et imaginer que vous êtes amants.

Parks hocha la tête et traduisit les conseils de Brooke. Gina éclata de rire avant de répondre.

— Elle promet d'essayer, expliqua Parks. Mais elle ajoute que si Carlo l'apprend, il risque d'être furieux contre moi.

— Considère qu'il s'agit d'un sacrifice au nom de l'art, répliqua Brooke, moqueuse. Quant à toi, tâche de mettre un peu plus de passion. Cela l'aidera peut-être.

— Qu'est-ce que tu veux dire ?

— Eh bien, tout homme normalement constitué devrait sentir son sang bouillonner en sentant une femme comme Gina se pencher sur lui de façon si suggestive. Tâche de montrer que cela ne te laisse pas indifférent.

— Encore un sacrifice au nom de l'art, Brooke ? ironisa-t-il.

Cinq minutes plus tard, tout le monde était de nouveau en place.

— Espérons que ce soit la bonne, souffla Brooke à E.J.

— Franchement, je pourrais y passer la journée, répliqua ce dernier en souriant. Je crois que je n'ai jamais vu une fille aussi belle de toute ma vie !

— Je ne pense pas que De Marco serait ravi d'entendre que mon directeur de la photo fantasme sur sa petite amie.

— Tu sais très bien que l'on ne filme vraiment bien que ce que l'on apprécie vraiment.

— Eh bien, contente-toi de l'apprécier de loin. Silence ! Moteur !

La sixième prise fut nettement meilleure. Mais il manquait encore quelque chose.

— Parks, dis à Gina que c'était parfait. Je voudrais juste essayer quelque chose pour la suivante. Demande-lui de jeter un petit regard languide à la caméra avant de s'éloigner, d'accord ?

Ils recommencèrent. Mais lorsque Gina tendit son verre à Parks, ce dernier déposa un petit baiser sur sa main sans interrompre le flot de son discours. L'effet était saisissant mais il surprit l'actrice qui ne put s'empêcher de sursauter.

— Pourquoi as-tu fait ça ? demanda Brooke après avoir coupé.

— Je ne sais pas. Cela paraissait plus naturel que de l'ignorer comme je le faisais jusqu'à présent...

Brooke réfléchit quelques instants et hocha la tête.

— Essayons comme cela, dans ce cas, déclara-t-elle avant de reprendre place auprès d'E.J. Tout le monde en place !

Il fallut trois prises supplémentaires avant qu'elle ne se déclare pleinement satisfaite du résultat. Elle annonça alors la fin du tournage et Gina poussa un petit soupir de soulagement avant d'embrasser cordialement Parks sur les deux joues pour le remercier de sa patience. Elle se dirigea ensuite vers Brooke et lui dit quelques mots que celle-ci ne comprit pas.

— Dis-lui merci, conseilla Parks sans traduire.

— Merci, fit Brooke.

Gina lui prit la main et la serra affectueusement. Puis elle tourna les talons et quitta le studio, suivie par son aréopage.

— Pourquoi est-ce que je l'ai remerciée ? demanda Brooke en épongeant son front moite de transpiration.

— Elle te complimentait pour tes goûts.

— Quels goûts ?

— Eh bien, elle a dit que tu avais un amant magnifique.

Brooke ouvrit de grands yeux.

— Elle a vraiment dit ça ? articula-t-elle. Mais comment a-t-elle su... ?

— L'intuition féminine, je suppose, répondit-il en haussant les épaules.

Sur ce, il quitta à son tour le studio pour aller voir s'il restait quelque chose à manger sur le buffet. Les mains sur les hanches, Brooke le suivit des yeux, songeant que Gina avait parfaitement raison.

La suite de la journée confirma l'intuition de Brooke : la dernière scène du spot publicitaire avait été la plus ardue à réaliser. Par comparaison, les autres furent mises en boîte avec une facilité déconcertante. Ils commencèrent par ce qui serait la deuxième scène du film. L'action se déroulait dans les vestiaires des Kings et Claire avait réussi à obtenir la participation de plusieurs coéquipiers de Parks.

Une fois que Brooke fut parvenue à les convaincre de ne plus jouer avec son équipement et de respecter le script, le travail progressa à un bon rythme. Malheureusement, la jeune femme était taraudée par un mal de tête qui ne cessait de croître.

C'était peut-être en partie à cause du bruit qui régnait dans les vestiaires ou de l'odeur de transpiration qui flottait dans l'air et que renforçait la chaleur émise par les projecteurs. Mais cela ne suffisait pas entièrement à expliquer le malaise grandissant qui s'était emparé d'elle.

Au départ, elle s'efforça de l'ignorer purement et simplement et de se concentrer sur son travail. Hélas, cela ne chassa pas pour autant la migraine. Lorsqu'ils s'installèrent dans le stade, l'air frais l'aida à se ressaisir un peu. Comme elle finissait de vérifier que l'ingénieur du son était satisfait de son installation, elle sentit un bras musclé se poser autour de ses épaules.

— Salut, fit Snyder avec un sourire engageant.

Brooke le lui rendit, se demandant si tous les joueurs de base-ball étaient des séducteurs aussi invétérés que Parks et lui.

— Vous êtes prêt pour la scène suivante, George ? lui demanda-t-elle. Vous ne serez pas à l'écran, cette fois.

— C'est ce que j'ai cru comprendre. Je tiens d'ailleurs à vous signaler que vous avez commis une erreur en choisissant Parks pour représenter cette ligne de vêtements. Il est beaucoup trop maigre.

Brooke observa la solide charpente du joueur et hocha la tête.

— C'est peut-être vrai, répondit-elle. Malheureusement, ce n'était pas moi qui étais chargé du casting.

— Dommage. Dites, maintenant que je suis une star, moi aussi, est-ce que vous viendrez me chercher à l'aéroport comme Parks ?

— Laisse tomber ! s'exclama Kinjinsky qui venait de les rejoindre. Brooke n'est pas ton type. Il s'est spécialisé dans les danseuses du ventre, précisa-t-il à l'intention de la jeune femme.

— Ce ne sont que de vils mensonges, protesta Snyder, feignant d'être révolté par tant de mauvaise foi.

— Lorsque ma fille sera plus grande, reprit Kinjinsky, je la mettrai en garde contre les hommes tels que lui.

Sur ce, il lança en l'air la balle qu'il tenait à la main et l'expédia au bout du terrain d'un coup de batte parfaitement ajusté.

— Kinjinsky est le meilleur batteur de l'équipe, déclara gravement Snyder. Du moins tant que ce n'est pas un lanceur qui lui envoie la balle…

— Au moins, je suis capable d'atteindre la première base en moins de deux minutes et demie, répliqua son ami d'un ton moqueur.

Snyder avait l'habitude que l'on raille ses capacités de coureur et il prit un air indigné.

— Tu n'as pas le droit de te moquer de moi, s'exclama-t-il. C'est un problème génétique, ajouta-t-il à l'intention de Brooke.

— Je suis vraiment désolée, répondit celle-ci d'un ton parfaitement sérieux.

— Un problème génétique que l'on appelle le Pied de plomb, commenta Parks.

En entendant le son de sa voix, Brooke sentit se réveiller le mal de tête qu'elle était presque parvenue à oublier. Elle se tourna vers lui et vit qu'il l'observait avec l'un de ces sourires irrésistibles dont il avait le secret. Il portait sa tenue de base-ball et la casquette abaissée sur ses yeux lui donnait un air terriblement assuré.

Son regard n'était pas départi d'une certaine possessivité et Brooke sentit s'éveiller en elle un mélange d'angoisse et de désir.

— J'aidais ta petite amie à passer le temps.

Parks hocha la tête, ne prenant même pas la peine de nier la relation qui l'unissait à Brooke.

— Lorsqu'elle verra la façon dont je crève l'écran, tu risques de te retrouver au chômage, ajouta Snyder.

— Je ne pense pas. De Marco n'est pas spécialisé dans les vêtements pour sumos.

— Messieurs, protesta Brooke, l'équipe est prête et n'attend que votre bon vouloir. George, pouvez-vous vous placer sur la première base pour servir de repère à Parks ?

— Avec plaisir. Tâche seulement de ne pas m'envoyer la balle en pleine tête, Jones ! Je ne tiens pas à être sur la liste des blessés, lors du prochain match.

— Mike, ajouta Brooke à l'intention de Kinjinsky, vous lancerez pour Parks. Ne le ménagez pas. Je veux qu'il donne l'impression de faire un effort.

— Je vais voir ce que je peux faire, répondit Kinjinsky.

— Parks, tu as des questions ?

— Non, je pense que je devrais pouvoir m'en sortir.

Il alla se placer sur la troisième base tandis que Brooke rejoignait E.J. près de la caméra. Lorsqu'elle regarda dans le viseur et vit Parks, elle sentit un nouveau frisson la parcourir.

— Tout va bien, Brooke ? lui demanda E.J., inquiet.

— Oui. Pas de problème. Tout le monde est prêt ? Moteur !

Tout se déroula à la perfection. Brooke aurait sans doute pu se contenter d'une prise mais elle la doubla pour plus de précautions. Chaque fois, Kinjinsky lançait la balle à Parks qui plongeait ou sautait pour la rattraper avant de la renvoyer vers Snyder en première base.

— Je crois que nous en avons plus qu'il ne nous en faut, déclara E.J. à la fin de la troisième prise.

— Oui, répondit Brooke en massant sa nuque douloureuse.

— Tu as vu la dernière balle ? Peu de joueurs seraient parvenus à la rattraper.

— Parks paraît s'être spécialisé dans les coups impossibles, acquiesça-t-elle.

— Tu es sûre que ça va ?

— Oui, mentit-elle de nouveau. Ce n'est rien...

Elle se tourna vers les trois joueurs qui discutaient non loin de l'endroit où se positionnait le lanceur. Une fois de plus, une sensation étrange l'envahit. Quelque chose chez Parks la troublait et il ne s'agissait pas seulement du désir qu'il lui inspirait d'ordinaire.

Elle essaya vainement de se convaincre qu'elle se faisait des idées, qu'elle était juste victime de la fatigue après une interminable journée de travail. Deux aspirines et une bonne nuit de sommeil l'aideraient peut-être à se remettre d'aplomb.

— Je vais y aller, annonça E.J. qui avait fini de superviser le rangement du matériel. Je dois repasser à la production et j'en profiterai pour déposer les bandes en salle de montage.

Brooke hocha la tête et se dirigea vers les trois joueurs de base-ball pour aller remercier Kinjinsky et Snyder. Comme elle approchait, elle entendit ce dernier suggérer de répandre des grenouilles sur le banc de touche de leurs prochains adversaires.

— Alors ? fit Parks. Tout s'est bien passé ?

— Parfaitement, répondit-elle en s'efforçant de dominer le malaise qu'il lui inspirait. Je voulais vous féliciter, tous les deux, ajouta-t-elle à l'intention de ses équipiers. Sans votre aide, nous aurions certainement perdu un temps précieux.

— Souvenez-vous de moi lorsque vous aurez besoin de quelqu'un pour vos publicités, répondit Snyder.

— C'est promis, George.

Parks attendit patiemment tandis que Brooke discutait avec ses amis. Il attendit que tous deux prennent congé et se dirigent vers les vestiaires avant de se tourner vers la jeune femme.

— Qu'est-ce qui ne va pas ? lui demanda-t-il gravement.

Brooke haussa les épaules.

— Qu'est-ce qui te fait croire que quelque chose ne va pas ? répondit-elle en espérant ne pas trahir la nervosité qui l'habitait. Tout s'est bien passé et j'ai hâte de finir le montage de cette publicité. Ces deux spots devraient nous permettre de faire une pause. Je pense que le suivant ne sera pas tourné avant le mois de novembre.

Jetant un coup d'œil en direction de son équipe, elle constata que la plupart des techniciens étaient déjà partis. Sans trop savoir pourquoi, elle n'avait pas envie de rester seule avec Parks.

— Je vais devoir rentrer au bureau, lui dit-elle.

— Brooke, qu'est-ce qui te rend si nerveuse ?

— Je ne suis pas nerveuse ! s'exclama-t-elle d'un ton qui contredisait son affirmation.

Elle prit une profonde inspiration et s'efforça de recouvrer un semblant de calme.

— La journée a été longue et je suis fatiguée. C'est tout.

— Je ne suis pas convaincu, répliqua Parks.

— Fiche-moi la paix, lui dit-elle d'une voix tremblante.

Il comprit que les choses étaient plus graves encore qu'il ne l'avait imaginé : il n'était pas dans les habitudes de Brooke de perdre son sang-froid de cette façon. Lâchant le gant de base-ball qu'il tenait à la main, il la prit par les épaules.

— Brooke, nous pouvons parler ici ou trouver un endroit tranquille pour discuter de ce qui t'arrive. Mais je ne te laisserai pas partir sans savoir ce qui se passe.

Elle se dégagea brusquement et lui lança un regard noir.

— Je n'ai rien à dire, déclara-t-elle.

— Très bien, acquiesça-t-il. Dans ce cas, allons dîner. Ensuite, nous pourrons aller au cinéma.

— Je t'ai dit que j'avais encore du travail.

— Mais c'est un mensonge.

— Je n'ai pas besoin de mentir, rétorqua-t-elle durement. Il me suffit de te dire non.

— C'est exact, opina Parks. Mais puis-je au moins savoir pourquoi tu es en colère contre moi ?

Sa voix ne trahissait qu'une infinie patience mais, dans ses yeux, Brooke lisait un mélange d'exaspération et de désir.

— Je ne suis pas en colère contre toi ! s'exclama-t-elle, furieuse.

— Alors pourquoi est-ce que tu cries ?

— Je ne crie pas !

Parks ne prit pas la peine de répondre tant la mauvaise foi de la jeune femme était évidente. Brooke étouffa un juron, lui en voulant de la pousser ainsi dans ses derniers retranchements.

— J'ai peur d'être en train de tomber amoureuse de toi, déclara-t-elle enfin.

— Vraiment ? dit Parks en se rapprochant d'elle, le cœur battant à tout rompre.

Il savait combien cet aveu avait dû lui coûter et était presque surpris qu'elle ait trouvé le courage de le faire.

Brooke regarda autour d'elle, regrettant brusquement ce qu'elle venait de lui dire. Ils se trouvaient seuls, à présent. Seuls sur son territoire. Et son angoisse risquait à chaque instant de se muer en panique.

— Allons-nous-en, murmura-t-elle.

Parks lui emboîta le pas tandis qu'elle se dirigeait vers les vestiaires.

— Qu'est-ce qui te fait si peur ? lui demanda-t-il. Pourquoi une femme devrait-elle se sentir effrayée à l'idée de tomber amoureuse ?

— Parce que je sais parfaitement ce qui se passe ensuite, répondit Brooke en s'immobilisant pour lui faire face.

Ses yeux étaient si sombres qu'ils paraissaient presque noirs.

— Raconte-moi, l'encouragea-t-il.

— Si je tombe amoureuse, je serai incapable de réfléchir posément. Je perdrai toute prudence.

Elle passa nerveusement une main dans ses cheveux.

— Je donnerai sans compter et lorsque tout sera fini, je me retrouverai sans rien. C'est arrivé chaque fois que j'ai commis l'erreur d'aimer quelqu'un, ajouta-t-elle en songeant à ses parents adoptifs et à Clark. Et je ne tiens pas à réitérer l'expérience. Je suis désolée, Parks, j'ai vraiment essayé de profiter du bon temps que nous prenions ensemble. Mais je ne peux plus continuer.

Elle s'éloigna de lui et il remarqua qu'elle se dirigeait vers la troisième base. Sa base. Il décida que c'était un signe et comprit ce qui lui restait à faire. Lui emboîtant le pas, il se prépara à lutter pied à pied pour éviter qu'elle ne s'éloigne de lui.

— Ce n'est pas aussi simple, lui dit-il. Tu ne peux pas tirer un trait sur ce qui s'est passé entre nous.

Brooke l'observa attentivement et comprit qu'elle n'avait plus affaire à l'homme décontracté et plein d'humour. La lueur farouche qui brillait dans son regard lui prouvait s'il en était besoin que Parks était redevenu le gladiateur implacable qu'elle avait admiré tant de fois dans le stade.

— Pourquoi pas ? répliqua-t-elle durement.

— Parce que je ne te laisserai pas faire, répliqua-t-il en agrippant son chemisier pour l'attirer contre lui.

Brooke essaya vainement de se dégager. Elle se sentait terrifiée. Et ce n'était pas uniquement parce que Parks avait sur elle une supériorité physique évidente.

— Je ne veux plus sortir avec toi, déclara-t-elle. Si cela t'empêche de travailler avec moi, demande à Claire de choisir un autre réalisateur.

— Je n'ai aucun problème avec celui qui m'a été affecté, répondit-il posément. J'ai beaucoup de respect pour ton travail et c'est pour cela que je n'éprouve aucune difficulté à obéir à tes instructions. Mais je te l'ai dit : lorsque nous ne sommes pas sur le plateau, tu n'es plus la seule à prendre les décisions. Je ne te laisserai pas gâcher ce qu'il y a entre nous, Brooke. Tu peux essayer, bien sûr, mais je te préviens : je suis un adversaire tenace et je n'ai pas l'habitude de jouer pour perdre.

— Ce n'est pas du base-ball, Parks, protesta-t-elle.

— Peut-être pas, concéda-t-il. Au base-ball, on peut toujours compter sur ses équipiers pour compenser ses propres faiblesses. En amour, on est seul. Mais je ne me laisserai pas impressionner pour autant.

Il la regarda droit dans les yeux et elle sentit les battements de son cœur s'accélérer. Le sourire qui se dessinait sur ses lèvres était celui d'un prédateur s'apprêtant à fondre sur sa proie et elle savait qu'elle n'aurait probablement pas la force de lui résister.

— Moi aussi, je suis amoureux de toi, déclara-t-il avec assurance.

Il fallut plusieurs secondes pour que le sens de ces quelques mots pénètre l'esprit de la jeune femme. La tension qui l'habitait était à son comble et elle craignait à chaque instant de perdre tout contrôle et de fondre en larmes comme une enfant.

— Ne dis pas ça, murmura-t-elle.

— Pourquoi tairais-je ce que je ressens ?

— Ce n'est pas drôle, Parks ! protesta-t-elle.

— Non, c'est même très sérieux. Est-ce pour cela que tu as si peur ? Que crains-tu le plus ? D'aimer ou d'être aimée ?

Brooke secoua la tête. Elle s'était toujours efforcée de ne pas franchir cette ligne de démarcation qui séparait une aventure plaisante d'une liaison amoureuse. Les hommes avec lesquels elle était sortie avaient tous respecté cet accord tacite. Mais Parks n'était pas comme les autres. Et cela la terrifiait.

— Je ne pourrais pas te dire quand c'est arrivé exactement, reprit-il d'une voix pensive. Il n'y a eu ni coup de tonnerre, ni cloches, ni violons… Je ne peux pas non plus prétendre que je ne l'ai pas vu venir. Je savais que cela risquait d'arriver, tôt ou tard. Mais je n'ai rien fait pour l'empêcher. Et si c'était à refaire, je recommencerais. Alors il est trop tard pour lutter contre l'évidence, Brooke.

Sur ce, il se pencha vers elle et l'embrassa. Son baiser ne trahissait aucune urgence, aucune impatience. Il exprimait une passion profonde, la conviction inébranlable que tous deux étaient faits l'un pour l'autre et que rien ni personne ne pourrait s'interposer entre eux. C'était comme si Parks savait qu'il n'existait pour elle aucune échappatoire.

Bien sûr, elle aurait pu se battre, tenter par tous les moyens de le repousser. Mais elle comprit qu'il avait raison : il était déjà trop tard. L'amour de Parks l'enveloppait tout entière. Ce sentiment s'était glissé au plus profond d'elle-même sans même qu'elle s'en aperçoive. Il lui communiquait une exaltante sensation de richesse et de liberté.

Elle était aimée.

Parks sentit la transformation qui s'opérait en elle et s'arracha à ses lèvres. Il savait qu'il ne la conquerrait pas par la passion. D'ailleurs, il avait depuis longtemps dépassé ce stade de leur relation. Il voulait plus, beaucoup plus.

Lorsqu'elle passa ses bras autour de sa taille et nicha son visage contre sa poitrine, il comprit qu'il avait encore une chance de l'obtenir. A force de patience et de volonté, il était parvenu à gagner la confiance de Brooke. Et, sur ces fondations solides, il parviendrait peut-être à bâtir le couple dont il rêvait.

— Redis-le-moi, murmura-t-elle. Redis-le-moi encore une fois.

Il la serra contre lui, caressant tendrement ses cheveux plus doux que la soie.

— Je t'aime, murmura-t-il.

Brooke poussa un petit soupir et leva les yeux vers lui, le cœur battant. Pour la première fois depuis de longues années, elle était sur le point de franchir la ligne. Dans les yeux de Parks, elle puisa la douceur et l'assurance qui lui donnèrent la force de le faire.

— Moi aussi, je t'aime, lui avoua-t-elle d'une voix tremblante.

Puis elle posa ses mains sur les joues de Parks et se dressa sur la pointe des pieds pour sceller cette confession d'un baiser gorgé de promesses.

10

Partout, les vestiaires avaient exactement la même odeur. Une odeur de sueur, de baume contre la douleur, de talc et de café. Cette senteur si particulière faisait partie intégrante de la vie de Parks et il ne la remarquait même plus. Par contre, il percevait distinctement la tension qui alourdissait l'atmosphère.

Même les blagues vaseuses de Snyder ne parvenaient pas à la dissiper, cet après-midi-là. Car chacun des membres de l'équipe savait que le moment de vérité était arrivé. Les heures qu'ils avaient passées à s'entraîner, à travailler, à regarder des bandes vidéo, à affronter les meilleures formations du pays les avaient menés jusque-là.

Evidemment, si la chance avait été avec eux, ils seraient parvenus à oublier la fatigue, la nervosité, l'angoisse. Mais les Kings étaient sur le point d'affronter les Hérons lors de la finale tant espérée et redoutée. Et les deux derniers matchs qu'ils avaient disputés contre cette équipe s'étaient soldés par de cuisants échecs.

Ils avaient pourtant réussi autant de coups de batte que leurs adversaires. Mais ceux-ci avaient réussi à transformer les leurs en points alors que les Kings jouaient de malchance. S'ils voulaient l'emporter aujourd'hui, il leur faudrait produire leur meilleur jeu et ne commettre aucune erreur.

Quel que soit le résultat final, songea Parks, dans quelques heures, la saison prendrait fin et tous les joueurs se retrouveraient en vacances d'hiver. Snyder irait probablement pêcher en Floride, comme il le faisait chaque année. Kinjinsky partirait pour Puerto

Rico où il participait régulièrement aux jeux d'hiver. Maizor, le nouveau lanceur, apprendrait le dur métier de père puisque sa femme devait accoucher au mois de novembre.

Certains participeraient à des campagnes de promotion pour le base-ball, d'autres seraient payés par leurs sponsors pour promouvoir leurs lignes de produits, d'autres encore entraîneraient des équipes de cadets.

Parks, quant à lui, tournerait de nouvelles publicités. Cette perspective ne le déprimait plus autant que lorsqu'il avait débuté. En fait, il s'était pris au jeu et commençait à apprécier le métier d'acteur. Il se demandait même très sérieusement s'il n'allait pas accepter le petit rôle dont Claire lui avait parlé.

Bien sûr, ce serait probablement Brooke qui le dirigerait. Et, s'il s'habituait à obéir à ses ordres, il éprouvait toujours un certain malaise en constatant la facilité avec laquelle elle paraissait lire en lui lorsqu'il se trouvait devant sa caméra. Elle paraissait si froide et si détachée, alors, comme s'il n'était qu'une matière première qu'elle s'apprêtait à modeler à sa convenance.

Force était de reconnaître qu'il n'avait pas choisi la femme la plus facile à aimer. Mais il n'y pouvait rien : chaque jour, il était un peu plus convaincu que Brooke était faite pour lui. Et il était plus décidé que jamais à la conquérir et à la garder.

Pourtant, il savait que ce pari était encore loin d'être gagné. Certes, elle l'aimait. Mais il sentait toujours en elle une certaine méfiance, comme si elle s'apprêtait à chaque instant à reprendre de la distance. Elle ne lui faisait toujours pas entièrement confiance.

Il ne lui en voulait pas, d'ailleurs. Tous deux étaient des battants : ils avaient toujours lutté pour survivre et se tailler une place dans un monde compétitif. Ils savaient qu'il existait peu de gens à qui ils puissent vraiment se fier. Il n'y avait dès lors rien d'étonnant à ce qu'ils fassent preuve de circonspection dans leur relation.

Par contre, il se sentait un peu vexé qu'elle n'ait pas repoussé son voyage à New York pour venir le soutenir ce jour-là. Lorsqu'il avait insisté, elle lui avait répondu froidement que son travail passait avant ses préoccupations personnelles.

Cela, il pouvait le comprendre. Mais il savait que rien ne la forçait à partir précisément le jour de la finale et regrettait qu'elle ne soit pas là pour le soutenir et l'encourager. Il aurait voulu savoir qu'il lui suffirait de lever les yeux vers les tribunes pour la voir et puiser en elle un peu de courage et de force. Il aurait voulu qu'elle soit là pour fêter la victoire avec lui ou le consoler en cas de défaite.

C'était peut-être égoïste de sa part mais il estimait qu'il ne s'agissait pas d'une exigence démesurée.

Réprimant un soupir, Parks alla chercher sa batte et son gant. Brooke lui avait dit que les choses ne seraient pas faciles. Pendant des années, elle avait lutté de toutes ses forces pour préserver son autonomie et se prouver qu'elle n'avait besoin de personne. Il lui était donc difficile de changer du tout au tout du jour au lendemain.

Elle lui avait souvent répété que sa vie lui avait appris à se méfier des autres. Parks lui avait demandé ce qu'elle voulait dire par là mais elle avait refusé de s'étendre sur les circonstances précises qui l'avaient conduite à cet état d'esprit.

Cette réserve agaçait Parks qui y voyait un signe de plus de défiance. Il en voulait à Brooke de ne pas partager avec lui ce passé qui paraissait l'avoir tant marquée. Il aurait parfois voulu la secouer jusqu'à ce qu'elle comprenne qu'il n'était pas son ennemi, qu'elle pouvait se fier à lui. Mais cela n'aurait sans doute pas été très productif.

Ce n'était pas le seul reproche qu'il faisait à Brooke, d'ailleurs. Il n'aimait pas plus l'ambiguïté à laquelle elle avait recours chaque fois qu'il faisait allusion à leur avenir. Et, même s'il s'était effectivement installé chez elle, elle refusait d'entériner cette vie commune. Pour elle, cette maison était toujours la sienne. Il n'y était que toléré.

Ainsi, tout en habitant ensemble, ils ne *vivaient* pas réellement ensemble. Et si cette situation paraissait rassurer Brooke, elle ne faisait qu'ajouter au désarroi de Parks. Il ne savait plus vraiment quoi faire pour lui prouver qu'il était là pour rester, pour percer cette dernière muraille dont elle continuait à s'entourer.

Il se demandait même parfois s'il aurait la patience d'attendre qu'elle veuille bien reconnaître l'évidence.

Réprimant un juron, Parks glissa son gant dans la poche arrière de son pantalon.

— Jones ! On y va ! s'exclama l'entraîneur.

— Je viens, répondit-il.

Chassant le visage de Brooke de son esprit, il se rappela qu'il lui restait un match à disputer et que ce serait probablement l'un des plus importants de sa carrière. Il ne pouvait s'offrir le luxe de laisser ses pensées vagabonder de la sorte.

Tout en pestant allègrement contre les autres conducteurs, Brooke cherchait une place disponible sur le parking du stade.

— Je savais que nous aurions dû partir plus tôt ! s'exclama-t-elle rageusement.

E.J. cessa de chantonner et se tourna vers elle.

— Il reste encore un quart d'heure avant le début du match, lui rappela-t-il.

— Peut-être. Mais je te rappelle que c'est moi qui t'ai offert ce billet. Tu aurais quand même pu être prêt à temps quand je suis passée te chercher. Ah ! En voilà une !

Brooke s'engagea à toute vitesse entre deux voitures et freina sèchement pour immobiliser son propre véhicule.

— C'est bon, E.J., tu peux ouvrir les yeux, lui dit-elle.

Il s'exécuta et constata avec soulagement qu'il était toujours vivant.

— Comment sommes-nous censés descendre ? demanda-t-il en désignant les deux voitures qui les entouraient.

— Il y a assez de place de mon côté, répondit Brooke en ouvrant sa portière. Tu n'auras qu'à passer par là.

E.J. soupira et attendit patiemment qu'elle se soit faufilée dehors pour l'imiter, ce qui nécessita un certain nombre de savantes contorsions.

— Dépêche-toi ! s'exclama Brooke. Je ne veux pas rater leur entrée sur le terrain.

— C'est très étrange, ironisa E.J. Ton intérêt pour le base-ball semble avoir sensiblement augmenté, ces derniers temps. Je me demande bien pourquoi...

— C'est un sport passionnant.

— C'était le cas avant que tu ne rencontres Parks, tu sais.

— Fais attention, E.J. C'est toujours moi qui ai ton billet. Je pourrais très bien décider de le donner à quelqu'un d'autre.

— Allons, Brooke ! Pas la peine de faire des cachotteries. Je lis les journaux, tu sais...

Brooke fronça les sourcils. Plusieurs photographies de Parks et elle étaient effectivement parues dans les magazines consacrés à la vie des célébrités. Il y avait également eu un ou deux articles concernant leur liaison dans les pages des journaux sportifs. Cela n'avait rien d'étonnant, d'ailleurs : un champion de base-ball et une réalisatrice en vogue formaient une cible idéale pour les paparazzi.

— J'ai même lu quelque part que Parks allait peut-être se consacrer sérieusement au cinéma, ajouta E.J.

— C'est possible, admit-elle. Claire lui a proposé un rôle dans un téléfilm. Il s'agit d'un personnage secondaire mais il est assez intéressant. Je ne sais pas s'il compte vraiment accepter. Pour le moment, le plus important, c'est cette finale.

— Seulement la finale ? ironisa E.J. avec un sourire égrillard.

— Ton billet, E.J., lui rappela-t-elle.

— Tu sais, poursuivit-il sans se laisser intimider par ses menaces, je me suis toujours demandé si quelqu'un parviendrait à transpercer ta carapace.

— Vraiment ? fit Brooke, amusée. Et crois-tu que quelqu'un y soit parvenu ?

— Il suffit de vous voir ensemble pour comprendre qu'il y a de l'électricité dans l'air ! D'ailleurs, je me demandais si en tant qu'ami et principal collaborateur, je ne devrais pas m'enquérir des intentions de ce M. Jones.

— Si tu t'avises de faire une chose pareille, je réduirai personnellement tous tes objectifs en miettes, répondit Brooke en tendant leurs billets à l'employé chargé de les collecter.

Ils pénétrèrent dans le stade et se frayèrent un chemin jusqu'à leurs sièges.

— Commande-moi un hot dog, demanda Brooke.

E.J. fit signe à l'une des vendeuses.

— Que veux-tu comme garniture ?

— Tout ce qu'ils ont. J'ai une faim de loup.

E.J. acheta deux hot dogs ainsi que des boissons fraîches.

— Dis-moi, Brooke, reprit-il lorsqu'il eut payé la vendeuse, entre amis, est-ce que c'est sérieux, votre histoire ?

— Tu ne laisses jamais tomber, toi !

— Jamais. D'autant que tu ne peux plus me menacer de me priver de mon billet.

Brooke soupira et le regarda attentivement. Le sourire qu'il arborait n'était plus celui du farceur. Il paraissait réellement se faire du souci pour elle.

— Je suis amoureuse de lui, avoua-t-elle. Je suppose donc que c'est assez sérieux.

— C'est le moins qu'on puisse dire ! s'exclama E.J. Alors quel effet ça te fait ?

— Eh bien… J'ai parfois l'impression d'être en train de marcher au bord d'une falaise les yeux bandés. Je me demande si c'est normal.

— Je n'en ai aucune idée, avoua son ami en riant. Je n'ai pas la moindre expérience en la matière.

— Tu n'as jamais été amoureux ? s'étonna Brooke. Toi qui passes ton temps à courir après les filles ?

— Justement, pourquoi crois-tu que je continue ? J'espère toujours que je vais finir par trouver la bonne !

— Je ne sais pas si tu t'y prends vraiment de la meilleure façon, objecta Brooke en riant. Maintenant tais-toi, ils vont annoncer la composition des deux équipes.

Mais, tandis que le présentateur lisait la feuille de match des Kings et des Hérons, Brooke ne put s'empêcher de réfléchir à ce dont E.J. et elle venaient de parler. Cela faisait des années qu'elle n'avait pas été amoureuse. Et elle n'avait rien fait pour que cela change.

Depuis qu'elle avait mis des mots sur ses sentiments, elle essayait tant bien que mal d'adapter sa vie à cette nouvelle réalité. Mais elle manquait de repères et n'était pas certaine de s'y prendre de la bonne façon.

— En troisième base et quatrième à la batte, le numéro vingt-neuf, Parks Jones! annonça alors l'animateur.

La foule déjà enthousiaste laissa échapper un hurlement retentissant qui résonna dans le stade. Parks traversa le terrain à petites foulées et alla se positionner près de Snyder. Il laissa errer son regard sur le public qui l'acclamait et aperçut alors Brooke. La surprise qui se peignit sur son visage fut bientôt remplacée par un sourire réjoui et il porta la main à la visière de sa casquette pour lui signaler qu'il l'avait repérée.

— Aujourd'hui, je suis bien décidé à réussir plus de coups de batte que toi, déclara Snyder. Comme cela, Brooke réalisera qu'elle a commis une erreur en te choisissant toi.

— Je ne pensais pas qu'elle viendrait, murmura Parks, toujours sous le coup de la surprise. Bon sang, cette fois c'est décidé! Je vais l'épouser.

— Ça alors! s'exclama Snyder, sidéré. C'est donc si sérieux que ça?

— Oh, oui, murmura Parks tandis que les deux joueurs serraient la main de leurs adversaires.

— Il prépare quelque chose, murmura Brooke en avisant le regard étrange que lui lançait Parks.

Malgré la distance qui les séparait, elle avait senti son changement d'humeur aussi distinctement que si elle s'était trouvée juste à son côté.

— Qu'est-ce que tu dis? demanda E.J.

— Rien, éluda-t-elle.

Les joueurs avaient fini de se serrer la main. Un chanteur de blues très connu s'avança sur la pelouse pour interpréter l'hymne national. Les deux équipes se découvrirent et un profond silence s'abattit sur le stade tandis que les premières notes retentissaient.

La tension qui régnait dans les tribunes était presque palpable. Brooke la sentait vibrer dans l'air frais de ce mois d'octobre.

Elle atteignit son paroxysme alors que l'hymne s'achevait. Un concert de cris et d'applaudissements se fit entendre tandis que les deux équipes se mettaient en position. Les commentateurs avaient coutume de dire que la finale du championnat de base-ball constituait l'événement sportif par excellence. Pour les équipes en lice, c'était l'épreuve ultime et elle demandait un engagement collectif et personnel total.

Ce match ne fit pas exception à la règle. Dès les premières manches, les Kings et les Hérons se jetèrent dans la bataille et redoublèrent d'audace. Ni les coureurs ni les joueurs de champ ne ménagèrent leurs efforts et le public eut droit à une véritable démonstration technique qui déchaîna son enthousiasme.

A la fin de la quatrième manche, les deux équipes étaient à égalité. Brooke avait observé attentivement le jeu de Parks et son admiration n'avait fait que croître. Sa concentration et sa détermination étaient impressionnantes. Il se battait pour toutes les balles, refusant de s'avouer vaincu. Lorsque ce fut de nouveau son tour de batte, la jeune femme se pencha en avant, le cœur battant.

Parks se plaça sur le marbre et prit une profonde inspiration, s'efforçant de faire abstraction des cris de la foule et de retrouver le calme intérieur. Il jeta un coup d'œil à Brooke qui l'observait attentivement et sentit sa nervosité refluer.

Snyder se trouvait déjà sur la première base. Pour lui permettre de progresser, il allait donc falloir que Parks propulse sa balle le plus loin possible.

Parks se mit en position et regarda le lanceur droit dans les yeux. D'un geste vif, il se détendit et la batte entra en contact avec la balle. Un claquement sec se fit entendre et Parks ne prit pas la peine de vérifier dans quelle direction elle partait. Sans réfléchir, il se précipita vers la première base…

La foule fit entendre un hurlement de joie et un tonnerre d'applaudissements.

Brooke sentit E.J. la prendre dans ses bras et l'entraîner dans une petite valse improvisée.

— Il est génial ! s'exclama-t-il. Il est tout simplement génial !

Brooke ne put qu'acquiescer. En voyant Parks marquer ce point, elle avait senti une fierté immense l'envahir. C'était absurde, bien sûr. Après tout, cette victoire n'appartenait qu'à lui et elle n'y avait pris aucune part. Mais c'était plus fort qu'elle.

Parks massa ses côtes douloureuses. Le genou du receveur avait violemment percuté sa poitrine et il avait presque du mal à respirer. Priant pour qu'il ne s'agisse que d'une simple contusion, il se dirigea vers le banc de touche. Au passage, il jeta un coup d'œil en direction de Brooke. La jeune femme lui décocha un sourire radieux qui le réconforta quelque peu.

Fort heureusement, la blessure de Parks s'avéra être superficielle et il put reprendre sa position en troisième base dès la manche suivante.

Parks avait été copieusement arrosé de champagne. Le vin avait en partie fait disparaître les traces de sueur et de boue qui lui maculaient le visage. Il n'était d'ailleurs pas le seul à avoir pris une telle douche.

Snyder s'était positionné au-dessus de la porte des vestiaires et déversait des bouteilles de champagne sur tous ceux qui osaient pénétrer à l'intérieur, qu'il s'agisse des joueurs, des journalistes ou des huiles de la ligue nationale de base-ball.

Comme Parks opérait une retraite prudente, trois joueurs des Kings se jetèrent sur lui et le propulsèrent tout habillé dans le Jacuzzi. Faisant contre mauvaise fortune bon cœur, il se débarrassa de son T-shirt et décida de profiter de l'eau chaude qui calmait les crampes et les courbatures qui le faisaient souffrir.

C'est là que les journalistes vinrent l'interviewer tandis qu'il sirotait tranquillement une bouteille de champagne glacé. Il répondit à leurs questions jusqu'à ce que Snyder soit à son tour projeté dans le Jacuzzi. Il se mit à plaisanter avec les reporters sportifs, livrant des commentaires très personnels sur la saison qui venait de s'écouler.

Parks en profita pour fermer les yeux. Il savoura rétrospectivement l'instant de leur victoire. Les souvenirs de ce moment étaient gravés dans son esprit et il conservait une image très précise de ce qui s'était passé. Il revit le reflet du soleil sur le toit des tribunes, se rappela les cris des supporters et ceux de ses coéquipiers, se souvint de la façon dont il avait cherché Brooke des yeux.

Lorsque leurs regards s'étaient croisés, il avait senti une grande sérénité s'emparer de lui. Il avait songé alors que son triomphe paraissait bien futile au regard de la relation que tous deux avaient nouée au cours des mois précédents. Lorsqu'elle lui avait parlé, il avait été frappé par la tendresse et la douceur qui émanaient d'elle.

Et lorsqu'ils s'étaient embrassés, il avait compris qu'il ne pourrait plus jamais se passer d'elle. A présent, il était bien décidé à lui prouver que tous deux étaient faits l'un pour l'autre.

Malheureusement, il lui fallut patienter durant plus de deux heures, le temps que les reporters se décident enfin à quitter les vestiaires. La tension nerveuse des joueurs commençait à se dissiper et les manifestations de joie se faisaient moins intenses.

Progressivement, elles étaient remplacées par un calme qui se teintait d'une certaine nostalgie à mesure qu'ils réalisaient que la victoire était déjà derrière eux. La saison prenait fin et avec elle disparaîtraient tous les moments qui constituaient le quotidien des Kings : les entraînements journaliers, les voyages en avion à l'autre bout du pays, les parties de poker improvisées dans les hôtels, les fêtes organisées pour célébrer leur succès…

La vie des joueurs de base-ball était toujours centrée sur la prochaine rencontre, le prochain match à disputer. C'était cette perpétuelle succession de défis à relever qui donnait un sens à leur existence. A présent, il leur faudrait attendre plusieurs mois pour retrouver cette exaltation.

La plupart d'entre eux discutaient à mi-voix, cherchant à prolonger encore un peu la magie de cette journée, à retarder l'instant où ils retrouveraient la banalité déprimante du quotidien.

Parks avisa le regard mélancolique de leur plus jeune recrue qui n'avait toujours pas retiré son gant, comme si la simple idée de s'en séparer lui était insupportable. Il se sentit vieux, brusquement, et réalisa qu'il n'était plus aussi attaché qu'autrefois à cette existence étrange qu'il avait si longtemps considérée comme la seule digne d'être vécue.

Peut-être était-ce parce qu'il avait découvert auprès de Brooke qu'il y avait dans la vie des victoires bien plus importantes que celles que l'on pouvait remporter sur un terrain de base-ball.

— Comment vont tes côtes ? lui demanda Kinjinsky, le tirant brusquement de ses pensées.

— Je m'en remettrai, répondit Parks sans quitter des yeux le benjamin de l'équipe.

— Quand je pense que ce gosse est à peine en âge de boire de l'alcool, soupira son ami. J'ai déjà l'impression d'être un dinosaure !

— A qui le dis-tu !, répliqua Parks en riant.

— On se voit au printemps prochain, Jones. Ma femme m'attend.

Parks hocha la tête, espérant de tout son cœur qu'il pourrait un jour en dire autant. Mais il savait qu'il ne serait pas aisé de convaincre Brooke du bien-fondé de sa proposition.

S'emparant de son sac, il se dirigea vers la porte qui conduisait au parking. Là, il fut rejoint par Snyder qui venait enfin de se changer.

— Dis donc, Jones, fit-il. Tu comptes vraiment l'épouser ?

— Disons que je ferai tout ce qui est en mon pouvoir pour la persuader d'accepter, répondit Parks.

Snyder hocha gravement la tête.

— Appelle-moi dès que vous aurez fixé une date. Je serai ton témoin.

Parks sourit et serra la main que lui tendait son coéquipier.

— Tu peux y compter, George, promit-il.

Sur ce, il quitta les vestiaires pour la dernière fois de l'année et se prépara à prendre le chemin de la maison de Brooke. Mais quelques fans l'attendaient à la sortie et il dut encore prendre le temps de signer des autographes et de s'entretenir avec eux.

Tout en signant les casquettes, les maillots et les posters qu'on lui tendait, il décida d'acheter une bouteille de champagne en chemin pour fêter dignement sa victoire et, si les dieux étaient avec lui, la perspective de son prochain mariage.

Lorsqu'il parvint enfin à prendre congé de ses admirateurs, il se dirigea vers son véhicule. C'est alors qu'il la vit. Elle était assise sur le capot de sa voiture et ses cheveux roux brillaient à la lueur du soleil couchant. Avisant le sourire qui jouait sur ses lèvres délicieuses, il sentit son cœur déborder de l'amour qu'il éprouvait pour elle.

Le cœur battant à tout rompre, il se força à réprimer l'envie qu'il avait de courir vers elle et la rejoignit.

— Si j'avais su que tu étais là, je serais sorti plus tôt, lui dit-il.

— J'ai laissé ma voiture à E.J., expliqua-t-elle en posant doucement ses mains sur ses épaules. Mais je ne regrette vraiment pas d'avoir attendu. Félicitations, Parks.

Se penchant vers lui, elle l'embrassa tendrement. Parks lâcha son sac, plongea ses mains dans les cheveux soyeux de Brooke et lui rendit son baiser avec passion. L'intensité du désir qu'il éveilla en lui le prit de court. Il éclipsait la fatigue du match comme la nervosité qu'il éprouvait à l'idée de demander Brooke en mariage.

Plus rien ne semblait exister en dehors de ce besoin impérieux qu'il avait d'elle et qui se communiquait à chaque fibre de son être. La violence de cette sensation lui faisait presque peur. Se pouvait-il qu'il soit devenu l'esclave de cet amour qui grandissait chaque jour dans son cœur?

Et s'il était incapable de le dominer et de prendre de la distance, comment pouvait-il espérer survivre au cas où Brooke refuserait d'unir son destin au sien?

Effrayé par cette idée, il se dégagea doucement et la regarda droit dans les yeux.

— Je t'aime, lui dit-il.

Brooke ne répondit pas, se contentant de poser doucement sa joue contre sa poitrine et de se serrer contre lui. Elle inspira profondément l'odeur de savon et d'after-shave qui émanait de lui. Cette fragrance si masculine la faisait se sentir terriblement femme.

— J'imagine que tu es trop fatigué pour célébrer ta victoire, lui dit-elle enfin.

— Certainement pas !

— Tant mieux. Dans ce cas, je t'invite à dîner. Tu dois être affamé.

Parks réalisa que tel était effectivement le cas. Jusqu'à présent, il avait été bien trop tendu pour s'en rendre compte.

— Où m'emmènes-tu ? demanda-t-il.

— C'est toi qui choisis. Sans aucune limitation de budget.

— D'accord, acquiesça Parks en souriant. Dans ce cas, je sais exactement où je voudrais aller.

— J'aurais dû savoir que tu choisirais un endroit pareil, soupira Brooke en contemplant d'un air désolé le fast-food où Parks les avait conduits. Tu as un penchant incorrigible pour la malbouffe.

— Comment peux-tu dire une chose pareille ? protesta Parks en lui montrant son hamburger. De la salade, des cornichons, des tomates et du bœuf ! Qu'y a-t-il de plus naturel ?

— Si tu crois vraiment ce qui est marqué sur la nappe en papier, tu es plus naïf que je ne l'imaginais, railla Brooke.

— Et toi, tu es une incorrigible cynique.

— Je te préviens : si tu m'insultes, je ne te lirai pas la page des sports, répliqua la jeune femme en désignant le journal qu'elle venait d'acheter. Et tu ne sauras jamais ce que les journalistes ont pensé de ta merveilleuse prestation.

Parks hocha les épaules, songeant qu'en cet instant, c'était bien la dernière de ses préoccupations. Malgré cela, Brooke ouvrit le journal et commença à le feuilleter.

— Ah, nous y voici…

Elle s'arrêta brusquement et fronça les sourcils.

— Qu'y a-t-il ? demanda Parks, étonné.

Se penchant par-dessus son épaule, il découvrit les deux photographies qui illustraient la rubrique sportive. La première illustrait la façon improbable dont il avait rattrapé la balle dans les tribunes. L'autre le montrait en train d'embrasser Brooke, juste après le match. Le titre qui barrait la page proclamait :

Jones fait coup double.

Parks étudia attentivement l'article, relevant les éloges qui étaient adressés aux Kings aussi bien que les critiques.

— « Et Jones a conclu cette palpitante rencontre en rattrapant in extremis une balle très longue d'Hennesey, lut Parks, réalisant sans doute le plus beau geste de cet après-midi. Quelques minutes plus tard, il recevait une belle récompense de Brooke Gordon, la séduisante réalisatrice qui l'a dirigé lors du tournage de la récente campagne de publicité De Marco et avec laquelle Jones a déjà été vu à plusieurs reprises. »

— Je déteste ça, déclara Brooke avec une véhémence qui étonna Parks.

— Quoi donc ? demanda-t-il.

— Voir ma photo étalée de cette façon et faire l'objet de telles rumeurs. Et ce n'est pas la première fois que cela nous arrive : le *Times* a publié un article sur nous, il y a deux jours.

— Oui, je l'ai lu. Mais je ne vois pas pourquoi tu te plains : le journaliste disait que tu semblais tout droit sortie d'une peinture du Titien.

— Ce n'est pas drôle, protesta Brooke.

— Ce n'est pas tragique non plus...

— Ils devraient se mêler de ce qui les regarde au lieu de spéculer sur notre vie privée.

Parks la regarda attentivement avant de répondre.

— N'est-ce pas toi qui m'as dit un jour que j'appartenais à mon public ?

— Toi, peut-être, concéda-t-elle. Cela fait partie de l'existence que tu as choisie lorsque tu as décidé de devenir joueur de base-ball professionnel. Mais ce n'est pas mon cas. Je préfère être derrière l'objectif que devant !

— J'ai bien peur que, dans ce cas précis, tu ne sois victime de tes fréquentations, plaisanta Parks. Au moins, les spéculations des journalistes reflètent la réalité, pour une fois. Nous sortons ensemble et tu ressembles bien à une peinture du Titien.

— Je suis sérieuse, Parks, objecta Brooke. Je reconnais que j'ai toujours été un peu paranoïaque en ce qui concernait ma vie privée. Mais il n'y a pas que cela. Ce que nous vivons est trop important pour que nous le partagions avec tous les lecteurs de ces journaux.

— Ça, c'est gentil, répondit Parks, touché par sa remarque.

Il se pencha vers elle et lui prit doucement la main pour la porter à ses lèvres.

— Je ne veux pas que nous nous cachions comme si nous étions coupables de quoi que ce soit, reprit Brooke. Mais je n'ai aucune envie que le moindre de nos rendez-vous fasse les gros titres du journal du soir.

Parks hocha la tête, réalisant qu'il tenait peut-être l'occasion rêvée d'aborder le sujet qui lui brûlait les lèvres depuis qu'il l'avait retrouvée sur le parking du stade.

— Tu sais, lui dit-il, les aventures sont toujours très commentées. Ainsi que les divorces…

— Et cela ne s'arrangera pas si nous tournons de nouvelles publicités pour De Marco ou si tu acceptes le rôle dont Claire t'a parlé. Plus tu seras célèbre et plus les journalistes se passionneront pour ta vie privée. Cela me rend folle !

— Je pourrais rompre le contrat qui me lie à De Marco.

— Il n'en est pas question ! protesta vivement Brooke. Tu ne vas pas compromettre ta réputation à cause de ces sangsues.

— Je me doutais que tu dirais cela. Mais il y a peut-être une autre solution…

— Laquelle ? demanda Brooke, curieuse.

— Nous pourrions nous marier. Tu es sûre que tu ne veux pas un peu de sel sur tes frites ?

Brooke le contempla fixement, incapable de croire à ce qu'elle venait d'entendre.

— Qu'est-ce que tu as dit ? parvint-elle enfin à articuler.

— Je t'ai demandé si tu voulais du sel, répondit Parks en lui tendant un sachet. Je t'ai aussi proposé que nous nous mariions.

— Toi et moi ? balbutia Brooke.

— Oui, pourquoi pas ? Les couples mariés n'intéressent pas autant les journalistes que les amants. Je suppose que c'est dans la nature humaine.

Parks repoussa les restes de son sandwich et se pencha vers Brooke.

— Alors ? Qu'en penses-tu ? lui demanda-t-il.

— Je pense que tu es complètement fou. Et je ne trouve pas cela drôle du tout.

Elle fit mine de se lever pour quitter le restaurant mais Parks la retint par le bras.

— Je ne plaisante pas, déclara-t-il.

— Tu serais vraiment prêt à m'épouser juste pour éviter que notre photo apparaisse dans le journal ?

— Personnellement, je me moque complètement de ce genre d'articles.

— Et tu penses vraiment que j'accepterais de me marier pour une raison aussi futile ?

— Pas du tout, soupira Parks. Je veux t'épouser parce que je t'aime et parce que je suis certain de vouloir passer le reste de ma vie avec toi.

Brooke resta sans voix. Jamais elle n'aurait imaginé que Parks puisse vouloir s'engager de façon aussi radicale. Bien sûr, elle savait que leur relation finirait par évoluer et qu'il serait peut-être un jour question de mariage. Mais cette échéance lui avait toujours paru si lointaine qu'elle ne s'était jamais imaginé lier son destin à celui de Parks de façon aussi irrémédiable.

— Tu n'es pas obligée de me répondre maintenant, reprit ce dernier d'un ton amusé. De toute façon, tôt ou tard, tu finiras par accepter.

— Vraiment ? répliqua-t-elle, agacée par l'assurance dont il faisait preuve. Et qu'est-ce qui te fait croire que j'aurai envie d'épouser quelqu'un comme toi ?

Parks lui jeta un regard malicieux.

— Je suis assez décidé pour deux, répliqua-t-il avec un sourire charmant.

— Ah oui ? Et tu t'imagines peut-être que c'est suffisant ?

— Pour moi, oui.

Brooke croisa les bras sur sa poitrine et lui décocha un coup d'œil réprobateur.

— Tu sais qu'un consentement ne suffit pas ? Il en faut deux pour qu'un mariage soit reconnu comme valable.

— Je n'aurai qu'à te tordre le bras jusqu'à ce que tu donnes le tien.

Brooke le considéra avec méfiance. Elle savait parfaitement que, malgré ses boutades, il était terriblement sérieux et qu'il ferait tout pour la persuader d'accepter sa proposition. Loin de la mettre en colère, cette idée éveillait en elle un mélange d'excitation et de joie. Mais elle était bien décidée à ne pas lui faciliter les choses pour autant.

— Je pense que le fait d'avoir remporté la finale t'est monté à la tête, Parks, déclara-t-elle posément. Il te faudra plus que des menaces pour me convaincre.

— Très bien. Que veux-tu ? De la musique douce ? Des lumières tamisées ? Une bouteille de champagne ? A vrai dire, c'est exactement ce que j'avais en tête pour ce soir. Mais tu n'es pas le genre de femme à te laisser influencer par une telle mise en scène. Après tout, tu es réalisatrice…

— Alors laisse-moi diriger la scène. Tu connais tes motivations. Cette fois, tâche de formuler ta proposition avec un peu plus de finesse et de sentiments. Demande et n'ordonne pas.

Parks sourit et lui prit doucement les mains, réalisant qu'elle n'était peut-être pas aussi résolument opposée à ses projets qu'il l'avait imaginé au départ.

— Brooke, fit-il en portant ses doigts à ses lèvres, me feras-tu la joie et l'honneur de devenir ma femme ? Alors ? ajouta-t-il. C'était mieux ?

— Un peu exagéré, peut-être, répondit-elle en riant. Mais ça fera l'affaire.

11

Brooke contempla son reflet dans le miroir en pied et sentit une vague de panique la submerger brusquement. Qu'était-elle donc en train de faire ? Comment sa vie avait-elle pu changer si brusquement ? Six mois plus tôt, elle n'avait jamais entendu parler de Parks Jones. Et voilà que, dans moins d'une heure, elle deviendrait sa femme. Ils se promettraient l'un à l'autre, se jureraient amour et fidélité pour le reste de leur vie.

Elle se demanda si elle ne ferait pas mieux de fuir pendant qu'il en était encore temps. C'était certainement la seule façon de recouvrer un semblant de contrôle sur son existence.

— Cessez de gigoter comme cela, mademoiselle Gordon ! protesta Billings. J'ai encore une bonne dizaine de boutons à accrocher.

Brooke contempla la robe de satin couleur ivoire qu'elle portait. Elle était magnifique et mettait parfaitement en valeur sa silhouette. Mais le simple fait de se voir habillée en mariée lui paraissait complètement surréaliste.

— Tenez-vous tranquille, insista Billings.

— Je crois que je vais être malade, murmura Brooke.

Billings leva les yeux et observa le visage de la jeune femme qui se reflétait dans la glace. Elle était très pâle, ce qui faisait ressortir ses grands yeux gris qui étaient si sombres en cet instant qu'ils paraissaient presque noirs. Le maquillage qu'elle portait ce jour-là cachait mal les cernes qui trahissaient les nuits sans sommeil qu'elle avait passées depuis le soir de la finale.

— Ne soyez pas ridicule, répondit Billings, vous êtes nerveuse. C'est parfaitement naturel.

— Justement ! s'exclama Brooke. Je ne suis jamais nerveuse, d'habitude. Je me sens parfaitement ridicule…

— D'habitude, vous n'êtes pas sur le point de vous marier, lui rappela patiemment Billings. La plupart des femmes doivent réagir de la même façon lorsque le grand jour arrive.

— Le grand jour, répéta Brooke d'un ton ironique.

Billings préféra ne pas relever et acheva d'attacher les derniers boutons.

— Et voilà, s'exclama-t-elle enfin. C'est fini.

— Dieu merci, soupira Brooke en se dirigeant vers la chaise la plus proche.

Billings s'interposa et l'empêcha de s'asseoir.

— Pas question que vous froissiez votre belle robe juste avant la cérémonie ! s'exclama-t-elle.

— Mais cela fait plus d'une heure que je suis debout.

— Vous connaissez le proverbe : il faut souffrir pour être belle.

Brooke étouffa un juron que Billings accueillit d'un haussement de sourcils réprobateur.

— Je vous rappelle que la robe que vous portez est un symbole de pureté et de grâce, déclara-t-elle d'un air très digne, avant d'aller chercher une brosse à cheveux sur la coiffeuse.

— Je ne me sens pas particulièrement pure ou gracieuse, déclara Brooke. J'ai vingt-huit ans et j'ai passé l'âge de jouer les mariées rougissantes. Franchement, je dois être complètement folle. Aucune femme dotée d'un tant soit peu de sens commun n'accepterait une demande en mariage faite au beau milieu d'un fast-food.

— L'important, c'est que le mariage ait lieu dans les jardins de Mlle Thorton. Et nous avons de la chance : le beau temps est au rendez-vous.

— Je n'aurais jamais dû accepter de me marier ici, soupira Brooke.

— Qu'est-ce qu'il ne faut pas entendre ! s'exclama Billings en brandissant sa brosse d'un air menaçant. Personne ne vous a forcé la main. Vous êtes la jeune femme la plus décidée, têtue, et butée que je connaisse. Simplement, vous n'arrivez pas à admettre que vous avez trouvé un garçon encore plus décidé, têtu et buté que vous. Au fond, je crois que l'idée d'avoir trouvé quelqu'un à votre mesure vous fait peur.

— Je n'ai pas peur! s'écria Brooke, offusquée.

— Vous mourez de peur, insista Billings sans se laisser impressionner le moins du monde.

— Si vous croyez que je vais me laisser impressionner par quelqu'un comme Parks Jones…

— Ce n'est pas de lui que vous avez peur mais de vous-même, répliqua Billings. Mais cela n'a rien de si extraordinaire, vous savez. La plupart des femmes tremblent de tous leurs membres et se mettent à balbutier quand vient le moment de prononcer leurs vœux.

— Je n'ai jamais balbutié de ma vie, déclara Brooke. Et rien ne m'a jamais fait trembler.

— Nous verrons bien. Maintenant, approchez-vous et laissez-moi remettre un semblant d'ordre dans votre tignasse.

Brooke obéit à contrecœur et Billings commença à la coiffer. Avec une habileté consommée, elle démêla les lourdes boucles rousses qu'elle tressa ensuite. Elle attacha les cheveux de la jeune femme au moyen d'une broche sur laquelle étaient piquées des fleurs d'hibiscus. Billings était convaincue que des boutons de rose ou des brins de muguet auraient été plus appropriés mais elle dut bien reconnaître que l'effet final était plutôt réussi.

— Où sont les boucles d'oreilles que vous a offertes Mlle Thorton? demanda-t-elle.

— Là, répondit Brooke en désignant la boîte à bijoux posée sur la table de nuit.

Elle commençait vraiment à regretter de ne pas s'être mariée discrètement, comme Parks l'avait suggéré. Comment avait-elle pu laisser son amie la convaincre qu'elle voulait un grand mariage en blanc? D'ailleurs, pourquoi avait-il fallu qu'elle accepte la proposition de Parks? Quel besoin avait-elle de se marier?

— Tenez, mettez-les, fit Billings en déposant au creux de sa main les deux boucles d'oreilles faites de superbes perles rosées en forme de gouttes d'eau. Je trouve que M. Jones a fait preuve de beaucoup de goût en vous envoyant des fleurs assorties à ces boucles.

— Si vous l'aimez tant, vous n'avez qu'à l'épouser vous-même, répliqua Brooke avec humeur.

D'une main bien moins assurée qu'elle ne l'aurait voulu, elle accrocha les deux perles.

— Qui sait? répondit Billings d'un air malicieux. Si vous continuez à perdre vos moyens de cette façon, il finira peut-être par choisir quelqu'un d'autre... Maintenant, arrêtez de dire des bêtises et laissez-moi vous regarder.

Billings fit lentement le tour de Brooke qui ne pouvait détacher ses yeux du miroir, sidérée par sa propre apparence.

— Je suppose que cela ira, conclut la gouvernante. Evidemment, une traîne et un voile auraient encore amélioré l'effet d'ensemble...

Elle hésita un instant à déposer un baiser d'encouragement sur la joue de Brooke mais la tension qui habitait la jeune femme l'en dissuada. Elle ne tenait pas à rajouter à la charge émotionnelle de ce moment.

— Allons-y, se contenta-t-elle de dire après avoir consulté sa montre. Le moment est venu.

D'un pas hésitant, Brooke suivit Billings dans le couloir. Il était toujours temps d'annuler, songea-t-elle, le cœur battant à tout rompre. Personne ne pouvait l'obliger à aller jusqu'au bout. A chaque pas qui la rapprochait du jardin, elle sentait croître ses doutes et ses incertitudes. Ses mains étaient moites, sa respiration oppressée. Ce n'était certainement pas ce que l'on était censé éprouver à quelques minutes de son mariage.

Tout était allé beaucoup trop vite. Cela faisait à peine quatre jours que Parks avait fait sa demande. Et elle avait commis l'erreur d'en parler à Claire. A partir de là, la situation lui avait complètement échappé. Son amie avait pris les choses en main et s'était lancée à corps perdu dans des préparatifs de plus en plus extravagants.

Car, pour Claire, il n'était pas question que Parks et Brooke se contentent d'une petite cérémonie discrète. A ses yeux, c'était tout juste bon pour les adolescents qui se mariaient contre la volonté de leurs parents. Il fallait une célébration digne de ce nom, avec des invités soigneusement choisis, un repas délicieux, une robe de rêve et un cadre adéquat.

Brooke s'était laissé convaincre et, à partir de ce moment-là, elle avait été prise dans un tourbillon d'activités qui ne lui avaient pas laissé un seul instant pour réfléchir au sens profond de l'engagement qu'elle s'apprêtait à contracter.

Mais il n'était pas trop tard, songea-t-elle alors que Billings et elle atteignaient le grand hall de la villa. Elle pouvait encore tourner les talons, sortir par la porte de derrière, rejoindre sa voiture et rentrer chez elle. Evidemment, cela n'aurait pas été très glorieux. Et Brooke était bien trop fière pour se contenter de fuir de cette façon.

Mieux valait aller trouver Parks et lui expliquer qu'elle s'était trompée, qu'elle avait répondu trop précipitamment et qu'elle avait changé d'avis. Elle s'efforcerait de faire preuve à la fois de douceur et de fermeté.

— Brooke, tu es adorable ! s'exclama Claire qui les attendait au bas de l'escalier.

Elle portait une magnifique robe bleue et ses yeux brillaient de larmes d'émotion qu'elle s'efforçait de contenir.

— Claire, je…

— Si seulement tu m'avais laissée engager cet orchestre pour jouer la marche nuptiale !

— Mais je…

— Enfin, cela n'a aucune importance. L'essentiel, c'est que tu sois heureuse.

Claire la prit dans ses bras et la serra affectueusement contre elle.

— Je me sens complètement idiote, s'exclama-t-elle. Lorsque je te regarde, j'ai l'impression que c'est ma propre fille qui est sur le point de se marier ! Il faut croire qu'il n'est jamais trop tard pour développer un instinct maternel…

— Oh, Claire…

— Non, ne dis rien ! Je ne veux pas courir le risque de fondre en larmes et de ruiner mon maquillage. Après tout, ce n'est pas tous les jours que je suis témoin.

— Claire, justement, je voulais te dire…

— Les invités attendent, mademoiselle Thorton, remarqua Billings.

— Oui, bien sûr, acquiesça celle-ci.

Elle serra une dernière fois la main de Brooke dans la sienne avant de se diriger vers la terrasse.

— Ça va être à vous, déclara alors Billings.

Brooke hésita, se demandant si la solution la plus lâche n'était pas parfois la meilleure. Il lui paraissait brusquement bien plus facile de prendre ses jambes à son cou que d'affronter la déception de Parks. Mais Billings la prit par le bras et l'escorta jusqu'à la terrasse. Là, son fiancé l'attendait. En le voyant, Brooke sentit ses jambes vaciller légèrement.

Il était vêtu d'un magnifique costume gris perle, bien plus élégant que tout ce qu'elle l'avait vu porter jusqu'à ce jour. Il souriait, paraissant parfaitement à l'aise et sûr de lui. Ses yeux trahissaient la même concentration, la même intensité que lorsqu'il s'apprêtait à recevoir la balle d'un lanceur.

Sans même s'en rendre compte, elle se dirigea vers lui et il lui prit la main qu'il porta à ses lèvres. Tous deux se trouvaient à présent devant l'autel qui avait été dressé au milieu de la terrasse couverte de fleurs exotiques. Les regards de tous les invités étaient braqués sur eux.

Brooke s'efforça de trouver ses mots, de prononcer les paroles qui mettraient fin à cette cérémonie. Mais, avant qu'elle ait pu retrouver l'usage de la parole, le pasteur commença à parler.

La jeune femme n'entendait pas vraiment ce qu'il disait. L'odeur des fleurs coupées lui donnait le vertige et elle gardait les yeux fixés sur ceux de Parks, y puisant la force de résister au flot d'émotions qui la submergeait.

Elle l'entendit répéter les mots du pasteur et comprit qu'il était en train de s'engager à l'aimer jusqu'à la fin de ses jours. Elle avait dû écouter ces paroles des centaines de fois et, pourtant, elle avait l'impression de les entendre vraiment pour la première fois.

Elle sentit Parks lui glisser son alliance au doigt mais n'osa pas le quitter des yeux de crainte de perdre le peu de contrôle qu'elle exerçait encore sur elle-même. Au loin, elle entendit un oiseau lancer un trille joyeux.

Puis, sans même s'en rendre compte, elle récita ses propres vœux. Sa voix était bien plus assurée qu'elle ne l'aurait cru possible. Et lorsqu'elle enfila à son tour l'alliance de Parks, ses mains ne tremblaient pas.

Il se pencha sur elle et, lorsqu'il l'embrassa, elle lui rendit son baiser avec passion, scellant ainsi les promesses qu'ils venaient de se faire.

Et dire que j'ai failli m'enfuir, songea-t-elle, fascinée.

— Je t'aurais rattrapée, lui souffla Parks.

Stupéfaite, Brooke lui jeta un regard hésitant. Se pouvait-il vraiment qu'il soit capable de lire en elle aussi facilement ? Cette idée avait quelque chose de très déstabilisant et, à la grande surprise des invités, elle ne put retenir un juron. Puis elle éclata de rire et se jeta dans les bras de Parks.

L'idée que Claire se faisait d'une petite fête informelle était bien digne de la productrice qu'elle était. Elle avait déclaré qu'elle n'inviterait qu'un nombre réduit de personnes mais Brooke compta plus d'une centaine d'invités. Il y avait aussi une fontaine de champagne, une gigantesque pièce montée de cinq étages, assez de petits fours pour nourrir une armée en campagne et un groupe qui jouait les airs préférés de Brooke et de Parks.

Malheureusement, tous deux n'eurent guère le temps de profiter de ce festin. Ils furent assaillis par des dizaines de gens qui tenaient à les féliciter et leur souhaiter tout le bonheur du monde.

A cette occasion, Brooke fit la connaissance de sa belle-famille. Elle rencontra d'abord la mère de Parks, une petite femme très élégante qui fondit en larmes en la serrant dans ses bras. Son père lui serra la main avec enthousiasme avant de déclarer que, maintenant qu'il était marié, son fils retrouverait peut-être un semblant de bon sens et viendrait travailler pour l'entreprise familiale.

Brooke fut ensuite présentée à de nombreux oncles, tantes, cousins et cousines qui la pressèrent de questions, comme s'ils voulaient prendre la mesure de cette nouvelle venue dans la famille. Finalement, elle fut sauvée de cet interrogatoire par une vieille dame aux cheveux gris qui écarta tout le monde d'un geste impérieux.

— Laissez-la un peu tranquille! s'exclama-t-elle. Ils sont insupportables, ajouta-t-elle à l'intention de Brooke. Je suis Tante Lorraine.

Elle tendit la main à Brooke qui la serra, comprenant instinctivement que ce geste avait plus de valeur que tous les baisers qu'elle venait de recevoir. Brusquement, elle sut à qui elle avait affaire.

— C'est vous qui avez offert la pièce d'or à Parks.

Lorraine lui sourit.

— Alors il vous a raconté ça? fit-elle en s'efforçant de dissimuler son émotion. C'est un bon garçon. J'espère que vous serez heureux, tous les deux.

— Moi aussi, répondit Brooke en souriant.

— Venez me voir dans six mois. C'est généralement le temps qu'il faut à de jeunes mariés pour s'adapter à la vie de couple. Maintenant, si vous voulez mon avis, vous devriez aller retrouver votre mari et filer en douce avec lui.

Sur ce, Tante Lorraine tourna les talons et se dirigea vers le buffet. La suivant des yeux, Brooke songea qu'elle avait au moins trouvé une parente de Parks avec laquelle elle s'entendrait bien.

Suivant ses conseils, elle se mit à la recherche de son époux. Elle le trouva en pleine discussion avec un groupe d'invités qui le pressaient de questions au sujet de la finale qui avait opposé les Kings aux Hérons.

En fait, il leur fallut encore patienter près de deux heures avant de pouvoir s'éclipser discrètement. Alors que Brooke avait regagné sa chambre pour se changer, Parks la rejoignit et, la prenant par la main, il l'entraîna jusqu'à sa voiture.

— Nous avons réussi ! s'exclama-t-il en démarrant.

— Ce n'était pas très poli, remarqua Brooke en riant.

— Non.

— Mais je vois que tu n'es pas parti les mains vides, ajouta-t-elle en désignant la bouteille de champagne qu'il venait de poser à ses pieds.

— C'est l'avantage des troisièmes bases. Nous sommes plutôt habiles de nos mains…

Brooke éclata de nouveau de rire.

Moins de vingt minutes plus tard, Parks se gara devant la maison de Brooke et tous deux remontèrent l'allée main dans la main. Alors qu'ils atteignaient la porte d'entrée, la jeune femme s'immobilisa brusquement.

— C'est malin ! s'exclama-t-elle. Tu m'as kidnappée sans te soucier de savoir si j'avais pris mon sac à main. Du coup, je n'ai pas mes clés.

Parks plongea la main dans sa poche et tira le jeu qu'elle lui avait confié. Malgré elle, Brooke ne put s'empêcher de froncer les sourcils. Comment était-il parvenu à occuper si rapidement une place si importante dans sa vie ?

Parks remarqua sa réaction mais s'abstint prudemment de tout commentaire. Il savait pertinemment qu'en demandant Brooke en mariage, il avait un peu brusqué les choses. Il faudrait encore un moment à la jeune femme pour s'habituer à la vie à deux. Mais il était prêt à patienter le temps qu'il faudrait.

Après avoir ouvert la porte, il souleva la jeune femme entre ses bras pour la porter à l'intérieur.

— Je ne savais pas que tu étais aussi traditionaliste, remarqua-t-elle en nichant son visage au creux de son cou. Mais je trouve ça plutôt…

Brooke fut interrompue par un joyeux aboiement. Surprise, elle baissa les yeux et découvrit un petit chiot au pelage brun qui tournait autour de Parks et essayait de lui mordiller les mollets.

— Qui est-ce ? demanda-t-elle, stupéfaite.

— C'est mon cadeau de mariage, expliqua Parks en repoussant les assauts de l'animal.

— Oh, Parks! s'exclama-t-elle, luttant pour retenir ses larmes. Il est superbe!

— J'avais chargé E.J. de passer le déposer il y a une heure, pour que tu puisses le trouver à ton retour. Le propriétaire du chenil m'a pris pour un fou lorsque je lui ai dit que je cherchais « un chien sympathique avec des yeux doux et un tempérament affectueux ».

— Merci, Parks! Je t'adore.

Brooke se serra contre Parks et couvrit son visage de baisers. Puis il la déposa à terre et elle s'agenouilla auprès du chiot qui lui fit fête.

Parks observa son épouse vêtue de sa robe de mariée qui jouait avec le petit animal. Elle paraissait si jeune, en cet instant, qu'il sentit une étrange émotion l'envahir. Chaque fois qu'elle baissait la garde, il distinguait cette profonde vulnérabilité qu'elle s'efforçait d'ordinaire de dissimuler soigneusement.

C'était peut-être ce contraste qui le fascinait tant. Il était probablement l'un des seuls à savoir que, derrière le masque de la réalisatrice ambitieuse et décidée, se cachait une femme fragile et touchante.

— C'est notre premier enfant, déclara Brooke sans cesser de jouer avec le chiot.

— C'est vrai, acquiesça Parks. Il a ton nez.

— Et tes pieds, renchérit-elle en riant. A en croire leur taille, d'ailleurs, il sera immense!

— Qui sait? Tu pourras peut-être l'engager dans l'une de tes publicités.

Parks prit les mains de Brooke et l'aida à se relever. Il déposa une pluie de petits baisers sur sa joue, sur ses lèvres et sur son front.

— Nous devrions ouvrir cette bouteille de champagne avant qu'elle ne soit chaude.

— Je n'ai pas très soif, répondit Brooke en le regardant droit dans les yeux.

Le désir qu'il y lut éveilla instantanément le sien. Sans un mot, il la reprit dans ses bras et la souleva de terre pour l'emporter vers la chambre à coucher.

— Je ne comprends pas, murmura Brooke d'une voix légèrement haletante.

Elle était allongée auprès de Parks qui caressait doucement sa cuisse nue. Tous deux savouraient le lent reflux du plaisir qui continuait à faire courir sur leur peau d'irrépressibles frissons.

— Qu'est-ce que tu ne comprends pas ? demanda Parks.

— J'ai l'impression de te désirer un peu plus chaque fois…

— J'imagine que c'est bon signe.

Brooke n'en était pas tout à fait aussi sûre. Elle se voyait toujours comme la maîtresse de Parks et avait du mal à se considérer comme son épouse. C'était peut-être parfaitement naturel, songea-t-elle. Après tout, il s'agissait pour elle d'une expérience inédite.

Levant la main, elle considéra son alliance. L'anneau d'or incrusté de saphirs et de diamants brillait doucement à la lueur de la lampe de chevet.

— Est-ce que tu crois que les choses vont changer entre nous ? demanda-t-elle avec une pointe d'angoisse.

— Tout change, répondit Parks. C'est dans l'ordre des choses. Tu te mettras en colère lorsque je viderai le ballon d'eau chaude en restant trop longtemps sous la douche. Je t'en voudrai lorsque tu finiras le café sans penser à m'en laisser une tasse.

— C'est tout ? demanda Brooke en souriant.

— C'est beaucoup, tu sais. La vie de couple est constituée de dizaines de petits riens, de gestes quotidiens qui constituent le fondement même d'une relation. Un monde nouveau s'offre à nous, madame Jones.

— Madame Jones, répéta pensivement Brooke. Je n'avais pas pensé à cela… Pour moi, ce nom est associé à ta mère.

— J'ai vu que tu avais fait sa connaissance, à la réception. Qu'as-tu pensé d'elle ?

— Je l'ai trouvée très gentille, répondit Brooke, diplomate.
Parks éclata de rire.

— Ne t'en fais pas. De toute façon, mes parents vivent à plus
de quatre cent cinquante kilomètres d'ici.

— Ne crois pas que je ne veuille pas les voir…

— Ne t'inquiète pas, Brooke Je sais très bien qu'il ne doit
pas être facile pour toi d'hériter brusquement d'une famille
par alliance. Je ne te forcerai jamais à les fréquenter si tu n'en
as pas envie.

— Je crois que j'ai juste besoin de temps pour m'habituer à
l'idée, acquiesça Brooke. En tout cas, je suis heureuse que nous
ayons décidé de rester ici plutôt que de partir en voyage de noces.

— Moi aussi. Par contre, j'aimerais bien que nous partions
un peu tous les deux. Nous pourrions aller à Maui pour Noël.
Je voudrais te montrer la maison que j'ai achetée là-bas.

Brooke hocha la tête, songeant que Claire lui devait bien
une semaine ou deux de vacances. Cela faisait des mois qu'elle
n'en avait pas pris. Elle ferma les yeux et se concentra sur le
mouvement hypnotique et rassurant des doigts de Parks qui
caressaient ses cheveux.

— Tu sais que je t'ai trouvée vraiment irrésistible quand
Billings t'a poussée presque de force sur la terrasse, lui dit-il
soudain.

— Je ne savais pas que tu nous voyais de l'endroit où tu te
trouvais, répondit Brooke, légèrement embarrassée.

— C'est étrange. Je ne pensais vraiment pas que tu serais
aussi terrifiée que moi, remarqua Parks, pensif.

Brooke le contempla avec étonnement.

— Tu avais vraiment peur ?

— Bien sûr ! s'exclama-t-il en riant. Une demi-heure avant la
cérémonie, je pensais encore à toutes les raisons pour lesquelles
nous ferions mieux d'annuler ce mariage.

— Il y en avait donc tant que cela ?

— Tellement que je ne parvenais plus à les compter, acquiesça
Parks. Par contre, je n'avais qu'une seule raison d'aller jusqu'au
bout.

— Vraiment ? Puis-je savoir laquelle ?

— Le fait que j'étais amoureux de toi.

Brooke posa doucement son front contre celui de Parks et le regarda droit dans les yeux.

— Tu crois que c'est aussi simple que cela ? demanda-t-elle.

— Je ne sais pas, avoua-t-il. Mais, sur le moment, cela m'a paru suffisant. A présent, je commence à voir d'autres avantages à notre situation.

— Le fait que ce soit bon pour la campagne publicitaire de De Marco, par exemple ? suggéra malicieusement Brooke.

— Bien sûr. Tu sais que c'est pour moi une priorité absolue. Comme le fait d'avoir quelqu'un pour plier mes chaussettes.

— Tu peux toujours rêver ! s'exclama Brooke en lui décochant un coup de coude. Par contre, je trouve très malin de ta part de t'être acoquiné avec la réalisatrice du téléfilm dans lequel tu dois jouer.

— Je ne suis toujours pas sûr d'accepter la proposition de Claire, objecta Parks. Mais toi, tu as l'air d'avoir fait ton choix.

— Je ne suis pas encore absolument certaine mais je crois que je vais dire oui, reconnut Brooke. Et je pense que tu devrais faire de même.

— Pourquoi ? s'étonna Parks.

Brooke hésita.

— Je ne devrais pas te le dire, lui dit-elle enfin.

— Pourquoi pas ? demanda-t-il, surpris.

Elle soupira avant de hausser les épaules.

— Parce que tu n'as vraiment pas besoin d'une personne de plus pour flatter ton ego.

— Ne t'en fais pas, répondit-il en riant. Je suis capable de le supporter.

Brooke le regarda droit dans les yeux et il réalisa que ce n'était plus à la femme mais à la réalisatrice qu'il avait affaire.

— Je pense que tu es vraiment très doué, lui dit-elle gravement.

— Je crois que tu dois être sous le choc du mariage, ironisa-t-il. C'est bien la première fois que je t'entends me faire un compliment !

— Ne te fais pas d'illusions, répliqua Brooke. Je ne voulais pas dire que tu savais jouer.

— Ouf! Me voilà rassuré!

— Par contre, reprit-elle, tu as une excellente présence à l'image. Sais-tu combien d'acteurs sont devenus célèbres sans jamais se risquer au moindre rôle de composition? Ils se jouent eux-mêmes, cultivent leur propre image mais le font avec brio. Je crois que tu en serais parfaitement capable. Et si tu te cantonnes dans un premier temps à des rôles qui te correspondent, je suis persuadée que tu pourrais très bien te faire très rapidement une place au soleil. Toi qui te demandes souvent ce que tu feras lorsque tu arrêteras le base-ball, tu tiens peut-être déjà la réponse à ta question...

Parks fronça les sourcils et étudia attentivement la jeune femme.

— Tu es vraiment sérieuse? demanda-t-il.

— Oui. Je sais que je ne devrais pas te dire cela et que je le regretterai probablement la prochaine fois que je devrai te diriger mais tu as vraiment du talent. Et je suis convaincue que tu devrais réfléchir très sérieusement à la proposition de Claire.

Parks réfléchit quelques instants à la question puis hocha la tête.

— Je te promets que j'y penserai, déclara-t-il. Je sais que j'ai souvent affirmé le contraire mais l'idée de ne rien faire lorsque je quitterai les Kings me terrifie. Je ne sais pas si je suis fait pour ce genre de carrière mais j'avoue que ce que j'ai appris à tes côtés m'a plutôt plu.

— Tant mieux. En tout cas, je te promets une chose : si tu deviens une star du cinéma, tu pourras toujours compter sur moi pour te remettre à ta place chaque fois que tu attraperas la grosse tête!

— Tu me le promets? fit Parks en riant.

— Je te le promets, acquiesça-t-elle. Mais, pour le moment, j'ai d'autres projets en tête.

— Puis-je savoir lesquels?

En guise de réponse, elle se pencha vers lui et l'embrassa avec passion.

12

Novembre était arrivé mais la chaleur qui pesait sur Los Angeles était digne d'un mois d'août. Du coup, la plupart des gens se sentaient nerveux et fébriles. Brooke ne faisait pas exception. Parks et elle avaient passé dix jours entiers cloîtrés chez elle.

Cette lune de miel n'avait pas été exempte de tensions. Elle essayait de se convaincre que c'était dans l'ordre des choses. Après tout, deux individus ne pouvaient espérer rester enfermés vingt-quatre heures sur vingt-quatre ensemble sans que surgissent des causes de dispute ou d'incompréhension. Et c'était doublement vrai de gens dotés d'un tempérament aussi tranché que le leur.

C'était peut-être ce que Parks avait voulu dire lorsqu'il avait parlé des petits riens, de ces gestes qui constituaient le quotidien d'un couple. Le fait de vivre à deux requérait un certain nombre d'ajustements et de concessions qui n'allaient pas toujours de soi.

Brooke avait renoncé à son nom pour prendre celui de Parks. Quant à lui, il avait abandonné son appartement pour s'installer chez elle. Aux yeux de la jeune femme, il s'agissait d'une sorte de troc, d'un échange qui ne cadrait guère avec la vision romantique et idéalisée qu'elle gardait du mariage.

Peut-être était-ce en elle qu'il fallait chercher l'origine de cette contradiction. Cette opposition entre un idéalisme qu'elle s'efforçait de réprimer et un cynisme dont elle se cuirassait creusait en elle un fossé qu'elle était incapable de combler.

Ainsi, au lieu d'être épanouie et rayonnante de bonheur comme devaient l'être la plupart des jeunes mariées, elle se sentait mal à l'aise, angoissée et frustrée. Elle avait une conscience d'autant plus aiguë de cette réaction que Parks, au contraire, paraissait s'adapter avec une facilité déconcertante à son nouveau statut d'homme marié.

Elle s'était pourtant bien gardée de lui faire part de ses états d'âme, estimant préférable de régler ces problèmes de son côté. Malheureusement, le jour du tournage de la nouvelle publicité arriva avant qu'elle ait pu trouver la moindre solution.

— J'aimerais vérifier l'angle de prise de vues, déclara Brooke en montant sur le plateau de la grue que les techniciens venaient d'installer sur la plage.

E.J. hocha la tête et actionna le levier. La plate-forme s'éleva lentement dans les airs. Brooke inspira une profonde bouffée d'air marin. Le soleil brillait de tous ses feux et la chaleur était écrasante.

Le doux bruissement des vagues qui venaient s'écraser sur le rivage constituait un véritable supplice de Tantale pour l'équipe qui travaillait d'arrache-pied depuis le début de la matinée.

— Très bien, déclara-t-elle lorsque la grue s'immobilisa en position. Nous commencerons par un plan d'ensemble. Ensuite, tu te rapproches légèrement de lui et tu termines en plan large sur Parks et son cheval. Vérifie bien ta vitesse. Je veux que l'on ait un maximum de détails : les muscles de la monture, la texture de sa robe, les mouvements du cavalier…

— Qu'est-ce qui t'intéresse le plus ? demanda E.J. L'homme ou l'animal ?

— Les deux, répondit Brooke en essuyant les gouttes de sueur qui coulaient le long de son front.

Elle se pencha pour observer Parks qui attendait patiemment près de son cheval que tout soit en place. Il ne portait qu'un jean De Marco et était torse nu, ce qui le rendait terriblement sexy.

— Tout est prêt ! lui cria-t-elle enfin.

— D'accord, répondit-il en se forçant à sourire.

Cela faisait plusieurs jours qu'il s'efforçait d'ignorer la tension croissante qui s'était installée entre eux. Il l'avait sentie monter progressivement sans en comprendre vraiment les raisons. Chaque matin, il espérait que l'orage finirait par éclater, que Brooke choisirait la confrontation et lui exposerait clairement ce qui n'allait pas. En vain.

— Que veux-tu que je fasse ? demanda-t-il.

— Tu as lu le script, non ? rétorqua Brooke.

— Bien sûr. Je voulais juste savoir si tu n'avais pas d'instructions particulières à me donner...

— Ne joue pas au plus malin, Parks ! s'exclama-t-elle. Je ne suis vraiment pas d'humeur.

— Eh, ne le prends pas sur ce ton ! protesta-t-il. Je tiens juste à éviter que nous ayons à tourner la scène dix fois.

C'était sans doute une préoccupation parfaitement légitime mais Brooke était de bien trop mauvaise humeur pour le reconnaître.

— Nous tournerons autant de fois que je le déciderai, répliqua-t-elle durement. Maintenant, monte sur ce cheval et galope le long de la plage. Et tâche de montrer que tu y prends plaisir.

— C'est un ordre ? demanda Parks, vexé.

— Dois-je te rappeler que je suis metteur en scène et que tu es acteur ?

— Très bien, acquiesça-t-il d'un air sombre.

Se demandant une fois de plus ce qui pouvait bien mettre Brooke dans un tel état de nerfs, Parks se détourna et se dirigea vers son cheval.

— Tu as entendu ce que veut le boss ? lui demanda-t-il en flattant son encolure.

D'un geste, il monta en selle.

Brooke contempla l'homme à demi nu qui se tenait juché sur le bel étalon à la robe dorée. Il émanait de lui une assurance qui éveillait en elle un mélange de fierté et d'agacement. Si seulement elle n'avait pas eu tant de mal à se laisser aller à ses propres sentiments, soupira-t-elle intérieurement.

Pourquoi était-elle donc incapable de se laisser aller et de lui faire pleinement confiance ? Chaque fois qu'elle était sur le point d'y parvenir, le souvenir de Clark lui revenait à l'esprit et elle sentait ses doutes et ses angoisses resurgir.

— Tout le monde en place! cria-t-elle en s'efforçant de repousser ces pensées qui parasitaient sa concentration.

Les techniciens s'écartèrent tandis que Parks allait se mettre en position.

— Silence! Moteur!

— Ça tourne, confirma E.J.

Brooke prit une profonde inspiration et fit le vide dans son esprit.

— Action! s'exclama-t-elle soudain.

Parks talonna sa monture et s'élança au galop. Les yeux fixés sur le moniteur, Brooke ne put s'empêcher d'admirer le mélange de grâce et d'élégance qui émanait de lui. Il ne semblait faire qu'un avec son cheval et leurs gestes s'accordaient parfaitement.

La caméra capturait à merveille cette complicité, soulignant l'éclat doré du pelage du cheval et des cheveux de son cavalier, la flexion de leurs muscles, la joie que leur procurait cette course. Et Brooke n'avait pas besoin de table de montage pour imaginer le rendu final du ralenti.

— Coupez! s'exclama-t-elle enfin. Qu'en penses-tu, E.J.?

— C'était fantastique! s'exclama son chef opérateur avec enthousiasme. Je crois qu'avec ça, les ventes de De Marco devraient augmenter d'au moins dix pour cent.

— Fais-nous descendre.

E.J. s'exécuta et Brooke descendit de la nacelle pour se diriger vers Parks. En la voyant approcher, ce dernier interrompit sa discussion avec le dresseur du cheval et se tourna vers elle.

— Alors? fit-il.

— C'était très bien, déclara-t-elle. J'aimerais refaire une prise.

— Pourquoi?

— Cette fois, j'aimerais que tu gardes les yeux fixés au loin pendant que tu galopes, lui dit-elle.

— Pourquoi? répéta Parks en la regardant droit dans les yeux.

Il paraissait avoir parfaitement conscience de l'inutilité de cette seconde prise, ce qui ne manqua pas d'agacer la jeune femme.

— Contente-toi de monter ce cheval, répliqua-t-elle vertement. Et laisse-moi m'occuper de la mise en scène.

Avec une lenteur délibérée, Parks descendit de cheval. Le dresseur, percevant la tension qui opposait la réalisatrice à son acteur, parut brusquement se rappeler qu'il avait quelque chose de très important à faire à l'autre bout du plateau. Les techniciens détournèrent les yeux, embarrassés.

— Est-ce que cela t'ennuierait beaucoup de demander, au lieu d'exiger? demanda Parks d'une voix très douce qui cachait mal la colère qui l'habitait.

— Est-ce que cela t'ennuierait beaucoup de suivre mes directives? rétorqua-t-elle en le fusillant du regard.

— J'ai l'impression que l'on ne t'a jamais appris les mérites de l'esprit d'équipe.

— Nous ne sommes pas dans un stade de base-ball. Ici, chacun a un travail à faire. Le tien est d'obéir à mes instructions.

Parks serra les dents. Ses yeux trahissaient une rage difficilement contenue. Le moment était peut-être venu de percer l'abcès une fois pour toutes, songea Brooke. Les mains sur les hanches, elle se prépara à contre-attaquer. Mais lorsque Parks lui répondit, sa voix ne trahissait qu'une froideur glacée.

— Tu te trompes, déclara-t-il. Mon travail, c'est de représenter la marque De Marco.

— Et c'est exactement ce que je te demande de faire, répliqua-t-elle, résistant à la tentation qu'elle avait de crier. Si tu veux jouer les divas, je te conseille d'attendre que nous ayons fini de tourner. Et si tu as des griefs, parles-en à ton agent!

Sur ce, elle fit mine de s'éloigner mais Parks l'attrapa par le bras.

— J'aimerais parler à ma femme, articula-t-il, hors de lui.

— Je suis désolée mais tant que tu te trouves sur mon plateau, c'est à ta réalisatrice que tu as affaire. Mes techniciens meurent de chaud, Parks, et j'aimerais que nous finissions cette scène avant que l'un d'eux n'attrape une insolation!

Parks serra les dents, comprenant qu'il ne pouvait faire payer à l'équipe une scène de ménage qui ne regardait que Brooke et lui.

— Très bien, lui dit-il. Mais je te préviens : le sujet est loin d'être clos. Nous en rediscuterons en privé.

Il se détourna alors et remonta à cheval. Brooke le suivit des yeux tandis qu'il s'élançait au galop pour conjurer sa frustration. Puis, lentement, elle se dirigea vers la grue.

Parks était furieux.

Il ne savait pas vraiment ce qu'il allait dire en arrivant dans le bureau de Brooke. Mais il était sûr au moins d'une chose : il ne pouvait plus supporter le silence dans lequel elle se drapait. Il voulait connaître les raisons de la tension qui s'était installée entre eux. Il voulait surtout savoir si elle regrettait leur mariage et si leur relation était condamnée.

Bien sûr, il aurait préféré en discuter alors qu'ils se trouvaient chez eux. Mais Brooke avait développé l'art de fuir la discussion et d'éviter ses questions. D'ailleurs, après ce qui s'était passé sur la plage le matin même, il ne pouvait plus se permettre d'attendre en espérant que les choses finiraient par rentrer dans l'ordre.

Sans tenir compte de la secrétaire de Brooke, Parks se dirigea droit vers la porte de cette dernière et l'ouvrit. Malheureusement, le bureau était désert.

— Je suis désolée, monsieur Jones, s'excusa la secrétaire qui avait remarqué l'éclat assassin qui brillait dans son regard. Mlle Gordon... Je veux dire Mme Jones n'est pas là...

— Où est-elle ?

— Je ne sais pas... Peut-être dans le bureau de Mlle Thorton. Si vous voulez bien patienter, je peux l'appeler pour vérifier.

Mais Parks s'était déjà mis en route vers le bureau de Claire. Il lui fallut moins de cinq minutes pour l'atteindre. Une fois de plus, il évita les assistantes qui essayaient de s'interposer et ouvrit la porte.

— Où est Brooke ? demanda-t-il sans même prendre la peine de saluer Claire et Lee qui se trouvait avec elle.

— Bonjour, Parks, fit la productrice avec un sourire charmant. Voulez-vous du thé ?

Elle continua à remplir la tasse de Lee. Parks comprit qu'il était peut-être allé un peu loin. Gêné, il s'efforça de dominer la colère qui l'habitait et de s'exprimer avec un minimum de civilité.

— Je cherche Brooke, expliqua-t-il.

— J'ai bien peur que vous ne l'ayez manquée de peu, répondit Claire en tendant à Lee une assiette de petits macarons. Elle est partie, il y a une demi-heure. Un petit gâteau ?

— Non, merci. Savez-vous où elle est allée ?

Claire prit le temps de grignoter un macaron et de s'essuyer précautionneusement les doigts.

— Je crois qu'elle est rentrée chez elle.

— C'est ce qu'elle a dit, acquiesça Lee. Et elle paraissait être d'aussi bonne humeur que toi.

— C'est exact, acquiesça Claire. Doit-on en déduire que vous avez eu une querelle d'amoureux ?

— En quelque sorte, acquiesça Parks.

Ce n'est qu'alors qu'il réalisa que son agent et sa productrice étaient assis côte à côte sur le canapé du bureau.

— Dites, qu'est-ce que vous faites ici, tous les deux ? demanda-t-il.

— Cela ne se voit donc pas ? répondit Claire avec un sourire parfaitement innocent. Nous prenons le thé.

— Tu devrais t'asseoir un moment, le temps de te calmer un peu, lui conseilla Lee. Tu as l'air aussi à cran que si tu venais de disputer neuf manches d'affilée.

— J'aurais préféré jouer deux matchs coup sur coup plutôt que d'avoir à supporter ce tournage.

— Est-ce que tout s'est bien passé ?

— Brooke avait l'air satisfaite du résultat, remarqua Lee. Cela aurait dû vous aider à vous détendre un peu.

— Qu'est-ce que tu veux dire ? demanda Parks en fronçant les sourcils.

— Que je n'ai jamais vu deux personnes passer tant de temps à se chamailler !

— Se chamailler ? répéta Parks.

— Oui, opina Claire. Je pense que le terme est bien choisi. Bien sûr, je sais que ce genre de petits jeux de pouvoir est inévitable entre deux personnes dotées de personnalités aussi fortes.

Mais il serait peut-être temps d'admettre que vous n'êtes pas seulement rivaux et que vous formez une famille, à présent.

Claire s'était exprimée d'une voix détachée, comme si ce qu'elle disait constituait une évidence. C'était en partie vrai, d'ailleurs. Parks et Brooke avaient des tempéraments très affirmés et c'était l'une des raisons pour lesquelles ils éprouvaient tant de respect et d'admiration l'un pour l'autre.

Mais c'était la première fois que Parks envisageait leur couple comme une famille. Jusqu'à présent, il s'était surtout soucié de conquérir le cœur de la jeune femme et de la convaincre de devenir son épouse. Il n'avait pas pensé à ce que cela signifiait vraiment.

D'une certaine façon, la remarque de Claire lui permettait de mieux appréhender ce qui le troublait dans leur relation. En s'installant chez Brooke, Parks n'avait pas eu l'impression de fonder un foyer. Il vivait dans *sa* maison, entouré de *ses* affaires et se faisait plus l'effet d'être un invité de marque qu'un membre de sa famille.

— Je ne sais pas si Brooke est prête à fonder une famille, remarqua-t-il.

Mais l'était-il lui-même ? se demanda-t-il brusquement. N'avait-il pas agi exactement comme elle en lui parlant de *sa* maison à Maui ?

— Je crois que vous vous trompez, déclara Claire. Brooke a cherché toute sa vie la famille qu'elle n'avait jamais eue. Vous devez le savoir si vous la connaissez vraiment. Que vous a-t-elle dit au sujet de son enfance ?

— Pas grand-chose, avoua Parks, un peu penaud.

— Lui avez-vous au moins posé des questions ? Et ne me dites pas que vous ne vouliez pas la mettre mal à l'aise. Vous êtes son mari. Vous avez le droit de connaître ces choses-là. Si vous ne le faites pas, vous risquez de ne jamais comprendre ce dont Brooke a besoin, ce qu'elle attend réellement de la vie…

— Je sais déjà qu'elle tient à avoir un endroit bien à elle. Elle est très attachée à ses possessions matérielles et accorde beaucoup d'importance à la notion de propriété.

— C'est vrai, concéda Claire. Mais c'est parce qu'elle n'avait rien lorsqu'elle était enfant. Et elle en souffre encore aujourd'hui. Pourtant ce n'est qu'un substitut, un symbole de ce qu'elle désire vraiment. Lorsque je l'ai engagée, Brooke n'avait que dix-huit ans et elle n'avait que quelques dollars en poche. L'homme qu'elle aimait venait de la quitter en lui dérobant le peu de choses qu'elle avait. Elle s'est juré alors qu'elle ne laisserait plus personne abuser de sa crédulité. Aujourd'hui, c'est à vous de lui prouver qu'en vous aimant, elle n'a pas à craindre ce genre de choses.

— Mais c'est absurde! protesta Parks. Je ne veux rien lui voler...

— Vous voulez qu'elle se donne à vous.

— Bien sûr! N'est-ce pas le cas de tous les amoureux?

— Si. Mais dans le cas de Brooke, les choses sont un peu plus compliquées. Elle s'est battue toute sa vie pour construire quelque chose, pour donner un sens à son existence. C'est pour cela qu'elle est si ambitieuse. C'est pour cela qu'elle a accumulé tant de biens matériels. Et si vous voulez qu'elle les partage, qu'elle partage avec vous ce qu'elle est, il faut que vous ayez quelque chose de très spécial à lui offrir en échange. Et l'amour ne suffit pas.

— Alors que lui faut-il? demanda Parks avec une pointe d'exaspération.

— C'est à vous de le découvrir, répliqua Claire d'un air de défi.

Parks prit une profonde inspiration et s'efforça de chasser sa colère qui ne le mènerait nulle part. Il ne servait à rien de reporter sur Claire la frustration que lui inspirait sa propre incapacité à comprendre la femme qu'il avait choisie pour épouse.

— Très bien, déclara-t-il enfin. Je suppose que vous avez raison.

Sur ce, il se détourna et quitta le bureau de la productrice. Claire le suivit des yeux avant de pousser un profond soupir. Lee passa alors un bras autour de ses épaules et la serra contre lui.

— Tu sais que c'est la première fois que je te vois perdre ton sang-froid, observa-t-il.

— Cela ne m'arrive pas souvent. Mais je dois reconnaître que ces deux-là me mettent hors de moi!

— Je te comprends, acquiesça Lee en souriant. Ils ont tout pour être heureux et ne semblent même pas s'en rendre compte. C'est assez désespérant. A ce propos, j'avais une question à te poser...

— Je t'écoute.

— Eh bien... Que dirais-tu de passer le reste de ta vie avec un agent qui a quelques kilos en trop ?

La colère qui brillait dans les yeux de Claire disparut brusquement, remplacée par un sourire radieux qui illumina tout son visage.

— Lee, répondit-elle gravement, je commençais vraiment à me demander si tu te déciderais un jour à me le proposer.

Parks se dirigeait vers la maison de Brooke lorsqu'il entendit à la radio le bulletin d'information qui annonçait l'incendie qui faisait rage dans les collines de Los Angeles. Instantanément, les pensées qu'il ruminait depuis qu'il avait discuté avec Claire disparurent pour laisser place à une irrépressible inquiétude.

Le feu avait pris dans Liberty Canyon qui se trouvait à moins d'une heure de route de chez Brooke. Si les pompiers ne parvenaient pas à le maîtriser, il s'étendrait très rapidement aux collines environnantes et risquait d'atteindre la maison de la jeune femme.

Parks accéléra, se demandant avec angoisse si Brooke était toujours chez elle. Même si tel était le cas, elle pouvait très bien ne rien savoir de cet incendie. Peut-être était-elle même en train de faire la sieste sans se douter du risque qu'elle courait. Cette simple idée le terrifiait.

Alors qu'il se rapprochait de chez elle, il perçut une odeur caractéristique de brûlé qui flottait dans l'air. A l'est, un épais nuage de fumée maculait le ciel d'azur. Au jugé, Parks estima que les flammes ne devaient plus se trouver qu'à une demi-heure de chez Brooke. Quarante minutes s'ils avaient de la chance.

Le cœur battant à tout rompre, il s'efforça de maîtriser l'envie qui le tenaillait d'accélérer encore. S'il avait un accident, il ne serait d'aucune aide à la jeune femme. D'ailleurs, Brooke était probablement déjà partie. Il observa donc attentivement les véhicules qui venaient en sens inverse, s'attendant à tout instant à repérer son coupé sport. Il pourrait alors faire demi-tour et la suivre jusqu'à un hôtel où tous deux pourraient attendre que le sinistre soit maîtrisé.

Ils en profiteraient pour discuter de ce qui n'allait pas dans leur couple. Parks était bien décidé à suivre les conseils de Claire et à apprendre tout ce qui concernait Brooke. Lorsqu'il saurait tout de son passé, il comprendrait peut-être enfin ce qu'elle attendait de lui.

L'odeur de la fumée se faisait plus âcre à mesure qu'il se rapprochait de la maison. Il aperçut même plusieurs animaux qui traversaient la route, fuyant devant l'avance des flammes. L'incendie était donc plus proche qu'il ne l'avait cru, songea-t-il avec angoisse.

Alors pourquoi n'avait-il toujours pas croisé Brooke ? Se pouvait-il qu'elle soit partie bien avant qu'il ne s'engage sur la route qui menait chez elle ? C'était peu probable. Luttant pour conserver un semblant de calme, Parks parcourut les derniers kilomètres qui le séparaient de sa destination.

Lorsqu'il s'engagea enfin dans l'allée de la jeune femme, il aperçut sa voiture garée devant la maison. Coupant le moteur, il descendit de son propre véhicule et courut jusqu'à la porte d'entrée.

Elle devait être endormie, songea-t-il. Dans le cas contraire, elle n'aurait pas manqué de remarquer cette fumée qui flottait dans l'air et lui piquait les yeux.

L'intérieur de la maison était complètement silencieux. Parks escalada quatre à quatre les marches de l'escalier pour gagner la chambre de Brooke. Il entendit alors leur chien aboyer quelque part au-dehors. Le lit de la jeune femme était vide. Parks l'appela à plusieurs reprises sans que personne ne lui réponde.

Comme il s'apprêtait à explorer les autres pièces, il entendit un crépitement et vit la fenêtre de la chambre se couvrir brusquement de gouttes d'eau. Surpris, il s'en approcha et aperçut

Brooke dans le jardin. Son soulagement se mua brusquement en colère lorsqu'il comprit ce qu'elle était en train de faire.

Il ouvrit la fenêtre et se pencha vers elle, furieux.

— Brooke! s'écria-t-il. Qu'est-ce que tu fabriques?

Elle sursauta et leva les yeux vers lui.

— Oh, Parks! Dieu merci, tu es là. Ferme la vitre et viens m'aider à arroser la maison! Il ne reste plus beaucoup de temps. Dépêche-toi!

Parks serra les dents et referma la fenêtre. Il quitta la chambre et dévala l'escalier, bien décidé à lui faire entendre raison, même s'il devait pour cela l'assommer et la conduire de force en lieu sûr.

Mais lorsqu'il la rejoignit enfin, il ne put s'empêcher de la serrer dans ses bras. Il se rendait compte seulement à présent qu'il avait failli la perdre. S'il n'avait pas entendu les informations à la radio, si Brooke s'était endormie, si le vent avait soufflé plus fort...

Ecartant toutes ces suppositions, il l'embrassa. Mais au moment où leurs lèvres se touchaient, une brusque saute de vent fit courir un frisson le long de sa colonne vertébrale.

— Il faut absolument que nous partions d'ici! s'exclama-t-il en l'entraînant vers sa voiture.

Mais Brooke ne se laissa pas faire.

— Je reste! s'écria-t-elle en se dégageant de son étreinte.

Elle ramassa le tuyau qu'elle avait lâché lorsqu'il l'avait prise dans ses bras.

— Bon sang, Brooke! protesta Parks. Il nous reste à peine un quart d'heure!

Il lui prit le bras mais elle s'éloigna de nouveau de lui.

— Je sais parfaitement combien de temps il reste, répliqua-t-elle.

Sur ce, elle se remit à arroser la maison. Le vent qui venait de se lever redoublait à présent d'intensité, charriant des cendres qui retombaient en pluie autour d'eux. Parks remarqua alors que Brooke ne portait qu'un peignoir de bain. Elle devait se trouver sous sa douche lorsqu'elle avait appris l'existence de l'incendie.

Il réalisa aussi que la jeune femme avait consciencieusement arraché toutes les plantes du jardin dans l'espoir de priver le feu de combustible lorsqu'il atteindrait sa propriété. Ses bras couverts d'éraflures et ses mains noires de terre témoignaient des efforts qu'elle avait dû déployer.

Mais Parks savait pertinemment combien ils étaient dérisoires : si l'incendie se propageait vraiment jusqu'ici, il aurait accumulé suffisamment de puissance pour sauter les taillis environnant la maison. Et le fait qu'elle soit mouillée ne retarderait probablement sa destruction que de quelques minutes.

— Brooke, tu es complètement folle ! s'exclama-t-il, partagé entre admiration et colère. Ce que tu fais ne changera rien…

— Ecoute, répliqua-t-elle d'une voix glacée, si tu ne veux pas m'aider, va-t'en. Je dois encore humidifier la moitié de la maison.

— Mais c'est absurde ! protesta-t-il en lui prenant la main. Viens ! Je ne te laisserai pas risquer ta vie pour rien !

Il recommença à l'entraîner vers la voiture. Cette fois, Brooke ne se contenta pas d'essayer de se dégager. Elle assena à Parks un coup de poing au visage. Stupéfait, il la libéra et massa sa mâchoire douloureuse.

— Je t'ai dit de me laisser tranquille ! s'écria-t-elle, au bord de l'hystérie.

— Tu es complètement folle ! s'exclama Parks, partagé entre colère et angoisse. Comment comptes-tu combattre un incendie avec un simple tuyau d'arrosage ? Ce n'est que du bois et du verre, Brooke ! Rien de plus ! Tu ne vas quand même pas mourir pour ça !

— Non. Mais je vais me battre pour ça ! répliqua-t-elle. Je ne laisserai pas les flammes me prendre tout ce que j'ai !

— Mais nous n'avons plus le temps !

— Cet incendie ne prendra pas notre maison, tu m'entends ? Pas tant qu'il me restera une chance de l'en empêcher !

Parks se figea brusquement, réalisant ce qu'elle venait de dire. *Notre* maison. C'était la première fois qu'elle prononçait ces mots. Et il comprit brusquement que ce n'était pas seulement pour elle qu'elle se battait. C'était pour le foyer qu'elle avait passé tant d'années à bâtir. Un foyer qu'elle avait récemment accepté de partager avec lui.

A présent, c'était peut-être à lui de prouver que cet endroit était aussi important à ses yeux qu'à ceux de Brooke. Le moment était venu de lui donner un gage plus important encore que l'amour qu'il éprouvait pour elle. C'était peut-être ce que Claire avait voulu lui dire.

Parks contempla sa femme qui se tenait à quelques pas de lui, fièrement dressée comme si elle entendait défier les flammes. Ses beaux yeux gris étaient rougis par la fumée qui saturait l'air ambiant et des larmes coulaient le long de ses joues. Elle paraissait à la fois si fragile et si indomptable qu'il sentit son cœur se serrer dans sa poitrine.

Jamais aucune femme ne ferait naître en lui des sentiments aussi profonds. Elle faisait partie de lui, habitait chaque fibre de son corps et de son âme. Et il n'avait pas besoin de questions et de discussions pour savoir qui elle était vraiment.

Sans un mot, il lui prit le tuyau des mains et entreprit d'arroser la maison comme elle avait commencé à le faire. Brooke resta quelques instants immobile. Puis elle essuya ses larmes du revers de la main.

— Parks…, murmura-t-elle.

— Ne dis rien, répondit-il en lui décochant un sourire rassurant. C'est toi qui as raison. Nous devons nous battre tant qu'il reste la moindre chance.

Brooke posa doucement la main sur son épaule.

— Va chercher des serviettes et une couverture, lui dit-elle. Cela devrait nous permettre de respirer à travers toute cette fumée.

Parks hocha la tête et lui tendit le tuyau avant de se diriger vers la maison.

Durant près d'une demi-heure, ils continuèrent à arroser le bâtiment. La chaleur ne cessait de croître et ils étaient couverts de transpiration. La fumée devenait plus épaisse d'instant en instant. Leurs yeux pleuraient sans discontinuer et ils étaient pris de quintes de toux irrépressibles. Les premières flammes avaient déjà atteint les taillis et ils luttaient contre elles pied à pied, les aspergeant sans relâche.

Parfois, ils avaient l'impression que l'incendie refluait, qu'ils parviendraient à sauver la maison. Puis il redoublait brusquement, anéantissant leurs espoirs. Bientôt, Brooke cessa complètement de réfléchir. Elle agissait de façon mécanique, soutenue par une conviction irraisonnée : elle devait protéger cet endroit qui symbolisait tout ce qu'elle avait bâti et tout ce que l'avenir lui réservait encore.

Un foyer. Une famille. Le sentiment d'appartenir enfin à quelque chose d'immuable.

Ce fut Parks qui aperçut le premier le mur de flammes. Pendant quelques secondes, il resta immobile, trop terrifié pour parler. Il songea que l'enfer venait de s'ouvrir devant eux. Des langues de feu de plusieurs mètres de haut se précipitaient sur chaque arbre, chaque bosquet, les réduisant en cendre en quelques secondes. On aurait dit une créature vivante qui projetait ses tentacules dans toutes les directions. Un monstre ardent qui entendait tout dévorer sur son passage.

— C'est fini, articula-t-il enfin.

Il se pencha pour récupérer le chien qui aboyait de toutes ses forces et prit la main de Brooke.

— Qu'est-ce que tu fais ? s'exclama la jeune femme. Nous ne pouvons pas partir maintenant...

— Si nous restons, nous mourrons, répliqua-t-il en l'entraînant vers la voiture.

Il ouvrit la portière pour y faire entrer le chien.

— Nous avons fait tout ce que nous avons pu, reprit-il. Rien que l'on puisse racheter ne vaut que l'on risque sa vie.

— Mais tu ne comprends pas ! protesta Brooke. Tout ce qui compte à mes yeux se trouve dans cette maison ! Je ne peux pas laisser le feu me prendre ma vie !

A ces mots, Parks sentit un immense désespoir le submerger. Ne comprenait-elle donc pas que cette maison n'était qu'un symbole ? Que ce qui importait vraiment, c'était l'envie qu'ils avaient de bâtir ensemble un foyer ? Peut-être s'était-il trompé, songea-t-il tristement. Peut-être était-elle vraiment plus attachée à ses possessions passées qu'à leur avenir commun...

— Très bien, soupira-t-il, défait. Si c'est vraiment ce que tu penses, je ferai tout ce que je pourrai. Mais je t'en conjure, reste dans la voiture. Et si le feu se rapproche encore, pars d'ici et va te mettre à l'abri.

Avant même qu'elle ait pu protester, il tourna les talons et se précipita vers la maison cernée par les flammes. Lorsqu'elle se retrouva seule, le semblant de contrôle qu'elle exerçait encore sur elle-même vola en éclats. Incapable de penser clairement, elle fondit en sanglots et s'effondra sur le sol, tremblant de tous ses membres.

L'incendie allait lui prendre tout ce qu'elle avait. Une fois de plus, elle se retrouverait démunie et devrait tout reconstruire de zéro. Et cette idée lui était insupportable.

Une explosion la tira brusquement de cet état d'accablement. Un pin venait de s'embraser, à quelques mètres de là. Cette fois, réalisa-t-elle, tout était fini. Elle allait perdre sa maison et tout ce qu'elle contenait.

Et Parks se trouvait probablement à l'intérieur...

Ce n'est qu'alors qu'elle comprit ce que cela signifiait.

Un brusque vertige s'empara d'elle. Du bois et du verre. Etait-elle donc prête à perdre l'homme qu'elle aimait pour du bois et du verre ? Que vaudrait sa maison si elle s'y retrouvait de nouveau seule ?

Soudain, elle comprit que, si elle avait passé des années à accumuler tous ces objets, ce n'était que pour combler le vide qui existait en elle. Comment n'avait-elle pas vu auparavant que depuis que Parks était entré dans sa vie, ce vide n'existait plus ?

Et elle venait peut-être de l'envoyer à la mort.

Cette idée lui fit l'effet d'un électrochoc. Luttant contre l'angoisse qui l'étreignait, elle se précipita vers la maison en criant son nom. La fumée qui avait envahi le canyon était à présent si dense que sa vision était réduite à deux mètres. Un grondement sourd signalait que l'incendie s'était encore rapproché et la chaleur était presque intolérable.

Pendant quelques instants, elle perdit le sens de l'orientation, courant au hasard sans cesser d'appeler Parks de toutes ses forces. Elle fut interrompue par une violente quinte de toux et craignit de s'évanouir. Malgré cela, elle continua sa progression et finit par distinguer la silhouette sombre de sa maison.

C'est alors qu'elle aperçut Parks. Il se tenait devant un rideau de flammes grondantes, le tuyau à la main. Hors d'haleine, elle se précipita vers lui et se jeta dans ses bras avant de le couvrir de baisers.

— Que se passe-t-il ? articula-t-il d'une voix que la fumée rendait rauque. Je t'ai entendue crier... Pourquoi n'es-tu pas restée dans la voiture ?

— Allons-nous-en, répondit-elle, haletante. Je t'en prie, partons d'ici !

— Mais la maison...

— Peu importe la maison ! déclara-t-elle d'un ton farouche. Sans toi, elle ne signifie rien !

Le prenant par la main, elle l'entraîna en direction de la voiture. Il se laissa conduire sans rien dire. Brooke s'installa au volant tandis que Parks prenait place sur le siège passager. La jeune femme démarra en trombe et s'engagea sur la route qui menait à Los Angeles. Au bout de deux ou trois kilomètres, la fumée se fit moins dense et elle immobilisa leur véhicule sur le bas-côté avant de fondre en larmes.

Le cœur serré, Parks caressa doucement ses cheveux roussis par les flammes.

— Brooke, je suis désolé, murmura-t-il. Je sais combien cette maison était importante à tes yeux...

— Je me fiche de la maison ! s'exclama-t-elle en se tournant vers lui.

Dans son regard, il perçut un mélange de colère et de tristesse.

— Je ne sais pas ce qui m'a pris, lui dit-elle d'une voix tremblante. Comment ai-je pu te renvoyer là-bas alors que... ?

Elle fut incapable de finir sa phrase et assena un coup de poing au volant.

— Tu es ce qu'il y a de plus important dans ma vie, avoua-t-elle enfin en s'efforçant vainement de retenir les larmes qui coulaient le long de ses joues noircies. Tu ne me croiras peut-être pas après ce qui s'est passé mais c'est vrai...

Elle prit une profonde inspiration avant de poursuivre.

— Je n'ai jamais rien possédé d'autre que cette maison et ce qu'elle contenait. Et je me disais que, si je perdais cela, tout ce que j'avais vécu n'aurait plus aucun sens... J'imagine que c'est difficile à comprendre mais c'était la première fois que j'avais l'impression d'avoir trouvé ma place. Durant toute mon enfance, je n'ai cessé de passer d'une maison à l'autre. Chaque fois, je savais que cela ne durerait pas. Et je me suis promis qu'un jour, j'aurais mon propre foyer, un endroit que je n'aurais à partager avec personne, qui n'appartiendrait qu'à moi. Je crois que je n'aurais pas pu survivre sans cet espoir...

Brooke essuya ses larmes et le regarda droit dans les yeux.

— Aujourd'hui, je n'ai plus besoin de cela, reprit-elle. J'ai enfin compris qu'une maison n'était qu'une coquille vide. Ce qui compte vraiment, ce sont les gens qui l'habitent. Et tant que tu continueras à vivre avec moi, je n'aurai besoin de rien d'autre.

Parks la contempla en silence, trop ému pour lui répondre. Le visage de Brooke était noirci de suie, ses cheveux étaient emmêlés, ses yeux gonflés et ourlés de rouge. Elle ne portait qu'un peignoir trempé et sale et ses mains étaient couvertes d'égratignures. Pourtant, jamais elle ne lui avait semblé plus belle qu'en cet instant.

Ils avaient affronté l'enfer et en étaient sortis vivants. Plus rien d'autre ne comptait.

Incapable d'exprimer ce qu'il ressentait, il se pencha vers elle et posa ses lèvres sur les siennes.

— Tu saignes, remarqua Brooke en s'écartant légèrement de lui.

Elle effleura sa lèvre fendue qui avait déjà commencé à gonfler.

— C'est ta faute, lui rappela Parks en souriant. Je n'aurais jamais imaginé que tu avais un direct aussi redoutable...

— Je suis désolée, s'excusa-t-elle en rougissant. Tu ne pensais qu'à m'aider et moi...

— Toi, tu pensais à notre maison. Mais nous en reconstruirons une autre, Brooke. Et, cette fois, rien ni personne ne pourra nous l'enlever.

Il l'embrassa de nouveau. La tendresse qu'il éprouvait pour elle se mua brusquement en passion et ils se dévorèrent de baisers. Leurs mains couraient sur leurs corps, exprimant l'envie irrésistible qu'ils avaient l'un de l'autre.

Brooke se contorsionna pour s'asseoir sur les genoux de Parks et elle déboucla sa ceinture. Maladroitement, il fit glisser son jean et écarta les pans du peignoir pour pouvoir entrer en elle. Sans cesser de s'embrasser, ils firent l'amour avec une ferveur presque sauvage.

Ce n'était pas seulement pour satisfaire le besoin qu'ils avaient l'un de l'autre. C'était la célébration de la vie qu'ils sentaient couler en eux. C'était la promesse de l'avenir qui les attendait.

Tandis qu'elle sentait monter en elle un plaisir irrépressible qui la submergeait comme une vague, Brooke sut qu'elle pourrait toujours compter sur Parks. Il serait toujours là pour la soutenir, pour la protéger, pour la consoler.

Pendant qu'ils combattaient ensemble l'incendie, ils avaient cessé d'être deux individus distincts. Ils étaient devenus un couple, une famille. Après de longues années d'errance, elle avait enfin trouvé un foyer. Ce n'était pas un endroit fait de bois et de verre mais un lieu qui existait au plus profond d'elle-même.

Désormais, ils ne seraient plus jamais seuls.

Composé et édité par HarperCollins France.

Achevé d'imprimer en septembre 2016.

La Flèche
Dépôt légal : octobre 2016.

Imprimé en France